Les vies secrètes
de Marilyn Monroe

Anthony Summers

Les vies secrètes
de Marilyn Monroe

Traduit de l'anglais
par Denis AUTHIER

Nouvelle édition augmentée

PRESSES DE LA RENAISSANCE
37, RUE DU FOUR 75006 PARIS

Si vous souhaitez recevoir notre catalogue et être
tenu régulièrement au courant de nos publications,
envoyez vos nom et adresse en citant ce livre aux

Presses de la Renaissance
37, rue du Four 75006 Paris

et pour le Canada à

Édipresse
945, avenue Beaumont
Montréal H3N IW3

La photo de couverture est tirée de l'album
Marilyn, de James Spada et George Zeno,
publié aux Éditions Sylvie Messinger (1982).

Remerciements pour l'utilisation d'informations ou de textes publiés dans les ouvrages
suivants :
The Letters of Nunnally Johnson, édité par Dorris Johnson et Ellen Leventhal. Copyright
© 1981, Dorris Johnson. Avec l'autorisation d'Alfred A. Knopf, Inc.
« JOLTIN' JOE DIMAGGIO. » Copyright Alan Courtney et Ben Homer 1941. Avec
l'autorisation de l'Estate of Alan Courtney.
« NEVER GIVE ALL THE HEART » de W.B. Yeats avec l'autorisation de Yeats and
Macmillan, Londres, Ltd.
Marilyn : An Untold Story par Norman Rosten. Copyright © 1967, 1972, 1973, Norman
Rosten. Avec l'autorisation de Harold Ober Associates Incorporated.

Titre original : Goddess — The secret lives of Marilyn Monroe
(publié par Victor Gollanz Ltd, Londres).

ISBN 2-85616-664-4   H 60-3709-7

Table

Table

A Olga et Ronan

« Vous avez raison, qu'elle n'est pas facile à connaître. On la VOIT intensément — plus que quiconque ; puis on s'aperçoit que la voir n'est pas la connaître. »

Henry JAMES, *Les ailes de la colombe.*

Première Partie

Descente au pays des scorpions

«L'Industrie donne, l'Industrie prend. Hollywood, fabrique de rêves, avait créé une fille de rêve. Pouvait-elle s'éveiller à la réalité ? Et qu'était cette réalité ? Y avait-il une vie pour elle en dehors du rêve ? »

Norman ROSTEN, poète et grand ami de Marilyn.

«A Hollywood, on appelle "starlette" toute femme de moins de trente ans qui ne travaille pas dans un bordel. »

Ben HECHT, auquel Marilyn accorda une de ses principales interviews.

1

Los Angeles. Le samedi 4 août 1962, entre onze heures et minuit, dans le grand amphithéâtre en plein air du Hollywood Bowl noir de monde, sous un mince croissant de lune. Le concert que donne l'orchestre de Henry Mancini n'est pas terminé.

Du côté des places les plus chères — quelques remous — qui passent inaperçus de la plupart des spectateurs — quelques chuchotements, des paroles d'excuses : on passe un message urgent à quelqu'un — un homme se lève, va au téléphone, écoute, puis fait signe à sa femme de le rejoindre et se précipite vers sa voiture.

Dans les heures qui suivent, dans la ville endormie, d'autres coups de téléphone, d'autres allées et venues vont tirer de leur lit des médecins, un avocat très connu, des personnalités du monde du spectacle et des détectives privés.

Un acteur célèbre, beau-frère du président des États-Unis, va téléphoner à Washington. Dans leurs belles villas en bord de plage, les voisins de cet acteur vont être réveillés par l'atterrissage d'un hélicoptère. On fera venir à une maison toute simple de cette banlieue une ambulance...

Le conducteur déclare aujourd'hui ne plus avoir aucun souvenir de cette course.

Et le public ne saura jamais rien des événements qui se sont

13

produits cette nuit-là ; aucun rapport officiel, qu'on le sache, n'en fait état. La nouvelle, pourtant, fera plus de bruit dans la presse que la crise des missiles de Cuba et la guerre nucléaire qui faillit éclater ensuite entre les États-Unis et l'URSS. Marilyn Monroe venait de mourir.

Vingt ans plus tard, en 1982, le District Attorney* de Los Angeles décide de rouvrir l'enquête sur une affaire qui n'a jamais cessé de nourrir les rumeurs et les discussions les plus contradictoires. L'objet de l'enquête est limité : existe-t-il des indices suffisants pour ouvrir une information judiciaire ? Marilyn Monroe a-t-elle été assassinée ? Quatre mois plus tard, les conclusions sont remises au District Attorney : « L'enquête ne permet pas de retenir l'hypothèse d'un crime. » Que cette enquête ait été «limitée», c'est le moins qu'on puisse dire : les enquêteurs n'ont même pas interrogé le détective qui s'introduisit chez Marilyn le matin de sa mort.

Ce rapport de 1982 reconnaît que «des contradictions matérielles» et des «questions sans réponses» sont apparues au cours de l'enquête. En privé, magistrats et policiers reconnaissent s'être heurtés à un mur de mensonges et de dissimulation. Tout en estimant que Marilyn Monroe s'est probablement donné la mort, ils ont le sentiment que quelque chose a été caché en 1962.

Ce quelque chose, ajoutent-ils, n'est pas sans rapport, d'une part, avec les relations que Marilyn entretenait alors avec le président John Kennedy et avec son frère Robert ; d'autre part, avec la politique que ce dernier menait, à la tête du ministère de la Justice, au moment de la mort de Marilyn.

Lorsqu'on évoque le versant « Kennedy » de cette affaire, les enquêteurs répondent, un peu gênés, qu'ils n'étaient pas chargés «d'enquêter sur une tentative d'étouffement politique». Infiniment moins excusable, la presse de l'époque a préféré le pathos larmoyant à l'enquête sérieuse. Depuis lors, et malgré les montagnes de papier qu'on a déversées sur les autels de la déesse de ce temps, aucun écrivain, aucun journaliste qualifié n'a mené d'enquête digne de ce nom sur les circonstances

---

* Plus ou moins l'homologue du procureur de la République en France, le District Attorney est nommé par le gouvernement fédéral des États-Unis.

de sa mort. En évoquant dans son livre l'hypothèse d'un meurtre, Norman Mailer a fait grand bruit ; il regrette aujourd'hui « de ne pas s'y être mieux attaché ».

Ce manque d'information réelle semble d'ailleurs de règle lorsqu'il s'agit de Marylin ; en dépit des milliers de pages qui lui ont été consacrées, bonnes ou cruelles, intelligentes ou stupides, les événements de sa vie demeurent aussi peu connus que ceux qui ont entouré sa mort.

Qui était cette femme qui devint « Marilyn Monroe » ? Son corps n'était pas plus exceptionnel que tant d'autres corps féminins. D'où vient cette fascination que plus que toute autre elle exerça de son vivant et exerce toujours ? Que doit-elle à son talent ? Que doit-elle aux hommes qu'elle choisit d'avoir — tous puissants ou célèbres dans leurs domaines ? Où gît le secret du phénomène Marilyn Monroe ?

Derrière le mythe, derrière le symbole de l'amour, il y avait une femme qui mourut en pleine gloire, en pleine solitude, à l'âge de trente-six ans. Maîtresse imaginaire du monde, elle n'aspirait en fait qu'à s'attacher à un homme, un seul, et avoir des enfants. L'éclat de l'artiste masquait une personnalité profondément perturbée. En privé, elle étudiait la philosophie et projetait des jardins, mais dans le même temps, elle sombrait dans l'alcool et les drogues.

Lors de sa dernière interview, elle disait : « Lorsqu'on est célèbre, on se heurte de plein fouet à la nature humaine. (…) Les gens qu'on rencontre se demandent : ''Mais qui est-elle ? Pour qui se prend-elle, cette Marilyn Monroe ?'' C'est agréable d'être un fantasme, mais on a aussi envie d'être acceptée pour ce que l'on est vraiment. »

Quelques mois plus tôt, à un autre journaliste, elle avait dit, songeuse : « Je me demande ce que je ressentirai lorsque j'aurai cinquante ans. » Et elle avait rappelé qu'elle naquit sous le signe des Gémeaux.

« Comment sont les Gémeaux ? demande le journaliste.

— Docteur Jekyll et Mister Hyde. Deux personnes en une.

— Comme vous ?

— Moi, je suis plus que deux. Je suis multiple. Parfois, tous ces êtres en moi me surprennent. J'aimerais être seulement moi ! Je croyais être au bord de la folie, mais je me suis rendu compte que des gens que j'admirais étaient comme ça aussi. »

Marilyn — appelons-la Marilyn, puisque c'est ainsi qu'elle est connue aux quatre coins de la planète — n'eut jamais quarante ans. Aujourd'hui, elle en aurait près de soixante.

Il est temps, à présent, de donner quelque réalité au mythe. Qui était-elle pour nous ?

1983 : on aperçoit souvent dans les rues de Gainesville, en Floride, une vieille femme coiffée d'un chapeau cloche qui passe avec entrain sur son tricycle ; en raison de son grand âge, elle a fixé au guidon un fanion rouge qui la signale aux automobilistes. Cette octogénaire qui vit dans un relatif anonymat n'est autre que la mère de Marilyn Monroe.

Gladys Monroe (Monroe est le nom de la grand-mère maternelle de Marilyn) est née en 1902 au Mexique, de parents américains. A l'âge de vingt-quatre ans, elle a déjà été mariée deux fois, et a eu deux enfants qui ont été confiés à des parents de son premier mari. Lorsque Marilyn vint au monde le 1er juin 1926, à l'hôpital général de Los Angeles, le deuxième mari était déjà parti.

On ne sait pas qui est le père de Marilyn. A « Nom du Père », l'acte de naissance porte : « Edward Mortenson ». Deux ans avant la naissance de Marilyn, sa mère a épousé, en effet, un certain Martin E. Mortenson. C'était, semble-t-il, un immigrant norvégien, boulanger de son état, qui trouva la mort en 1929 dans un accident de moto. Mais là encore, les faits ne sont pas clairs. Bien que tout au long de sa vie Marilyn ait utilisé le nom de Mortenson pour remplir des documents officiels, elle pensait et disait qu'il n'était pas son vrai père.

Au cours d'une de ses interviews, Marilyn expliqua que ce vrai père habitait le même immeuble que sa mère et qu'il l'avait quittée au moment de sa naissance. Cette histoire semble correspondre à ce que l'on sait d'un certain Stanley Gifford qui travaillait pour Consolidated Film Industries, à l'époque où Gladys Monroe y était également employée comme monteuse. Cet homme aurait eu une aventure avec la mère de Marilyn au moment où son mariage avec Mortenson s'effondrait.

La petite fille dut se débrouiller avec un père imaginaire.

16

«Voilà ton père», lui dit un jour sa mère en lui montrant une photo. Elle se souvenait d'un homme coiffé d'un chapeau mou à large bord : «Il avait un regard pétillant et une moustache fine, comme Clark Gable. »

Ce fantasme ne devait plus la quitter. Enfant, elle racontait à ses camarades crédules que son père était Clark Gable. Quelques mois avant sa mort, elle y songeait encore en jouant aux côtés de ce même Clark Gable dans *Les Désaxés*. La veuve du psychiatre de Marilyn, Hidi Greenson, explique : « Marilyn avait vu cette photographie ; l'homme ressemblait à Clark Gable et elle en est venue à croire que c'était lui son père. »

En 1962, l'année de sa mort, Marilyn eut à remplir un imprimé officiel comportant la mention «Nom du père». Rageusement (selon sa secrétaire), elle inscrivit : «Inconnu».

Si l'identité même de son père demeurait mystérieuse, on est en revanche fort bien documenté sur sa famille maternelle. Connaissant ses antécédents familiaux, Marilyn craignait une prédisposition à la folie. Ses craintes n'étaient pas sans fondements.

Son arrière-grand-père maternel, Tilford Hogan, se pendit à l'âge de quatre-vingt-deux ans. A cet âge, les suicides ne sont pas rares et ne trahissent pas forcément la maladie mentale ; mais dans cette famille, la folie existait bel et bien.

Le grand-père maternel, Otis Monroe, mourut dans un asile d'aliénés ; le certificat de décès porte la mention : paralysie générale. Cette maladie, et notamment sa forme démentielle, peut-être provoquée par la syphilis au stade terminal.

De ce côté-là, Marilyn ne courait aucun risque de transmission héréditaire ; mais sa grand-mère maternelle aussi, Della, mourut à l'asile, à l'âge de cinquante et un ans, un peu plus d'un an après la naissance de sa petite-fille. Cette femme était fort dévote. La mort aurait été entraînée par une maladie de cœur, avec pour facteur aggravant une «psychose maniaco-dépressive».

Marilyn disait se souvenir que sa grand-mère, avant d'être internée, avait voulu l'étouffer. (Précisons que Marilyn aurait eu alors tout au plus treize mois. Cette histoire est peut-être à ranger au nombre des fantasmes qu'elle ne cessa d'entretenir à propos de son enfance.)

17

Pratiquement pas de vie de famille. Se sentant, apparemment, incapable d'élever elle-même son nouvel enfant, Gladys Monroe reprend son travail de monteuse après la naissance de Marilyn. Elle assure certes l'entretien matériel du bébé, mais celui-ci est placé la plupart du temps chez des parents nourriciers.

A sept ans, alors que Marilyn se trouve pour quelque temps avec sa mère, c'est la catastrophe. Gladys alterne les périodes de dépression et les accès de fureur. On rapporte qu'à cette époque elle attaqua une amie avec un couteau. Elle est internée dans l'hôpital même où sa mère est morte.

A l'exception de brèves périodes de rémission, Gladys demeurera internée jusqu'après la mort de Marilyn. Inez Melson, qui fut le fondé de pouvoir de Marilyn, finit par être chargée de la tutelle de Gladys. Elle qui a passé plus de temps que quiconque auprès de la mère de Marilyn, la juge plus perturbée que véritablement folle :

« La mère de Marilyn était hantée par sa religion, la Science chrétienne*, et par le mal. C'était cela sa zone de fragilité. Elle s'imaginait avoir commis une mauvaise action dans sa vie et que depuis elle en était punie. »

Cette obsession de Gladys ne faisait que renvoyer à celle de sa propre mère. La fixation religieuse et la notion d'expiation pour un péché non spécifié se retrouvent aussi bien dans les manies que dans la schizophrénie.

Gladys et une des mères nourricières de Marilyn lui transmirent une partie de leur fanatisme religieux ; jusqu'à l'âge adulte, elle demeura vaguement attachée à la « Science chrétienne ». Dans son cas, pourtant, il ne s'agissait plus d'une fixation. Quand elle épousa Arthur Miller, elle n'hésita nullement à se convertir au judaïsme ; peu après, elle se qualifiait avec humour de « juive athée ».

Marilyn n'était pas vouée fatalement à la maladie mentale, mais le risque n'en était pas moins présent. Interrogés par nos soins, des psychiatres soulignent que les manies et la schizo-

---

* Secte fondée en 1866, selon laquelle la maladie, le péché, la mort ont pour cause l'erreur mentale, ou n'existent pas (NdT).

phrénie ont souvent un caractère « familial » (les manuels utilisés par les médecins américains et l'Organisation mondiale de la Santé rapportent un très grand nombre de cas de ce type).

Nous nous attacherons dans cette étude à l'âge adulte de Marilyn et non à son enfance cahotique qui a été fort bien racontée par ses précédents biographes. Cette période de sa vie, Marilyn ne l'oubliera jamais et son public en connaîtra les diverses péripéties : dix familles nourricières, deux ans à l'orphelinat, une nouvelle famille nourricière, et enfin quatre ans chez la tutrice nommée par les autorités du comté de Los Angeles après l'internement de sa mère.

Un tel itinéraire constitue le prélude classique de futurs troubles mentaux. Le Dr Valerie Shikhverg, psychiatre consultant dans divers hôpitaux new-yorkais, voit chez Marilyn ce que l'on nomme aujourd'hui une personnalité « limite », c'est-à-dire quelqu'un qui se tient « à la frontière entre la psychose et la névrose, avec de fréquentes incursions des deux côtés ».

Selon le Dr Shikhverg, l'origine de ces problèmes est à rechercher dans la prime enfance. En général, ces personnalités « limites » ont eu une mère qui n'assumait pas son rôle ou souffrait ouvertement de psychose ; leur histoire familiale se caractérise par une séparation ou un divorce, ou encore l'absence totale de l'un des deux parents au cours des premières années de la vie. L'enfance de Marilyn semble le cadre idéal d'une telle évolution.

La personne « limite » paraît instable d'un point de vue émotionnel, excessivement impulsive, et elle tend à offrir aux autres l'image de quelqu'un d'actif et d'expansif. Elle peut être théâtrale et aguicheuse, ou exagérément soucieuse de son apparence. La personne « limite » recherche constamment l'approbation de l'autre, elle adore être applaudie, ne supporte pas la solitude et souffre de « brusques réactions dépressives » lorsqu'elle est rejetée. Elle a une tendance à abuser de l'alcool et des drogues et à menacer de se suicider pour obtenir de l'aide.

Ce profil de personnalité, réalisé en 1984 sur la base de milliers d'études de cas, s'applique remarquablement bien à Marilyn Monroe. La vie de Marilyn devait se conformer impi-

19

toyablement à ce schéma : la gloire et la tragédie se profilaient au bout du chemin tracé par son enfance.

2

« Mon arrivée à l'école, avec mon rouge à lèvres et mes sourcils dessinés au crayon, ne passa pas inaperçue. Je ne comprenais absolument pas pourquoi je faisais figure de femme fatale. Je ne voulais pas qu'on m'embrasse ; je ne rêvais pas d'être séduite par un duc ou une vedette de cinéma. En réalité, en dépit de mon rouge à lèvres, de mon mascara et de mes courbes précoces, j'étais à peu près aussi facile à émouvoir qu'une souche d'arbre. Apparemment, les autres en jugeaient autrement. »

Ainsi parlait Marilyn en 1954, lorsqu'elle évoquait ses jeunes années : à l'âge de vingt-huit ans, elle narrait «l'histoire de sa vie» à l'écrivain Ben Hecht.

Celui-ci comptait publier les souvenirs de jeunesse de Marilyn chez un grand éditeur de New York. C'est un document important, car Marilyn n'a jamais donné d'interviews de cette longueur. Mais il est aussi sujet à caution.

Après de longues séries d'entretiens, Marilyn demanda à Hecht de lui lire à haute voix les cent soixante pages du manuscrit. Selon la veuve de Ben Hecht, «elle riait, pleurait et se disait elle-même "bouleversée". Elle disait n'avoir jamais imaginé qu'une histoire aussi merveilleuse pût être écrite à son sujet ; Benny, d'après elle, avait réussi à rendre toutes les périodes de sa vie».

Marilyn participa elle-même à la correction du manuscrit, mais les relations entre l'actrice et son biographe se détériorèrent. Le mari de Marilyn, à l'époque Joe DiMaggio, se serait opposé à la publication du livre ; Marilyn, en tout cas, «retira ses billes». Lorsque le récit parut néanmoins, dans le *British Empire News*, Marilyn, arguant d'erreurs de transcription, menaça d'intenter des poursuites.

20

Si le rédacteur s'est trompé, il en va de même pour Marilyn, car la vérité n'apparaît jamais complètement dans ses souvenirs. Hecht rapportait à son éditeur avoir eu parfois le sentiment, au cours de ces entretiens, que Marilyn fabriquait ses souvenirs. «Lorsque je dis qu'elle ment, expliqua-t-il, je veux dire simplement qu'elle ne dit pas toute la vérité. Je ne pense pas qu'elle essaie de me tromper, mais plutôt que c'est une grande imaginative.» Ben Hecht eut fort à faire pour interpréter «les curieuses petites mimiques de Marilyn, pour comprendre où commençait la fiction».

On trouvera citées ici nombre de déclarations faites par Marilyn à Ben Hecht. Chaque fois que cela a été possible, elles ont été confirmées ou infirmées par les propos de témoins indépendants. Il faut accueillir les déclarations de Marilyn avec un scepticisme éclairé, et alors on en tire le meilleur parti. Marilyn, figure internationale imaginaire, a construit elle-même son image, privée et publique, à partir d'un mélange de faits concrets et de fantasmes. Comme toujours, elle débordait les limites du comportement moyen, couramment accepté. A nous de découvrir, derrière l'être de fantaisie, la femme qu'elle était.

Ce que Marilyn a confié à Ben Hecht était difficile à entendre en ces années cinquante. Ce qu'elle a choisi de lui taire aurait pu mettre un terme à sa carrière d'actrice. A l'époque, effectivement, cela ne regardait personne.

A quinze ans, Marilyn ne s'appelle encore que Norma Jeane (ou Norma Jean, quand il lui plaît de l'orthographier ainsi), nom que sa mère lui a donné à sa naissance ; et c'est alors, au début de l'année 1942, que sa tutrice légale, Grace McKee, décide brusquement de propulser sa pupille à l'âge adulte.

Si les futurs succès et échecs de Marilyn ont été de sa propre création, son premier mariage, en revanche, a été soigneusement arrangé par d'autres. Grace McKee, qui vient de se marier, a décidé de s'installer dans l'est des États-Unis et ne veut pas emmener Norma Jeane. Que faire sinon la marier elle aussi ?

Le fils d'une voisine qu'elle connaît bien lui semble le prétendant idéal. Sa famille a vécu durement la grande crise de

21

29 (il raconte aujourd'hui comment il a vécu sous une tente à côté de leur vieille voiture cabossée). A vingt et un ans, c'est un garçon costaud, qui a les pieds sur terre, un bon joueur de football qui a abandonné ses études à l'université pour travailler le jour comme embaumeur dans une entreprise de pompes funèbres et la nuit comme monteur chez Lockheed Aviation.

Jim Dougherty connaît Norma Jeane. Ils ont déjà eu quelques rendez-vous, et il a pu apprécier sa façon de danser : « Elle se tenait très près, les yeux fermés. » Norma Jeane « riait quand il fallait et savait aussi se taire quand il fallait ». Tout cela n'empêche pas Jim Dougherty d'avoir d'autres petites amies.

Aussi tombe-t-il des nues quand la tutrice de Norma Jeane lui propose d'épouser sa pupille. Il finit par accepter lorsque Mrs. Dougherty, sa mère, chargée de la négociation, l'informe que, sinon, Norma Jeane sera renvoyée à l'orphelinat.

Le mariage est prévu pour le mois de juin, quand Norma Jeane aura seize ans accomplis. Entre-temps le couple apprend à se connaître. Jim Dougherty est particulièrement fier de sa voiture, un coupé Ford 1940, et il emmène sa fiancée dans les collines, au bord d'un lac connu des amoureux, le Pop's Willow Lake. Les jeunes gens louent une barque et vont s'embrasser plus loin sur la berge, à l'abri des regards.

Le 19 juin 1942, moins de trois semaines après le seizième anniversaire de Marilyn, c'est le mariage. Il n'y aura pas de voyage de noces, et, le lundi matin, le jeune marié retourne à son travail.

Alors qu'elle commençait à devenir célèbre, Marilyn a raconté à Ben Hecht l'histoire de ce premier mariage. Jim Dougherty en a donné sa version, bien plus tard, dans les années soixante-dix.

Les anciens époux semblent évoquer deux histoires différentes. A Ben Hecht, Marilyn déclare : « J'avais l'impression d'avoir été mise au zoo. En fait notre mariage était une amitié assortie de privilèges sexuels. Par la suite, je me suis souvent rendu compte que le mariage n'est pas autre chose. J'étais une drôle d'épouse. Je n'aimais pas les adultes. (...) J'aimais les garçons et les filles plus jeunes que moi. Je jouais avec eux jusqu'à ce que mon mari m'appelle et me dise d'aller me coucher. »

Jim Dougherty, lui, ne semble pas avoir remarqué une telle froideur : « Notre mariage a peut-être été arrangé très prosaïquement par deux vieilles dames, mais lorsque nous avons commencé à vivre ensemble, nos sentiments à tous les deux n'étaient absolument pas feints. »

Au début, l'épouse adolescente est une piètre maîtresse de maison et ne sait absolument pas cuisiner. Quelqu'un lui conseille-t-il d'ajouter une pincée de sel dans le café : elle en verse une pleine cuillère. Le café lui sert d'ailleurs à éteindre un début d'incendie provoqué par un court-circuit : elle en verse non seulement sur la prise électrique, mais encore sur le tapis, puis court s'enfermer dans sa chambre. Elle sert le poisson cru.

Petit à petit, cependant, Norma Jeane va apprendre à tenir son ménage. Jim Dougherty trouve qu'elle cuisine bien le gibier et le lapin ; elle cuit ensemble petits pois et carottes « parce que les deux couleurs vont bien ensemble ». Finalement, Dougherty estime qu'elle possède les qualités d'une bonne épouse. Et à l'automne 1943, un an après leur mariage, il s'engage dans la marine marchande.

La guerre se montre d'abord clémente pour Mr. et Mrs. Dougherty : Jim est affecté dans l'île de Catalina, juste en face de Los Angeles, et Norma Jeane l'y rejoint. Dans le souvenir de Jim Dougherty, le jeune couple passe là une année idyllique : ils nagent, vont à la pêche, se sentent en forme. Elle prend des cours d'haltérophilie auprès d'un ancien champion olympique. Peut-être se pavane-t-elle un peu trop devant les soldats cantonnés sur l'île, mais Dougherty n'est pas homme à s'en faire ! Les jeunes mariés sortent souvent le soir, et un soir Norma Jeane danse avec tous les hommes du foyer sauf Jim. Lorsqu'il lui dit : « Allez, on rentre », elle insiste pour continuer à danser. Ce sera leur première dispute, mais Jim Dougherty ne se sent nullement menacé.

Il ne redoute toujours rien lorsque l'heure est venue pour lui d'embarquer. A son arrivée en Nouvelle-Guinée, il trouve un paquet de lettres qui l'attend. Norma Jeane, qui vit à présent chez la mère de Jim, lui a écrit presque tous les jours. Pendant des mois les lettres continuent de lui parvenir alors qu'il sillonne le Pacifique. Sa jeune épouse a trouvé un travail à

Radio Plane, usine qui produit des avions-cibles pour les entraînements.

Norma Jeane inspecte des parachutes et peint des fuselages. Plus tard, elle racontera : « A l'usine, je portais une salopette. Je m'étonnais qu'ils insistent tant là-dessus. Demander à une fille de porter une salopette, surtout si elle sait la porter, c'est comme lui demander de venir travailler avec une jupe moulante. Les hommes bourdonnaient autour de moi comme autrefois les garçons, au lycée. Peut-être était-ce ma faute si les hommes à l'usine essayaient toujours d'obtenir un rendez-vous ou de me payer un verre. Je ne me sentais pas une femme mariée. »

Dans ses lettres, Norma Jeane dit à Jim combien il lui manque. Dans l'une de ces lettres, elle cite une chanson de Sammy Cahn et Jule Styne. (Elle les connaîtra tous les deux plus tard au cours de sa carrière.) La chanson évoque les promesses que font à leur bien-aimée les soldats envoyés aux quatre coins du monde. « *I'll walk alone* » (je me promènerai seule), assure-t-elle à son mari.

Après plusieurs mois passés en mer, Jim bénéficie d'une permission. Norma Jeane l'attend à la gare. « Nous avons pris ma voiture, raconte-t-il, et nous nous sommes rendus à l'hôtel le plus luxueux de Ventura Boulevard, le La Fonda ; une fois là-bas, nous ne sommes pratiquement pas sortis de notre chambre. Pour l'occasion, Norma Jeane avait acheté une chemise de nuit en résille noire, et nous nous faisions servir la plupart de nos repas dans la chambre. » Cette semaine-là, il remarque que sa femme boit trop.

Peu avant qu'il reprenne la mer, dit Dougherty, « une sorte de peur s'empara d'elle. Elle ne voulait pas parler de mon départ, ni même y songer ». Mais Jim n'a pas le choix, et quelques jours plus tard, il embarque de nouveau.

Norma Jeane retourne à son travail à Radio Plane. Mais dans les derniers jours de 1944, à quelques mois de la fin du conflit, sa vie va changer. Ou, plus exactement, Norma Jeane saisit l'occasion qui s'offre, quand le soldat David Conover vient à l'usine prendre des photos de femmes participant à l'effort de guerre du pays.

Conover est un photographe de l'armée ; son capitaine est

24

un certain Ronald Reagan. Conover a pour mission de «photographier de jolies femmes pour soutenir le moral des troupes», pour le compte du magazine *Yank*. Il racontera plus tard avoir tout de suite remarqué cette jeune fille de dix-huit ans : «Quelque chose dans ses yeux m'a à la fois touché et intrigué.» Conover la photographie sur la chaîne de montage, puis lors de la pause-déjeuner (à sa demande à lui, elle s'est alors changée et a enfilé un chandail rouge). Il lui dit qu'elle est faite pour figurer en couverture des magazines, pas pour travailler en usine...

La nouvelle recrue de Conover gagnait alors à Radio Plane vingt dollars par semaine pour dix heures de travail quotidien. Conover lui propose cinq dollars de l'heure pour poser comme modèle. Voilà un argent de poche tout à fait bienvenu! Au cours des trois semaines suivantes, elle participe à plusieurs séances de pose et l'accompagne dans un safari-photo dans le sud de la Californie. Certains de ces clichés vont atterrir sur le bureau d'une agence de mannequins, la Blue Book Model Agency, et Norma Jeane est convoquée pour un premier entretien : sa carrière dans le spectacle vient de commencer.

Le succès vient rapidement. Des photos de Norma Jeane apparaissent dans des magazines comme *Swank*, *Sir* et *Peek*. Elle porte tantôt une robe à dos nu, tantôt des shorts ou un simple maillot de bain, mais sa tenue est toujours respectable.

A près de dix-neuf ans, Norma Jeane est une belle fille : un teint d'albâtre, dont elle protège jalousement la blancheur, des cheveux blonds qui ne sont vraiment beaux qu'en été, lorsqu'ils sont un peu décolorés par le soleil, et... 89 cm de tour de poitrine* qu'elle sait mettre en valeur jusqu'au dernier centimètre. Norma Jeane n'a aucun mal à trouver du travail comme mannequin.

Lorsque Jim Dougherty a une nouvelle permission, sa femme

---

* En 1954, ses mensurations officielles sont supérieures : 94 cm. Elle-même a un jour déclaré à un journaliste qu'elle voudrait pour épitaphe sur sa tombe ; «Ci-gît Marilyn Monroe, 96-58-92.» Son couturier Billy Travilla, qui fut aussi son amant et devait parler en connaissance de cause, donne quant à lui les mensurations suivantes (pour les plus belles années de Marilyn) : 89-56-89. Ce sont ces chiffres que j'ai retenus (*NdA*).

ne l'attend pas à la gare. Elle arrive une heure en retard et s'excuse : une séance de photos qui s'est prolongée. Elle a quitté son travail à l'usine, ne vit plus chez la mère de Jim et se montre distante envers lui.

Elle n'arrête pas d'évoquer ses succès de mannequin et Jim doit bien faire semblant de s'en réjouir. Elle a dépensé toutes leurs économies pour s'acheter des vêtements, et passe une bonne partie du précieux congé de son mari en séances de pose. Les mois suivants, Jim Dougherty va rentrer plus souvent chez lui puisqu'il fait du cabotage le long de la côte pacifique.

Pour le réveillon de Noël 1945, Norma ne peut être à la maison : encore le travail. A son retour, c'est l'épreuve de force. « Je lui ai simplement dit, raconte Dougherty, qu'il lui faudrait choisir entre une carrière de mannequin ou, peut-être, d'actrice, et une vie de famille avec moi. »

Norma Jeane refuse de choisir et Jim repart en mer. Les prochaines nouvelles de sa femme, il les reçoit en Chine, alors que, sur les bords du Yang-Tseu, il est occupé à lui acheter des bracelets et du vernis à ongles. Il s'agit d'une lettre d'avocat, contenant des imprimés pour des formalités de divorce ; l'homme de loi lui demande de les renvoyer signés. Jim décide de ne rien signer avant d'avoir revu sa femme.

Dès son retour en Californie, au petit matin, il prend un taxi et se rend directement à la maison où Norma Jeane habite. Elle lui ouvre en robe de chambre, l'air épuisé. Elle regrette de ne pouvoir le recevoir ; peuvent-ils se revoir le lendemain ? Le jour suivant, et plusieurs fois lors de leurs rencontres successives, elle réaffirme sa décision. Elle sera actrice de cinéma.

Jim Dougherty a remporté un jour un premier prix de théâtre au lycée pour son interprétation du monologue de la «vengeance» de Shylock dans *Le marchand de Venise*.

Il lui dit : « J'ai toujours cru jusqu'ici que c'était moi le cabotin. D'où t'est venue cette envie de faire du cinéma ? » Norma Jeane ne se froisse pas, mais elle insiste : leur mariage, c'est fini.

Plus tard, elle dira : « Il y avait ce secret en moi : jouer. J'avais l'impression d'être en prison, et soudain était apparue une porte marquée *Par ici la sortie.* »

Norma Jeane avait fait un peu de théâtre au lycée, interprétant notamment des rôles masculins, mais en dehors de cela, elle n'avait aucune formation de comédienne. A présent, dans la vieille voiture qu'elle avait déjà au temps de son mariage, elle commence à explorer Hollywood. Elle a évoqué plus tard cette période :

« On est toute seule, dehors il fait nuit. Comme une colonne de scarabées, les voitures descendent Sunset Boulevard. Les pneus crissent, grand luxe. On a faim et on se dit : ne pas manger c'est très bon pour la ligne. Rien de mieux qu'un ventre bien plat.

« La nuit, quand je regardais Hollywood, je me disais souvent : il doit y avoir des milliers de filles seules, comme moi, qui rêvent de devenir vedettes de cinéma. Mais pourquoi penser à elles ? C'est moi qui rêve le plus fort ! »

3

« C'est la fin de ma période Norma Jeane (...). J'ai pris une chambre à Hollywood, pour vivre seule. Je voulais me retrouver. Quand j'ai écrit : "C'est la fin de Norma Jeane", j'ai rougi comme si j'avais été prise en flagrant délit de mensonge. Parce que cette enfant triste et amère qui a grandi trop vite n'a jamais quitté mon cœur. Malgré ma célébrité, j'ai encore le sentiment de regarder la vie avec ces yeux d'enfant effrayée. Elle continue à dire : "Je n'ai jamais vécu, on ne m'a jamais aimée" ; et souvent je me confonds, je me surprends à me dire que c'est moi qui parle ainsi. »

Tels sont, en 1954, les propos de Marilyn (c'est son prénom désormais) et la confusion est bien réelle. Comme ses psychiatres vont le découvrir (et comme vont le confirmer d'autres médecins qui ne l'ont pas soignée), Norma Jeane n'a pas disparu lorsque Mrs. Dougherty est devenue actrice.

Il est curieux de constater que le certificat de décès de 1962 ne mentionne que le trépas d'un produit hollywoodien appelé Marilyn Monroe. Car c'est Norma Jeane qui est morte, une

Norma Jeane qui n'a cessé durant toute sa vie de se présenter au monde et, chose plus grave, à elle-même, derrière un écran de mensonges. Norma Jeane a commencé de tisser ce voile d'illusions dès avant sa rupture avec Jim Dougherty, et ses infidélités réelles se mêlent étroitement à celles qui ne sont que des fantasmes. Ce n'est qu'une fois démêlée cette trame compliquée que l'on pourra tenter de découvrir l'actrice Marilyn Monroe.

L'ex-Mrs. Dougherty dira à Ben Hecht : « J'étais tout à fait fidèle à mon mari parti en mer. » Quant à Jim Dougherty, il continuera d'affirmer, trente ans plus tard : « Je n'ai jamais imaginé, et je continue de ne pas croire, qu'elle ait pu me tromper. Pendant toutes ces années où j'ai vécu avec elle, Norma Jeane ne m'a jamais menti. Si elle avait eu des liaisons, elle me l'aurait dit. »

Dans un couple, les conjoints refusent souvent d'imaginer la possibilité même d'une infidélité. Ce marin si souvent loin de chez lui devait à tout prix éviter de souffrir. On devine la fierté chez Jim Dougherty (d'autant que son ancienne épouse fut Marilyn Monroe). Et pourtant, Norma Jeane lui a été infidèle.

A la fin de l'année 1960, Marilyn dira elle-même : « Je n'ai commencé à coucher à droite et à gauche que lorsque mon mari est allé à l'armée ; et encore, je ne le faisais que parce que j'étais horriblement seule et que j'avais besoin de compagnie. Alors parfois je cédais, surtout parce que je ne voulais pas rester seule. »

De son propre aveu, la jeune épouse trompait donc son mari, deux ans environ après leur mariage. Il ne faut pas être grand clerc pour deviner les vraies raison de son absence, en ce morne Noël 1945 que Jim passe tout seul à la maison.

En décembre, elle lui avait annoncé qu'elle serait absente pendant presque un mois : elle partait travailler avec un photographe, André de Dienes. Celui-ci comptait l'emmener à des centaines de kilomètres de là, dans l'État de Washington. La rémunération devait être de deux cents dollars, la somme exacte nécessaire à la réparation de la vieille Ford de Jim. Elle lui dit qu'elle n'avait pas vraiment envie de partir mais qu'il le fallait, pas seulement pour l'argent, mais surtout parce que Dienes était un photographe célèbre et que cela pouvait être utile pour sa carrière de mannequin.

Le soir de Noël, alors que Jim Dougherty dînait seul chez lui, Norma Jeane l'appela au téléphone, en larmes. Elle aurait bien aimé être avec lui, mais elle se sentait obligée de rester avec André de Dienes. «La plus grande partie de son matériel photo a été volé à cause de moi, expliqua-t-elle. J'ai oublié de fermer la voiture… » A son retour, raconte Dougherty, Norma Jeane refusa de parler de ce voyage ; elle se contenta de déclarer qu'elle ne travaillerait plus jamais pour de Dienes.

Depuis lors, André de Dienes, immigrant hongrois, fils de banquier, a raconté sa version des faits. Il avait trente-deux ans à l'époque et venait d'arriver en Californie. Il recherchait un modèle qui acceptât de poser, nu de préférence, dans la nature. Un jour, il reçut un coup de téléphone à son bungalow de l'hôtel Garden of Allah, sur Sunset Boulevard. La Blue Book Agency lui proposait un de ses nouveaux mannequins.

«J'ai alors vu arriver une fille ravissante avec son chandail rose et son pantalon à carreaux. Aussitôt, j'en suis tombé amoureux. Inconsciemment, je voulais déjà l'épouser. Pourquoi pas, après tout ? J'étais moi-même beau garçon ! »

Ce jour-là, André de Dienes (qui devait devenir célèbre en photographiant des vedettes) lui demanda de poser nue. Elle réserva sa réponse. «Elle m'a dit qu'elle était mariée, mais que son mari était parti en mer et qu'elle n'en était pas amoureuse. »

André de Dienes commença aussitôt à lui faire la cour ; il lui envoyait des fleurs, venait dîner chez elle. C'est dans ce contexte qu'il lui proposa ce voyage au moment de Noël.

Norma Jeane ne fit pas l'amour avec lui tout de suite. Pendant plusieurs jours il multiplia en vain les avances ; mais, un soir, impossible de trouver un hôtel avec deux chambres libres… Norma Jeane accepta de partager l'unique chambre qu'on leur proposait. «Elle était gentille, adorable, et finalement ça a été quelque chose ! » Si l'on croit de Dienes, la jeune Norma Jeane, alors âgée de dix-neuf ans, découvrit grâce à lui des plaisirs qu'elle ne soupçonnait pas.

André de Dienes prit des photos d'elle en extérieur, dans la neige. Il fut conquis. «Elle était douce. Magnifique. Quel sourire ! Quel rire ! Et elle était fragile, physiquement et mentalement. Dès que nous avions fini de travailler, elle sautait dans la voiture et s'endormait. Elle n'avait rien à voir avec le *show business*. C'était une petite fille douce et sensible. »

C'est vrai, Norma Jeane oublia de fermer la voiture et le matériel photo de Dienes fut volé. Il lui pardonna et lui pardonna encore lorsqu'elle refusa de poser nue. André de Dienes était tombé amoureux et, dès leur retour à Los Angeles, lui demanda sa main. D'après lui, elle accepta. Il dut partir travailler à New York et il tapissa les murs de sa chambre de photos de Norma Jeane.

Cet homme dit-il la vérité ? On lira par la suite d'autres témoignages d'hommes affirmant avoir couché avec Marilyn. Amants ? Vantards ? Le lecteur doit savoir que, si certains de ces témoignages me semblent dignes de foi, c'est soit qu'ils ont été confirmés par d'autres personnes, soit que leurs auteurs sont parvenus à me convaincre au cours d'entretiens personnels.

Un que je n'ai pas cru, c'est David Conover, le soldat photographe qui fournit à Marilyn son premier job de mannequin. Il a écrit un livre dans lequel il affirme avoir été l'amant de Marilyn et être resté toute sa vie son ami. Un entretien que j'ai eu avec lui au Canada m'a convaincu que sa « documentation » était forgée de toutes pièces. Soit c'était un escroc, soit un malade mental ; peut-être les deux. Et puis il y a un Danois, Hans Jørgen Lembourn, qui a publié un livre fort bien écrit, racontant ce que l'éditeur a intitulé « une histoire d'amour de quarante nuits avec Marilyn Monroe ». A l'analyse, ce livre se révèle sans substance aucune.

André de Dienes, en revanche, est crédible. Jean-Louis, le styliste qui habilla Marilyn plus tard, connaissait de Dienes dans les années quarante ; il confirme « qu'à l'époque, André eut une véritable relation, une histoire d'amour avec Marilyn ». André de Dienes n'aurait-il été qu'une exception, à l'époque où le mariage de Norma Jeane s'effondrait ?

Toujours décidé à l'épouser, de Dienes a envoyé à Norma Jeane de l'argent pour l'aider à assumer les frais de son divorce. « Mais lorsque le moment est venu de se marier, m'a-t-il dit avec une certaine mélancolie, elle a tout annulé, par téléphone, alors que je me rendais à Las Vegas pour la voir. Jaloux, je suis alors allé à Los Angeles. Je l'ai surprise chez elle, avec un homme. (...) J'ai compris alors que tout était fini. »

André de Dienes n'est plus amer. Il conserve un exemplaire du livre de Mary Baker Eddy, *Science and Health* (Science et Santé) que la dernière tutrice de Norma Jeane, adepte de la Science chrétienne, avait donné à sa pupille. Sur la page de garde, on peut lire cette dédicace, tracée d'une écriture appliquée et enfantine :

Cher André,
Les lignes 10 et 11 de ce livre, page 494, sont ma prière pour toi,
pour toujours.

Avec amour, Norma Jeane.

Aux lignes 10 et 11 de la page citée, on lit :
« L'amour divin a toujours pourvu et pourvoira toujours à tout besoin humain (...), car à tout instant, l'amour divin dispense ses bienfaits à tout le genre humain. »

Norma Jeane, quant à elle, refuse fermement (si on l'en croit) de s'offrir à tout le genre humain, quand elle cherche à percer à Hollywood. Elle poursuit ainsi son triste récit : « J'étais devenue une sorte de ''veuve enfant''. Je regardais les rues et je me sentais solitaire. Je n'avais ni famille ni amis (...). Il y a toujours des hommes prêts à combler la solitude d'une fille. Quand on passe dans la rue, ils lancent : ''Salut, poupée !'' Mais si on ne les regarde pas, ils aboient : ''Elle se prend pour qui, celle-là ?'' Je ne leur ai jamais répondu. »

Dans ses entretiens avec Ben Hecht, Marilyn dit qu'elle vécut chastement en 1946. Mais cette année-là, elle était à court d'argent, et il semble bien qu'elle ait connu une forme d'amour qui n'avait rien de divin. Plus tard, quand elle fut prise en main par Lee Strasberg, le grand maître de l'art dramatique américain, elle lui avoua avoir été call-girl lors de ses premiers temps à Hollywood. Strasberg, qui exigeait souvent de ses futurs élèves des curriculum vitae francs et détaillés, raconte qu'elle lui fit cette révélation dès leur première discussion sérieuse.

« Elle m'a dit que l'on faisait appel à elle pour des congrès, des réunions, si l'on avait besoin d'une belle fille. » Il ajoute qu'elle avait le sentiment que «son passé de prostituée jouait contre elle». Le biographe de Strasberg, Cindy Adams, précise même : «Il l'a répété trois fois ; c'est enregistré. Et c'est exactement ça qu'il voulait dire : qu'elle avait été call-girl. Il tenait cela de la bouche même de son élève. »

Lena Pepitone, qui a été femme de chambre de Marilyn de 1957 jusqu'à sa mort, affirme que l'actrice lui faisait souvent des confidences. Marilyn lui aurait raconté qu'une fois, peu de temps avant la fin de son mariage avec Jim Dougherty, elle se vendit littéralement à un homme. Celui-ci, homme d'âge moyen rencontré dans un bar, persuada Norma Jeane, qui était un peu éméchée, de venir, pour quinze dollars, le rejoindre dans sa chambre d'hôtel. Au début, il voulait seulement la voir nue, puis il demanda plus. Norma Jeane songea d'abord à s'enfuir, mais finit par changer d'avis. Elle aurait dit à sa femme de chambre : «J'ai réfléchi. Après tout, ça m'était égal. Alors pourquoi pas? » Elle insista pour que l'homme utilise un préservatif. D'après Lena Pepitone, il y eut d'autres visites au même bar, d'autres hommes et plus d'argent de poche pour la jeune Norma Jeane à la dérive.

Une masse de documents, parfois drôles, souvent tristes, permettent d'entrevoir ce qu'était la sexualité réelle de ce sex-symbol planétaire.

Philippe Halsman, célèbre photographe de *Life*, a pris pendant des années un grand nombre de photos de Marilyn. Les premières datent de 1949 ; elle avait vingt-trois ans. Avec sept autres filles, Marilyn avait été sélectionnée pour mimer quatre situations différentes : la rencontre d'un monstre terrifiant, le plaisir d'une boisson délicieuse, l'hilarité après une bonne plaisanterie et l'abandon dans les bras d'un amant merveilleux. Marilyn, racontera-t-il plus tard, ne réussit que la scène de l'amant.

«Lorsqu'elle se trouvait face à un homme qu'elle ne connaissait pas, raconte-t-il, elle ne se sentait en sécurité que si cet homme la désirait ; dans sa vie, elle a toujours cherché à provoquer ce sentiment. Il faut reconnaître que dans ce domaine, son talent était grand. Je me souviens de m'être un jour retrouvé dans son petit appartement en compagnie de mon assistant et du journaliste de *Life*. Chacun de nous sentait bien que, si les deux autres s'en allaient, il s'en passerait des choses ! »

Un jour, Halsman demanda à Marilyn de sauter plusieurs fois en l'air, pour une photo. « J'ai été très surpris de voir cette incarnation du sex-appeal sauter comme une petite fille. Je lui ai dit : Voulez-vous sauter encore ? Je ne crois pas que la première fois vous ayez vraiment exprimé votre personnalité.

— Vous voulez dire qu'on peut deviner ma personnalité en me regardant sauter ?

— Bien sûr, répondis-je. Elle tremblait ; elle m'a lancé un regard effrayé et n'a plus voulu sauter. »

« Dites-moi, lui demanda-t-il un jour, à quel âge avez-vous eu votre première expérience sexuelle ?

(Halsman ne fut certainement pas le seul à lui poser cette question — très importante si l'on veut comprendre l'angoisse qui toujours poursuivit Marilyn — mais il est le seul à le rapporter. On va bientôt voir pourquoi.)

— Sept ans.

— Mon Dieu ! s'exclama Halsman en baissant son appareil photo. Et quel âge avait cet homme ? »

Alors, avec son célèbre chuchotement, Marilyn répondit : « Il était encore plus jeune. »

C'est la seule plaisanterie que l'on connaisse de Marilyn à propos de sa vie sexuelle infantile. D'ordinaire, elle se montrait plus sombre. Très tôt, elle raconta avoir été violée dans son jeune âge, et ce thème revint de façon obsessionnelle tout au long de sa vie.

La première trace que l'on ait de ce récit remonte à 1947 : il s'agit d'une déclaration faite au journaliste Lloyd Shearer qui l'interviewait pour le compte des services de presse de la Twentieth Century Fox. « Pendant le déjeuner, elle nous a raconté qu'elle avait été violée par un de ses tuteurs, par un policier et par un marin. J'avais l'impression qu'elle vivait dans un monde imaginaire, qu'elle était empêtrée dans ses histoires et complètement absorbée par sa sexualité. »

Shearer était tellement sceptique qu'il décida de ne rien écrire sur Marilyn.

En 1954, elle décrivit en ces termes l'agression sexuelle dont elle aurait été victime au cours de son enfance : «J'avais presque neuf ans et je vivais dans une famille qui louait une chambre à un homme nommé Kimmel. Il avait l'air sévère ; tout le monde le respectait et l'appelait Monsieur Kimmel. Un jour, je suis passée devant sa chambre ; la porte était ouverte et il m'a dit : "Entre donc, Norma." Il m'a souri et il a fermé la porte à clef. "Maintenant tu ne peux plus sortir" ; il disait ça comme si c'était un jeu. J'avais peur mais je n'osais pas crier. (…) Lorsqu'il m'a prise dans ses bras, je me suis débattue aussi fort que j'ai pu, mais je n'ai pas crié. Il était plus fort que moi et je n'ai pas pu me dégager. Il n'arrêtait pas de me chuchoter d'être une brave petite fille. Quand il a rouvert la porte, je me suis précipitée chez ma "tante" pour lui dire ce que m'avait fait M. Kimmel : "Je veux te dire quelque chose. M. Kimmel il a... il a..."»

Sa tutrice lui aurait alors dit : «Ne dis rien contre M. Kimmel. C'est un homme très bien. C'est mon meilleur pensionnaire !» Peu après, Kimmel envoya Norma Jeane acheter des glaces.

Marilyn Monroe racontait cette histoire inlassablement à qui voulait l'entendre : journalistes, amants... Peggy Feury, qui dirige actuellement un cours d'art dramatique à Los Angeles, The Loft, se souvient d'avoir rencontré Marilyn Monroe au cours d'une réception à New York, en 1962, à quelques mois de la fin. Elle ressassait encore l'histoire de cette agression.

Est-elle vraie ? Ou n'était-ce qu'un conte pour gagner la sympathie des autres ? Peu de temps avant sa mort, au cours d'une conversation avec le journaliste Jaik Rosenstein, Marilyn déclarait : «Cela a eu lieu. Mais je n'ai pas quitté la chambre en pleurant ou en criant. (…) Je savais que c'était mal, mais à dire vrai, je crois que j'étais plus curieuse qu'autre chose. (…) Personne ne m'avait jamais parlé de la sexualité, et franchement, je n'avais jamais pensé que c'était si important ou que c'était mal.»

Le Dr Ralph Greenson, le psychiatre d'Hollywood qui soignait Marilyn les dernières années de sa vie et qui était devenu un de ses amis, estime qu'elle eut «une enfance terrible, absolument terrible». Il n'en évoque pas moins «ses fantasmes de mauvais traitements». La production morbide de fantasmes et les hallucinations sont des traits schizoïdes. Le Dr Bruun, psychiatre, qui a bien voulu étudier pour ce livre l'histoire familiale de Marilyn, décèle dans les détails qui nous sont parvenus de la vie de sa mère et de sa grand-mère des symptômes de schizophrénie.

Au cours de sa vie, Marilyn a été suivie par différents psychiatres. L'avis du Dr Greenson est le seul dont on ait conservé la trace. Dans une correspondance avec un collègue qui nous a été communiquée uniquement pour ce livre, il se montre préoccupé par « ses tendances (de Marilyn) aux réactions paranoïaques ». Au début, Greenson estimait que plutôt que de ressortir à la schizophrénie, ces tendances paranoïdes étaient « surtout masochistes, la répétition des réactions de rejet de la petite orpheline. (...) La tendance aux graves réactions dépressives et les défenses impulsives contre cette tendance me semblent d'une importance capitale ». A la fin, cependant, après la mort de Marilyn, le Dr Greenson parle d'une femme « aux structures psychologiques extrêmement faibles (...), un moi faible, certaines manifestations psychotiques, notamment de type schizophrénique ».

Quoi qu'il en soit, cette histoire d'agression sexuelle au cours de l'enfance n'est pas le seul épisode à suggérer des jugements tels que fabulation ou mythomanie. Jim Dougherty, son premier mari, rapporte qu'une fois, après une petite dispute au cours de la soirée, Norma Jeane le réveilla au beau milieu de la nuit. Elle lui raconta qu'elle était allée se promener, vêtue de sa seule chemise de nuit. « Elle se serra contre moi en pleurant. ''Il y a un homme qui me poursuit ! Il y a un homme qui me poursuit !'' Je la tiens dans mes bras pendant un moment, puis je lui dis : ''Tu fais un cauchemar, ma chérie. — Non ! Je suis réveillée. Je voulais partir d'ici. Je marchais dans la rue et un homme m'a forcée à revenir.'' »

La « théorie de la séduction » proposée par Freud fait toujours l'objet de controverses dans les milieux psychiatriques. Freud émettait l'hypothèse que les agressions sexuelles commises par des adultes sur les enfants sont une cause fondamentale de névroses. Freud lui-même abandonna sa théorie, estimant que les récits d'agressions sexuelles que lui faisaient ses patientes et ses patients relevaient plus de la fantaisie que de la réalité. En 1900, il écrivait : « Finalement, je dois m'inté-resser à la réalité dans la sexualité, ce que l'on n'apprend qu'avec la difficulté la plus extrême. »

Réel ou imaginaire, Norma Jeane n'oubliera jamais cet épi-sode horrible de son enfance. Mais sa vie sexuelle n'était-elle que violence ?

Elle a évoqué une histoire plus plaisante, qui lui serait arri-vée à l'âge de huit ans, la même année que l'agression de M. Kimmel : « Je suis tombée amoureuse d'un garçon nommé George. (...) Nous nous roulions ensemble dans l'herbe ; puis il prenait peur et se sauvait en courant. Ce que nous faisions dans l'herbe ne m'a jamais effrayée. Je savais que c'était mal, sans ça je ne me serais pas cachée, mais je ne savais pas exac-tement ce qui était mal. La nuit, souvent, je restais éveillée et je songeais aux choses de l'amour. J'avais des milliers de questions à poser ; mais personne à qui m'adresser. »

Norma Jeane, si on croit ce qu'elle dit à Ben Hecht en 1954, repoussa les avances des garçons jusqu'à l'âge de seize ans, c'est-à-dire jusqu'à son mariage avec Jim Dougherty : « Je ne pensais absolument pas à l'amour physique. » Or, deux ans après, elle raconte à son amie Amy Greene qu'elle était encore au lycée la première fois qu'elle coucha avec un garçon. Norma Jeane entra à l'Emerson Junior High School à onze ans, puis à la Van Nuys High School à quinze ans ; un an plus tard, elle abandonnait ses études pour épouser Jim Dougherty. Si Norma Jeane a dit à Amy Greene la vérité, elle fait partie des 3 p. 100 d'Américaines qui, dans les années quarante, perdaient leur virginité avant l'âge de seize ans, et des 50 p. 100 dans la même décennie, qui la perdaient avant le mariage (selon le rapport Kinsey).

Tout cela aurait bien étonné Dougherty, qui affirme en effet : « Lorsqu'elle s'est mariée, elle ne connaissait rien, absolument rien à la sexualité. Mais ma mère m'avait mis en garde avant le jour du mariage, et je savais que je devais être très délicat la première nuit. (...) Cette fragile barrière n'avait jamais été franchie. (...) Jamais. »

Norma Jeane dira par la suite : « Le premier effet du mariage a été de me rendre encore plus indifférente aux questions sexuel-les. Cela lui était égal (à Jim Dougherty) ; ou il ne le voyait même pas. Et puis, nous étions trop jeunes tous les deux pour discuter d'un sujet aussi embarrassant. »

La version de Jim Dougherty, bien sûr, est toute différente : « Norma Jeane aimait beaucoup faire l'amour. Pour elle, c'était aussi naturel que de prendre son petit déjeuner le matin. Il n'y a jamais eu aucun problème de ce côté-là. (…) Il suffisait de se déshabiller et nous étions tous les deux excités ; la lumière n'était même pas encore éteinte que déjà nous nous étreignions. (…) Parfois, quand je rentrais de chez Lockheed, elle me provoquait en m'accueillant vêtue seulement de deux foulards rouges. (…) »

Dougherty a aussi déclaré : « C'était quelqu'un ! Quand je rentrais du travail, je n'avais même pas le temps de poser ma gamelle qu'elle m'entraînait en haut. » On est en droit, évidemment, de soupçonner de vantardise le premier mari de Marilyn Monroe, mais un témoin vient corroborer ses dires. Un certain Robert Mitchum, inconnu à l'époque, travaillait avec Dougherty chez Lockheed (il devait plus tard donner la réplique à Marilyn Monroe). Il se souvient d'un Dougherty jovial, qui, un matin, lui montra une photo de sa « dame ». On voyait la jeune Norma Jeane posant nue à la porte du jardin. C'est tout à fait l'air qu'elle a, dit-il à Mitchum, quand elle m'attend à mon retour du travail.

Mais les hommes qui ont suivi Dougherty dans la vie de Marilyn (ceux qui ont parlé, du moins) évoquent une image tout à fait différente, — que l'on retrouve d'ailleurs dans les propres déclarations de Marilyn au Dr Greenson : l'image d'une femme restant toujours, sexuellement, sur sa faim. Le changement, s'il y a eu changement, fut peut-être provoqué par les tristes expériences qui suivirent son mariage avec Dougherty. C'est dans cette période également qu'il faut chercher l'origine de l'obsession, la plus tragique sans doute, de Marilyn Monroe : avoir des enfants.

Au cours des années cinquante, le public attendra en vain la naissance qu'il savait tant désirée. Mariage après mariage, la presse se fera l'écho de ses séjours à l'hôpital pour interventions gynécologiques, et de ses fausses couches. Marilyn proclamera régulièrement son désir de fonder une famille et fera des dons à des orphelinats et autres fondations pour l'enfance malheureuse. Quand elle mourut, l'argent offert pour fleurir ses cendres fut versé, conformément à sa volonté, à des hôpitaux pour enfants. Et un hôpital pédiatrique de Londres bénéficie depuis peu d'un legs qu'elle fit à l'un de ses psychiatres. Et pourtant, à l'origine, même sur ce sujet, la plus grande confusion régnait, semble-t-il, dans la tête de Marilyn.

En 1954, à l'âge de vingt-huit ans, elle dira de son premier mari : « Il ne m'a jamais fait de mal, sauf à propos d'une chose. Il voulait un enfant. A cette idée, mes cheveux se dressaient sur ma tête. Je ne pouvais qu'imaginer une autre Norma Jeane dans un orphelinat. Cela réveillait des choses en moi, je ne pouvais pas l'expliquer à Jim. Lui, il s'endormait, et moi, je restais là à pleurer. Je ne savais pas qui pleurait : Mrs. Dougherty ou l'enfant qu'elle aurait dû avoir ? Ni l'une ni l'autre. C'était Norma Jeane, toujours vivante, toujours seule, qui avait toujours autant envie de mourir. »

A nouveau, la version de Jim Dougherty est différente. D'après lui, c'est Norma Jeane qui dès les premiers temps de leur mariage voulut avoir un enfant et c'est lui qui finit par l'en dissuader. Il raconte même qu'il la convainquit de se faire mettre un diaphragme ; mais qu'après l'avoir posé, elle ne parvint plus à le retirer et dut lui demander son aide.

En s'occupant parfois pendant des semaines entières des neveux de Jim, Norma Jeane démontra très tôt qu'elle était tout à fait capable d'élever des enfants. Lorsqu'il s'engagea dans la marine, sa femme ne cessa, selon lui, « de lui demander un enfant, de façon à conserver un peu de lui s'il lui arrivait malheur ». Des années plus tard, Marilyn devait dire à une amie, l'actrice Jeanne Carmen, combien elle avait désiré avoir des enfants de son premier mari.

Au bout de quatre ans de mariage, les rôles s'inversèrent. Dans les derniers mois, c'était Jim qui suppliait Norma Jeane de lui donner des enfants. Elle refusait, craignant de déformer sa silhouette. D'autres éléments, cependant, étaient peut-être en jeu.

De notoriété publique, Marilyn est morte sans enfants. Mais en 1979 paraissait un livre de Lena Pepitone, son ancienne femme de chambre, dans lequel celle-ci affirmait que Norma Jeane avait donné naissance à un enfant. La révélation passa presque inaperçue, et les personnes qui s'intéressaient à l'histoire de l'actrice soupçonnèrent Lena Pepitone de vouloir seulement faire vendre sa littérature. Or j'ai trouvé deux autres personnes qui confirment ses dires.

Marilyn n'aurait pas seulement raconté à Lena Pepitone l'histoire de son agression sexuelle ; elle lui aurait dit qu'elle fut effectivement violée et tomba enceinte. Elle parvint à cacher sa grossesse à sa tutrice pendant plusieurs mois ; puis celle-ci s'en aperçut, la fit suivre par un médecin et s'arrangea pour qu'elle accouche à l'hôpital. Marilyn aurait dit à Lena : «J'avais ce bébé… mon bébé. J'avais très peur, mais c'était merveilleux. C'était un petit garçon. Je le serrais contre moi, je l'embrassais. Je n'arrêtais pas de le toucher. Je n'arrivais pas à croire que c'était mon bébé… Mais lorsqu'il a fallu quitter l'hôpital, Grace (Grace McKee, sa tutrice) est venue avec le médecin et une infirmière. Ils avaient l'air bizarre et m'ont dit qu'ils allaient prendre l'enfant.,. Je les ai suppliés : ''Ne prenez pas mon bébé…'' mais ils me l'ont pris… et je ne l'ai jamais revu. »

En 1984, Lena Pepitone m'a déclaré que Marilyn lui avait tenu deux discours différents à propos de cet enfant : une fois elle lui aurait dit ne pas savoir ce qu'il était devenu ; une autre fois qu'elle envoyait régulièrement de l'argent en Californie au couple qui l'élevait. Lena Pepitone pense que Marilyn devait avoir quatorze ou quinze ans à l'époque de l'accouchement.

Amy Greene, chez qui Marilyn vécut en 1955, m'a dit avoir recueilli de sa bouche le même récit, en substance. Et l'actrice Jeanne Carmen, qui connut Marilyn à la même époque qu'Amy Greene, m'a rapporté elle aussi une histoire semblable, mais avec une variante : le bébé serait né après la fin de son mariage avec Dougherty et avant son succès à Hollywood, alors qu'elle avait environ vingt et un ans. Elle ajoute : «Marilyn était extrêmement perturbée par cette affaire. Elle disait : ''Il n'y a pas de Dieu'' ; puis : ''Serais-je punie pour avoir abandonné cet enfant ?'' On la sentait désespérée. »

«Marilyn, dit Amy Greene, se plaisait à raconter des histoires inventées de toutes pièces, surtout lorsqu'elle voulait choquer, provoquer une réaction. » Peut-être était-ce là le fantasme d'une femme qui, à l'époque où elle racontait cette histoire, craignait de ne pas pouvoir avoir d'enfant.

Si l'on en croit Peter Leonardi, coiffeur et secrétaire de Marilyn au milieu des années cinquante, celle-ci aurait subi une ligature des trompes ovariennes sur les conseils d'un imprésario. Elle n'était alors qu'une starlette peu connue, et cet imprésario l'aurait convaincue qu'une grossesse risquait de ruiner sa carrière. Robert Slatzer, qui est resté proche de Marilyn pendant presque toute sa vie, affirme qu'elle tenta l'intervention chirurgicale inverse. A cela il faut ajouter tous les témoignages d'amis faisant état de très nombreux avortements. Amy Greene, le plus fiable peut-être de tous les témoins, dit que Marilyn lui avoua douze avortements (!) — certains d'entre eux, de véritables boucheries, remontant à l'époque de ses débuts à Hollywood. « Après ça, ajoute Amy Greene en soupirant, elle s'étonnait de ne pas réussir à avoir d'enfants...»

Depuis son adolescence, c'est-à-dire bien avant ces multiples interventions, le ventre de la pauvre Marilyn était pour elle déjà un véritable instrument de torture. Jim Dougherty raconte : « Norma Jeane souffrait terriblement pendant ses règles ; elle était terrassée par la douleur. »

A ce propos, Zolotow, un de ses premiers biographes, évoque une scène qui se serait reproduite plusieurs fois à l'époque de ses débuts à Hollywood : Marilyn conduit, soudain, coup de frein violent : elle bondit au-dehors et s'accroupit sur le bord de la route, cassée en deux par la douleur. Maurice Zolotow remarqua un jour sur la coiffeuse de sa loge quatorze boîtes de médicaments. Presque tous étaient des antalgiques prescrits pour les douleurs menstruelles.

Henry Rosenfeld, le riche couturier new-yorkais, fréquenta Marilyn depuis le début de sa carrière jusqu'à sa mort. « Elle avait tellement envie d'avoir un enfant, raconte-t-il, que tous les deux ou trois mois elle se persuadait qu'elle était enceinte. Elle arrivait à prendre six ou sept kilos. Toujours, c'étaient des grossesses nerveuses. »

Marilyn déclara à Ben Hecht qu'elle rêvait d'avoir une fille. « Elle n'aurait rien d'une Norma Jeane. Et je sais comment l'élever : sans mensonges. Pas de mensonges à propos du père Noël, pas besoin de lui raconter que le monde est plein de gens nobles et vertueux, ne songeant qu'à s'aimer les uns les autres et à faire le bien. »

Marilyn raconta également autre chose à Ben Hecht, à propos de Norma Jeane. Avant ses dix-neuf ans, lui dit-elle, elle fit deux tentatives de suicide ; l'une en ouvrant le gaz, et l'autre en avalant des médicaments. Ben Hecht passa ce détail sous silence.

Le 1er juin 1946, jour de ses vingt ans, Norma Jeane ne possède que ses rêves. Son anniversaire, elle le passe dans une chambre meublée à Las Vegas : il lui fallait en effet prouver un minimum de temps de résidence dans cette ville, pour bénéficier des formalités rapides de divorce qu'on y offre. Il faisait chaud, et elle souffrait très prosaïquement d'une crise d'aphtes.

Deux mois plus tard, Dougherty rendit sa dernière visite à Norma Jeane, à Los Angeles, pour lui remettre ses papiers de divorce. Au cours de leur dernière conversation, elle ne manifesta aucune envie d'avoir des enfants et ne parla que de son désir de devenir actrice : aucune compagnie de production de films, dit-elle, ne dépensera de l'argent pour former une femme mariée qui risque de se retrouver enceinte.

En accueillant Jim Dougherty chez elle, Marilyn semblait radieuse, et pas seulement parce qu'il avait finalement accepté le divorce. Quelques jours auparavant, sans avoir eu à prouver qu'elle était divorcée, elle avait obtenu ce qu'elle désirait le plus au monde : un contrat lui permettant de figurer sur les listes de la Twentieth Century Fox.

Elle explique à Dougherty qu'on lui avait donné un nouveau nom. Qu'en pensait-il ? «Très beau», répondit-il poliment. Et il partit.

Ce nom, c'était Marilyn Monroe.

4

Un mois avant que Marilyn décroche son contrat, un journaliste de dix-neuf ans, passionné de théâtre et de cinéma, se tenait dans le hall des anciens studios de la Twentieth Century Fox, sur Pico Boulevard. Robert Slatzer, de Columbus, dans l'Ohio, était là pour interviewer une quelconque starlette, et en attendant, lisait *Feuilles d'herbes* de Walt Whitman. «Soudain, raconte-t-il, j'ai vu arriver une fille qui portait un grand carton à photos. Elle a dû s'accrocher le talon dans quelque chose car elle a trébuché, et les photos se sont répandues sur le sol. Je suis allé l'aider, et ensuite, quel bonheur!, elle m'a dit qu'elle aussi devait attendre quelqu'un; or, il n'y avait pas d'autre place pour s'asseoir qu'à côté de moi. Elle s'est présentée : Norma Jeane Mortenson. Elle s'est intéressée aux poèmes que je lisais, et moi, je lui ai dit que je pourrais écrire quelque chose sur elle. Nous avons fini par convenir d'un rendez-vous pour le soir même. »

Ce soir-là, Bob Slatzer emprunta une vieille Studebaker 1938 toute cabossée et alla chercher Norma Jeane Nebraska Avenue, pour l'emmener dîner au bord de l'océan. A l'époque, Malibu était encore un endroit très agréable et n'avait pas cet aspect de fouillis bétonné qu'il a acquis depuis. Ils allèrent ensuite se promener sur la plage. Slatzer se montrait timide, plus timide en tout cas que Norma Jeane. Il lui semble, mais il n'en est pas vraiment sûr, qu'ils firent l'amour dès ce soir-là. Au retour, Norma Jeane lui demanda de la laisser au coin de la rue et non devant chez elle.

«Je crois que nous avons eu un élan l'un vers l'autre», explique Slatzer, comme si un homme avait besoin de s'excuser d'avoir fait l'amour avec Marilyn Monroe. «Il y avait quelque chose de délicieux chez elle, elle était très différente des filles que les prospecteurs de talents des studios d'Hollywood me faisaient rencontrer habituellement. Je crois que je suis tombé amoureux d'elle dès que je l'ai vue. »

Les années passeront, Marilyn aura de nombreux amants, mais Robert Slatzer ne cessera d'être amoureux de la fille rencontrée un jour dans le hall de la Twentieth Century

Fox*. Ils se virent souvent au cours de cet été 1946 ; mais Marilyn ne fréquentait pas que lui...

En 1984, à l'âge de soixante ans, Tommy Zahn, capitaine d'un bateau de sauvetage du comté de Los Angeles, est une gloire des plages californiennes. En 1946, il n'était que maître nageur, mais il comptait bien devenir acteur. Le rêve faillit devenir réalité, quand sur Muscle Beach, il fit la connaissance de Darrylin Zanuck, la fille encore adolescente du célèbre producteur de la Fox, Darryl Zanuck. Celui-ci engagea le garçon comme acteur débutant et Tommy, à la fin de l'été, prit le chemin des studios pour y apprendre l'interprétation, le chant et la danse. Et là, il connut une apprentie comédienne qui devint l'une de ses petites amies :

« Elle était en superbe condition physique. Nous allions faire du surf à Malibu, du surf en tandem, vous savez : deux sur la même planche. On a continué plus tard, en plein hiver, mais le froid ne lui faisait pas peur. Elle attendait les vagues dans l'eau froide. Elle se débrouillait très bien dans l'eau ; elle était très robuste, très saine, elle se comportait de façon très dynamique dans la vie. Quand je l'ai rencontrée, j'avais vingt-deux ans, et elle, elle devait en avoir vingt. Dieu, qu'elle me plaisait ! »

Pendant que ces deux jeunes hommes prenaient du bon temps avec Marilyn, un autre homme, cloué sur un lit d'hôpital, se rinçait l'œil en regardant les photos qui paraissaient d'elle dans certains magazines. *Titter*, *Laff*... tels étaient les titres de ces journaux à ne pas laisser traîner dans sa chambre quand on a quinze ans et une mère un peu rigide. Rien de bien choquant, pourtant, sinon de longues jambes féminines émergeant

---

* Robert Slatzer est toujours amoureux du souvenir de cette fille. Il a écrit un livre dans lequel il raconte non seulement ses relations avec Marilyn, qui durèrent jusqu'à la mort de l'actrice, mais où il affirme surtout avoir été brièvement marié avec elle, six ans après leur rencontre. Il évoque à ce propos des noces délirantes de trois jours célébrées à la frontière mexicaine. Nous reparlerons de cette affaire plus loin, mais ces affirmations ont été accueillies avec le plus grand scepticisme. Notons cependant qu'au long de très nombreuses interviews, le récit de Robert Slatzer est demeuré parfaitement cohérent, qu'il ne s'est jamais coupé, et que d'autre part, de nombreux témoins confirment l'étroitesse de ses relations avec Marilyn (*NdA*).

de shorts un peu trop courts et des poitrines avantageuses moulées dans des pull-overs un peu trop étroits. Et puis, de toute façon, en 1946, le «collectionneur d'actrices» milliardaire Howard Hughes n'avait plus quinze ans. Immobilisé à la suite d'un accident d'avion, il se faisait apporter des dizaines de magazines pour hommes, non seulement parce qu'il appréciait les jolies filles, mais aussi parce qu'il était le patron d'une société de production, la RKO.

Le 29 juillet 1946, le *Los Angeles Times* publie les lignes suivantes dans sa rubrique mondaine : « L'état de santé d'Howard Hughes s'améliore. En regardant un magazine, il a été attiré par la fille figurant en couverture, et aussitôt a chargé un de ses assistants de lui faire signer un contrat. La jeune fille s'appelle Norma Jeane Dougherty et elle est mannequin. » En un an, Norma Jeane n'a pas fait moins de quatre fois la couverture de *Laff*, sous trois noms différents : deux fois avec des variantes de son nom de femme mariée, et une fois sous le pseudonyme de Jean Norman. Il aurait été difficile à Howard Hughes de ne pas la remarquer, mais pour une fois il fut long à réagir*.

Norma Jeane profita de l'aubaine pour se faire mieux voir encore dans les studios de la Twentieth Century Fox : elle découpa l'article du *Los Angeles Times* et le montra à tout le monde autour d'elle. Cependant, elle avait déjà fait des connaissances décisives.

Le directeur du *casting*, à la Fox, était à l'époque Ben Lyon. Ancienne vedette lui-même (des années trente), c'était lui qui, des années auparavant, avait découvert Jean Harlow. Il accepta de recevoir Norma Jeane. «Elle avait un beau visage. Avec certains visages, on voit tout de suite — à la tension de la peau sur les os de la face, les surfaces et les angles — s'ils sont photogéniques. (...) Et en plus, il y avait sa manière de bouger. »

---

* D'après son professeur d'art dramatique, Natasha Lytess, Marilyn aurait eu une brève aventure avec Howard Hughes. L'actrice Terry Moore, qui a été mariée à Howard Hughes, raconte qu'il avait offert un bijou à Marilyn, une épingle à chapeau. Vu la richesse du donateur, Marilyn fut surprise de découvrir qu'elle ne valait «que» cinq cents dollars (de 1950) (*NdA*).

Deux jours plus tard, Norma Jeane évolue pour la première fois sous l'œil d'une caméra. Vêtue d'une robe à paillettes, juchée sur de hauts talons, elle obéit aux instructions : « Traversez le plateau. Asseyez-vous. Allumez une cigarette. Ecrasez-la. Gagnez le fond du plateau. Traversez. Regardez par la fenêtre. Asseyez-vous. Revenez au bord du plateau et sortez. »

Le cameraman, Leon Shamroy, qui devait un jour filmer Marilyn dans *La joyeuse parade*, eut un choc quand il visionna les épreuves : « Cette fille avait quelque chose que je n'avais plus vu depuis le cinéma muet. Elle avait le même genre de beauté extraordinaire que Gloria Swanson, (...) elle dégageait la même aura de sexualité que Jean Harlow, (...) elle nous montrait qu'elle pouvait être bouleversante. »

La même semaine, Darryl Zanuck, enthousiasmé, accepte d'engager Norma Jeane Dougherty comme actrice à l'essai, avec un salaire de soixante-quinze dollars par semaine, à revoir six mois plus tard. Le salaire hebdomadaire se monterait alors probablement à cent dollars. Norma Jeane se précipite chez elle et annonce : « Ce sont les plus grands studios du monde... ces gens sont merveilleux et je vais apparaître à l'écran. Ce sera un petit rôle, mais une fois que j'aurai déjà joué... »

Tommy Zahn révèle que le nom de Marilyn n'a pas été adopté tout de suite. « Ben Lyon ne supportait pas son vrai nom, alors il lui a donné celui de Carole Lind. Ils l'ont gardé pendant quelque temps, mais ça ne sonnait pas bien ; c'était trop visiblement un mélange entre le nom d'une chanteuse d'opéra et celui d'une actrice morte. »

Ben Lyon et sa femme, l'actrice Bebe Daniels, qui tout de suite s'enticha de Norma Jeane, se mirent en quête d'un autre nom. Ils invitèrent la jeune fille dans leur maison de Malibu pour en parler. « Finalement, raconte Ben Lyon, je lui ai dit : ''Marilyn ! voilà le prénom qu'il te faut !'' Je lui ai expliqué que j'avais connu une actrice merveilleuse qui s'appelait Marilyn Miller et qu'elle me faisait penser à elle. — Et le nom de famille ? demanda Norma Jeane. Ma grand-mère s'appelait Monroe, et j'aimerais bien garder ce nom. — Fabuleux ! Ça coule bien, et puis les deux M, je suis sûr que ça portera chance !'' Voilà comment elle a pris son nom. » Marilyn continuait à poser pour des photos, mais désormais, seul le cinéma comptait pour elle. Tommy Zahn se souvient qu'on travaillait dur au studio, et elle plus que tout le monde.

Il passait la chercher tous les matins, et ils travaillaient ensemble, tous les jours, l'interprétation, la danse et le chant. Tous les deux avaient du mal avec la danse. Le samedi, tous les comédiens débutants se retrouvaient au studio. Certains jouaient des pantomimes ou faisaient des charades en action ; les autres devaient deviner ce qu'ils représentaient. Tommy Zahn et Marilyn (encore un peu timide) improvisaient des numéros en duo.

Il n'y avait pas encore de vrai rôle pour elle, mais Marilyn préparait soigneusement le terrain. Elle cherchait à se faire connaître des responsables de la publicité, et assiégeait les journalistes en faction dans les studios. L'un d'entre eux, Ralph Casey Shawhan, se rappelle que souvent, lorsque l'entrée des artistes était fermée, Marilyn leur lançait un sifflement du deuxième étage, puis les faisait rentrer. Shawhan évoque « ses jeans effrangés dans le bas, à une époque où personne encore ne les portait comme ça ».

Frissonnante de froid, Marilyn posa sur la plage en plein mois de novembre. Les journalistes l'aimaient bien et leur Club lui décerna un prix spécial. Tout cela n'avait rien à voir avec le cinéma, mais Marilyn avait compris très tôt l'importance de la presse.

Parfois, on pouvait voir déambuler dans les couloirs de la Fox un homme de petite taille (il ne faisait guère plus d'un mètre cinquante), les chaussures éculées et les chaussettes en tire-bouchon. Il s'appelait Sydney Skolsky, il tenait une rubrique de cinéma dans le *New York Post* et était si célèbre que quelques lignes de lui pouvaient changer le cours d'une carrière à Hollywood. Donc, par un beau jour de 1946, Sydney Skolsky attendait patiemment son tour au distributeur d'eau fraîche ; gageons qu'il n'était guère pressé, car la jeune femme penchée devant lui et qu'il ne voyait que de dos possédait les courbes les plus admirables qui soient. La jeune assoiffée finit par se redresser et ils échangèrent quelques plaisanteries sur les capacités d'absorption des chameaux, avant d'engager une longue conversation. Marilyn s'étendit longuement sur son enfance malheureuse et se gagna un nouvel et influent ami. Si l'on

46

excepte la période new-yorkaise de Marilyn, Skolsky devait demeurer son confident jusqu'à sa mort.

« On voyait bien que Marilyn était résolue à progresser, dit Skolsky. Elle voulait devenir non seulement une actrice, mais une star du cinéma. Je savais que rien ne l'arrêterait. Rien ne pouvait venir à bout de cette nécessité intérieure, de cette détermination et de cette énergie. »

« Je n'avais pas d'illusions : je savais bien que je n'étais pas une bonne actrice, dit Marilyn quelques années plus tard. Je savais que j'étais même très mauvaise. Je sentais mon manque de talent comme si j'avais porté en moi-même des vêtements bon marché. Mais Dieu, que j'avais envie d'apprendre ! de changer ! de m'améliorer. Je ne désirais rien d'autre. Pas d'homme, pas d'argent, pas d'amour, simplement le talent d'actrice. »

Au début de 1947, Marilyn participe enfin, avec une dizaine d'autres figurants, à un véritable tournage. Il s'agit de *Scudda Hoo ! Scudda Hay !* — l'histoire d'un fermier et de ses mules. La plupart des plans où figurait Marilyn ont fini dans la corbeille de la salle de montage et seuls ont été sauvés une réplique des plus brèves — Bonjour ! — et un plan où on la voit pagayer dans un canoë.

Pendant ce temps-là, la Twentieth Century Fox continuait de lui payer des cours d'art dramatique à l'Actors' Lab, une école située sur Sunset Boulevard. « Elle arrivait toujours à l'heure et faisait consciencieusement son travail », raconte Mrs. Moris Carnovsky, qui dirigeait l'école avec son mari. « Mais je ne lui aurais jamais prédit du succès. » Mrs. Carnovsky la trouvait très jeune, un peu gauche et timide. C'est à ce moment-là que le coup de théâtre se produisit. Un an après la signature, la Twentieth Century Fox décidait de ne pas renouveler son contrat.

Ce licenciement n'a jamais été expliqué. Ben Lyon, son premier bienfaiteur, était abasourdi. Marilyn, désespérée, erra longtemps dans les couloirs avant de trouver le bureau du grand patron, Darryl Zanuck. Mais on lui répondit que Darryl Zanuck « avait quitté Hollywood pour quelque temps ». C'est Tommy Zahn — si on le croit — qui aurait été à l'origine du licenciement de Marilyn. Il fut renvoyé au même moment,

Darryl Zanuck craignant qu'il ne veuille épouser l'une de ses filles. Les bonnes relations qu'entretenaient Tommy Zahn et Marilyn étant connues et désapprouvées en haut lieu, on aurait décidé de la mettre elle aussi à la porte. Zahn partit pour Honolulu. Marilyn, elle, se mit à dériver, professionnellement et dans sa vie.

Mais elle surnagea. Elle vécut dans différentes chambres meublées et continua de suivre ses cours à l'Actors' Lab ; pour vivre et payer ses cours, elle continua de poser, et peut-être se prostitua comme call-girl, ainsi qu'elle le confessa plus tard à Lee Strasberg.

Bill Burnside, Ecossais, quarante-trois ans, lui procura l'une de ces séances de photos. (Il représentait à Hollywood la Rank Organisation.) Il avait attiré l'attention de Marilyn Monroe parce qu'il connaissait Clark Gable, son idole, dont elle conservait toujours une photo sur elle. Il la mit donc en relation avec Paul Hesse, célèbre photographe de publicité. « T'es trop grosse, ma chérie », lui dit simplement Paul Hesse, et Marilyn éclata en sanglots. Bill Burnside sauva la situation en prenant lui-même les photos, et ils devinrent amis.

« Elle savait très bien l'effet qu'elle produisait sur les hommes », déclarait récemment Burnside, aujourd'hui plus qu'octogénaire. « Quand je l'emmenais au restaurant, même si c'était un grand restaurant, les serveurs étaient prêts à se jeter à ses pieds. Dès vingt et un ans, elle avait l'étoffe d'une star. (...) Les premiers mois, elle a été très circonspecte avec moi. » Une relation amoureuse finit cependant par se nouer, qui dura quelques mois. Burnside possède encore l'une des photos qu'il avait prises d'elle, avec cette dédicace : « Tout ce qui vaut d'être possédé vaut bien qu'on l'attende. Affectueusement, Marilyn. »

« Je crois que c'était ma culture qui l'attirait, dit Bill Burnside. Elle lisait Shelley, Keats, et d'autres choses plus faciles. Elle savait qu'elle avait besoin de se cultiver. » De fait, c'est à cela qu'elle s'attaqua au cours de cette période de chômage. A l'école, qu'elle avait quittée à l'âge de quinze ans, ses devoirs étaient généralement jugés « passables » ; mais ses devoirs d'anglais étaient qualifiés de « bons ». En partie pour sa carrière, mais aussi parce qu'elle avait une réelle soif de connaissances, Marilyn se mit à constituer une énorme bibliothèque.

Toute sa vie, Marilyn s'est intéressée à l'occultisme, et elle a souvent consulté des astrologues et des voyants. Cela ne l'empêchait pas, cependant, de garder la tête froide : Caroll Righter, le célèbre astrologue, lui ayant dit un jour : « Savez-vous que vous êtes née sous le même signe (les Gémeaux) que Rosalind Russell, Judy Garland et Rosemary Clooney ? » Marilyn répliqua sèchement : « Je ne sais rien de ces gens-là. Je suis née sous le même signe que Ralph Waldo Emerson, la reine Victoria et Walt Whitman. »

Les Gémeaux, disait Marilyn, sont un signe intellectuel. La recherche de la connaissance demeura toute sa vie une de ses passions, au point que certains s'en gaussèrent. Ils avaient tort. Marilyn lisait beaucoup : Thomas Wolfe, James Joyce, de la poésie (surtout les romantiques), des ouvrages historiques, des biographies.

Elle vouait un culte tout particulier à Abraham Lincoln (elle noua même une amitié avec son biographe, Carl Sandburg) ; et partout où elle a vécu, elle accrochait au mur son portrait ainsi que son célèbre discours de Gettysburg. Ce fut sa première histoire d'amour avec un président des États-Unis.

Marilyn elle-même ne s'est jamais lancée dans l'action politique, mais ses sympathies allaient plutôt à gauche (ses professeurs de l'Actors' Lab, les Carnovsky, furent d'ailleurs taxés de communistes à l'époque du maccarthysme). Marilyn se considérait comme issue de la classe ouvrière et exprimait son attachement pour le peuple. Lors de sa dernière interview, en 1962, elle déclarait : « Si je suis une star, c'est le peuple qui m'a faite star. Je ne le dois à personne en particulier, à aucun studio, mais au peuple et à lui seul. »

Tout en continuant à poser pour des magazines, Marilyn cherche à s'améliorer même dans ce domaine. En 1947, le photographe Earl Theisen remarqua dans sa bibliothèque l'ouvrage d'anatomie d'un érudit du seizième siècle, Andreas Vesalius, intitulé *De Humani Corporis Fabrica*. Il était soigneusement annoté ; Marilyn lui expliqua qu'elle étudiait le squelette. Des reproductions, découpées dans le livre (des tableaux de Jan Stephan van Kalkar, élève du Titien), décoraient les murs de ses modestes garnis ; et jusqu'à la fin de sa vie, Marilyn stupéfiera ses amis plus jeunes par sa connaissance encyclopédique du squelette humain. Trente ans avant la folie du jogging, avant que des milliers de gens ne se mettent à ahaner collectivement dans le smog délétère de Los Angeles, Tommy Zahn admirait déjà la façon dont Marilyn se maintenait en forme, en soulevant des poids et en courant plusieurs kilomètres le matin.

Marilyn n'a jamais été plus pauvre qu'à cette époque. Lorsqu'elle ne se faisait pas inviter au restaurant, elle sautait les repas pour pouvoir continuer à payer ses cours d'art dramatique. Elle allait souvent prendre le café au drugstore Schwab (sur Sunset Boulevard), qui était en quelque sorte la base opérationnelle de son ami, le journaliste Sydney Skolsky. Celui-ci lui donna un peu d'argent pour lui permettre d'ouvrir un compte dans une librairie.

Son aventure avec Bill Burnside prit fin lorsqu'il partit faire un long voyage en Amérique du Sud. A son retour, elle lui donna ce poème :

> *J'ai pu t'aimer avant*
> *Et même le dire,*
> *Mais tu es parti*
> *Loin, très loin.*
> *Quand tu es revenu, il était trop tard,*
> *L'amour était un mot oublié.*
> *T'en souviens-tu ?*

C'est peut-être un des jeunes gens rencontrés chez Schwab qui l'aida à oublier Bill Burnside. Ce « drugstore » fourmillait d'acteurs sans travail. L'un d'eux avait nom Charlie Chaplin. A lui aussi, Marilyn offrit un peu d'elle-même.

5

Dans les années vingt, Charlot épousa une fille de quinze ans, Lita Grey. Leur mariage fut de courte durée, mais elle eut le temps de lui donner un garçon qui resta sans nom pendant un an — et un autre garçon, Sydney. Lita, dit-on, voulait appeler le premier Charlie, comme son père ; mais celui-ci, n'écartant pas l'éventualité que son fils devînt acteur, préférait lui donner un autre nom. Après le divorce, il devint malgré tout Charlie. En 1947, il avait vingt et un ans, comme Marilyn (tous deux étant nés la même année). Il voulait devenir acteur, justifiant les craintes de son père, et tirait le diable par la queue.

En dépit de son immense fortune, Charlie Chaplin père ne lui versait qu'une somme minuscule, tout juste suffisante pour lui permettre de subsister, lui et sa grand-mère maternelle, tandis que sa mère faisait des tournées dans le pays comme chanteuse de cabaret. Mais celle-ci était à la maison quand le jeune Charlie amena sa petite amie du moment à déjeuner. Lita jugea Marilyn « pas du tout sophistiquée, au contraire, naïve comme une fille de la campagne. Elle était un peu épaisse à l'époque ; on ne l'avait pas amincie, on ne lui avait pas encore donné cet éclat... ! Mais Charlie en était toqué. »

Charlie demeura longtemps amoureux ; à Noël, il réussit à trouver suffisamment d'argent pour offrir à Marilyn des vêtements de haute couture. Marilyn restait souvent pour la nuit avec Charlie, selon le copain de toujours de celui-ci, Arthur James. Tous deux se fourraient dans un petit lit ; Sydney, le frère de Charlie, dormait dans l'autre, dans la même pièce. L'idylle aurait pris fin le jour où Charlie rentrant chez lui s'aperçut que Marilyn s'était trompée de lit et avait fini dans celui de Sydney. Ils demeurèrent pourtant bons amis ; quinze ans plus tard, Marilyn lancerait un de ses derniers appels désespérés à Chaplin et James. Charlie ne survécut pas longtemps à Marilyn. Ce fut toujours un acteur raté ; il devint alcoolique, et on le retrouva un jour de 1968 moribond dans sa salle de bain.

Triste post-scriptum de cette histoire, d'après Arthur James : Marilyn fut enceinte de Charlie au cours de l'hiver 1947 et dut subir un avortement de plus.

Au cours de cette période, Marilyn continuait de fréquenter Robert Slatzer, le jeune journaliste de l'Ohio. Slatzer avait alors pour ami et collègue Will Fowler (fils du biographe de John Barrymore, Gene Fowler). Le récit que Fowler donne de l'une de leurs soirées chez Marilyn démontrerait que celle-ci savait à l'occasion se défaire de sa timidité.

«Elle avait trop bu, raconte Fowler. Elle s'est déshabillée. Elle aimait se montrer nue devant des hommes. Elle faisait souvent ce qu'un homme lui demandait, comme ça, comme une faveur. Elle marchait dans la pièce, nue et ivre. C'était autant une idée à elle qu'à nous, et ce soir-là il n'y avait rien de vraiment sexuel. »

Cette compulsion à se déshabiller a été souvent remarquée chez Marilyn. Quelques années plus tard, à New York, elle donnera une interview, nue, à Joe Wohlander. Mrs. Ben Bodne, épouse du propriétaire de l'hôtel Algonquin (à New York) raconte avoir un jour rencontré Marilyn sur la Cinquième Avenue, vêtue d'un nouveau manteau de vison. Lorsqu'elle lui demanda ce qu'elle portait dessous, l'actrice répondit : « Rien », et ouvrit son manteau pour le lui prouver.

Marilyn expliquera elle-même : « Je crois que ce besoin d'être remarquée a quelque chose à voir avec le trouble que je ressentais, enfant, le dimanche à l'église. Dès que j'étais assise, avec l'orgue qui jouait et les gens qui chantaient, j'avais l'envie folle d'enlever mes vêtements. Je voulais me dresser toute nue, pour que Dieu et les autres me regardent. J'étais obligée de serrer les dents et de m'asseoir sur mes mains pour m'empêcher de me déshabiller. (…) J'en rêvais même. Dans mes rêves, je pénétrais dans l'église avec une jupe bouffante et rien en dessous. Les gens étaient allongés sur le dos, je passais au-dessus d'eux, et leurs yeux me regardaient. »

En 1947, à l'époque où elle s'exhibait toute nue devant Robert Slatzer et Will Fowler, Marilyn avait commencé à lire les œuvres de Freud. Dans *L'interprétation des rêves*, Freud écrit que le « rêve de nudité » est fort commun et que ce rêve d'être nu en public indique, dans la vie réelle, la peur d'être démasqué.

Peut-être la lutte de Marilyn pour échapper à son enfance d'orpheline la conduisait-elle finalement (et paradoxalement) à se servir du récit de ses épreuves passées pour susciter la sympathie et se faire plaindre. Au cours de l'été 1947, en tout cas, elle ajoute une nouvelle rubrique au catalogue de ses malheurs. Alors qu'elle vivait dans une maison à Burbank, Marilyn sortit dans la rue à minuit, vêtue d'une simple chemise de nuit, en hurlant comme si on l'égorgeait. Elle raconta (on ne possède que son témoignage) qu'un homme s'était introduit chez elle par la fenêtre. Elle tenta d'abord de le repousser, puis s'enfuit. Les cris réveillèrent les voisins, on appela la police. Selon Marilyn, le rôdeur avait réapparu alors que les policiers se trouvaient là ; ils l'arrêtèrent : c'était lui-même un policier. Ses collègues auraient alors fait pression sur Marilyn pour qu'elle ne porte pas plainte, et l'affaire fut classée. Les précédents biographes de Marilyn ont repris l'histoire telle quelle en la donnant pour véridique.

Au lecteur de décider ce qu'il faut croire de ces multiples agressions sexuelles. Il y a d'abord ces attouchements, pendant l'enfance, voire, si l'on en croit ce qu'a rapporté sa femme de chambre, un véritable viol suivi d'une grossesse (Mr. Kimmel). Ensuite (ceci, Marilyn ne l'a raconté qu'à une seule personne), un transport d'affection, à son égard, du mari de sa tutrice, dont elle se sentit « violentée ». Enfin, en 1947, à une époque où peu de gens « importants » s'intéressaient à elle, cette agression de la part d'un policier.

En matière d'agressions sexuelles, comme ailleurs, les statistiques oblitèrent les extrêmes réels. Cela dit, Jim Dougherty nous donne-t-il une clé d'interprétation, quand il raconte qu'elle le réveilla une nuit par ses cris, en lui jurant qu'un homme l'avait poursuivie dans la rue alors qu'elle abandonnait le toit conjugal en chemise de nuit ? Jim Dougherty était persuadé qu'il ne s'agissait que d'un rêve. Et Sidney Skolsky, tout féal de Marilyn qu'il était, ne crut jamais vraiment à l'histoire du viol pendant l'enfance. Cependant, cette histoire, comme celle de l'agression de la part du policier, lui servit.

A la fin de l'année 1947, l'acteur John Carroll fait la connaissance de Marilyn dans un restaurant *drive-in*. Ayant pour tout bagage un sac contenant quelques effets, elle lui dit qu'elle va à San Francisco en auto-stop. Elle est déprimée : elle en a sa claque d'Hollywood où elle n'arrive pas à trouver un travail intéressant. Carroll lui promet de l'aider. Ils se revoient lors d'un tournoi de golf auquel Marilyn participe comme « starlet-caddie ». A cette occasion, elle fait également la connaissance de la femme de John Carroll, Lucille Ryman, directrice de *casting* à la Metro Goldwin Mayer. Marilyn leur conte son agression nocturne, et Carroll propose à sa femme « de faire quelque chose pour cette pauvre fille ».

Les Carroll paient son loyer, lui donnent un peu d'argent de poche. Puis elle emménage dans un appartement qu'ils possédaient sans l'occuper. Là, nouvel incident : « un garçon », s'aidant d'une échelle, monte jusqu'à la fenêtre de Marilyn pour la guigner dans sa chambre. Elle finit par venir habiter chez les Carroll.

John Carroll offre à Marilyn des bijoux qui disparaissent mystérieusement. Quant à Lucille, la femme de John, elle a un jour la surprise d'entendre Marilyn lui déclarer : « Tu n'aimes pas John. Je crois que moi, je suis amoureuse de lui. Tu ne veux pas divorcer pour qu'on puisse se marier ? » Il n'y eut apparemment pas de suites fâcheuses ; les Carroll devinrent les managers de Marilyn, et Lucille l'aida à obtenir le rôle qui allait tant faire pour sa carrière, dans *Quand la ville dort* (*Asphalt Jungle*) de John Huston.

« A Hollywood, on vous paiera mille dollars pour un baiser et cinquante *cents* pour votre âme. Je le sais parce que j'ai souvent rejeté la première proposition et que mon âme n'est pas à vendre. Les hommes qui me faisaient des avances me donnaient la nausée. Je refusais... »

Voilà comment s'exprimait Marilyn, interviewée par Ben Hecht, alors que la gloire commençait à lui sourire. Suivait alors l'histoire détaillée de la façon dont elle avait repoussé les avances d'un directeur de *casting* de la Goldwin Mayer qui l'avait attirée dans son bureau. Tommy Zahn m'a dit qu'effectivement, Marilyn choisissait : Randolph Churchill visitait la Californie ; il invita Marilyn à venir le voir, dans une maison au bord de la mer qu'il occupait seul, « pour discuter d'une affaire ».

« Elle devait savoir qu'il avait autre chose en tête, dit Zahn, car elle m'a demandé de l'accompagner. »

Certaines mauvaises langues ont cependant affirmé qu'il suffisait pour avoir Marilyn de l'aider dans sa carrière cinématographique. Il semble que ces mauvaises langues ont raison.

En 1960, deux ans avant sa mort, Marilyn confiait à Jaik Rosenstein : « Quand j'ai commencé à poser pour des photos, "ça" faisait partie du travail. Toutes les filles le faisaient. Les types des agences ne prenaient pas toutes ces photos sexy seulement pour des publicités de beurre de cacahuètes ou pour les placer dans les magazines. Ils voulaient aussi tâter la marchandise ; et si on ne marchait pas, il y avait cinquante filles derrière nous qui étaient prêtes à prendre la place. Après tout ce n'était pas tragique. Personne n'a jamais attrapé le cancer en faisant l'amour. »

A propos d'Hollywood, Marilyn dit à Rosenstein : « Quand un producteur demande à une actrice de venir dans son bureau pour discuter d'un script, il n'a pas que ça en tête. Et un rôle dans un film, ou un contrat permettant de figurer sur les listes de comédiens, c'est plus important que tout pour cette fille, plus important que manger. Elle peut avoir faim, avoir dormi dans sa voiture si elle n'a plus de quoi payer son loyer ; elle s'en moque si elle peut décrocher un rôle. J'en sais quelque chose parce que les deux choses me sont arrivées. Souvent. Et j'ai couché avec des producteurs. Je mentirais en disant le contraire... »

A l'époque où elle tenait ses propos, Marilyn connaissait Rosenstein depuis des années. Elle lui demanda de ne pas reproduire ses paroles et il obéit. Aujourd'hui, cependant, il appert que Marilyn savait distribuer judicieusement ses faveurs. Parmi les heureux bénéficiaires il y eut, paraît-il, celui qui lui obtint son premier contrat à la Fox : Ben Lyon. D'après Sheilah Graham, Lyon coucha avec Marilyn et lui promit de l'aider dans sa carrière. Comme finalement aucun rôle ne lui était proposé et que Marilyn commençait à le harceler, Lyon téléphona à un directeur de casting travaillant pour Sol Wurtzel (qui à l'époque produisait des films de série B). D'après cette personne, Wurtzel, pour faire plaisir à Ben Lyon, donna à Marilyn un petit rôle dans *Dangerous Years*. Dans ce film de 1947 consacré à la délinquance juvénile, Marilyn est serveuse dans un café où se retrouve une bande de jeunes voyous ; elle n'avait que quelques répliques à donner.

C'est aussi vers cette époque que Marilyn se lia avec le grand manitou de la Twentieth Century Fox, Joseph Schenck, alors âgé de soixante-dix ans. Il était l'un des pères fondateurs de cette firme, née quelque douze ans plus tôt de la fusion de la Fox avec la Twentieth Century Pictures, société que Schenck possédait en commun avec son frère et Darryl Zanuck. Déjà vieux mais encore actif, c'était un bon vivant ; et il se savait, à juste titre, l'un des grands d'Hollywood.

Schenck, qui appréciait les jolies femmes, avait également beaucoup d'intuition pour détecter les futurs talents. Selon un journaliste, il s'entourait de femmes superbes « comme d'autres s'entourent de pur-sang ». A la fin de l'année 1947, l'attention de ce connaisseur était occupée par deux femmes : Marilyn Monroe et Marion Marshall (laquelle allait épouser plus tard Robert Wagner).

Marion Marshall avait fait la connaissance de Marilyn alors que toutes deux étaient candidates à une séance de photos pour une marque de maillots de bain. « Marilyn était la fille la plus spectaculaire que j'avais jamais vue. Elle n'était pas particulièrement belle, mais il se dégageait d'elle un dynamisme incroyable. Lorsque je l'ai vue pour la première fois, elle est arrivée en retard (comme toujours par la suite), après les autres filles. J'étais assise au milieu de tous ces mannequins, filles très sophistiquées : robes de soie, gants, chapeaux et tout le tralala ; Marilyn, elle, est arrivée avec une petite robe d'été en vichy, ras-du-cou, les cheveux ni décolorés ni défrisés. Quand elle est entrée, le temps s'est arrêté, et toutes ont compris que c'était elle qu'on allait choisir. C'est ce qui s'est passé. »

Marion Wagner nous a laissé l'un des récits les plus fidèles et les plus affectueux des premiers temps de Marilyn à Hollywood ; elle se souvenait parfaitement des soirées passées chez Joe Schenck, sur Sunset Boulevard. Une limousine venait chercher les deux filles, ensemble ou séparément, pour les conduire dans la grande demeure du producteur. Après le cocktail ou le dîner, il y avait parfois une projection de film dans la salle privée de Joseph Schenck. Celui-ci avait la passion des cartes ; Marion Wagner raconte qu'il « regrettait de ne pouvoir voler à notre secours quand nous jouions au *gin-rummy* contre ses amis et il se montrait ravi quand nous gagnions. Il nous aimait beaucoup toutes les deux. (...) Pour moi, il était comme un père, un confesseur, un vieux sage adorable. Lorsque la soirée était terminée, on me ramenait dans la limousine, et autant que je sache, il en allait de même pour Marilyn. »

En mars 1948, Marilyn signa un contrat de six mois avec

56

Columbia Pictures. Comme à la Fox, elle était payée soixante-quinze dollars par semaine. Plusieurs versions ont circulé à propos de cet engagement ; voici celle de Jonie Taps, qui était alors le second de Harry Cohn, président de Columbia : « J'ai reçu un coup de fil de Joe Schenck. Il m'a dit : "J'ai une dette envers elle et j'aimerais beaucoup que vous lui fassiez un contrat de vingt-six semaines." Je suis allé voir Harry Cohn qui m'a dit : "S'il en a tellement besoin, il n'y a qu'à le faire. Faites un contrat à cette fille." »

« Quoi qu'elle ait pu faire, dit Marion Wagner, je ne pense pas qu'elle ait couché avec lui tous les soirs. A mon avis, c'était une relation très convenable. » Quant à Marilyn, à un journaliste qui lui posait crûment la question, elle répondit n'avoir jamais couché avec Joseph Schenck.

James Bacon, le célèbre échotier d'Hollywood, a cependant nourri la rumeur. Il a écrit, et m'a raconté de vive voix en 1983, ce qu'il savait des services qu'elle rendait à Schenck. Bacon dit avoir rencontré Marilyn en 1948, à l'époque de son contrat avec Columbia. Ce fut l'attaché de presse Milton Stein qui les présenta, et Bacon se souvient qu'il la trouva extraordinairement attirante. « Il y avait quelque chose de particulier chez cette fille. Dès qu'on la voyait, on sentait qu'elle réussirait. »

Bacon, bien sûr, s'arrangea pour revoir Marilyn. A leur troisième rencontre, il s'offrit à la raccompagner au Studio Club, l'hôtel où elle vivait. Marilyn lui demanda alors de la conduire chez Joseph Schenck, où, lui dit-elle, elle occupait la maison des hôtes.

Elle ne lui cacha pas — dit-il — que comme d'autres filles, elle prenait soin de la sexualité défaillante de Joseph Schenck. Elle le fit rire en lui racontant que le « vieux » ne pouvait avoir que de brèves et rares érections, parfois au moyen de médicaments. Vivant dans la maison des hôtes, Marilyn était disponible pour ces heureux et fugaces moments. Bacon et elle burent joyeusement le champagne de Schenck et finirent par se retrouver au lit ensemble. A trois heures du matin, on frappa à la porte : c'était le majordome de Schenck qui venait chercher Marilyn. Elle sortit précipitamment, mais revint peu après, expliquant en riant qu'elle était arrivée « trop tard ».

Comme de nombreux témoins l'ont confirmé, Bacon

connaissait bien Marilyn. Les attachés de presse des nombreuses célébrités dont il a été l'ami louent ses qualités de journaliste. Lorsqu'on lui reproche d'avoir révélé cette anecdote, James hausse les épaules : «Je sais qu'au début de sa carrière, Marilyn était une fille facile. Elle-même disait que ça l'aidait. Je savais très bien qu'elle ne faisait pas l'amour avec moi pour mes beaux yeux. Bien sûr, je ne lui déplaisais pas, mais ce qui l'intéressait surtout, c'était les articles que je publiais dans les journaux. »

D'autres témoignages semblent confirmer les dires de James Bacon : deux journalistes ayant rendu visite à Joseph Schenck à Palm Spring y trouvèrent aussi Marilyn ; d'après eux, elle « s'occupait » de lui. Schenck aurait même laissé entendre fort courtoisement qu'elle pouvait également s'occuper d'eux. L'avis le plus « autorisé » sur cette question est sans doute celui du vénérable agent artistique, George Chasin : lui aussi parle de «rapports physiques».

Quoi qu'il en soit, cette relation fut plus qu'une passade intéressée. L'acteur Nico Minardos, qui fréquentait beaucoup Marilyn à la fin de 1952, se souvient d'être allé lui rendre visite à l'hôpital, à l'occasion d'une intervention gynécologique. Entrant chez elle sans frapper, il la trouva dans les bras de Joseph Schenck.

Joseph Schenck vécut jusqu'à l'âge de quatre-vingt-deux ans. En 1960, il eut un très grave infarctus. A cette époque, Marilyn tournait *Le milliardaire*. Au cours d'un dîner offert par le producteur, David O. Selznick, une scène pénible se produisit : un convive reprocha à Marilyn de ne pas avoir rendu visite à Schenck mourant, et l'accusa d'insensibilité.

Rupert Allan s'élève en faux : il l'accompagna chez le vieux Joseph Schenck qui agonisait seul, dans sa grande maison. Il fallait être un intime de Schenck pour être admis auprès de lui, aussi Allan attendit au rez-de-chaussée ; mais il entendit les éclats de rire de Marilyn se répandre du haut de l'escalier. L'infirmière, stupéfaite, lui raconta que le malade avait repris tous ses esprits en apprenant que Marilyn allait venir. Sur le chemin du retour, Marilyn pleura. Elle ne revit jamais Joseph Schenck.

«A la voir, à l'entendre, j'ai été certaine, m'a dit Amy

Greene, qu'à ses débuts elle avait couché avec les gens qui pouvaient lui être utiles. » Marilyn, parlant de cette période, lui aurait dit : « J'ai passé beaucoup de temps à genoux. »

En 1948, à l'âge de vingt-deux ans, Marilyn fréquentait régulièrement les restaurants à la mode et les night-clubs d'Hollywood, notamment le Romanoff's. Marilyn se lia étroitement avec les patrons de ce club, le « prince » Mike Romanoff, et sa femme, Gloria.

Gloria Romanoff est restée une grande amie de Marilyn jusqu'à sa mort. « Mes propos ne seront guère appréciés, dit-elle, mais cette fille, très tôt, a fait tout ce qu'il fallait pour réussir dans sa carrière. Avec le temps, je crois que Marilyn est devenue assez indifférente en matière de sexe. Elle n'avait plus tellement besoin d'être avec des hommes ; à mon avis ses premières années de cinéma y étaient pour beaucoup. »

Pour en finir avec ce sujet, laissons la parole à Marilyn elle-même. Lorsque l'écrivain britannique W.J. Weatherby lui demanda si ce qu'on racontait sur elle à ce propos était vrai, elle répondit : « En partie peut-être. Mais ce n'est pas en couchant avec les gens qu'on devient une vedette. Il faut plus, beaucoup plus. Mais ça peut aider. Beaucoup d'actrices obtiennent leur première chance de cette manière. La plupart de ces hommes sont tellement atroces qu'elles méritent bien tout ce qu'elles peuvent obtenir d'eux ! »

A l'occasion, Marilyn prendra des amants plus jeunes qu'elle, mais les hommes qui compteront pour elle seront presque toujours plus âgés.

« L'insécurité, voilà ce qui m'effraie, dira-t-elle quelques années plus tard. J'ai toujours été attirée par des hommes plus vieux que moi ; les jeunes n'ont rien dans la tête ; tout ce qui les intéresse, c'est de séduire ; ils ne songent même pas à moi. Ce qui les excite, c'est que je suis une étoile du cinéma. Les hommes mûrs sont plus tendres, ils en savent plus ; ceux que j'ai connus occupaient des fonctions importantes dans le métier, et ils ont essayé de m'aider. »

Marilyn disait avoir énormément appris de Joseph Schenck, « en l'écoutant parler. Il avait la sagesse d'un grand pionnier. J'aimais aussi regarder son visage. C'était autant le visage d'une ville que celui d'un homme. Toute l'histoire d'Hollywood s'y reflétait ».

Marilyn cherchait des maîtres. En 1948, lorsqu'elle fut engagée par la Columbia, le premier qu'elle rencontra fut une
femme. Marilyn saisit la main secourable qu'on lui tendait,
et ce fut le début d'une relation étrange et intense, qui devait
durer sept ans.

Mais cet été-là, elle eut aussi un maître, avec lequel elle
connut une passion qu'elle ne put jamais oublier.

6

« J'ai une nouvelle fille pour toi, dit la voix au téléphone.
Elle s'appelle... »

Natasha Lytess, directrice de l'école d'art dramatique de la
Columbia, attend que le chef de studio retrouve le nom dans
ses papiers.

« Ah, voilà... Marilyn Monroe. Regarde ce que tu peux faire
avec elle. »

C'était au printemps de 1948.

Natasha Lytess, elle-même ancienne actrice, était une femme
maigre, grisonnante, d'origine à la fois russe et française. Beaucoup plus âgée que Marilyn, nerveuse, hypersensible. Ayant
fui l'Allemagne nazie, elle s'était installée aux États-Unis. Elle
avait joué dans la troupe de Max Reinhardt et avait épousé
l'écrivain Bruno Frank, connu pour ses opinions de gauche.
Elle vivait seule, désormais, avec sa fille de trois ans. Cela faisait sept ans qu'elle formait des acteurs à Hollywood. Elle avait
l'habitude des starlettes sans expérience ni talent, et au premier abord, c'est l'effet que lui fit Marilyn.

« Je ne lui trouvai rien de spécial. Elle était gauche et inhi-
bée. Elle ne pouvait pas dire un seul mot simplement. Son habitude de parler sans presque remuer les lèvres était aussi peu
naturelle que possible, c'était visiblement quelque chose
d'appris. Sa voix était une espèce de geignement flûté. » Lytess
mit néanmoins sa nouvelle élève au travail ; et ce fut le début

d'une relation qu'elle considérera, plus tard, «avec orgueil et amour, mais aussi avec peur et frustration».

Marilyn venait aux cours régulièrement, toujours plus ou moins à l'heure, et travaillait avec ferveur. Natasha Lytess lui demandait avant tout «de se laisser aller, de parler et de marcher naturellement, de comprendre que lorsqu'on est détendu, on a plus d'autorité. Pour cette fille qui souffrait d'un sentiment aigu d'insécurité, toutes ces sensations étaient inconnues; c'était comme une sortie des profondeurs marines, comme une nouvelle naissance».

Pendant longtemps, Marilyn ne dira rien à Natasha de son enfance. Son professeur sentait qu'elle «était habituée à tout cacher», et bien souvent elle ne savait que croire. Un jour, alors que depuis des mois elle venait au cours vêtue d'habits fort coûteux, elle déclara à Natasha, en pleurant, que sa dernière mère nourricière, Ana [Lower], était morte de «malnutrition». Après un moment de réflexion, Natasha décida de ne pas lui poser de questions. Mais déjà, elle était profondément attachée à son élève.

On a dit que Marilyn et Natasha eurent une relation sexuelle. Lena Pepitone, sa femme de chambre new-yorkaise, le lui aurait entendu dire elle-même : «Quel que soit le sexe de la personne, Marilyn était prête à accueillir tendresse et chaleur. Marilyn avait besoin d'être aimée... par quiconque, pourvu qu'on fût sincère.» Florabel Muir, grande dame du journalisme hollywoodien, qui la connut bien, parle aussi de saphisme entre Marilyn et Natasha; Sydney Skolsky est du même avis.

Marilyn elle-même devait dire des années plus tard à W.J. Weatherby : «Les gens ont voulu faire de moi une lesbienne. Ça m'a fait rire. Aucune forme de sexualité n'est mauvaise, s'il y a amour.» Auparavant, parlant de la vie qu'elle menait en 1948, elle déclarait que ses relations sexuelles avec les hommes avaient toujours, jusqu'alors, été décevantes.

«Puis j'ai commencé à comprendre, dit-elle, que les autres — les autres femmes — étaient différentes de moi. Elles ressentaient des choses que je ne ressentais pas. Je me suis mise à lire des livres et j'ai découvert des mot comme ''frigide'', ''rejetée'', ''lesbienne''. Etais-je les trois à la fois? Parfois je ne me sentais pas humaine; parfois, je ne pensais plus qu'à mourir. Et puis il y avait ce fait qui m'inquiétait : la vue d'une femme bien faite me donnait toujours le frisson. »

Après plusieurs mois d'étude auprès de Natasha Lytess, Marilyn (d'après ce qu'elle dit à Ben Hecht) finit néanmoins par se convaincre qu'elle n'était pas lesbienne. Finalement, on lui proposa pour la première fois un rôle où elle devait non seulement donner la réplique, mais aussi chanter et danser. Ce film, à petit budget, c'était *Les reines du music-hall* (*Ladies of the chorus*). Marilyn y est une fille pauvre qui devient star — premier cas de résonance troublante entre ses rôles à l'écran et sa vie réelle. Elle y chante deux chansons : *Every Baby Needs a Da Da Daddy* et *Anyone Can See I Love You**.

C'est alors qu'elle répétait ces chansons, rapporte Natasha Lytess, «qu'elle s'est ouverte, qu'elle s'est tournée vers moi comme un enfant à la recherche de conseils et de réconfort. Un jour, elle m'a dit qu'elle était amoureuse». Mais Marilyn ne lui révéla pas tout de suite le nom de l'élu.

Un jour de l'été 1948, Mary D'Aubrey, jeune veuve qui est retournée vivre chez sa mère, à Hollywood, Harper Avenue, pénètre dans la chambre de son frère Fred et a la surprise de le trouver au lit avec sa nouvelle petite amie. «Ohé ! Je peux avoir un verre de quelque chose ? » dit joyeusement Marilyn, en guise de salut.

Fred Karger avait alors trente-deux ans, soit dix ans de plus que Marilyn, et il était marié. Directeur musical à la Columbia Pictures, il était également compositeur (c'est à lui qu'on doit le célèbre thème de *Tant qu'il y aura des hommes*). Il était le fils de Maxwell Karger, l'un des fondateurs de la Metro Goldwin Mayer, et d'une Irlandaise de Boston, Anne, surnommée Nana, femme vive et chaleureuse. Maxwell Karger était mort depuis longtemps déjà, et Nana régnait, à soixante-deux ans, sur une joyeuse maisonnée d'enfants et de petits-enfants. Dans ses années folles, avant la guerre, Nana tenait un *salon* où se retrouvait le petit monde qu'était déjà Hollywood ; et la gaieté de cette époque révolue subsistait dans la maison de Harper Avenue.

---

* «Tout enfant a besoin d'un pa pa papa » et «Tout le monde peut voir que je t'aime».

C'était le chef de la production des *Reines du music-hall* qui avait adressé Marilyn à Fred Karger, parce qu'elle avait besoin de leçons de chant. Karger trouva Marilyn peu sûre d'elle-même, rongée par le trac ; de fait, elle n'avait qu'un filet de voix ; mais elle était résolue à se plier à tous les exercices nécessaires pour réussir. Il l'emmena chez des amis pour l'habituer à chanter devant un public, même restreint. Le réalisateur Richard Quine se souvient d'avoir vu Karger accompagnant au piano une Marilyn qui avait rassemblé tout son courage pour chanter *Baby, Won't You Please Come Home* (« Tu pourrais pas rentrer à la maison, chérie ? »)

Un jour, Marilyn lui téléphona qu'elle était malade. Karger vint la voir et la trouva, pitoyable et affamée, dans un studio minuscule. Il l'invita chez lui, pour la faire bénéficier des attentions maternelles de Nana, et ce fut le début de leur histoire d'amour.

La nièce et le neveu de Fred, Anne et Bennett, se souviennent encore de la drôle de créature que leur oncle avait ramenée à la maison. « Un jour, raconte Bennett, je suis entré dans la chambre de Fred pour prendre des jouets que je gardais dans un placard. Elle était assise devant la coiffeuse, nue, en train de se maquiller. Je voulais battre en retraite, mais elle m'a dit de rentrer et d'aller chercher mes affaires de base-ball. »

Bennett et sa petite sœur de huit ans, Anne, dormaient dans une chambre voisine, sur des lits de camp. « Un jour, dit Anne, une dame blonde, extraordinaire, fit son apparition dans notre chambre. Elle adorait les enfants et elle est vite devenue membre de notre bande de petits amis. Elle a donné une fête pour mon anniversaire ; elle s'asseyait par terre pour jouer avec nous. Nous l'aimions beaucoup. »

Les Karger la surnommèrent « Maril », et Maril elle resta toujours pour eux. Elle se montrait envers les enfants d'une générosité sans limite. A Noël, elle vit que Terry, la fille que Fred avait eue d'un premier mariage, avait reçu plus de cadeaux qu'Anne et Bennett. Elle sortit discrètement et revint les bras chargés de cadeaux. Comme elle devait le faire si souvent, Marilyn l'orpheline tentait de s'intégrer dans une famille. Elle avait continué de voir la grand-mère de Charlie Chaplin junior ; maintenant, elle jetait son dévolu sur la mère de Fred.

63

Nana lui faisait des petits plats, raccommodait ses vêtements, l'expédiait le matin aux studios. Marilyn n'oublia jamais l'anniversaire de Nana par la suite et elle lui envoya chaque année des fleurs pour la fête des mères.

Marilyn avait trouvé une famille, et elle était pour la première fois de sa vie vraiment amoureuse. Sur l'insistance de Karger, elle quitta son sinistre studio pour emménager dans un nouvel appartement, dans la même rue que lui. Les amants prirent aussi un petit studio près de la Columbia, où il leur était facile de se retrouver. « Une nouvelle vie commençait pour moi, dira-t-elle à Ben Hecht. Je m'étais toujours rangée parmi les mal-aimées. (…) Mais je découvrais maintenant qu'il y avait eu pire dans ma vie : ma propre incapacité à aimer. (…) J'oubliai même Norma Jeane. Un nouvel être surgissait en moi ; ce n'était ni une actrice ni quelqu'un qui cherche un monde de couleurs brillantes. Quand il me disait ''je t'aime'', c'était meilleur que si tous les critiques m'avaient sacrée star. »

Marilyn s'inquiétait d'être la maîtresse d'un homme marié ; et elle s'effondra lorsque leur relation prit fin.

« Il y avait un nuage dans mon paradis. Je savais que je lui plaisais, qu'il était heureux d'être avec moi. Mais son amour n'était nullement comparable au mien. Il n'arrêtait pas de me critiquer, de me rappeler mon ignorance et mon inexpérience de la vie. (…) Son cynisme aussi, me blessait. (…) »

Karger lui demandait : « Qu'est-ce qui est le plus important pour toi dans la vie ?

— Toi.

— Non, quand je ne serai plus là. »

Lorsque Marilyn pleurait, il lui disait : « Tu pleures trop facilement. C'est parce que ton esprit n'est pas assez ouvert. Comparé à ton corps, il est encore à l'état embryonnaire. »

Nana Karger aurait bien aimé que son fils épouse Marilyn. Lui, tergiversait. Un jour, il expliqua ses raisons à Marilyn. « Moi, je serais d'accord, mais il faut que je pense à mon fils. Si nous étions mariés et si quelque chose m'arrivait — que je meure, par exemple —, ce ne serait pas bien pour lui.

— Pourquoi ? »

La réponse de Karger fut particulièrement dure :

« Ce ne serait pas bien qu'il soit élevé par une femme comme toi. Ce serait injuste pour lui. »

Un des nombreux êtres qui composait Marilyn voulait des enfants ; ce désir était frustré ; elle s'efforça de quitter Karger. Pendant quelque temps, ils jouèrent la triste pièce des amants résolus à la rupture fatale qui ne peuvent se quitter. « Il y eut trois, quatre séparations définitives, raconte Marilyn. Mais chaque fois, c'était comme vouloir se précipiter du haut d'un toit. Je m'arrêtais au dernier moment et je lui demandais de me retenir. Il est difficile de faire quelque chose qui vous brise le cœur. »

Marilyn ne parvenait pas à oublier Karger. A la Noël 1948, elle lui acheta à crédit, chez un grand bijoutier, une montre de cinq cents dollars. Elle était sans le sou et dut payer des traites pendant deux ans. Toute sa vie, Marilyn distribuera des objets gravés à son nom et des photos dédicacées, mais cette montre ne portait que la date : 25. 12. 48.

« Tu aimeras d'autres femmes, lui dit-elle. Si mon nom était gravé sur ce cadeau, tu ne t'en servirais pas. »

Près d'un an plus tard, Fred Karger épousait l'actrice Jane Wyman, ex-épouse du futur président Ronald Reagan. Il divorcera par la suite, mais se remariera avec elle en 1961, un an avant la mort de Marilyn. Même en 1961, Marilyn n'avait pas oublié. Sydney Skolsky raconte la scène suivante : « La seule fois où j'ai vu Marilyn se conduire comme une garce, ce fut un soir au restaurant Chasen. En allant aux vestiaires, nous avons vu qu'on donnait une réception dans un grand salon privé. (…) C'était la fête de mariage de Fred Karger et Jane Wyman. Marilyn déclara alors qu'elle devait aller féliciter Fred, sachant très bien que cela exaspérerait Jane Wyman. Sans carton d'invitation, bien sûr, elle pénétra dans le salon et alla présenter ses vœux à Fred. Comme Marilyn et Jane affectaient l'une et l'autre de s'ignorer, j'aime autant vous dire que l'atmosphère était plutôt tendue. »

Patti, l'épouse de Fred Karger à l'époque de son aventure avec Marilyn, dit aujourd'hui, sans aucune amertume : « Elle le désirait très profondément. Je crois que son amour était très fort. » Vi Russell, qui était alors la meilleure amie de la sœur de Fred et faisait pratiquement partie de la famille Karger, raconte : « Je crois qu'elle n'a plus jamais cru qu'un homme pût l'aimer. Il est vrai qu'elle n'a jamais cru en elle-même. Comment l'aimer, puisque elle-même était incapable de s'aimer ? »

A ce qu'il semble, Fred Karger non plus ne pouvait l'oublier. Un jour, des années plus tard, il appela son ancienne femme Patti — ce qui la troubla beaucoup — pour lui dire que Marilyn venait de lui apparaître en rêve. Karger est mort dix-sept ans jour pour jour après Marilyn.

A New York, au cours des années cinquante, Marilyn évoquera avec nostalgie l'époque où elle était avec Fred Karger. Son principal regret ? Les enfants de lui qu'elle n'avait pas eus ; elle avait alors subi, dira-t-elle, plus d'un avortement.

Natasha Lytess tenta de la persuader que Karger n'était pas digne de ses larmes, et bientôt emménagea avec sa fille dans l'appartement que Marilyn avait loué pour se rapprocher de Fred et de sa famille. Aucune des deux femmes n'était très riche, et les enfants des Karger s'étonnaient fort de l'ambiance qui régnait dans cet appartement : deux femmes seules avec une petite fille, presque sans meubles, Marilyn dormant sur un matelas posé à même le sol. Au cours des derniers mois, ses espoirs professionnels avaient été de nouveau déçus.

Après avoir vu les projections d'essai des *Reines du music-hall*, Harry Cohn, directeur de Columbia Pictures, téléphona à son assistant, Jonie Taps : « Pourquoi t'as collé cette grosse pouffiasse dans le film ? Tu la baises ou quoi ? » Ces propos délicieux visaient Marilyn Monroe. En septembre, Harry Cohn refusa de renouveler le contrat de Marilyn. Le vieux Joseph Schenck tenta de venir à la rescousse, en vain cette fois.

D'après Marilyn, Harry Cohn n'avait agi ainsi que parce qu'elle avait repoussé ses avances. Cohn l'aurait fait venir dans son bureau, lui aurait proposé une croisière sur son yacht et aurait voulu un rapport sexuel avec elle sur-le-champ. Elle aurait refusé. Il l'aurait alors menacée : « C'est ta dernière chance ! » et elle aurait quitté la pièce.

Fred Karger se rappelle avoir accompagné Marilyn chez Harry Cohn pour une ultime tentative. Marilyn, dont la mère et la dernière tutrice étaient d'ardentes adeptes de la Science chrétienne, s'était rendue fréquemment à l'église de la secte pendant les derniers temps, en compagnie de la fille de Karger. Avant cette entrevue, elle consulta par téléphone son guide spirituel.

Ses conseils furent inefficaces : Harry Cohn maintint sa décision. Encore une fois, Marilyn était sur le pavé.

Le mois d'octobre de cette année 1948 lui apporta cependant une consolation. *Les reines du music-hall* était sorti. C'était très mauvais, mais Karger avait bien travaillé, et Marilyn eut sa première critique dans la presse. «On remarquera particulièrement le chant de Miss Monroe, écrivit Tibor Krekes dans le *Motion Picture Herald*. Elle est jolie, sa voix et son style sont plaisants; voilà une actrice qui promet.»

Ce mois-là, en compagnie de membres de la famille Karger, elle assista pour la première fois de sa vie à la projection publique d'un film dans lequel elle jouait. *Les reines du music-hall* passait au Carmel Theater, sur Santa Monica Boulevard (cinéma où, depuis quelques années, on ne joue plus que des films pornographiques). «Elle avait l'air d'une petite fille, raconte Anne, la nièce de Fred Karger. Elle s'était enfoncée si profondément dans son siège qu'elle pouvait à peine voir l'écran. Elle était enveloppée dans un grand manteau et portait des lunettes noires.»

Ce soir-là, personne ne reconnut Marilyn. Mais à la Columbia, d'où on venait de la licencier, quelques lettres d'admirateurs commençaient à arriver.

7

«Elle n'a absolument rien d'un enfant, s'exclama plus tard Natasha Lytess avec une certaine amertume. Un enfant est naïf, confiant, ouvert. Mais Marilyn est habile. J'aimerais avoir ne serait-ce que le dixième de son sens des affaires, du flair avec lequel elle distingue ce qui est bon pour elle et rejette tout le reste.» Au début de l'année 1949, donc, Marilyn se retrouvait sans travail fixe, sans argent, et était en train de perdre le seul homme qu'elle eût vraiment aimé jusque-là. Elle était meurtrie, mais ses meurtrissures, d'une certaine manière, allaient lui servir. Elle voulait jouer, et elle avait appris à forcer le destin.

Jimmy Starr, ancien journaliste au *Los Angeles Herald-Express*, affirme connaître le secret de la célèbre démarche de Marilyn. «Elle avait appris un truc : raccourcir un de ses talons d'un demi-centimètre de façon à faire onduler ses fesses en marchant.»

Ce printemps-là, Marilyn, après avoir travaillé, de temps à autre, comme assistante d'un illusionniste et posé nue pour des photos de calendrier, entendit un jour, au drugstore Schwab, qu'on recherchait une jolie fille pour un film des Marx Brothers, *La pêche au trésor* (*Love Happy*) ; il suffisait de marcher. Marilyn alla voir les réalisateurs, Groucho et Harpo Marx. «Vous savez marcher ? demande l'homme au cigare. Il me faut pour ce rôle une jeune dame qui en marchant devant moi soit capable de réveiller ma libido déclinante et de me faire sortir la fumée par les oreilles.»

Marilyn marcha (avec son talon raccourci ?). Lorsqu'elle se retourna, la fumée sortait des oreilles de Groucho Marx. Il qualifia Marilyn de «Mae West, Theda Bara et Bo-peep tout ça roulé ensemble». La scène fut tournée le lendemain matin.

Le producteur de *La pêche au trésor* décida d'utiliser Marilyn pour le lancement du film. Pour les besoins de la publicité, il fabriqua une belle histoire, retraçant les louables efforts de «l'orpheline d'Hollywood», et expédia ladite orpheline à l'autre bout des États-Unis. C'est ainsi que Marilyn fit son premier voyage à New York. Fred Karger ne l'accompagna pas à la gare.

Une de ses principales tâches, dans l'État de New York, consistait à apparaître devant «La maison des rêves» du magazine *Photoplay*, fantaisie publicitaire qui devait vanter simultanément les mérites de *La pêche au trésor* et de certains articles ménagers. Adele Fletcher, secrétaire de rédaction de *Photoplay*, raconte que Marilyn lui demanda en bégayant de l'accompagner aux «t... t... toilettes», pour l'aider à nettoyer une tache de café sur sa robe. Là, tandis qu'Adele Fletcher, nerveuse, comptait le temps perdu, Marilyn ôte tous ses vêtements (ses sous-vêtements ayant aussi été tachés) et soudain s'exclame : « Mais qu'est-ce qu'elle a ? » en voyant son accompagnatrice prendre brusquement la porte, l'air indignée. Puis Marilyn reparut, avec sa robe sur son slip mouillé, et poussa un aspirateur à l'intention des photographes.

Ce voyage à New York eut ses bons côtés. Marilyn fut interviewée par Earl Wilson, le célèbre chroniqueur qui devait devenir son ami et un sérieux appui dans la presse de la côte est. Sur les instances des attachés de publicité des studios, il la présenta comme la « Girl ». Marilyn revit aussi son ex-amant André de Dienes, celui qui avait fait des photos d'elle en Californie.

On l'emmena à El Morocco, à l'époque l'une des boîtes de nuit les plus élégantes du pays. Marilyn, arrivée dans ce club en humble « touriste », fut invitée à venir du « bon » côté de l'établissement par Henry Rosenfeld — le richissime couturier, ou plus exactement confectionneur new-yorkais, qui avait alors trente-huit ans.

Ce soir-là, Marilyn se fit un ami pour la vie. Peu après, elle rejoignit Rosenfeld dans sa demeure d'Atlantic Beach, fit des promenades dans son hors-bord et passa de douces soirées en sa compagnie à rire et à discuter. Dans les années à venir, Rosenfeld allait lui apporter son réconfort quand elle serait « en crise », lui trouver des médecins et des psychiatres, et l'aider à mettre de l'ordre dans ses affaires financières.

(Rosenfeld m'a accordé un entretien, dans ses bureaux de l'Empire State Building. A soixante-treize ans, Henry Rosenfeld avait toujours un visage presque enfantin. Lorsque je lui ai demandé si Marilyn et lui avaient été amants, il m'a dit : « Marilyn pensait que faire l'amour rapproche, fait de vous un ami plus intime. Elle disait qu'elle n'avait peut-être jamais eu d'orgasme, mais elle était très altruiste. Elle cherchait avant tout à faire plaisir à son partenaire. Ah ! Il y avait bien autre chose que l'amour physique entre nous. Elle pouvait être si heureuse, si gaie. Comme je me rappelle son rire ! »)

Sur le chemin du retour, Marilyn dut s'arrêter dans le Middle West pour poser pour une marque de maillots de bain, dont elle, « la fille la plus chaude », était censée vanter les vertus « rafraîchissantes ». Refroidie, elle l'était, à l'égard de la manière dont on lance les films. Revenue à Los Angeles, elle joua une panne dans un western (grâce à Ben Lyon) et se convainquit que Fred Karger ne voulait vraiment pas l'épouser.

C'est à ce moment-là qu'elle connut, au cours d'une partie de campagne à Palm Springs, Johnny Hyde.

Johnny Hyde tenait l'une des plus puissantes agences de placement d'acteurs du pays. Il avait cinquante-trois ans, soit trente ans de plus que Marilyn, et était très malade du cœur ; il ne lui restait plus, alors, que dix-huit mois de vie. Il les consacra presque entièrement à Marilyn. Il promit de faire d'elle une star, et il y réussit.

Fred Karger avait fait redresser une dent de devant de Marilyn par un dentiste. Hyde l'envoya chez un chirurgien spécialisé qui lui supprima deux petites taches congénitales qu'elle avait au menton. (A ce propos, contrairement à ce que l'on a dit, il n'existe aucune preuve qu'elle ait fait modifier la forme de son nez.) Hyde engagea aussi des coiffeuses pour des séances régulières de décoloration. Et c'est lui encore qui, selon d'ultérieures confidences de Marilyn, la persuada de subir une opération anticonceptionnelle.

Enfin et surtout, Hyde avait ses entrées chez tous les magnats d'Hollywood. Pendant la journée il parlait d'elle, et le soir allait voir les uns et les autres avec elle. Ainsi, quant il mourut, Marilyn avait pour la première fois joué dans un grand film — et signé un nouveau contrat avec la Twentieth Century Fox. 500 dollars par semaine, cette fois (au lieu de 75).

Ce grand film est *Asphalt Jungle (Quand la ville dort)*, de John Huston. Trois ans auparavant, Huston avait pensé faire faire un bout d'essai à Marilyn, puis il s'était ravisé, considérant qu'elle n'était pas faite pour jouer de véritables rôles, alors qu'elle conviendrait fort bien, comme comparse, dans des scènes suggestives. Il la revoyait donc, maintenant, en 1949, grâce aux intrigues de trois personnes : Hyde ; Bill Burnside, l'Ecossais qui lui avait procuré des séances de pose et avait été son amant ; et son ex-hôtesse et rivale magnanime, Lucille Ryman. C'est Hyde qui amena Marilyn à sa première entrevue avec Huston ; bientôt on lui donna le script à étudier.

Natasha Lytess dit qu'elles passèrent toutes les deux presque trois jours et trois nuits à préparer l'audition. Puis, tou-

70

jours escortée par Hyde, elle retourna aux studios, très timide et beaucoup trop anxieuse. Huston enleva sans cérémonie les tampons d'ouate qu'elle avait cru bon d'ajouter sur sa modeste poitrine, puis l'écouta... et fut conquis. «Marilyn n'a pas eu ce rôle à cause de Johnny Hyde, dit Huston lui-même. Elle l'a eu parce qu'elle jouait extrêmement bien.»

Les avis diffèrent quant à la nature des rapports que Marilyn entretenait avec son bienfaiteur. Le scénariste Nunnally Johnson, qui fut un ami intime de Hyde, a écrit que c'était un homme excellent, «que la beauté féminine exaltait».

Johnson, en ce qui le concerne, ne remarqua rien de particulier chez Marilyn : «A cette époque, elle n'était pour moi qu'une jeune arriviste entre mille. Je la voyais en général chez Romanoff, à l'heure du lunch ; de temps à autre, je mangeais avec eux. Elle parlait très peu, malgré les efforts que nous faisions, Johnny et moi, pour la faire participer à la conversation, qui, la plupart du temps, ne volait pas bien haut. Elle nous écoutait attentivement, et ses yeux ne nous lâchaient pas — le même regard que celui de la plupart des clients de ce restaurant, observant sans cesse qui entrait, qui était avec qui... Je regrette, mais je ne me souviens pas de lui avoir entendu prononcer une seule parole.»

Gloria Romanoff, la femme du patron, qui connut bien Marilyn et perçut chez elle une indifférence profonde vis-à-vis des hommes, dit que Johnny Hyde, au contraire, «comptait énormément pour elle. Elle était très touchée par ses attentions sincères. Car contrairement à ce qui lui arrivait toujours, avec les hommes, il ne cherchait absolument pas à l'utiliser».

Hyde quitta sa femme, avec qui il était depuis vingt ans, et acheta une demeure somptueuse. Il y fit une salle à manger comportant quatre boxes, comme dans un bar, revêtus de cuir blanc, et une piste de danse. Marilyn l'appelait : «Mon petit Romanoff». C'est là que Billy Wilder, le réalisateur de *Sept ans de réflexion* et de *Certains l'aiment chaud*, fit sa connaissance ; il venait avec un ami, Sam Spiegel, pour jouer aux cartes avec Hyde. «Elle lisait un roman dans un coin, m'a dit Wilder, en attendant que nous en ayons fini avec notre rami.»

On peut s'interroger, bien sûr, sur les raisons de cette attitude. Timidité ? Certitude que Hyde, de toute façon, se démenait pour elle ? Citons ce qu'elle dit à un autre réalisateur, Garson Kanin : « J'ai plein d'amis et de connaissances, d'accointances. (...) Mais pas un de tous ces gros bonnets n'a jamais fait *ça* pour moi, sauf un, Johnny. Parce qu'il croyait en moi. (...) »

On fit des gorges chaudes de leur histoire à Hollywood : avec le tempérament qu'elle avait, lui, vieux, perclus de maux... James Bacon, l'écrivain, affirme qu'il était toujours amant de Marilyn à l'époque et que, dans l'intimité, elle se moquait de la sexualité défaillante du vieux Hyde. Il y eut aussi un week-end où elle laissa Hyde à Palm Springs pour aller revoir Karger à Los Angeles ; elle aurait dit alors à Karger : « Johnny est adorable. Je l'aime vraiment. Mais ce n'est pas le même amour qu'il a pour moi. »

Marilyn affirmera plus tard que Hyde la supplia de l'épouser, et qu'elle répondit : « Non, Johnny, je ne suis pas amoureuse de vous... Ce ne serait pas loyal. » Marilyn — et ceci est bien dans son caractère — ne tint aucun compte du fait que par ce mariage, elle aurait hérité d'une bonne part de l'énorme fortune de Hyde. Celui-ci ne continua pas moins de tout faire pour la lancer, tant que son cœur le lui permit.

Roy Craft, qui, en tant qu'agent publicitaire de la Fox, travailla souvent avec Marilyn, m'a raconté qu'une fois Hyde l'appela, de son lit d'hôpital. Craft avait organisé une séance de pose pour un magazine, dans laquelle Marilyn et un jeune acteur, Dale Robertson, devaient montrer comment il faut se conduire quand on se trouve dans un night-club chic. Hyde, d'une voix anxieuse, pitoyable, demanda à Craft d'annuler l'engagement de Marilyn, pour ne pas donner l'impression qu'elle était liée à ce Robertson. La Fox s'exécuta, par respect pour Hyde.

Marilyn continuait d'habiter, à l'occasion, chez Natasha Lytess, son professeur d'art dramatique. Celle-ci écrit que Marilyn repoussait toujours ses visites à Johnny Hyde, désormais condamné (il avait une crise cardiaque après l'autre). Une nuit de décembre 1950, Hyde téléphona : « Natasha, où est Marilyn ? J'attends, j'attends. Je n'ai jamais vu de ma vie une telle cruauté, un tel égoïsme. »

Une semaine plus tard, après une longue veillée à laquelle

Marilyn était présente, Johnny Hyde s'éteignit au Cedars of Lebanon Hospital. Marilyn, oubliant soudain son ancienne insouciance, affronta la famille Hyde qui voulait la tenir à l'écart des cérémonies et se jeta en sanglotant sur le cercueil. Selon deux amies new-yorkaises, Amy Greene et Maureen Stapleton, elle le pleurait encore dix ans après, et avait le cafard en pensant aux enfants Hyde, qui, disait-elle, « me haïssaient — comme si c'était moi qui avais détruit leur foyer... »

« Johnny, écrit Nunnally Johnson, est le premier homme qui lui manifesta un respect confinant à la vénération. Il fut aussi la seule personne à s'occuper d'elle sérieusement. Johnny enterré, elle était de nouveau seule dans la vie. »

Quelques jours après les obsèques, le jour de Noël 1950, Natasha rentra chez elle avec un mauvais pressentiment. De fait, en pénétrant dans sa chambre, elle aperçut, sur son oreiller, un billet : « Je laisse mon auto et mon étole à Natasha. Marilyn. »

Sur la porte de Marilyn, un autre billet, par lequel elle recommandait de ne pas laisser entrer dans sa chambre la fille de Natasha. Natasha fait irruption à l'intérieur : « Cette pièce offrait une vision d'enfer. Marilyn était sur son lit, déshabillée, les joues toutes gonflées, comme une vipère. « Marilyn, qu'est-ce que tu as fait ? hurlai-je. Pas de réponse. Je lui ai écarté les mâchoires et j'ai retiré de sa bouche une pleine poignée d'une matière verdâtre, visqueuse, qu'elle n'avait pas encore avalée. Sur la table de nuit, il y avait un flacon de somnifères, vide. »

Si l'on croit Marilyn, quand elle dit qu'elle tenta deux fois de se suicider avant dix-neuf ans, ceci était la troisième tentative. Elle était à six mois de son vingt-cinquième anniversaire.

« Elle devait être aux studios tous les matins à sept heures ;
elle n'y arrivait jamais. Comme j'habitais juste en face d'elle,
j'allais régulièrement frapper à sa porte. Elle finissait par ouvrir,
complètement dans les vapes, et me demandait une cigarette.
Je lui disais : Allez, magne-toi ! Parfois, il fallait carrément que
je la pousse sous la douche. »

Cet homme, chargé d'amener Marilyn au travail, était Alain
Bernheim. Fuyant la France, il était arrivé à Hollywood dans
les années 40. Il s'était rapidement affirmé comme un excellent chef de production et, à l'époque où se répétait cette scène
matinale, travaillait avec Charles Feldman et Hugh French
— les agents de Marilyn depuis la mort de Johnny Hyde. Bernheim remarqua vite qu'elle était un magma de contradictions
et avait une aptitude incroyable à la métamorphose. Ce faisant, il n'était ni le premier ni, surtout, le dernier.

L'actrice allemande Hildegard Knef (« Neff» pour Hollywood) évoque ainsi, dans son livre, sa première rencontre avec
Marilyn, dans une loge de la Twentieth Century Fox : «La
fille qui a toujours l'air endormie, aux cheveux blond platine
pris dans un bonnet de douche de plastique transparent, à la
face blême barbouillée de crème, s'assied à côté de moi. Elle
fouille dans un sac de plage décoloré et en extrait un sandwich,
une boîte de comprimés et un livre. Elle me sourit dans la
glace : «Ohé ! Je m'appelle Marilyn Monroe, et toi?»

La première impression que « Neff» avait eue de Marilyn :
« Une enfant courte sur pattes, à la poitrine grasse, qui se dirigeait d'un pas traînant, en vieilles sandales, vers la salle de
maquillage. (...) Une heure et demie plus tard, elle en ressort :
seuls ses yeux sont encore reconnaissables. Le maquillage lui
donne un air plus mûr, les jambes semblent longues, le corps
svelte, le visage lumineux. (...)»

Le soir même, toutes deux paraissent à un grand dîner, où
l'on décerne des prix et présente les nouveaux talents. «Maintenant, écrit H. Knef, elle porte une robe rouge bien trop étroite
pour elle, que j'ai déjà vue dans la garde-robe de la Fox. (...)
Elle a les yeux mi-clos, la bouche entrouverte, les mains qui

tremblent un peu. Un verre de trop, le gosse à son premier baroud. Les photographes brandissent leurs appareils, les flashes mitraillent l'échancrure du décolleté. Elle s'incline, s'étire, se retourne, sourit, s'offre aux objectifs sans se faire prier. Un homme se penche à son oreille. "Non, je vous en prie, dit-elle. C'est impossible." La main tremblotante renverse un verre. Finalement elle se lève, on rit sous cape, la jupe lui serre les genoux, elle va mi-sautillant mi-trébuchant vers le micro. Quelle démarche absurde ! Le micro semble à des kilomètres de là. Tous les yeux sont fixés sur la robe : va-t-elle craquer, faisant jaillir les seins, le ventre, les fesses ? Le maître de cérémonie rugit : Marilyn Monroe ! Elle se retient de tomber sur le micro, ferme les yeux, marque une longue pause, et l'on entend son souffle amplifié par la sono — court, haletant, obscène. Elle murmure Salut ! et retourne à sa place. »

Asphalt Jungle sort en juin 1950. Cambriolage, vol de bijoux, meurtre, querelles entre malfaiteurs, châtiment : tout y est dans ce grand classique du film noir. Marilyn y apparaît comme la jeune maîtresse d'un criminel sur le retour ; c'est son premier vrai rôle au cinéma. On parle d'elle dans le *New York Post* et dans le *Herald Tribune*, et le *Times* l'inclut dans l'éloge sans partage qu'il fait de «cette réalisation impeccable».

Malgré tout, dans l'ensemble, elle est confinée dans des rôles qui ne l'intéressent pas, dans des films que l'on ne pouvait qu'oublier. Le principal responsable de cette situation est Darryl Zanuck, patron de la Fox, qui ne comprend pas l'enthousiasme de Hyde pour Marilyn. Celle-ci, liée par son contrat (de sept ans) avec la firme, réagit adroitement en consolidant sa position sur deux fronts : en cultivant sans fausse pudeur son image de «sex-symbol», et en se cultivant elle-même.

En 1951, à vingt-cinq ans, elle s'inscrit à des cours pour adultes de l'UCLA (Université de Californie à Los Angeles) : littérature et histoire de l'art — plus particulièrement de la Renaissance. Elle s'habille sans aucune recherche quand elle va à la fac, et personne ou presque, parmi ses condisciples, ne sait qu'elle est starlette. «On aurait cru une fille tout juste sortie du couvent», a dit son professeur de littérature.

Le livre que Marilyn sortit de son sac, lors de sa première conversation avec Hildegard Knef, était un recueil de poésies de Rilke ; et Hildegard essuie un bombardement de questions sur la littérature allemande. Marilyn est en train de lire Proust, quand un autre acteur, Jack Paar, fait sa connaissance cette même année (ils tournent ensemble dans *Nid d'amour*). Paar dit que c'était « de la frime » de la part de Marilyn, et il a ce mot : « Je crains que derrière la façade de Marilyn il n'y eût qu'une serveuse de restaurant chic dans ses petits souliers. » Paar, qui n'est pas spécialement connu pour son amour de la culture, fait partie des très nombreuses personnes qui la sous-estimaient.

Parallèlement, bien sûr, Marilyn continue de travailler son jeu avec Natasha Lytess qui, sur les instances de Marilyn, l'accompagne toujours quand elle doit répéter au studio. « Le pli qu'elle avait, de me regarder à la seconde même où elle avait fini une scène, me dévisageant la main en visière pour voir si elle avait bien fait, finit par constituer une grande attraction comique dans les salles de projection où l'on passait les rushes (...). »

Mais elle ne consulte pas Natasha quand elle décide de prendre d'autres cours, auprès de Michael Chekhov (Tchekhov), neveu du dramaturge, et qui avait lui-même étudié sous la direction de Stanislavski. Lors de séances privées, elle joue Cordelia, lui le roi Lear, et elle est hypnotisée par son talent d'acteur. « C'est l'homme qui m'a montré que j'avais vraiment du talent, et qu'il fallait que je le développe », déclarait encore Marilyn peu avant sa mort.

Une fois, au milieu d'une scène de *La cerisaie*, Chekhov s'interrompit pour lui demander si, tout en récitant son rôle, elle n'avait pas certaines pensées... Non, dit Marilyn. « Alors je comprends tes ennuis avec les studios, maintenant. Tu es le genre de femme qui émet des vibrations, quoi que tu dises ou penses ; et il n'y a que ça qui intéresse les patrons du studio où tu travailles. Je vois maintenant pourquoi ils refusent de te considérer comme une vraie actrice : tu as plus de valeur pour eux comme stimulant sexuel. »

A quoi Marilyn (d'après ce qu'elle a dit à un journaliste) répliqua : « Je veux être une artiste, pas un phénomène érotique. Pas question qu'on me refile au public comme un aphrodisiaque. Ça pouvait encore aller dans les premières années, mais maintenant, c'est différent. »

Certes, Marilyn n'en continuait pas moins, quand elle-même en décidait ainsi, de recourir aux armes de son sexe — en particulier pour secouer Darryl Zanuck de sa torpeur. Et l'effet était fulgurant, comme en témoigne cet article écrit à l'époque (septembre 1951) par Robert Cahn :

« Au Café de Paris — connu, plus prosaïquement, pour une succursale de la Twentieth Century Fox — s'étaient joyeusement réunis, ce soir-là, gros bonnets du studio et agents de distribution manucurés de frais. Là, tout en grignotant des amuse-gueule et en sirotant de grands verres de whisky-soda, on pouvait lier connaissance avec des personnes telles que Susan Hayward, Jeanne Crain, June Haver, Anne Baxter, Gregory Peck et Tyrone Power. Au bar, un représentant de la presse, fatigué, demandait son cinquième whisky quand dans l'embrasure de la porte apparut Marilyn Monroe, une des récentes acquisitions de la Fox. Elle restait là, tandis que le silence se faisait peu à peu, toute blonde dans sa robe de cocktail noire sans épaulettes, le souffle coupé, comme Cendrillon descendant du carrosse doré qu'est devenue sa citrouille. Les plus grandes stars la mesuraient du regard sans rien dire ; il n'y eut d'yeux que pour elle ; c'est bien le diable si elle a totalisé à ce jour cinquante minutes de passage à l'écran. (...) Quand finalement on passa à table, elle eut droit à la place d'honneur, à la droite de Spyros Skouras, le président de la Fox. »

Le public avait déjà donné son verdict. La moindre apparition de Marilyn dans un film et c'était au studio un déluge de lettres d'admirateurs. Ses photos, parues dans les magazines à sensation, en avaient fait la pin-up nationale — et l'armée d'Allemagne la proclama « Miss Cheesecake 1951 », autrement dit la plus belle nana de l'année.

Marilyn ayant pris d'assaut Spyros Skouras, lors de la soirée qui vient d'être évoquée, Darryl Zanuck, coincé entre deux feux, céda : le salaire de Marilyn passa d'un seul coup à 500 dollars par semaine, et ordre fut donné de la faire tourner davantage. Grâce à l'entremise de Sydney Skolsky, on la « prêta » à une autre compagnie pour *Clash by Night* (Le démon s'éveille la nuit), film d'un certain niveau, d'après une pièce de Clifford Odets. « Actrice puissante, nouvelle star douée », dira-t-on d'elle bientôt dans le *New York World-Telegram*.

77

C'est alors aussi qu'elle fut récompensée des attentions qu'elle n'avait cessé de marquer à ses collègues du bureau de la publicité. Sa photographie apparut dans *Life*. Et à l'automne, Roy Craft la mit en rapport avec Rupert Allan, directeur de *Look* pour la côte Ouest, ainsi qu'avec l'homologue de celui-ci à *Collier's*, Ted Strauss.

Rupert Allan, ancien d'Oxford, commença par attendre qu'elle eût fini de s'habiller dans l'appartement minuscule où elle habitait. Puis, très intrigué, il l'observa faire des exercices devant les objectifs et exposer les connaissances anatomiques qu'elle tenait des maîtres florentins. Il inspecta aussi, en connaisseur, les reproductions, sans valeur marchande, qui étaient épinglées au mur : Dürer, Fra Angelico, Léonard.

L'intérêt de Rupert Allan s'accrut en ligne exponentielle quand il aperçut à côté du lit le portrait d'une femme en noir qui n'était ni Sarah Bernhardt ni Garbo, mais la Duse. Quelques jours après, Marilyn avait élu Allan son conseiller pour tous les arts. Un jour, il deviendrait son attaché de presse, et toujours il serait son ami. Sur le moment, elle eut droit à la couverture de *Life* : c'était la première fois qu'un hebdomadaire respecté lui rendait cet honneur. L'article, de plus, s'étendait sur ses intérêts intellectuels.

Au studio, on avertit Ted Strauss, de *Collier's*, que Marilyn était «terrorisée» à la pensée de l'importante interview qu'il lui demandait, et on lui conseilla vivement de l'inviter au restaurant. Strauss alla la prendre en son réduit, attendit (Allan et lui ne seraient certes pas les derniers à supporter ses retards) et l'emmena chez Romanoff. Quand ils entrèrent :

«Ce fut comme une apparition, m'a dit Strauss, lui aussi. Elle était en rouge, mi-habillée mi-dévêtue, avec un décolleté plongeant presque jusqu'au nombril. Nous arrivâmes en bas d'un large escalier à la Ziegfeld*, et tout s'arrêta. Tout le monde levait les yeux vers nous. Saisissant : l'éclairage de la salle leur donnait l'air à tous d'avoir une tête de mort, on se serait cru à une réception dans un cimetière ! Mais ce n'est pas tout. Je m'attendais à trouver une fille tout en clichés, une simple arriviste. Quelle impression m'a laissée ce dîner ! Elle était très

_____

* Célèbre metteur en scène américain du premier quart du siècle.

brillante, très fine. Elle me dit qu'elle faisait ce que les gens, dans son idée, voulaient qu'elle fît ; mais elle n'était pas sûre... et elle cherchait désespérément à composer avec son passé. Nous avons eu une conversation sur le jeu de l'acteur, mais elle a parlé tout autant des enfants, d'avoir des enfants qui auraient la possibilité de grandir en suivant leur propre voie. »

En cette année 1951 où elle perçait dans le cinéma et accomplissait ses vingt-cinq ans, Marilyn, mettant un terme à sa cohabitation avec Natasha Lytess, revint à la vie relativement secrète qu'elle menait avant sa liaison avec Johnny Hyde. Elle vécut seule, sauf pendant quelques mois où elle eut comme colocataire une jeune actrice qu'elle avait connue quelques années auparavant, lors d'une partie de base-ball donnée au profit d'une œuvre de charité. Cette nouvelle amie était Shelley Winters ; elle avait pas mal de choses en commun avec Marilyn : des amours mortes, des enfants jamais nés et un sain mépris des hiérarchies du spectacle.

Winters fut frappée par le terrible sentiment d'insécurité de Marilyn. Elle avait un tel besoin d'attentions qu'elle poursuivait sa compagne partout. « Quand on allait au petit coin, a écrit Shelley Winters, elle se mettait dans la tête que vous aviez disparu pour la laisser toute seule. Elle allait jusqu'à ouvrir la porte pour vérifier si vous étiez encore là. C'était une gosse. »

Tous les dimanches matin, elles écoutent de la musique classique — mais à midi pile, on tourne le bouton pour prendre Sinatra ou Nat King Cole. Un jour, elles regardent attentivement les photographies des acteurs célibataires cités dans le Répertoire de l'*Academy Player's*, et sont prises du mal d'amour. Et Marilyn dit, selon Shelley Winters : « Que ce serait bien d'être des hommes ! On irait avec les plus beaux, et chaquefois, tchac ! juste une encoche de plus à la ceinture, sans être coincé par toutes ces histoires sentimentales ! »

Et chacune de prendre une feuille et d'énumérer les célébrités qu'elle accueillerait volontiers dans son lit. La liste de Marilyn, selon Shelley Winters : Zero Mostel, Eli Wallach, Charles Boyer, Jean Renoir, Lee Strasberg, Nick Ray, John Huston, Elia Kazan, Harry Belafonte, Yves Montand, Charles Bickford, Ernest Hemingway, Charles Laughton, Clifford Odets, Dean Jagger, Arthur Miller, Albert Einstein.

Après la mort de Marilyn, Shelley Winters découvrit, parmi les affaires de son amie, une photo encadrée d'Einstein, avec l'inscription : «A Marilyn, avec respect, amour et gratitude, Albert Einstein» ; et elle en tira la conclusion qui semble s'imposer.

Le deuxième de la liste, cependant, Eli Wallach, a sa version de cette petite histoire. Il connut Marilyn, travailla avec elle, devint son ami, mais nie avoir été son amant. Cela dit, il endosse gaiement toutes les responsabilités, en ce qui concerne ce portrait signé d'Einstein. Ce fut une plaisanterie entre eux : il le lui donna après que Marilyn lui eut offert un recueil de lettres d'Einstein. Wallach souhaite bien du plaisir aux historiens qui analyseraient un jour la dédicace.

Sur les dix-sept hommes de cette liste, elle en connaîtra neuf, et trois seront effectivement ses amants — dont un, très probablement, dès cette année-là.

Par une chaude journée de 1951, la photographe Jean Howard, ex-épouse de Charlie Feldman (agent de Marilyn), passa à la villa de son ex-époux, à Coldwater Canyon. Avant de partir, m'a-t-elle raconté, «j'ai remarqué une petite blonde, assise à côté de la piscine. Je ne savais pas qui c'était, mais je lui ai proposé du Coca-Cola, dont elle n'a pas voulu. Charlie avait à parler avec Elia Kazan ce jour-là, et Marilyn attendait qu'ils aient fini».

Elia Kazan était déjà, à quarante et un ans, un géant de la scène et de l'écran américains. Il était à la fois acteur et réalisateur. C'est cette année-là que sortit son chef-d'oeuvre, *Un tramway nommé désir*. Originaire d'un faubourg d'Istamboul, il était désormais un New-Yorkais à tout crin, plein de mépris pour Hollywood — qu'en tant que metteur en scène de cinéma, malgré tout, il supportait comme un mal nécessaire. En 1951, il était depuis longtemps marié avec Molly Thatcher, l'auteur dramatique, et avait quatre enfants.

Aujourd'hui il refuse de parler de Marilyn. Plusieurs personnes, cependant, pensent qu'il eut une liaison avec elle — ainsi que le veut la rumeur publique.

Le photographe Milton Greene dit l'avoir su directement

par Marilyn. L'acteur Eli Wallach en fut également informé. Alain Bernheim, qui travaillait en 1951 pour l'agent de Marilyn, m'a dit : «Le *Tramway* avait été nommé pour plusieurs Oscars. Mais Marilyn ne pouvait pas apparaître avec lui [Kazan] à la cérémonie, parce qu'il était marié. Il la confia à ma garde, disant qu'il nous rejoindrait après dans un petit club de Beverly Hills. C'est ainsi que j'ai passé plusieurs heures dans la pénombre d'un piano-bar avec Marilyn Monroe. (...)»

Milt Ebbins (agent artistique lui aussi) se souvient d'une scène comique à une autre étape de leur liaison. Il avait un rendez-vous d'affaires avec Kazan, dans sa suite, au Beverly Hills Hotel. Marilyn entra dans la pièce où ils s'entretenaient ; elle ne portait que la veste du pyjama de Kazan.

La nuit de la remise des Oscars, Alain Bernheim aussi fut assez impressionné par Marilyn, mais d'une autre façon : «C'était incroyable : elle ressortait tout ce que Kazan lui disait, comme si ç'avait été ses idées, à elle. Connaissant bien Kazan, je ne pouvais m'y tromper. Elle avait tout avalé et retenu presque tout ce qu'il pensait sur l'amour, le jeu de l'acteur, la politique.»

Dans ce dernier domaine, Marilyn fit, auprès de Kazan, une cure d'extrémisme de gauche. Il avait été jadis membre du parti communiste. Un an après avoir connu Marilyn, en 1952, suscitant les protestations indignées de ses collègues et amis, Kazan parlerait de ses anciens camarades, dans une déposition sous serment, à la Commission parlementaire sur les activités «non américaines».

Quand Rupert Allan avait rendu visite à Marilyn, pour l'article de *Look*, il avait remarqué, à côté du portrait d'Eleonora Duse, une photo, avec deux hommes dessus : l'un, il l'identifia tout de suite, était Elia Kazan. Mais l'autre ? «Je préfère ne pas le dire pour le moment», lui répondit Marilyn.

C'était Arthur Miller.

Marilyn l'avait connu en décembre 1950, avec Elia Kazan, quelques jours à peine après la tentative de suicide provoquée par la mort de Johnny Hyde. Elle travaillait alors son rôle de secrétaire dans le film *As Young as You Feel (Rendez-moi ma femme)* et était, effectivement, au plus bas. Au studio, dès qu'elle le pouvait, elle se réfugiait dans un coin pour rester seule avec ses pensées.

Arthur Miller, trente-cinq ans au moment où il rencontre Marilyn (soit dix ans de plus qu'elle), immense, biscornu, ridé, lunettes, cheveux bruns déjà rares mais rebelles, était l'époux d'une brunette élancée, ayant presque son âge, qui lui avait donné deux enfants. Mary Slattery était la femme de sa vie depuis qu'il l'avait connue à l'University of Michigan. Ils s'étaient mariés en 1940, et Mary s'était mise à travailler comme correctrice chez Harper's (maison d'édition new-yorkaise), tandis qu'Arthur se préparait à percer dans la litté-rature. Il ne participa pas directement à la guerre, à cause d'une vieille blessure reçue au cours d'une partie de football, mais il travailla un an comme arrimeur à l'arsenal de Brooklyn.

Fils d'un fabricant de vêtements ruiné par la crise de 29, il avait très tôt accepté de menus travaux, tels que représen-tant de commerce en manteaux (ç'avait été une catastrophe) ou chanteur de charme dans une petite station de radio de Brooklyn (ce qui n'avait pas duré très longtemps non plus), pour payer ses études. Il épousa des idées extrêmes et se lia avec des membres du parti communiste — ce qui attira des années plus tard sur sa tête les foudres de la commission par-lementaire sur les activités «non américaines».

C'est au cours d'une conversation avec sa belle-mère, où il fut question d'une femme qui avait dénoncé son propre père parce qu'il refilait de la camelote à l'Etat pendant la guerre, que Miller eut l'idée de sa première pièce à succès : *Ils étaient tous mes fils (All My Sons)*. Cette pièce lui valut le prix du Cer-cle des critiques d'art dramatique new-yorkais. Deux ans plus tard, avec *Mort d'un commis-voyageur (Death of a Salesman)*, il décro-chait le prix Pulitzer et parvenait à une gloire durable. A la Noël 1950, quand il arriva à Hollywood avec son ami Elia Kazan pour discuter d'un film sur le racket du marché du tra-vail, Arthur Miller était l'auteur dramatique le plus célèbre d'Amérique.

Ce séjour fut aussi la première esquisse de son roman d'amour avec Marilyn — aussi bien d'après certaines petites phrases que et l'un et l'autre laissèrent échapper par la suite, que d'après des tiers.

Cameron Mitchell — jeune acteur qui avait joué dans *Mort d'un commis-voyageur* à Broadway — se rendait un midi à la cantine, à pied, en compagnie de Marilyn, quand soudain, celle-ci s'arrêta net. A quelques mètres, deux hommes s'entretenaient, appuyés au mur d'un studio d'enregistrement sonore : Kazan et Miller. C'était ce géant dégingandé de Miller qui avait tapé dans l'œil de Marilyn. Mitchell fit les présentations.

Peu après, Miller vient la voir à l'œuvre sur le plateau de *Rendez-moi ma femme*. Sa partie terminée, elle disparaît. Miller, suivi de Kazan, finit par trouver la loge de Marilyn : personne. Le réalisateur du film, ami de Kazan, leur dit qu'elle s'est renfermée en elle-même depuis la mort de Johnny Hyde.

Finalement ils la dénichèrent quand même, selon Miller, dans un entrepôt près du studio. Marilyn a dit, bien plus tard, qu'elle pleurait quand les deux hommes l'aperçurent.

Ils se revirent la même semaine, à l'occasion d'une soirée donnée par Charlie Feldman — agent de Marilyn et voisin de Kazan. Marilyn rentra chez elle, qui était encore chez Natasha, à quatre heures du matin, avec un besoin irrépressible de parler. « Je ne l'avais jamais vue aussi contente, écrit N. Lytess. Elle enleva sa chaussure et remua le gros orteil. ''J'ai rencontré un homme, Natasha. Ça a fait Boum ! Tu vois mon pouce de pied ? Il était assis et me le tenait. C'est-à-dire : j'étais assise sur le canapé, lui aussi, et il me tenait l'orteil. C'était comme de grimper dans un arbre. Comme une boisson fraîche quand on a la fièvre !'' »

Miller lui écrit quelques jours plus tard en lui proposant des lectures. « S'il vous faut admirer quelqu'un, pourquoi pas Abraham Lincoln ? » Marilyn — il était difficile de ne pas le savoir dès cette époque — avait une vénération pour Lincoln. Ce culte avait commencé, disait-elle, dès les petites classes du lycée, le jour où sa rédaction sur l'homme qui a aboli l'esclavage aux Etats-Unis (cet événement remontait alors à moins d'un siècle) fut jugé la meilleure de la classe. Heureuse coïncidence, d'autre part, le lycée qu'avait fréquenté Miller dans sa jeunesse s'appelait Abraham Lincoln High School. Enfin, Marilyn pensait que Miller ressemblait au célèbre président assassiné. « Arthur a tout à fait l'air d'Abraham Lincoln, non ? Je suis folle de lui ! » dira-t-elle cinq ans plus tard (année de son mariage avec Miller) au réalisateur de *Bus Stop*, Joshua Logan.

« Il m'a attirée parce qu'il est très brillant, dira-t-elle aussi à la reine des chroniqueurs, Louella Parsons. Je n'ai jamais connu un homme aussi intelligent. Et il comprend et approuve le besoin que j'ai de m'améliorer. »

« J'étais certaine qu'elle était tombée amoureuse de lui, dit Natasha Lytess en évoquant cette période. Rien de spectaculaire, mais ça se sentait à sa façon de jouer. »

Un an plus tard, un ami remarqua la photo de Miller à côté du lit de Marilyn, comme l'avait remarquée Allan Rupert ; mais cet ami, lui, dit : Tiens ! Miller... « Marilyn poussa un cri perçant. Personne jusqu'alors ne l'avait reconnu, me dit-elle. Elle me laissa entendre qu'ils éprouvaient l'un pour l'autre une grande attirance, mais elle ne pensait pas qu'il en sorte quelque chose, car il était marié. » Marilyn prit alors l'habitude, quand elle recevait des journalistes, de retourner cette photo — soi-disant pour la cacher. Ce qui ne faisait qu'exciter la curiosité du visiteur, évidemment, qui demandait à voir et, invariablement, reconnaissait le père Miller.

Selon l'actrice Maureen Stapleton, qui travailla avec Marilyn à New York, cinq ans plus tard, « Marilyn — c'est elle qui me l'a dit — avait jeté son dévolu sur Arthur bien avant leur mariage. Elle n'était pas venue à New York (...) simplement parce qu'elle voulait devenir une grande artiste. Cette Marilyn, quand elle s'était mis quelque chose en tête, elle n'avait besoin d'aucune autre justification. Elle avait décidé d'avoir Arthur — et elle l'a eu ».

En 1951, cependant, Miller vivait avec sa femme et ses enfants à New York ; et Marilyn, à Hollywood, continuait de faire face aux tâches qu'elle s'était imposées. Dans sa première longue lettre, Miller lui dit : « Ensorcelez le monde en lui donnant l'image qu'il demande, mais je vous souhaite, je vous prie, presque, de ne pas vous blesser à ce jeu et de ne jamais changer. (...) »

La veille du Nouvel An, elle téléphona chez le correspondant de l'Associated Press, Jim Bacon, avec qui elle entretenait des rapports sporadiques depuis trois ans : « Je n'ai pas envie de passer la Saint-Sylvestre toute seule à la maison, Jim.

Il n'y a pas une fête où tu pourrais m'emmener ? » Bacon répondit qu'il était marié, sa femme n'apprécierait pas…

« Oh, je comprends », fit la petite voix de Miss Cheesecake 1951 ; et elle raccrocha.

La vie réserve plus d'un soir de fête solitaire, à ceux qui « rêvent plus fort ».

9

« Je veux que vous parliez avec cette fille. Nous sommes en train d'en faire — je devrais peut-être dire : elle est en train de se faire — la créature la plus provocante de l'écran depuis Jean Harlow… »

Ainsi parle Harry Brand, directeur publicitaire de la Fox, tout en prenant son lunch avec Hy Gardner, journaliste. Nous sommes le 5 janvier 1952.

« … Cela dit, poursuit-il, il y a une petite chose qui nous ennuie. Quand ça allait vraiment mal pour Marilyn, elle a rien trouvé de mieux que de poser à poil pour un photographe d'ici, et maintenant ces clichés égayent le genre de calendrier que vous pouvez imaginer. Je vous les montrerais volontiers, malheureusement notre service du contentieux les a mis en lieu sûr et… »

Interrompant cette pénible conversation, Marilyn entra.

L'affaire du calendrier était lancée.

On ne compte plus les manchettes et les gros titres qu'elle fournit pendant des mois, des années même, à la quasi-totalité de la presse d'outre-Atlantique.

Résumons pour commencer la version officielle de l'affaire. En 1949, à vingt-trois ans, Marilyn, fauchée, sans boulot, avait posé dans le plus simple appareil devant celui du photographe Tom Kelley. Celui-ci vendit les clichés à la Western Lithograph Company, qui projetait de les utiliser pour illustrer un calendrier. Et trois ans plus tard quelqu'un fit observer — à la plus grande confusion de Marilyn, de son studio et de son producteur — que le visage de la nouvelle étoile de la Fox était celui de la pin-up dont les nudités ornaient stations-service et salons de coiffure pour hommes sur l'ensemble du territoire américain.

Les filles comme il faut ne se faisaient pas photographier toute nue au début des années 50. Une foule hurlante de journalistes fit le siège de la Fox. Dans les studios, c'était — fit-on savoir — la panique : allait-on déchirer le contrat de Marilyn ? La retirer sur-le-champ du film qu'elle tournait alors (*Clash by Night*) ? Passer outre au spectacle déchirant de ses pleurs ? Marilyn, quoi qu'il en soit, suggéra une solution : confesser qu'elle avait posé nue, mais parce qu'elle était aux abois, ne savait plus comment payer son loyer. La simple vérité éveillerait la compassion du public et ferait de ce honteux scandale un splendide coup publicitaire.

Ce fut le cas. Les clichés du calendrier continuent de se vendre aujourd'hui.

Cette affaire ne fut pas le produit d'un simple hasard, cela dit. C'est Marilyn qui la provoqua, avec une maestria qui révèle à quel point elle était un excellent ministre de sa propre propagande.

Elle agit avec la complicité de son ami journaliste, Sydney Skolsky. Marilyn, de son côté, ménagea une entrevue avec la journaliste Aline Mosby, de l'UPI, — agence de presse desservant des milliers de journaux, magazines, stations de radio et chaînes de télévision. Cette journaliste, au même moment, se vit refiler par ailleurs un tuyau concernant le fameux calendrier.

Participaient également à l'interview Sonia Wolfson et Johnny Campbell — qui, eux, ne savaient rien.

Marilyn en rajouta encore pour donner à Aline Mosby l'impression qu'elle lui offrait vraiment un *scoop* : «Elle a demandé à Aline de la suivre dans les toilettes, m'a raconté Campbell, en faisant semblant d'avoir quelques ennuis féminins — il était clair pour moi que je ne pouvais pas les suivre — et, là, elle a tout révélé sur l'histoire du calendrier. Cela nous a fait un choc, à tous, mais nous, nous ne pouvions rien y faire. »

Quelques jours plus tard parut un article sympathique

d'Aline Mosby. Marilyn feignit la stupéfaction : «Je ne sais toujours pas comment on a pu me reconnaître...» Mais Campbell reconnaît : «Marilyn avait su prendre mieux que nous la température du pays. Elle savait que les temps avaient changé. »

De fait, la photo de Marilyn nue fut bientôt admise dans les salles de séjour, et on la reproduisit en couleurs sur les plateaux et les verres à cocktail. Elle dit, paraît-il, qu'elle ne voulait pas que cela devienne «une institution nationale», mais elle ne le dit pas très fort.

Cependant, les défenseurs de la morale américaine y mettaient eux aussi du leur. Au début de 1953, on arrêta le propriétaire d'un magasin de photographies de Los Angeles : on avait surpris des écoliers guignant le calendrier exposé dans la vitrine. En Pennsylvanie et Georgie, il fut carrément interdit. Marilyn ayant gracieusement remercié les autorités de cette initiative, les photos réapparurent, avec une Marilyn drapée de résille noire. Trois ans après, le calendrier se vendait encore — bien que les postes américaines l'eussent déclaré obscène.

En décembre 1953, l'un des clichés fut acheté 500 dollars par un jeune inconnu, Hugh Hafner, qui préparait la sortie d'une nouvelle revue, *Playboy*...

Marilyn joua donc un rôle clé dans le déclenchement de la révolution sexuelle américaine. Mais contrairement à une fiction très lucrative pour certains, elle n'a jamais tourné dans des films pornographiques pour payer son loyer. Depuis quelques années, deux films «pour hommes» se vendent comme des petits pains malgré leur très mauvaise qualité, parce que l'on prétend que l'actrice en est Marilyn Monroe. Leur titre commun est *Apple Knockers and the Coke Bottle* (littéralement : «Nichons en pomme et la bouteille de Coca ») ; l'un est une représentation sommaire de l'acte sexuel, l'autre une séance de strip-tease. Dans les deux cas, les experts ont certifié que la femme n'est pas Marilyn Monroe.

Une autre opération de presse de Marilyn (moins réussie cependant, il faut le dire) mijotait déjà depuis longtemps quand éclata l'affaire du calendrier (le 13 mars 1952) : le récit de ses

87

malheurs d'enfance ne tarissait pas, et ne tarirait jamais, et l'un de ses principaux ingrédients était le mystère de sa paternité.

Alors qu'elle avait dix-huit ans, Marilyn avait soudain annoncé un jour à Jim Dougherty, son mari, qu'elle allait téléphoner à son «père». Elle l'avait identifié, disait-elle, par l'intermédiaire d'ex-collègues de sa mère. Devant Dougherty, elle composa un numéro, puis raccrocha. «Son père» avait refusé de lui parler.

Marilyn appelait toujours son premier mari «Daddy» (papa). Après sa mort, Inez Melson, son exécuteur testamentaire, trouva un attaché-case contenant les lettres d'un autre mari, Joe DiMaggio. Elle remarqua qu'il signait «Pa».

Ce besoin d'une image de père était une partie intégrante de la psyché de Marilyn et de ce qu'elle en projetait sur le monde. En 1950, starlette débutante, elle demanda à Sydney Skolsky de l'accompagner voir son père. Elle l'emmena du côté de Palm Springs où ce père, disait-elle, vivait, dans une laiterie. Elle s'arrêta au début d'une allée, descendit, et se dirigea à pied vers la maison que les arbres cachaient presque complètement. En tout cas, Skolsky, resté près de la voiture, ne vit rien de ce qui pouvait se passer.

A son retour, Marilyn dit à Skolsky que son père, «cet enfant de putain», l'avait repoussée par ces mots : «Ecoute, Marilyn, je suis marié, j'ai des gosses. Je ne veux pas avoir d'ennuis à cause de toi.»

Skolsky n'écrivit pas d'article à ce sujet ; ce n'était peut-être pas ce que Marilyn voulait.

Y avait-il quelqu'un derrière cette rangée d'arbres ? Quinze jours plus tard, Skolsky racontait cette histoire à Natasha Lytess qui, bientôt, l'interrompit : Marilyn lui avait fait le même coup, avec presque les mêmes détails.

Des années plus tard, Marilyn remit ça, à un mois à peine d'intervalle, avec son masseur, Ralph Roberts, et Pat Newcomb, son attaché de presse. C'était en 1961, peu après un séjour à l'hôpital psychiatrique.

Stanley Gifford, l'un des pères possibles de Marilyn, possédait effectivement, après la dernière guerre mondiale, une laiterie près de Palm Springs.

Ce qui est certain, en tout cas, c'est qu'après cet étrange pèlerinage répété en 1950, les idées de Marilyn concernant son père se brouillèrent complètement.

A Amy Greene, l'amie new-yorkaise qui l'hébergea pendant des mois en 54-55, elle dit qu'elle l'avait vu. A Henry Rosenfeld, ami new-yorkais également, elle dit qu'elle avait appris que son père était «un fermier du Middle West», et qu'elle languissait de faire sa connaissance.

Lors d'une soirée à New York, Marilyn participa à un jeu où elle dut exprimer ce qu'elle désirait le plus au monde. Elle le dit : c'était, selon Rosenfeld qui était là, «de mettre sa perruque noire, de draguer son père dans un bar et de l'amener à faire l'amour avec elle. Alors elle lui aurait dit : ''Et maintenant, quel effet ça te fait d'avoir fait l'amour avec ta fille?''»

Au début de 1952, Marilyn commençait déjà à devenir une légende ; et tout ce qu'elle disait sur sa famille, vrai ou faux, contribuait à enrichir cette légende. C'est ce qui se passa, par exemple, quand le reporter Jim Henaghan l'invita chez lui dans sa maison de Malibu. Le soir tombait, Marilyn trinquait allégrement et elle se mit à parler de son père : il s'est tué dans un accident de la route, dit-elle — ce qui est le cas d'un autre de ses pères putatifs, Martin Mortenson. Et de continuer : «Je n'ai jamais eu une maison ou un foyer vraiment à moi. Ni *rien* qui fût à moi, uniquement à moi. Ma mère est morte que je n'étais qu'un bébé...»

Cette mère, Marilyn le savait fort bien, était alors internée dans un asile non loin de là. Cela ne l'empêchait pas de répéter depuis des années, à ses intermédiaires auprès du public, que ses parents étaient morts l'un et l'autre. C'était un très bon filon.

Cette fois, cependant, il y eut un hic. Henaghan envoya à son journal une dépêche émouvante : «l'orpheline», «la fille la plus seule d'Hollywood»... Or, peu après, un autre journaliste, Erskine Johnson, apprit que la mère de Marilyn était encore en vie ; et l'on publia son article.

Marilyn constata, un peu surprise peut-être, que cela ne changeait rien à sa situation publique. Au contraire, la presse trouva cela très sympathique, «typiquement Monroe». Pouvait-elle, la presse, réagir autrement ? Marilyn était devenue un bien commun, une attraction nationale que plus personne ne voulait perdre. Sa vie privée, avec ses splendeurs et ses misères, était désormais l'affaire de tous, un spectacle permanent, et cela seul comptait.

Au printemps 1952, l'affaire du calendrier procura à Marilyn une publicité monstre. *Life* lui accorda sa bénédiction prestigieuse : «Voici enfin de l'authentique — une fille réellement fascinante et sensationnelle qui dans tous les pays fera longtemps salle comble. »

C'est vers ce moment-là, pendant le tournage de *Monkey Business* (*Chéri, je me sens rajeunir*) avec Cary Grant, que pour la première fois — signe infaillible de la naissance d'une star — parurent des articles sur ses ennuis de santé.

Le 28 avril la production de ce film s'interrompit : Marilyn avait une crise d'appendicite. On l'opéra à l'hôpital des Cèdres du Liban, où Johnny Hyde était mort un an auparavant.

Dans la salle d'opération, une infirmière se demanda tout haut si Marilyn était vraiment «blonde de partout» — comme elle l'avait dit une fois en plaisantant aux journalistes. (Ce n'était pas le cas : quelques années plus tard, ses coiffeuses des studios auront pour tâche supplémentaire de lui décolorer régulièrement les poils du pubis.) Mais les ricanements cessèrent quand on trouva, collé sur le ventre de la patiente, un billet, une lettre presque, griffonné au crayon :

(Les mots soulignés et la ponctuation sont de Marilyn.)

Très important à lire avant l'opération.

Cher Docteur,

Coupez le moins possible Cela peut sembler futile je sais mais ce n'est pas de cela qu'il s'agit vraiment — le fait que je sois une femme est important et signifie beaucoup pour moi. Epargnez s'il vous plaît (je ne saurais trop vous le demander) ce que vous pouvez — je suis dans vos mains. Vous avez des enfants et vous devez savoir ce que cela veut dire — je vous en prie Docteur — je pense je sais que vous comprendrez !

merci — merci — pour l'amour du Ciel Cher Docteur pas d'ablation

d'ovaire — je vous prie encore une fois de faire tout le possible pour

limiter les cicatrices. En vous remerciant de tout mon cœur.

Marilyn Monroe.

Le chirurgien, Marcus Rabwin, savait que sa patiente tenait à avoir des enfants. Il n'excluait pas l'éventualité de complications intéressant la zone pelvienne ; aussi un gynécologue assistait à l'opération, le Dr Leon Krohn. Nous le retrouverons souvent dans la vie de Marilyn.

Tout se passa bien ; la cicatrice était petite. Il n'y eut qu'un léger incident : « Quand j'ai annoncé à Marilyn qu'elle pouvait rentrer chez elle, m'a raconté le Dr Rabwin, elle m'a dit, les larmes aux yeux : ''Je ne peux pas, je n'ai pas de quoi payer la note de l'hôpital.'' Je lui ai suggéré d'appeler les studios, en lui disant qu'ils se chargeraient de tout. ''Vous croyez qu'ils feront ça ?'' Elle a pris le téléphone. Ils ont bien entendu réglé la note et lui ont envoyé une limousine dans l'heure qui a suivi. »

Cette limousine la ramena au Beverly Carlton, hôtel relativement modeste où elle séjournait avant l'opération. Bientôt, cependant, elle prit à l'hôtel Bel-Air une suite luxueuse avec piscine privée, coûtant 750 dollars par mois. Quel que fût son sentiment d'insécurité à certains moments, elle pouvait se permettre maintenant de mener la vie d'une star.

Le 1er juin 1952, jour de ses vingt-six ans, Marilyn reçut des montagnes de cadeaux et de télégrammes ; le Tout-Hollywood était en pensée avec elle. Elle dîna toute seule ce soir-là, semble-t-il ; mais elle eut une longue conversation téléphonique avec un homme qui se trouvait à New York. Ce n'était pas Arthur Miller — il n'était pas encore disponible. C'était Joe DiMaggio.

Deuxième Partie

Un désastre nommé DiMaggio

« C'est pas toujours marrant d'être marié à une ampoule électrique. »

Joe DiMaggio

10

L'astre du base-ball, Joe DiMaggio, alias « Le Dernier Héros » dans les articles qu'on lui consacre encore à l'occasion, a pour la dernière fois manié la batte (sérieusement) en 1951 ; il a passé les trente-quatre années qui se sont écoulées depuis à écouter les applaudissements. Il a joué au golf, fait des apparitions nostalgiques devant les fidèles du base-ball et, pour les téléspectateurs qui regardent les spots publicitaires, est devenu « Monsieur Café » et le représentant de la Bowery Savings Bank. Des milliers de matins, le soleil de Californie l'a vu tenant sa cour dans le bar du restaurant de San Francisco qui porta son nom. Il a soixante et onze ans ; voilà trois décennies qu'il se repose sur ses lauriers, et ces lauriers semblent toujours aussi verts !

Or, le Dernier Héros n'a jamais écrit l'histoire de sa vie ; cela fait pas mal de temps qu'on a pris conscience de cette anomalie dans le monde de l'édition new-yorkaise. On lui a proposé des contrats mirobolants ; il a toujours refusé. « On ne m'y prendra pas, a-t-il dit il y a quelques années. Ce qui les intéresse, c'est ce que je sais de Marilyn, et cela, je n'ai aucune envie d'en parler. »

« Cela », c'est-à-dire, sur le papier, un miracle de neuf mois, un embryon de mariage qui brilla de tous ses feux et, presque aussitôt, creva, comme les ampoules de flash des journalistes

95

qui en firent un grand cirque national. Mais en fait, c'est d'une bonne dizaine d'années que DiMaggio ne peut souffrir de parler, de toute une tranche de vie qui commença dans la gloire et la fascination et se termina dans le mystère et la douleur.

« Il y a deux façons de considérer ça, a déclaré DiMaggio. La première, c'est qu'on doit raconter les histoires des gens comme une partie de l'Histoire. La seconde, c'est que les gens ont le droit de ne pas tout étaler. »

Sans DiMaggio, il nous manque un témoin clé. Mais d'autres ont fini par dire ce qu'ils savaient ; et c'est une triste histoire, où le Dernier Héros mérite rarement son titre. Quant à Marilyn...

Tous deux se connurent grâce à une photo publicitaire. Au printemps 1952, sur le conseil de Roy Craft, Marilyn posa avec deux joueurs de l'équipe de base-ball de Chicago, les White Sox. La photographie fut publiée dans le journal que lisait Joe DiMaggio, et il l'examina avec attention. Marilyn, l'air innocent, en pull et en short, se maintenait tant bien que mal sur d'immenses talons aiguilles en brandissant une batte de base-ball. DiMaggio, qui ne dédaignait pas la fréquentation des jeunes actrices, se renseigna auprès de Gus Zernial, l'un des deux joueurs figurant sur la photo ; puis, informations prises, s'adressa à un agent d'affaires de sa connaissance, David March, qui s'intéressait aussi à Marilyn, encore que pour des raisons platement économiques. March promit de faire son possible.

Il téléphone à Marilyn. Celle-ci n'est guère enthousiaste :

« Pourquoi devrais-je faire sa connaissance ? Je n'aime pas les hommes qui portent des couleurs criardes, qui ont des costumes à carreaux, des gros muscles et des cravates roses. Ils me mettent mal à l'aise. »

Marilyn, qui n'était guère fixée sur la différence entre base-ball et football, admit qu'elle avait entendu parler de ce DiMaggio. « C'est un acteur italien, non ? » se risqua-t-elle à dire. Finalement, elle accepta une invitation à dîner en compagnie de son interlocuteur, de DiMaggio et d'une autre starlette. Tous les quatre devaient se retrouver à six heures et demie au Villa Nova — restaurant italien, bien entendu.

Et bien entendu, Marilyn n'est pas au rendez-vous.

DiMaggio au bout d'un certain temps demande carrément à son hôte s'il la connaît vraiment. March va au téléphone ; Marilyn lui apprend d'une voix grognon qu'elle est trop fatiguée pour sortir... Deux heures plus tard, elle apparaissait pour la première fois à Joe DiMaggio. De son côté, elle découvrit un homme à la forte carrure, grisonnant, d'une douzaine d'années plus vieux qu'elle, et portant un costume tout à fait classique.

Pour elle, ce fut une surprise, comme elle l'avouera bien plus tard à Sydney Skolsky. « Je me le figurais avec des cheveux noirs gominés, des vêtements sport voyants et un baratin de New-Yorkais. » Or, selon March, DiMaggio dit à peine une parole de toute la soirée.

Quant à ce qui se passa au cours de cette soirée, les récits ne manquent pas, mais aucun n'est sûr. Marilyn (selon une déclaration qu'elle fit peu avant leur divorce) proposa, sans savoir elle-même pourquoi, à DiMaggio de le raccompagner chez lui. Puis, comme il s'avérait qu'ils avaient pas mal de choses à se dire, ils passèrent trois heures dans la voiture de l'actrice à errer autour de Beverly Hills. Il lui demanda son numéro de téléphone et elle le lui donna, ayant enfin compris ce que tout le reste du pays savait déjà : que, dans son propre domaine, Joe DiMaggio était une étoile de première grandeur.

Le lendemain, au studio, Marilyn s'empressa de parler de cette rencontre à son agent de publicité, Roy Craft. « Elle ricanait et gloussait comme une collégienne, raconte celui-ci. Elle avait connu un homme formidable. Qui ? C'était un secret — qu'elle ne tint pas longtemps... Une vraie gamine de quinze ans après son premier rendez-vous ! »

La réaction de Craft est exactement professionnelle : il faut que Marilyn se fasse photographier avec le champion favori des Américains. Et c'est ainsi que, lorsque DiMaggio a la curiosité de visiter le studio où l'on tourne *Chéri, je me sens rajeunir* (*Monkey Business*), on le persuade de poser avec Marilyn et Cary Grant. La photo, sur laquelle DiMaggio a l'air d'un homme qui préférerait se trouver ailleurs — photo que de plus on truque, pour en faire disparaître Cary Grant — est diffusée dans tout le pays. L'Amérique a son nouveau roman d'amour.

Deux ans durant, ce roman s'inscrivit en gros titres aussi

ineptes les uns que les autres (exception faite de quelques rumeurs malveillantes), avant d'aboutir au mariage. Mais pour Marilyn, et surtout pour Joe DiMaggio, les choses n'étaient pas si simples.

Joseph Paul DiMaggio est un Italien, fils d'Italien. Ses parents, Siciliens, émigrèrent aux États-Unis au début du siècle. Après un mauvais départ dans un village de la côte atlantique, son père, pêcheur, se transplanta avec toute la famille à San Francisco, un an après la naissance de Joseph. Il était le huitième enfant (il y en aurait encore un). A l'époque, la baie de San Francisco n'était pas polluée, certes, mais la vie n'en était pas moins rude pour les pêcheurs qui, outre les périls de la mer, devaient affronter sur les quais une concurrence féroce, parfois sanglante. Les aspects les plus violents de la nature sicilienne avaient traversé l'Océan avec les immigrés ; et la misère, en ces premières années du moins, était une menace constante.

Le jeune Joe était censé devenir pêcheur lui aussi, mais il déçut son père. Il n'aimait pas beaucoup les bateaux, et il avait le mal de mer. Il préférait s'esquiver sur la plage, loin de la maison, où il s'entraînait au base-ball avec un aviron brisé en guise de batte. On se moquait de lui, et pendant des années il perdit le respect de ses frères — autrement dit tout, quand on est de Sicile.

Mais Joe eut sa revanche à dix-neuf ans. Jouant pour les Phoques (les Seals) de San Francisco, équipe de base-ball de la ville, il pulvérisa les records de la côte ouest en étant batteur dans soixante et une parties sans être sorti. Les prospecteurs de talents s'étant intéressés à lui, il était en 1936, à vingt-deux ans, dans l'équipe de New York, les Yankees. Quinze années durant — à l'exception d'un bref temps de service dans l'aviation à la fin de la guerre —, ses exploits firent délirer un public de plus en plus vaste. En 1941, six mois avant Pearl Harbor, DiMaggio gagna cinquante-six courses (dont l'une avec une batte empruntée, car on lui avait volé la sienne) dans cinquante-six parties de suite — établissant un record qui n'a jamais été battu. Les Yankees remportèrent le *pennant* (la flamme), et les championnats « du monde » (cela se passe toujours entre Américains des États-Unis), et l'on fit à Joe

DiMaggio une chanson, qui devint très populaire : «Du bas'-ball il vivra dans le Hall de la Gloire», etc.

Après la guerre, DiMaggio continua de jouer et de fasciner, malgré quelques ennuis. Ses succès, copieusement arrosés pendant des années et des années, et le fait qu'il fumait de deux à trois paquets de cigarettes par jour, lui procurèrent des ulcères à l'estomac. Et puis il y eut son mariage raté avec une blonde aspirant au titre de star du cinéma, Dorothy Arnold. Dorothy chantait dans un night-club de New York et avait un petit contrat, pour des rôles occasionnels, avec Universal Studios. Ils se marièrent en 1939 à San Francisco, salués par les cris de milliers de personnes agitant des drapeaux italiens. Quatre ans plus tard Dorothy intentait une procédure de divorce, pour mauvais traitements, et obtint gain de cause.

En 1951, quand Joe prit sa retraite, il y avait certes eu beaucoup de femmes dans sa vie ; mais il était surtout connu pour ses amitiés masculines. Des gens comme Toots Shor ou George Solotaire. Le premier, grâce à la Prohibition et ses accointances avec les racketteurs, était devenu le patron d'un des bars les plus huppés de New York. Le second, n'ayant pas réussi comme parolier, tenait une prospère agence théâtrale à Broadway. Ainsi DiMaggio vivait à la lisière du monde du spectacle, ce qui, au fond, était normal, puisque son propre rôle, pendant des années avait été de distraire les Américains.

Maintenant, à trente-sept ans, DiMaggio était un homme riche, oisif et manifestement très seul. Le roi du terrain était au vert et cherchait une reine. Il pensa l'avoir trouvée dans la personne de Marilyn Monroe ; et aussitôt après leur première entrevue, au Villa Nova, il se lança à l'attaque. Il y eut d'autres rendez-vous et, probablement, conquête physique. DiMaggio, coutumier également de ce genre de triomphe, s'en serait vanté devant des amis. Pour le public, Marilyn devait raconter plus tard qu'elle «avait dîné avec lui le lendemain soir, et tous les autres soirs jusqu'à son départ [de DiMaggio] pour New York».

Le fait est, que moins de deux mois plus tard, leur liaison n'était pas que la belle histoire exploitée par le bureau de publicité de la Fox. Le Dr Rabwin, qui opéra Marilyn de l'appendicite, se souvient des innombrables coups de fil de DiMaggio, alors à New York ; et des roses qui arrivaient par vingtaines dans la chambre de l'hôpital. Et les journaux n'attendirent pas son vingt-sixième anniversaire, le 1er juin 1952, pour évoquer l'éventualité d'un mariage. Marilyn se refusa à tout commentaire à ce sujet, mais déclara (« exclusivement ») : « Ce dont j'ai le plus besoin, au monde, c'est d'aimer et d'être aimée. » Et elle dit aussi : « Les hommes sont comme le vin — ils s'améliorent avec l'âge. Mais je n'ai rien contre les hommes jeunes. »

Un an plus tard, le journaliste Dick Williams citera cette autre déclaration de Marilyn : « Il y a toujours quelqu'un pour insinuer que d'autres hommes me tournent autour », dit-elle, puis elle but une gorgée d'eau en me jetant un de ses regards indolents, langoureux. « Franchement, je ne sais pas de quoi ils parlent. Et puis, ça met Joe dans une colère noire. Il aimerait bien casser la figure à ces gens-là. »

Qu'aurait fait Joe DiMaggio s'il avait su ce qui se passait réellement ? Pendant les deux années que durèrent leurs « fiançailles », et parfois alors même que DiMaggio se trouvait à Los Angeles, Marilyn eut, en effet, des rapports très intimes avec au moins quatre autres hommes. Elle envisagea sérieusement de se marier avec l'un d'eux ; et il y eut peut-être même un mariage éphémère — et secret — avec un autre.

Au printemps 1952, sur le plateau de *Chéri, je me sens rajeunir,* Marilyn remarqua un acteur débutant, de six ans plus jeune qu'elle : Nico Minardos, beau Grec sombre et bien bâti, récemment débarqué d'Athènes. Il étudiait l'art dramatique à l'UCLA et suivait des cours de production à la Twentieth Century Fox. Marilyn demanda à un autre Grec, travaillant alors pour la Fox, de la présenter à Minardos, et ils devinrent amants.

Minardos, qui est aujourd'hui un chef de production reconnu et un acteur chevronné, n'a jamais cherché à se faire valoir par cette aventure. Et je ne l'aurais moi-même jamais interviewé sans une remarque, lâchée en passant, par un médecin qui les connut tous les deux. Minardos, selon ses propres dires, entra en rapport avec elle à la fin du printemps 1952, et leur liaison dura sept mois ; et ils continuèrent de se voir, de temps à autre, jusqu'à la mort de Marilyn, dix ans plus tard. Ils se fréquentaient déjà lorsqu'elle fit la connaissance de DiMaggio.

«J'étais un jeune coq, m'a dit Minardos, et elle, une si jolie fille. Une des plus belles femmes que j'ai vues. Splendide, le matin, quand elle se réveillait, sans maquillage. Elle avait de l'esprit, mais ce n'était pas une intelligence très profonde, peut-être... elle était futée, et sensible comme un gosse. Et pourtant, au lit, elle était minable. J'étais complètement amoureux d'elle. J'étais très jeune. »

Ils se retrouvaient soit à l'hôtel de Marilyn, soit dans l'appartement de Minardos, Wilshire Boulevard. Parfois, quand elle arrivait dans sa Pontiac verte, il était en train de jouer aux cartes avec un ami. Les deux jeunes gens en caleçon et maillot de corps, à cause de la chaleur estivale, finissaient leur partie. Elle attendait. Apparemment, ça ne la contrariait pas du tout.

Manifestement, elle n'était plus la créature sexuellement comblée qu'évoque son premier mari, Jim Dougherty. «Elle avait beau faire, et elle s'en donnait, des efforts (je cite encore Minardos), elle n'arrivait jamais à jouir. Elle avait de terribles problèmes psychologiques. Elle était très, très malheureuse. »

A lui aussi elle raconta qu'elle avait été violée dans son enfance ; Minardos ne savait trop qu'en croire. De même quand elle lui parlait de son désir d'avoir des enfants. Avant d'entrer à l'hôpital, elle lui dit qu'elle allait «se faire enlever un ovaire» (alors que celui qui l'a opérée confirme qu'il s'agissait d'une simple ablation de l'appendice). «Ce qu'il y avait de fascinant chez Marilyn, quand j'y repense (Minardos), c'est qu'elle restait actrice dans sa vie réelle. Elle n'ignorait pas la réalité, mais elle inventait des histoires pour pouvoir toujours jouer, tant elle aimait cela... »

En la fréquentant, Minardos acquit la certitude qu'elle faisait commerce de ses charmes pour parvenir à ses fins. Il cite en particulier Spyros Skouras, le magnat de la Fox, qui usa de son influence pour favoriser l'ascension de Marilyn.

«Un soir, nous étions à l'hôtel, Marilyn me dit : "Ça t'ennuie de sortir une petite heure ? J'ai un rendez-vous d'affaires, ici, entre huit et neuf." J'ai senti quelque chose dans sa voix. J'étais jeune, jaloux, et j'ai réussi à faire traîner les choses. On frappe à la porte et une voix dit : "C'est moi, chérie." Aucune échappatoire possible. Je remis mon pantalon et allai ouvrir. C'était Skouras. Ça l'a mis dans une telle colère qu'il m'a banni du studio. Par la suite, je l'ai mieux connu ; mais il ne m'appelait jamais par mon nom. Toujours : "le petit ami de Marilyn"... C'est un aspect d'elle que je critiquais, aussi bien alors qu'après. C'est déshonorant ; je ne dis pas que c'est la seule raison de sa réussite, mais elle utilisait les gens. »

A la fin novembre 1952, alors que depuis six mois elle se laissait courtiser par DiMaggio, Marilyn emmena Minardos chez Fred Karger — son ex-amant, qui l'avait repoussée quatre ans auparavant. C'était la première fois que le jeune Grec participait à un repas de Thanksgiving (fête américaine célébrée le quatrième jeudi de novembre). La famille Karger, qui, plus qu'aucune autre, était la famille d'élection de Marilyn, fit bon accueil à Minardos. Quelques mois plus tard, à la demande de Marilyn, tous deux se rendirent à l'église orthodoxe pour assister à la messe de Pâques. L'interminable cérémonie passionna Marilyn qui, au vif dépit de Minardos, insista pour rester jusqu'à la fin.

Elle s'était mise à parler de mariage, selon Minardos, dès la fin de l'été 1952. Elle appela même Athènes pour annoncer théâtralement aux parents de Nico abasourdis : « Je veux donner un enfant à votre fils ! »

Mais le jeune homme n'avait aucune intention de devenir « Monsieur Monroe »...

Cela dit, il était encore avec elle quand les journaux commencèrent à parler de Joe DiMaggio comme de « l'homme de sa vie ». Minardos frissonne encore à ce souvenir. Une fois, il la surprit en train d'écrire laborieusement une lettre d'amour à Joe ; un petit livre marron était ouvert à côté d'elle : c'était un recueil de lettres d'un poète romantique anglais. Marilyn y cherchait des passages qu'elle recopiait mot pour mot. Minardos se décida alors à l'aider...

Très vite il avait compris que Joe DiMaggio était « extrêmement jaloux ». La presse à grand tirage — qui pourtant ne faisait jamais allusion aux passades de l'actrice — l'avait elle-même deviné. On voyait bien que DiMaggio fuyait comme la peste les journalistes et la publicité. Quand il arrivait au

Beverly Hills Hotel, il montait directement dans son appartement pour y attendre Marilyn, tout en sachant très bien qu'elle mangeait seule au rez-de-chaussée. Le Sicilien de San Francisco n'appréciait pas du tout que sa maîtresse offrît son corps au regard de tous. Marilyn disait alors qu'elle essayait de se modérer... en vain, elle était trop exhibitionniste.

Billy Travilla, qui désormais était son habilleur, chercha lui aussi à la dissuader de porter des vêtements trop moulants. Quand arriva le moment du tournage de la scène des patins à roulettes, dans *Chéri, je me sens rajeunir*, il crut qu'enfin, pour une fois, elle se plierait à ses volontés : c'est une scène, en effet, où elle devait porter une jupe ample. Elle se laissa habiller comme prévu, mais, une fois sur le plateau, raconte Travilla, «voilà qu'elle porte les mains derrière elle, écarte ses fesses, et y coince plusieurs plis d'un coup ! » — «Je t'ai bien eu, hein, Billy ? Avec ta stupide jupe ! » lui dit-elle après.

Cependant elle découvrit, en essayant un autre vieux truc, qu'elle avait un petit problème avec son corps. Elle raconta à Travilla que Jean Harlow, une de ses actrices préférées, pour avoir la pointe des seins dressée, se les frottait avec de la glace avant de jouer. «Avec les miens, rien à faire, se plaignait Marilyn. Je suis mal faite de ce côté-là. » Mais on trouva une solution — en fixant deux petits boutons au fond des bonnets de son soutien-gorge. Quand *Chéri, je me sens rajeunir* sortit, le *New York Daily News* opina : «Actuellement, aucune autre blonde de l'écran n'est capable d'avoir l'air aussi gourde et de jouer à ce point les mijaurées. » Marilyn, paraît-il, déclara que cette phrase était un compliment.

Quant aux numéros qu'elle exécutait hors écran, ils n'avaient rien de réconfortant non plus pour son mâle Joe DiMaggio. Visitant une base de marines, elle provoqua dix mille hommes d'un coup en lançant : «Je ne vois pas pourquoi les filles bien roulées vous émoustillent tant, les gars : ôtez-leur leur pull, qu'est-ce qu'elles ont dessous ? »

Cette même année, elle présida (au titre de «Grand Maréchal») la grande revue de l'élection de Miss Amérique, dans une robe incroyable, décolletée en pointe presque jusqu'au nombril. On dit que DiMaggio fut très gêné, voire heurté par cette exhibition. Cette gêne eût été une vraie géhenne, s'il avait

103

su en plus ce qui se passait derrière tout ce spectacle. Marilyn en effet, pendant les tournages en extérieur, loin de Los Angeles, batifolait encore avec un autre homme.

11

Pour la sixième année consécutive, Marilyn vivait son roman d'été avec Robert Slatzer, le jeune journaliste de l'Ohio qui avait fait sa connaissance dans le foyer de la Twentieth Century Fox. Slatzer partageait son temps entre Columbus (capitale de l'Ohio), où il travaillait pour des quotidiens locaux, et de courts séjours à Hollywood — car son espoir était de percer un jour dans le monde du cinéma. Et il continuait d'être hypnotisé par «la fille sans artifice» qui s'était donnée à lui sur une plage californienne. Marilyn, de son côté, encourageait sa passion. Il lui écrivait, et elle répondait, par d'interminables coups de téléphone inter-Etats. Ce besoin qu'elle avait d'appeler tel ou tel ami où qu'il se trouvât dans le monde lui valut d'être poursuivie au moins une fois, au début de sa carrière, par la société du téléphone.

Quand Slatzer était à Hollywood, ils voletaient d'un garni à l'autre — dont ils partageaient les frais. «C'était par nécessité, explique Slatzer. Si on ne payait pas le loyer, ils faisaient mettre les scellés et vous piquaient tous vos biens. Ça nous est arrivé plusieurs fois, à tous les deux ; aussi nous prenions un seul meublé, de temps à autre, pour répartir les frais. Nous avons vécu ensemble, on peut le dire, mais jamais plus d'un mois au même endroit. Nous étions des amants d'occasion, c'est vrai, mais je crois que je suis devenu un de ses rares amis. »

Aujourd'hui Slatzer, qui a cinquante-huit ans et se remet d'une opération du cœur, passe la plupart de son temps dans son nid de pie, sur les collines qui dominent Hollywood. Un drapeau américain pend à la porte ; les pièces sont envahies de piles de livres qui ont depuis longtemps débordé des rayon-

104

nages. Il continue d'aimer la compagnie de femmes jeunes et jolies. La conversation est régulièrement interrompue par les cris rauques d'un oiseau en cage, et par la sonnerie du téléphone, laquelle annonce souvent de nouvelles questions concernant Marilyn Monroe.

Depuis la mort de Marilyn, en 1962, on a tendance à considérer Slatzer comme un mythomane. Il n'a cessé d'affirmer que Marilyn avait été assassinée à cause de ses rapports avec Robert Kennedy. Cette thèse elle-même, et le dilettantisme avec lequel il l'étaie dans son livre publié en 1974 (*The Life and Curious Death of Marilyn Monroe* — «La vie et la curieuse mort de Marilyn Monroe») ont suscité les sarcasmes ; certains doutent même qu'il ait eu quelque rapport que ce soit avec Marilyn.

Slatzer, assurément, n'a rien du sérieux que l'on est en droit d'exiger d'un chroniqueur judiciaire. Son livre sur Marilyn — de même que ses interviews — est très confus et ne s'appuie pour ainsi dire sur aucun document. Personnellement, il ne me convainc pas, et même m'irrite à maints égards. Malgré tout, je me suis attaqué au cas Slatzer, car ce qu'il a dit sur la dernière partie de la vie de Marilyn, et surtout sur les frères Kennedy, me paraissait trop grave pour être simplement ignoré ; il fallait y voir clair. Depuis 1982, j'ai eu de nombreuses et longues conversations avec Slatzer ; j'ai mené des recherches de mon côté ; et ma conclusion est qu'effectivement, Slatzer fut un ami intime de Marilyn durant toute sa vie adulte.

Parmi tous les autres témoins que j'ai interviewés à ce sujet — la plupart du temps à l'insu de Slatzer —, il y a tout d'abord Allan «Whitey» Snyder, l'homme qui l'a maquillée pour son premier essai devant la caméra, qui devint son maquilleur attitré — et qui fit sa toilette funèbre. Peu de gens ont été plus proches de Marilyn, tout le monde l'admet ; or, selon Snyder, Slatzer et elle se sont connus dès 1946.

«Très souvent, tandis que je la maquillais, elle me transmettait le bonjour de Bob (Robert Slatzer), ou me parlait d'une conversation qu'elle venait d'avoir avec lui au téléphone, ou, même, me disait qu'ils devaient se voir le soir. Bob était de ces gens qui écoutent les autres — qualité dont Marilyn avait terriblement besoin durant toutes ces années où ils furent amis. (...) Elle pouvait appeler Bob en pleine nuit, et ils se parlaient pendant des heures. (...) A mon avis, elle l'a toujours beau-coup aimé. »

Noble « Kid » Chissell, ex-champion de boxe de la marine de guerre, devenu cascadeur à Hollywood — où il lui arrivait aussi de jouer les pannes — se souvient lui aussi des premiers temps de la liaison entre Slatzer et Marilyn. C'est sa voiture que Slatzer emprunta le soir de son premier rendez-vous avec Marilyn ; et Chissel lui-même était avec eux quand Slatzer rac-compagna Marilyn chez elle. Il m'a dit que peu après, c'était Marilyn qui préparait régulièrement le petit déjeuner chez Slatzer ; et que leur histoire d'amour a survécu à d'innombra-bles séparations. Un jour de Noël, à la fin des années 40, il accompagna Slatzer et Marilyn chargés de petits cadeaux, à l'orphelinat où on l'avait mise jadis.

D'autres personnes encore, qui toutes connaissent Slatzer depuis le début des années 50, confirment ces témoignages. Ainsi l'Anglais Gordon Heaver qui arriva à Hollywood en 1952 pour travailler chez Paramount (comme rédacteur de synop-sis) et qui, cette même année, rencontra Marilyn en compa-gnie de Slatzer. Plusieurs personnes de Columbus, également, en particulier le dentiste de Slatzer, Sanford Firestone, se rap-pellent qu'il leur parlait de Marilyn comme d'une amie intime et qu'elle lui téléphonait. Firestone, sceptique, alla même jusqu'à utiliser ses relations à Hollywood pour rencontrer l'actrice, qui lui certifia que Slatzer ne fabulait pas.

Revenons donc à 1952 — année où se situe l'histoire ahu-rissante du mariage secret avec Slatzer.

Au début de juin, *Chéri, je me sens rajeunir* étant terminé, commence le tournage d'un nouveau film, *Niagara*, dans lequel Marilyn doit jouer le rôle de la femme infidèle.

Tandis que les acteurs et l'équipe de tournage se rassem-blent à Buffalo, grande ville située sur la rive américaine des célèbres chutes, Marilyn fait un détour par New York pour revoir Joe DiMaggio. Celui-ci tenant absolument à montrer sa conquête à ses copains, l'entraîne dans une folle tournée des « boîtes » de Manhattan.

Ces amis que le champion lui fait rencontrer, chez Toots Shor en particulier, sont des durs de durs, tapageurs, qui ne s'amusent qu'entre hommes — sportifs, joueurs, catcheurs, piliers de night-clubs ; et Marilyn s'ennuie, elle doit lutter contre le sommeil, comme elle le confiera plus tard à un journaliste. «Elle avait d'autres intérêts ; elle pensait profiter de ce séjour à New York pour aller au théâtre, visiter des musées, etc. Mais pour Joe, qui a pris tout de suite les rênes en main, il n'en était pas question. »

Elle devait penser aussi — mais c'est un autre «intérêt» qu'elle n'a certainement pas évoqué devant DiMaggio — à ses prochaines retrouvailles avec Robert Slatzer.

Selon celui-ci, en effet, Marilyn, avant de quitter Hollywood, lui avait téléphoné chez lui, à Columbus, en lui proposant de venir la rejoindre pendant le tournage de *Niagara*. Slatzer sauta sur cette occasion de rompre quelque temps la monotonie de son travail de journaliste de province.

Il part pour l'Est, descend au General Brock Hotel, sur la rive canadienne des chutes, et là, contacte un agent publicitaire de la Fox, Frank Neill. Neill, voyant en Slatzer quelqu'un qui peut éventuellement publier des articles sur le film, lui procure la meilleure installation possible : une chambre jouxtant celle de Marilyn.

Celle-ci l'accueillit avec des transports de joie (toujours selon l'intéressé). Elle buvait beaucoup et parut à Slatzer encore plus exhibitionniste que lors de ses précédentes visites en Californie — point confirmé d'ailleurs par l'une de ses coiffeuses, qui parle de Marilyn allant toute nue à sa fenêtre et pouffant de rire en apercevant au-dessous un groupe de jeunes voyeurs.

Une nuit, la femme que toute la presse présentait comme la future épouse de Joe DiMaggio abasourdit Slatzer en suggérant : «Dis, ce ne serait pas un endroit magnifique pour se marier ? On n'aurait pas à aller aux chutes du Niagara, puisqu'on y est déjà !» (Les «chutes» sont un haut lieu du tourisme nuptial américain.)

Ils n'avaient jamais parlé de mariage jusque-là ; Slatzer se dit qu'elle avait trop bu. Or lui-même, quelque temps plus tard, après une autre nuit d'ivresse et d'amour, aborda de nouveau, et sérieusement, le sujet. Cette fois, c'est Marilyn qui regimba, arguant qu'elle n'était pas prête pour le mariage.

Cependant le tournage de *Niagara* avait commencé, et Whitey Snyder, son maquilleur, s'aperçut que Marilyn était reprise

107

par sa vieille terreur des caméras. De plus, elle était extrêmement agitée. Alarmé lui aussi, le metteur en scène demanda à Snyder de veiller sur elle, et de la dorloter ; de trouver les mots justes (et cela prenait parfois des heures) pour la convaincre de monter sur le plateau. Snyder l'escorta même à New York quand, soudain, elle décida d'aller revoir DiMaggio.

Slatzer, quant à lui, pour être resté trop longtemps à badiner avec elle au bord du Niagara, avait perdu son emploi. Elle lui téléphona pour lui exprimer sa sympathie et l'inviter à revenir à ses côtés. Slatzer ne se fit pas prier, et, une fois le tournage terminé, la suivit en Californie.

Cet été à Los Angeles fut apparemment (pour le public intéressé) une simple et sereine continuation des fiançailles avec DiMaggio. Les articles consacrés à l'actrice évoquaient Marilyn, se prélassant à côté d'une piscine d'Hollywood, en compagnie de Joe et de son fils, Joe junior. Ce dernier fait provoqua de bruyantes protestations de l'ex-femme du champion.

Puis, curieusement, les gros titres se firent de moins en moins gros. Au début de septembre, Marilyn démentit que DiMaggio et elle eussent l'intention de se marier dans l'immédiat et, abordant le chapitre du mariage en général, vanta les vertus, pour la femme, de la jalousie du mari : «On finirait par s'ennuyer sec s'il n'y avait pas ça de temps en temps. Mais c'est comme le sel sur le bifteck. Il en faut juste un peu !» A ce moment-là, le bifteck-DiMaggio devait avoir à peu près le même goût qu'une caisse de morue…

Robert Slatzer était venu en Californie sur les instances de Marilyn. Pendant deux mois, dit-il, ce fut un vrai vaudeville :

«Je la voyais au moins autant que DiMaggio. Je ne sais pas si elle inventait des excuses quand il lui téléphonait et qu'elle voulait sortir avec moi, et vice versa. Quand il n'était pas en ville (il y a eu toute une période, pendant les championnats du monde de base-ball, où il avait souvent à faire à la radio), je la voyais presque tous les soirs. J'étais chez elle quand il lui téléphonait. Parfois c'était le contraire : je l'appelais vers minuit, DiMaggio était là ; mais il lui arrivait de me rappeler sur le coup de trois heures du matin, en me disant : ''Ça va, on peut parler maintenant.''»

Un soir, ce fut la scène classique : tous deux arrivèrent à la même heure devant sa porte :

« J'étais en train de l'attendre quand une voiture s'arrête : DiMaggio. Chacun savait parfaitement qui était l'autre. Nous attendons très calmement — il n'y avait pas grand-chose à se dire, effectivement. Sur quoi Marilyn arrive et nous fait entrer tous les deux. C'était une armoire à glace, je préférais éviter tout débat. Je me versai à boire, il en fut interloqué : ainsi, je connaissais l'endroit aussi bien que lui ! Tous deux se mirent à se chamailler, et il me pria de sortir. Comme je n'en faisais rien, elle éclata et nous mit tous les deux à la porte. Une heure plus tard environ, elle m'appela pour s'excuser, en disant qu'il y avait eu une confusion dans son emploi du temps. »

A la fin août, on put lire cet entrefilet dans la rubrique de Dorothy Kilgallen : « Il y a un *outsider* à ne pas négliger, dans le *derby* sentimental de Marilyn Monroe : Bob Slatzer, naguère critique littéraire à Columbus, Ohio. Il lui fait une cour épistolaire et téléphonique, et prend soin de Son Esprit : il lui a offert plusieurs chefs-d'œuvre de la littérature mondiale. »

Trois semaines plus tard, Slatzer confirmait lui-même, par voie de presse, qu'il avait donné à lire à Marilyn les *Rubaiyyàt* d'Omar Khayyam et les œuvres d'Edgar Poe. De son côté, celle-ci lui avait offert *Le prophète* de Kahlil Gibran. Ce n'étaient certes pas le genre de lectures qu'elle pouvait partager avec DiMaggio.

Un soir, au début d'octobre, elle se lança devant Slatzer dans une grande tirade contre DiMaggio :

« Elle m'a dit qu'elle ne voyait aucun moyen d'être heureuse avec lui. A cause de sa jalousie ; non seulement par rapport à moi... mais même par rapport à n'importe quel inconnu qui demandait à Marilyn un autographe. Si ça se passait, par exemple, pendant qu'ils dînaient au restaurant, il piquait aussitôt une crise et se mettait à lui faire une scène de tous les diables. A cette époque, j'aurais parié que jamais, au grand jamais, elle ne l'épouserait. »

D'autant plus qu'elle se maria alors avec Slatzer (s'il faut croire celui-ci), civilement, à la frontière mexicaine.

On n'a jamais retrouvé une seule trace concrète de cet épisode. D'autre part, on imagine mal Marilyn, telle qu'on la connaît, renonçant à la formidable publicité que cette démarche lui aurait procurée. Enfin, on remarquera que Slatzer a attendu des années après la mort de Marilyn pour parler publiquement de ce mariage. Et pourtant, ses dires sont corroborés par plusieurs personnes que j'ai interviewées.

Tout d'abord le Dr Firestone et l'actrice Terry Moore : tous deux, en effet, ont entendu parler de cette affaire par Marilyn elle-même. Firestone (qui, on se le rappelle, était le dentiste de Slatzer, et qui entra en rapport avec Marilyn parce qu'il n'arrivait pas à croire que son client fût un ami intime de l'actrice) fut peut-être encore plus surpris, quelques années plus tard, quand elle évoqua devant lui sa «lune de miel avec Bob au Mexique». Slatzer lui-même, à l'époque, ne lui avait pas encore touché un mot de cette «lune de miel», et Firestone supposa que c'était, de la part de Marilyn, une manière emphatique de parler d'un simple voyage sentimental.

Terry Moore, ex-femme de Howard Hughes, m'a dit qu'elle connaissait Marilyn depuis ses débuts à Hollywood ; toutes deux travaillèrent ensemble, et pendant les mêmes périodes, à la Fox, puis à Columbia Pictures. Son témoignage est plus précis :

«Je me rappelle très bien le plaisir qu'elle avait de sortir avec Bob. Elle avait une telle soif de culture ! Bob était très cultivé, elle le respectait pour cela. Et elle m'a dit effectivement qu'elle l'avait épousé, au moment même où cela s'est produit. J'en suis certaine, parce que si elle me l'a dit, c'est parce que moi-même, je venais de lui parler de mon propre mariage éphémère avec Glenn Davis.»

Will Fowler, d'Hollywood, ami de Slatzer et lui aussi écrivain, m'a écrit : «Bob me dit qu'il allait faire un saut au Mexique pour épouser Marilyn. Je revois encore Bob, à leur retour, me montrant l'acte de mariage : on aurait dit un diplôme de fins d'études, en blanc et noir, avec un sceau doré. (...)»

Selon Slatzer lui-même, la cérémonie — si l'on peut dire — eut lieu le 4 octobre 1952, après une longue nuit passée à boire et à parler, alors que DiMaggio était à New York. A un certain moment, ils montèrent dans la Packard décapotable de Bob (dont celui-ci était très fier, semble-t-il) et se dirigèrent vers la petite ville de Tijuana, juste après la frontière mexicaine. Ils avaient déjà passé plusieurs week-ends au Mexique,

110

et Tijuana était connue comme la ville des mariages et des divorces éclair. Dix ans plus tard, d'ailleurs, c'est dans une autre petite ville-frontière du Mexique que Marilyn et Arthur Miller se rendirent pour divorcer sans problèmes.

« Nous n'étions pas fixés sur la procédure à suivre, raconte Slatzer. Je posai la question au sous-directeur du Foreign Club [le «Club des étrangers», à Tijuana] que je connaissais déjà. Il me dit qu'il y avait effectivement plusieurs notaires vraiment expéditifs et qu'il suffisait de continuer de descendre la rue pour en trouver un. Marilyn ne trouvait pas ça très romantique ; elle avait parlé de se marier à l'église, etc. Quoi qu'il en soit, en plein milieu de la grand-rue, nous tombons sur une étude de notaire. Je ne me rappelle pas son nom — ça fait tant d'années... Il nous dit qu'il pourra s'occuper de nous dans une petite heure et qu'il faut deux témoins. De son côté il en a déjà un : sa femme ; mais il faut que nous en trouvions un autre. »

Ce second témoin est aussi le seul à avoir fourni à l'Histoire un témoignage de première main, concernant cet événement. En 1982, à l'insu de Slatzer, j'ai contacté Kid Chissell — ce vieil acteur-cascadeur qui fut le premier à voir Slatzer et Marilyn ensemble dans les années 40 ; voici son récit :

« C'est vrai ; mais quel hasard ! J'étais moi-même à Tijuana, dans l'espoir de retrouver un vieux copain de la Navy. Tout à coup, qui est-ce que je vois ? Bob et Marilyn sortant d'un magasin* ! Je lui donne une bonne bourrade (à Bob), il se retourne, il avait l'air complètement fou. Mais quand ils m'ont reconnu, tous les deux, on a tous éclaté de rire. Ils m'ont demandé si je pouvais leur servir de témoin. J'ai tout de suite répondu ''oui'' — je pensais qu'il n'était que temps. (...) Alors Marilyn a dit qu'elle se sentirait mieux si, avant les formalités, elle pouvait aller dans une église. Nous nous sommes rendus à l'église catholique la plus proche — de toute façon, dans ce bled-là, c'était la seule espèce d'église qu'on pouvait trouver. Bob et moi sommes restés sous le porche ; Marilyn a ôté son pull et s'est couverte avec, et elle est allée allumer des cierges

---

* En anglais, *shop*. Ce qui n'est pas forcément contradictoire avec le mot américain *storefront* que Slatzer vient d'employer pour désigner l'étude du notaire (Webster, *New World Dictionnary*) (*NdT*).

à côté de l'autel. Après quoi nous sommes revenus chez le notaire. La femme du notaire a donné une fleur à Marilyn ; tous deux ont rempli les papiers ; et il les a déclarés mariés. Puis on a été acheter des sandales pour Marilyn : quelqu'un lui avait piqué ses souliers, qu'elle avait ôtés en entrant chez le notaire ! On a trouvé des sandales genre mexicain, et après, on a tous été prendre un pot au Foreign Club. »

Se non è vero, è ben trovato : car, pour l'essentiel, le récit de Chissell correspond parfaitement à celui de Slatzer.

Il y avait peu de chances que l'on reconnût Marilyn, selon Slatzer : « Elle n'avait rien de Marilyn Monroe belle à faire trembler la terre. Elle n'était pas maquillée, elle avait les cheveux ramenés en arrière ; c'était une jeune femme en week-end à Tijuana. »

... Consommation du mariage (toujours selon Slatzer) au Rosarita Beach Hotel — qui alors était un édifice vieillot et isolé à une vingtaine de miles de Tijuana.

« Le lendemain matin, quand je me suis réveillé, elle était assise sur le lit et se frottait les yeux : elle pleurait légèrement, elle n'a pas voulu me dire pourquoi. »

Ce mariage dura trois jours.

« Restait le problème DiMaggio : nous n'avons pas arrêté d'y penser et d'en parler pendant le voyage de retour à Los Angeles ; mais Darryl Zanuck ne nous a pas laissé le temps de le résoudre : le lundi, en fin d'après-midi, Marilyn m'appelle : elle "en" a parlé à deux ou trois personnes, sous le sceau du secret, mais maintenant la nouvelle a fait le tour des studios et les choses vont très mal pour elle ; il faut que je voie Zanuck. Zanuck fut très franc : ''Nous avons investi des millions dans cette fille ; vous vous représentez ce que va entraîner pour nous ce mariage ? Faites-le annuler.'' »

Tous deux obtempérèrent, selon Slatzer, selon son ami Will Fowler et selon l'actrice Terry Moore (« Marilyn me dit que le studio avait mis, je ne sais comment, le holà à cette histoire »).

Slatzer reconnaît que, dès son retour à Hollywood, Marilyn se dit qu'elle avait fait une bêtise, surtout après avoir eu plusieurs fois DiMaggio au bout du fil. Dès le lendemain, Slatzer et elle retournèrent à Tijuana et donnèrent au notaire ce qu'il fallait pour le convaincre de détruire l'acte de mariage qui, heu-

112

reusement pour les comptes en banque des deux amants, n'avait pas encore été communiqué à l'état civil.

Tijuana est aujourd'hui une immense, informe agglomération : allez-y rechercher les traces d'un petit mariage, célébré clandestinement, il y a plus de trente ans...

« Marilyn voulait être libre, m'a dit Terry Moore. (C'est le plus triste commentaire que je connaisse sur cette affaire.) Mais elle avait une peur terrible de rester seule. Je crois qu'elle ne savait plus du tout quoi faire de ce DiMaggio, et qu'elle aimait bien Bob. Elle a fait une petite fugue, et est tout de suite rentrée au bercail. »

Dans les dernières semaines de 1952 commença le tournage de *Les hommes préfèrent les blondes*. Cette comédie musicale — l'une des plus célèbres des années 50 — fut un grand succès pour Marilyn dont le nom fut mis en tête d'affiche à côté de celui de Jane Russell. Toutes les deux avaient fréquenté le même lycée et, par la suite, s'étaient rencontrées pendant un bal, quand Marilyn était encore avec Jim Dougherty. Ce film les rapprocha de nouveau et en fit deux vraies amies — au grand dam des amateurs de potins.

Russell était mariée à Bob Waterfield, footballeur à la retraite ; Marilyn lui demanda conseil à propos de DiMaggio, sommité du sport s'il en fut.

« J'ai dit à Marilyn : trouve le temps de sortir avec tes amis à toi, pour parler de livres, de poésie, de tous les arts. Mais, apparemment, elle était incapable de se détacher pour faire cela. Et pourtant, elle sentait bien que toute une part d'elle-même dépérissait, parce qu'elle n'arrivait pas à l'exprimer. »

Joe DiMaggio non plus ne donnait aucun signe de détachement : on peut croire Sydney Skolsky, vieil ami de Marilyn, quand il dit, évoquant les derniers jours de cette année 1952 :

« Elle était au Noël du studio, elle avait l'air gaie et de bien s'amuser. Puis elle est partie, sans rien d'autre à faire que de rentrer chez elle (à l'époque une simple chambre pour une personne au Beverly Hills Hotel) attendre un coup de fil de Joe, qui était venu passer le Noël en famille à San Francisco. Quand Marilyn est entrée dans sa chambre, elle a trouvé un arbre de

113

Noël miniature sur la table, un carton sur lequel on avait gravé à la main ''Merry Christmas, Marilyn'', et Joe assis dans le fauteuil dans un coin. »

Quelques jours après, elle dit à Skolsky : « C'est la première fois de ma vie que quelqu'un m'a offert un sapin de Noël. J'étais tellement heureuse que j'ai pleuré. »

Au cours de ce même mois de décembre, la Fox abreuva la presse d'anecdotes prouvant que désormais, officiellement, Marilyn était une « étoile volant de ses propres ailes » ; selon le même studio elle avait « surpassé, du point de vue de la publicité », aussi bien Rita Hayworth que la reine d'Angleterre. Elle recevait plus de cinq mille lettres d'admirateurs par semaine, et allait bientôt prendre possession de la loge luxueuse qu'avait occupée jadis Marlène Dietrich. Au studio, on l'appelait déjà « *Miss* Monroe »...

... Quelques mois auparavant : un hélicoptère se pose à Hollywood, à côté de la piscine de Ray Anthony, chef d'orchestre de musique légère. Le déplacement d'air projette chaises et tables dans la piscine où l'on avait mis à flotter gracieusement des milliers de fleurs de gardénias... De l'hélicoptère descend, revêtue d'une robe d'un rutilant qui offusque tous les présents, sauf les photographes, Marilyn Monroe. Elle est là pour une cérémonie d'un tel mauvais goût que le spécialiste de *public relations* qui l'a organisée en fut lui-même atterré : la première mondiale d'une chanson intitulée « Marilyn » :

> *Aucune femme, je crois —*
> *A commencer par Eve, ne pouvait*
> *Me fasciner comme ma MA-RI-LYN.*
> *J'ai pensé à tout, à l'église,*
> *A l'anneau. La seule qui ne le sait pas encore,*
>
> *C'est MA-RI-LYN.*
> *Je le confesse,*
> *Qu'elle n'a pas dit « oui »,*
> *Que je ne l'ai pas embrassée, ni même*
> *Encore connue, ma MA-RI-LYN.*
> *Mais si l'ciel est avec moi,*
> *Elle sera à tout jamais*
> *Mon épousée.*

114

Dans l'imagination organisée, Marilyn est maintenant mariée à l'Amérique entière. En « réalité », elle est une épave de mer, dérivant de paire de bras en paire de bras, avec un ex-champion de base-ball pour ancre de veille.

12

Vers le milieu de l'été 1953, Marilyn et Jane Russell, sa partenaire de *Les hommes préfèrent les blondes*, se retrouvèrent sur le trottoir d'Hollywood Boulevard, devant le Chinese Theatre de Grauman, pour imprimer leurs mains et leurs pieds dans du ciment frais*. Cela fait, elles inscrivirent leurs noms à côté des empreintes, puis se relevèrent, et la foule rassemblée leur fit une ovation. Marilyn ne manqua de se distinguer en suggérant à Jane — pour laquelle Howard Hughes avait dessiné un soutien-gorge spécial — de laisser aussi l'empreinte de ses seins dans le ciment, tandis qu'elle-même se serait assise dedans... Les organisateurs rejetèrent ces idées, de même que sa proposition de marquer le point du *i* de sa signature par un diamant, en souvenir de sa chanson « Les diamants sont les meilleurs amis d'une femme ». A la place, on mit un faux brillant, qui fut volé peu après.

Bien que comblée d'honneurs, l'actrice la plus effrontée du monde n'avait, la plupart du temps, aucune confiance en soi.

Le jour même de la cérémonie, Gladys Whitten, sa coiffeuse, reçut un coup de fil affolé de Marilyn : « J'ai besoin de toi. S'il te plaît, Gladness**, s'il te plaît, viens et amène aussi ta

---

* Le Mann's Chinese Theatre, bâtiment de style chinois, abrite le cinéma le plus célèbre du monde, fondé par Sid Grauman en 1927. La cérémonie décrite ici est le symbole de la consécration pour une star. Chaque année trois nouvelles empreintes seulement s'ajoutent à la collection (*NdT*).

** C'est ainsi que Marilyn surnommait Gladys ; « Gladness » veut dire joie.

maman. » La situation était vraiment grave, à en juger par la voix — jusqu'à ce que Marilyn explique : «Je ne sais pas quelle robe mettre ! »

Gladys, qui habitait dans un tout autre quartier de Los Angeles, bondit dans sa voiture (comme chaque fois que l'actrice l'appelait). «On aurait dit une gamine : je ne pouvais pas m'empêcher de l'aider. »

Marilyn eut la chance d'avoir toujours des assistants d'une patience à toute épreuve.

«Oh, j'ai oublié de prendre ma douche...» Que de fois on lui a entendu dire ça tout à coup, m'a raconté Gladys, alors qu'on commençait à l'habiller — après lui avoir fait sa mise en plis et l'avoir maquillée ! Et il fallait tout recommencer...

Mais Marilyn pouvait se fourrer dans des situations tellement drôles qu'on en oubliait sa propre irritation. Une fois, la petite voix désarmée appela d'une cabine juste à côté des studios. «Gladness, tu pourrais passer me prendre ? J'ai fait toute la route à pied depuis Beverly Hills : ma voiture n'est pas arrivée. Et personne qui se soit arrêté pour me prendre ! »

Très intriguée, Gladys se précipite sur les lieux : comment se fait-il que les automobilistes aient dédaigné «l'étoile montante du cinéma, la plus brillante de cette année 1953»? Marilyn attendait, en jean, pull et, effectivement, très brillante car elle s'était enduit le visage d'une épaisse couche de vaseline ! «Pour garder ma peau de jeune fille», disait-elle — bien que plusieurs personnes l'eussent avertie que cela ne pouvait que favoriser la croissance de poils non désirés*.

C'est à cette époque que Marilyn, très ponctuelle jusqu'alors, commença à faire enrager les metteurs en scène par ses retards. «Souvent, elle arrivait bien avant moi (Jane Russell), et elle avait eu tout le temps de répéter. Mais elle était trop anxieuse pour monter sur le plateau. Finalement — j'ai arrangé ceci avec Whitey (le maquilleur de Marilyn) — j'allais chaque fois la chercher dans sa loge pour l'accompagner jusqu'au studio. » Le sentiment d'insécurité était désormais chronique.

---

* Comme le montrent certaines photographies prises à la fin de sa vie, Marilyn finit effectivement par avoir des poils sur les joues (NdA).

Même sur le plateau, un rien pouvait la blesser cruellement. Après une scène de baiser avec elle, l'acteur Tommy Noonan déclara, paraît-il : «C'était comme d'être sucé par un aspirateur.» Le propos lui ayant été rapporté, Marilyn fondit en larmes :

«Elle était vraiment écroulée, désespérée, raconte Jane Russell. Et elle disait : ''Comment peut-on être aussi méchant? Il n'est pas possible d'être aussi méchant et de ne pas être puni pour ça un jour.''»

Derrière les coulisses, Whitey Snyder était désormais autant son «baby-sitter» que son maquilleur. Depuis le tournage de *Niagara*, il était apparemment la seule personne capable de la persuader par ses câlineries d'affronter les caméras. Selon Snyder, marié aujourd'hui à Marjorie Plecher (qui fut seconde habilleuse dans plusieurs films de Marilyn), Marilyn était chaque fois «terrorisée — la terreur à l'état pur» à la perspective de jouer. Et selon Marjorie : «Elle ne se sentait jamais sûre d'elle devant les caméras. Elle avait une telle peur de ne pas apparaître comme il fallait, de ne pas jouer comme il fallait. (...) Le trac, quoi. Elle avait beaucoup de talent, (...) mais elle ne croyait pas en elle-même.»

Snyder, Gladys Whitten et une poignée d'autres étaient en train de devenir la petite garde loyale personnelle de Marilyn. Avec eux, elle se sentait plus à son aise qu'avec les gros bonnets et les célébrités. Elle connaissait la valeur de ces abeilles ouvrières du cinéma, et elle cherchait à le leur témoigner par des cadeaux : un petit porte-billets plaqué or à Snyder, une carafe incrustée d'argent à Gladys, une photo avec cette dédicace : «A Gladness qui me fait comme je suis là-dessus, avec amour.»

Après *Les hommes préfèrent les blondes*, elle donna sa voiture — une Pontiac qu'elle ne possédait que depuis quelques mois — à Natasha Lytess, sa conseillère artistique. Puis elle lui offrit un manteau de vigogne. Bien qu'elle lui en soit toujours reconnaissante, Natasha Lytess a écrit que si Marilyn faisait de tels cadeaux, c'est parce qu'«elle était incapable de se donner aux autres». Billy Travilla, le prochain à inscrire sur la liste de ses amants, a fini par émettre un jugement analogue au cours de l'entrevue qu'il m'a accordée.

Travilla, le costumier de *Les hommes préfèrent les blondes* et de plusieurs autres films, avait fait la connaissance de Marilyn trois ans auparavant en 1950 (elle avait alors vingt-quatre ans, lui vingt-cinq), dans les circonstances suivantes, selon Travilla :

« Elle a ouvert la porte coulissante de mon salon d'essayage. Elle était en maillot de bain noir. Une bretelle a glissé, découvrant un de ses seins. C'était quelque chose de délicieux chez elle : ce besoin de se montrer, elle qui était si belle. Cela froissait certains — car, bien sûr, elle le faisait exprès. C'était un être tellement enfantin qu'on lui pardonnait n'importe quoi, comme à un gosse de sept ans. C'était à la fois une femme et un bébé ; aussi tout le monde, aussi bien hommes que femmes, l'adorait. Pour ce qui est des hommes, on ne savait pas s'il fallait la prendre sur ses genoux pour la câliner ou l'enlacer et la porter tout de suite au lit. (...) J'ai habillé beaucoup de femmes dans ma vie, mais jamais quelqu'un comme elle. A mon avis, il y avait chez elle un dédoublement de la personnalité. Elle n'était guère cultivée, mais c'était une femme très brillante, avec les caprices d'un enfant. Elle avait l'art de supplier. Quand elle avait à se plaindre de quelque chose, elle allait au bureau, comme les autres ; mais elle, elle avait toujours une petite larme, une vraie larme au coin de l'œil, et ses lèvres tremblaient. Ces lèvres ! Pour un homme, c'était irrésistible. On ne pouvait supporter de voir pleurer cette enfant. »

« Billy chéri, s'il te plaît, habille-moi pour toujours. Je t'aime, Marilyn », peut-on lire sur le fameux calendrier (où elle pose nue) qu'elle offrit à Travilla. Après trois ans de rapports professionnels, ils eurent, selon Travilla une brève liaison, pendant le tournage de *Les hommes préfèrent les blondes* : « Ma femme était alors en Floride et Joe DiMaggio absent. » Il était trop difficile de résister à une telle tentation.

Une fois, la secrétaire de Travilla entra dans son bureau alors que Marilyn était assise sur ses genoux. Marilyn se lève, mais Travilla reste assis pour ne pas outrager la pudeur de sa secrétaire, devant laquelle Marilyn demande, l'air ravie, tout en riant : « Qu'est-ce qu'il y a, Billy ? Pourquoi tu ne te lèves pas ? »

« Je me rappelle une fois où je devais passer la prendre pour sortir à sept heures et demie, raconte Travilla. Je frappe à sa porte, elle me dit d'attendre. Sur ces entrefaites arrive un jeune acteur que je connaissais très vaguement, lui aussi avec des fleurs, et lui aussi, me dit-il, ayant rendez-vous à sept heures et demie. Une bonne vingtaine de minutes s'écoulent ; enfin, elle ouvre. Elle prend les fleurs des mains du groom, dit à l'autre type qu'elle a rendez-vous «plutôt» avec moi qu'avec lui, et j'entre. Visiblement, elle avait eu besoin de tout ce temps pour créer un minimum d'ordre dans sa chambre : ses haltères dépassaient de sous le divan, et elle ne savait pas quoi faire des fleurs. Je lui conseillai d'appeler la réception (elle habitait toujours à l'hôtel), mais elle dit : "Non, j'ai une meilleure idée", et elle fourre les deux bouquets dans la cuvette des w-c. Puis grande discussion pour savoir si les hauts talons ne la rendaient pas trop grande pour sortir avec moi. Effectivement, ils lui donnaient un pouce de plus que moi : on a fait les essais devant le miroir, et encore vingt minutes sont passées avant qu'elle se décide pour les hauts talons. »

« ... Un autre soir (autre souvenir de Travilla) nous sommes allés chez Tiffany, dans la Huitième Rue. A un moment ; je vais aux toilettes, qui étaient en bas, et en passant devant le bureau du club, je remarque qu'on y a accroché le calendrier de Marilyn nue. Je lui signale le fait à mon retour. "Oh, Billy, où ? dit-elle. Il faut que je voie ça." Je la conduis à ce bureau : on a fermé la porte. Nous frappons. Un grand Noir s'approche et nous demande ce que nous voulons. Marilyn lui répond qu'elle désire voir son calendrier. (...) Ce bureau servait de loge à Billie Holliday (la chanteuse qui chantait ce soir-là au Tiffany) ; je pense qu'elle avait su que Marilyn Monroe était dans l'assistance : en la voyant, elle a cru que Marilyn était venue la saluer. Mais quand Billie Holliday a vu le vrai motif de sa visite, elle s'est transformée en furie : nous n'avons plus vu d'elle qu'une longue manche blanche où pendaient des perles, et une main brune arrachant le calendrier du mur. Puis Billie l'a réduit en boule et l'a jeté à la figure de Marilyn en la traitant de connasse (sic !). Nous sommes revenus dans la salle, complètement sidérés. Le patron a insisté pour que nous restions voir le spectacle, mais nous sommes sortis. »

Mais voici le point où le jugement de Travilla rejoint celui de Natasha Lytess :

« Je pense qu'elle avait besoin d'aimer, mais elle n'était capa-

119

ble d'aimer qu'elle-même. Elle était complètement narcissique. Elle était en adoration devant son propre visage, constamment elle voulait le rendre différent, plus beau. A ce niveau-là, soit dit en passant, elle était très sûre de ce qu'elle faisait, et, de fait, elle ne se trompait jamais. Une fois elle m'a dit : ''A mon visage, je peux faire faire n'importe quoi ; c'est comme une toile dont un peintre fait un tableau.'' Mais la seule chose qui l'excitait vraiment, sexuellement, était justement de se regarder dans le miroir et de voir cette belle bouche sur laquelle elle avait passé cinq ou six bâtons de rouge à lèvres de nuances différentes, pour obtenir les courbes qu'il fallait, pour créer les ombres qui donnaient du relief à ses lèvres — car, en réalité, elle avait des lèvres très plates. »

Et Travilla d'ajouter :

« Il n'y a jamais eu plus allumeuse que Marilyn, quand elle voulait. Elle le faisait soit pour de bon soit pour la galerie. Je me rappelle quand elle posait pour des photos et que j'étais avec elle : elle me chuchotait à l'oreille : ''Dis-moi quelque chose de cochon'', ce que je faisais. Et après, cela se voyait sur les photos ; cette bouche semblait vous faire des propositions obscènes. Pour elle, c'était comme un aphrodisiaque. (…) Une fois, Eastman Kodak nous avait envoyé un type petit, genre vieux schnock tout raide. On commençait à utiliser une nouvelle sorte de pellicule. Elle arrive dans une chemise de nuit tout en mousseline, prend une pose, puis l'autre, et le petit photographe commence à se sentir mal à l'aise. Elle le voyait très bien, et elle lui a sorti : ''Comment ça va, monsieur Eastman ?'' C'est ça qui l'excitait le plus : d'exciter les autres. »

Comme bien d'autres, aussi bien collègues qu'amants, Travilla avait envers elle une tolérance qui le stupéfiait lui-même.

« Il y avait quelque chose en elle qui vous forçait à l'aimer. Elle pouvait être en retard à un rendez-vous fixé le matin, vous téléphoner à trois heures qu'elle était en train d'arriver, et vous l'attendiez jusqu'à sept heures du soir. C'est la seule femme que j'ai connue qui pouvait vous donner l'impression d'être vous-même grand, beau, fascinant, avec cette façon qu'elle avait de vous regarder sans ciller, droit dans les yeux. Vous étiez le roi de la soirée, si elle en avait décidé ainsi. Et vous étiez certain d'être le seul qui comptait pour elle, même si ce n'était pas le cas. »

Travilla, quant à lui, ne se berçait pas de cette illusion. Vers la même époque, en effet, il y eut un autre amant d'un mois : Edward Robinson junior, fils du célèbre acteur. Produit d'un mariage brisé et d'une relation catastrophique avec son père, Eddie était un pauvre hère. Il ne s'éleva jamais au-dessus de la condition d'aspirant acteur et devait mourir alcoolique à l'âge de quarante ans — d'étouffement pour avoir avalé de travers, tandis qu'il regardait un film de son père. En 1953, Eddie Robinson, dix-neuf ans, était une espèce de volcan ambulant et courait les femmes plus âgées que lui.

Selon son ami, Arthur James, et la femme de celui-ci, Nan Morris, le jeune Robinson et Marilyn se connurent par l'intermédiaire d'un ami commun, fils, lui aussi, d'une célébrité mondiale : Charlie Chaplin junior, ex-amant de Marilyn, — et eurent une liaison pendant le tournage de *Les hommes préfèrent les blondes*. Eddie cherchait à se faire donner des petits rôles à la Fox, et Marilyn essaya de l'aider. Il habitait un appartement situé dans le même immeuble que la sœur d'Arthur James, et c'est là que celui-ci les vit ensemble.

Bientôt, cependant, la passion céda la place à une simple amitié.

« Eddie, Charlie et moi, m'a dit James, formions une sorte de trio. Marilyn a continué de nous voir de temps à autre, ensemble ou séparément, jusqu'à la fin de sa vie. Tous trois étaient des cyclothymiques, aussi bien Marilyn que Robinson et Chaplin ; chacun essayait de dénicher les deux autres quand ça allait mal. Ils aimaient beaucoup Marilyn tous les deux, et ils essayaient de lui remonter le moral. Mais Charlie et Eddie étaient encore plus suicidaires qu'elle. Ils n'arrivaient pas à surnager tout seuls, ils avaient trop de problèmes avec leur nom — des noms si célèbres ! S'ils n'ont pas sombré, plusieurs fois, c'est vraiment grâce à Marilyn. »

Arthur James fut de ceux, nombreux, qui toléraient les coups de fil nocturnes insensés de Marilyn : « Elle appelait de chez quelqu'un d'autre à trois heures, quatre heures du matin, en me demandant si je pouvais venir tout de suite. J'enfilais un

121

vêtement sur mon pyjama, montais dans ma voiture et, quand j'arrivais, elle était partie... »

En Eddie Robinson, Marilyn avait fait la connaissance non seulement d'un amateur d'alcool, mais aussi de médicaments à effets psychologiques — d'un «dingue du comprimé» pour reprendre l'expression d'Arthur James. C'est probablement alors, et dans ces milieux, que Marilyn la culturiste (voir les haltères sous le divan) franchit une nouvelle porte fatale de l'univers du cinéma.

L'abus de drogues est le fléau d'Hollywood depuis 1920. Seules les modes ont changé. Les premières étoiles du cinéma muet s'adonnaient à la marijuana ou à l'héroïne. Puis, à partir des années 40, avec le développement de l'industrie pharmaceutique, pilules, comprimés et cachets envahirent la place. L'immédiat après-guerre fut l'âge d'or des *bennies*, surnom donné aux divers dérivés de la benzédrine. Ces *bennies* maintenaient en éveil, étaient bons pour «la ligne» (car ils supprimaient l'appétit) et vous procuraient une vague euphorie.

La benzédrine engendra la Dexédrine, et celle-ci, unie à l'amytal sodium, le Dexamyl. Le Dexamyl connut une vogue extraordinaire à Hollywood au début des années 50 : il n'y avait rien de tel pour être au meilleur de sa forme. Mais on découvrit bientôt son revers : graves troubles du métabolisme et insomnie absolue. Alors arriva la vague des barbituriques — Séconal et Nembutal — sur lesquels stars et ratés du cinéma se jetèrent comme sur des tickets pour l'oubli. Tout cela combiné à l'alcool — qui était là depuis toujours — formait un cocktail catastrophique. C'est le Nembutal qui, un jour, devait tuer Marilyn.

Les acteurs partaient pour l'autre monde, l'un après l'autre, mais rien ne semblait pouvoir arrêter l'avalanche d'ordonnances mortelles. Le Dr Lee Siegel, qui travaillait pour la Fox, fut le médecin traitant de Judy Garland et, durant de longues périodes, de Marilyn. Il a toujours son cabinet, Wilshire Boulevard, et il évoque en hochant la tête cette période où les patrons des studios encourageaient expressément les acteurs à se bourrer de comprimés. «On considérait ces médicaments comme un moyen, entre autres, d'entretenir les acteurs en état de marche. Vous, médecin, vous étiez coincé : vous pouviez certes refuser de prescrire ceci ou cela, il y aurait toujours un confrère pour le faire à votre place. Au début des années 50 — c'est alors que Marilyn est venue me voir pour la première fois —, ils se droguaient tous. »

Depuis la mort de Marilyn, en 1962, les biographes pensent qu'elle n'utilisait que des somnifères, et ce uniquement depuis le milieu des années 50. A la lumière d'interviews récentes, ni l'une ni l'autre de ces suppositions ne semble fondée :

« Elle m'a dit (je cite Amy Greene, chez qui Marilyn vécut en 1955) qu'elle s'était toujours ''droguée''. C'était encore une gosse, dix-sept-dix-huit ans, quand elle a commencé à prendre des comprimés. »

Milton Greene, qui fut l'associé de Marilyn quand elle rompit avec la Fox, est plus précis : d'après lui, elle utilisait depuis longtemps le Dexamyl, tonique qui contient des amphétamines. Témoignage plus que confirmé par Bunny Gardel, qui la connaissait depuis son entrée à la Fox : « En arrivant dans la loge (Gardel parle ici du début des années 50), elle posait par terre un sac en plastique : une vraie pharmacie. Il y avait là-dedans des remontants, des calmants, des vitamines et Dieu sait quoi encore. »

En septembre 1953, Grace McKee, son ex-tutrice, à laquelle elle restait très attachée, se suicida en avalant un tube de barbituriques. Il est possible que Marilyn n'ait jamais appris la cause précise de cette mort, puisque le certificat de décès n'a été retrouvé que récemment ; mais elle savait qu'il s'agissait d'un suicide. Au même moment, elle-même inclinait vers une forme de vie qu'embrumerait toujours à des degrés divers l'usage des barbituriques.

En 1953, cependant, elle était de plus en plus consciente du dilemme auquel la confrontait sa vie professionnelle. D'un côté, encouragée par son studio, elle scella son image de *sex-symbol* national, en se présentant à la remise des prix de *Photoplay* dans une robe que Travilla avait cousue au plus près de ses formes, directement sur elle. Ce fut du délire. «Elle traversa l'assistance en se tortillant et monta sur le podium, a écrit son ancien amant, le journaliste James Bacon, et son derrière ressemblait à deux petits chiens se débattant sous la soie. »

Mais de l'autre côté, Marilyn n'oubliait pas les paroles de

John Huston, qui lui avait dit une fois qu'elle pouvait « se transformer en une très bonne actrice ». Ainsi, elle déclara au *New York Times* : « C'est réellement ce que je veux être. Je veux continuer de me former et jouer des rôles sérieux. Mon professeur d'art dramatique, Natasha Lytess, dit à tout le monde que j'ai aussi une âme, mais jusqu'ici personne ne s'y intéresse. »

Mais Marilyn eut de la chance : on lui proposa un premier rôle, aux côtés de Betty Grable — la princesse régnante d'Hollywood — et de Lauren Bacall, dans *Comment épouser un millionnaire*, comédie à l'intrigue relativement complexe (trois mannequins new-yorkais qui échafaudent divers plans pour prendre au piège de beaux partis). Débordant de doutes, Marilyn fit irruption inopinément dans le bureau du réalisateur, Jean Negulesco. Elle lui posa des questions timides ayant trait à « l'interprétation du caractère », « la motivation » etc., et Negulesco sourit intérieurement en apprenant que « ce qui la préoccupait, c'était la façon dont son rôle transmettrait l'image du sexe, car c'était cela — croyait-elle — qu'elle devait incarner ». Il lui répondit : « Marilyn, n'essayez pas de vendre ce sexe-là. Vous êtes le sexe, l'institution du sexe. Et la seule motivation dont vous avez besoin pour ce rôle est le fait que dans le film, vous êtes myope comme une taupe sans lunettes. »

Marilyn comprit, et se plongea dans son rôle. Nunnally Johnson, producteur et scénariste du film, pensait que « la première fois que tout le monde aima sincèrement Marilyn, pour elle-même, dans un film, ce fut dans *Comment épouser un millionnaire*. Elle-même fournissait une explication très perspicace de ce fait. Elle dit que de tous les films où elle avait tourné, c'était le seul où elle avait une certaine pudeur — pudeur non pas physique, mais par rapport à elle-même ».

Aux producteurs et aux autres acteurs, elle apparut comme une femme inquiète et une actrice difficile. Dans une scène, où elle reçoit un coup de fil pendant qu'elle prend son petit déjeuner au lit, « elle s'embrouilla complètement, répondant au téléphone avant qu'il se mette à sonner, portant la tasse de café à ses lèvres avant de l'avoir remplie ». Après un après-midi entier de production bloquée, les préoccupations du producteur ne l'effleuraient même pas.

« Elle était effrayée, anxieuse, ne se fiait qu'à Natasha Lytess, et était toujours en retard, raconte Lauren Bacall. Dans les scènes où nous étions toutes les deux, elle ne regardait pas mes yeux, mais mon front. (...) Elle était souvent pénible, agaçante. Mais je ne pouvais pas ne pas l'aimer. Il n'y avait en elle aucune méchanceté, aucune mesquinerie. Il fallait seulement qu'elle se concentre sur elle-même et sur les gens qui n'étaient là que pour elle. »

Peu après le début du tournage, Johnson, le scénariste, devait écrire à un ami : « Monroe est un peu comme un zombi. On a l'impression de parler à quelqu'un qui est sous l'eau. (...) » Johnson n'oublia jamais cette image. Des années plus tard, il écrivit qu'elle semblait « évoluer dix pieds sous l'eau. (...) On n'arrive pas à se faire entendre d'elle. Elle me fait penser à un de ces animaux qu'on appelle les paresseux. Vous lui piquez le ventre avec une aiguille : il fait ''aïe'' huit jours après. »

« Paresseux » ou pas, ce fut un triomphe sur l'écran.

« A la fin, avoue Negulesco, je l'adorais, parce que c'était une pure enfant, parce qu'elle avait ce je ne sais quoi que Dieu lui avait donné, et que nous sommes encore incapables de définir ou de comprendre. Or, c'est cela qui a fait d'elle une star. Jusqu'à la fin, jusqu'au montage, nous ne savions pas si elle avait joué bien ou mal ; mais alors, il s'est avéré qu'il y avait une personne sur cet écran qui était une grande actrice : elle. » Nunnally Johnson aussi fut, en fin de compte, très satisfait.

Le soir de la première, Johnson et sa femme intégrèrent Marilyn dans leur petit groupe, avec Humphrey Bogart et Betty Grable. Le résultat fut désopilant. « Dès son arrivée chez nous (récit de Johnson), Marilyn demande un bourbon soda bien tassé. Puis, alors que pourtant nous devions dîner tôt et légèrement, elle en demande un autre. Elle était à la fois surexcitée et très angoissée à la perspective de cette soirée. Je ne la savais pas à ce point naïve et spontanée ; et je fus stupéfait de voir l'importance qu'elle accordait à cette première : pour elle, c'en était presque insupportable. Nous nous préparons à monter dans la voiture — une limousine louée, avec chauffeur, et elle demande un troisième verre, sans soda cette fois. Gentlemen jusqu'au bout, Bogart et moi bûmes avec elle pendant le trajet. Il n'y avait pas trio plus aimable que nous dans tout l'Etat de Californie quand nous fîmes notre entrée dans le théâtre.

« Pour tout dire, elle était complètement paf. Au moment même où le film commençait, il a fallu qu'elle aille aux toilettes. Ma femme l'a accompagnée, car il était clair que Marilyn avait besoin d'aide. Ronde comme elle était dans une robe ultra-étroite, qu'elle s'était fait coudre sur elle (…). Ce n'a pas été rien, je vous assure (ma femme m'a raconté la scène après), de lui faire faire pipi, puis de la remettre dans un état convenable pour qu'elle retourne à sa place. Quand on se fait coudre dans sa robe, on ne devrait jamais trop boire. (…)»

Les critiques ne tarirent pas d'éloges, tant à propos du film que de l'actrice qui venait de se défaire de sa chrysalide d'érotisme tapageur, et qui dans sa vie réelle également semblait sur le point de s'assagir.

« Un jour, écrit Lauren Bacall en parlant de cette époque, elle entra dans ma loge et me dit qu'elle aurait réellement aimé être au même moment dans une gargote de San Francisco avec Joe DiMaggio en train de manger des spaghettis. Elle me posa des questions sur mes enfants, sur ma vie de famille — est-ce que j'étais heureuse ? A son air un peu triste, je crus deviner qu'elle enviait cet aspect de mon existence, qu'elle espérait le connaître dans sa propre vie un jour. (…)»

Si Marilyn avait demandé aux Johnson à être des leurs, le soir de la première de *Comment épouser un millionnaire*, c'est parce qu'elle ne voulait pas paraître en compagnie d'un autre homme que Joe DiMaggio. On était en novembre 1953, à deux mois du mariage. L'amant qui lui semblait si barbant un an auparavant était maintenant sa terre ferme, surgissant enfin à l'horizon. La traversée n'avait pas été de tout repos.

Joe DiMaggio avait tant subi de la part de Marilyn qu'il y eut un moment au cours de l'été 1953 où, tout Héros de l'Amérique qu'il était, il avait déclaré forfait. Mais pour le public, c'était le grand amour depuis plus d'un an, comme le prouvaient les histoires touchantes que débitaient les journaux.

Marilyn avait acheté, au 400 de Doheny Drive — du côté chic de Sunset Boulevard — un modeste appartement de trois pièces où Jane Russell l'aida à s'installer.

En fait, cet appartement ne fut jamais rien d'autre, pendant des années, qu'une tanière toujours à sa disposition ; mais, pour la presse, c'était alors le nid d'amour de Marilyn et de DiMaggio. Marilyn fit tout pour que l'on sache que Joe y avait apporté une partie de ses effets, et plusieurs fois déclara, l'air pressée, à son ami journaliste Sydney Skolsky, qu'il fallait qu'elle rentre préparer le dîner. Skolsky, de son côté, abreuva ses lecteurs de détails du genre : Joe a appris à Marilyn à cuisiner les pâtes à l'italienne ; ils ne boivent que du vin italien ; Marilyn a appris quelques mots d'italien... Joe, dit Skolsky dans son livre, aimait regarder la télévision, dont il s'abstrayait de temps en temps, cependant, pour donner à sa compagne des conseils, tels que : « Crache pas sur la publicité, petite. Encaisse le fric ! »

A la fin du printemps 1953, le frère de DiMaggio, Mike, fut retrouvé mort, flottant à côté de sa barque de pêche, dans la baie de Bodega, au nord de San Francisco. Marilyn accompagna Joe aux obsèques, occasion d'un grand rassemblement familial. Puis elle rentra chez elle, et le bruit courut, à Hollywood, que la vue du chagrin de DiMaggio lui avait enfin ouvert le cœur et qu'elle était disposée à l'épouser — mais pas vraiment tout de suite.

De fait, des rumeurs contraires se mirent aussitôt à circuler : ils étaient brouillés, au bord de la rupture ; Marilyn, pour un homme fier comme DiMaggio, était autant une source d'humiliation que de félicité. Il détestait la publicité idiote qu'elle se faisait... Effectivement, il ne pouvait supporter la façon qu'elle avait de s'exhiber et refusa d'assister à la remise du prix de *Photoplay*. Mais on le vit rôder ce soir-là à l'extérieur du théâtre, attendant que la cérémonie soit terminée pour l'enlever à ses admirateurs. Et surtout il était d'une jalousie morbide qui avait dû occasionner, déjà, bien des scènes. Il était même jaloux de quelqu'un comme Natasha Lytess !

« Je fis sa connaissance un soir que j'étais allée chez elle à Doheny, écrit celle-ci. C'est lui qui ouvrit la porte et, instinctivement, il me déplut tout de suite, avec son air fermé, insipide. Elle nous présenta. Quinze jours plus tard à peine, j'appelai Marilyn ; c'est lui encore qui répondit, et il me dit : "Si vous voulez parler à Miss Monroe, je crois que vous feriez mieux de vous adresser à son agent..." » Elle n'eut pas le courage de lui tenir tête.

Il faut dire que Natasha Lytess, de son côté, avait beaucoup, beaucoup d'affection pour Marilyn. George Masters (qui fut son coiffeur quelques années plus tard et qui les a bien connues toutes les deux) rapporte que Natasha fit un jour cette déclaration à Marilyn : «Tu es merveilleuse. Je t'aime. » A quoi Marilyn aurait répliqué : « Ne m'aime pas, Natasha. Contente-toi d'être mon professeur. »

Selon Henry Rosenfeld, confident new-yorkais de Marilyn, l'amour de Natasha pour son élève n'était pas partagé ; l'actrice se serait une fois exclamée, crûment : « Bon Dieu ! Si j'avais une b..., Natasha ne me laisserait pas un moment de répit ! »

Mais redonnons la parole à Natasha, avant de quitter nous aussi, provisoirement, Joe DiMaggio : « Pendant tous ces mois, de 1952 et 1953, elle me téléphonait nuit et jour, parfois d'une voix éplorée, pour se plaindre de la façon dont Joe la maltraitait. »

A la fin de l'été 1953, Marilyn descendit sur le quai de la gare de Jasper, dans les Montagnes Rocheuses canadiennes. Elle arrivait sur le terrain du tournage de *La Rivière sans retour*, que son partenaire du moment, Robert Mitchum, surnomma «Le film sans retour», tant il dépassa son planning initial. Marilyn, dont la vie sentimentale, si variée qu'elle fût, était malheureuse, et qui admettait mal qu'on l'envoie tourner dans un lieu aussi perdu, commença par faire la gueule et détruisit son image. Jim Bacon, qui reçut mission de l'interviewer avant son départ de Los Angeles, en éprouva un véritable choc : « Elle semblait ne plus s'être peignée depuis plusieurs jours. Elle s'était barbouillé tout le visage de crème, même ses sourcils qui étaient tout poisseux. En elle-même elle restait certainement la Marilyn de toujours, mais, au physique, c'était la fille de Dracula ; et je pris congé le plus vite possible. »

Maintenant « au désert », elle continuait de se cacher sous ce masque de graisse, même quand elle faisait un saut dans la bourgade voisine. Snyder, son fidèle maquilleur, finit par lui dire : « Enlève cette saloperie de ta figure : tu fais fuir les gens ! »

Robert Mitchum, évidemment, ne faisait pas partie de ces gens-là. Il la connaissait indirectement depuis la guerre, ayant entendu parler d'elle par son premier mari, Jim Dougherty, qui travaillait alors dans la même usine que lui. Maintenant, dans le film, il était l'amant de Marilyn, lui le « dur », elle la chanteuse de saloon. En dehors du tournage il menait joyeuse vie, trinquant, chahutant, et c'est lui qui réussit à faire sortir Marilyn de sa coquille. De ce moment, datent une série d'anectotes gaillardes que Mitchum et d'autres racontent encore aujourd'hui.

Un jour, Mitchum la trouve plongée dans un dictionnaire de psychanalyse, qui ne doit guère satisfaire sa curiosité puisqu'elle lui demande à brûle-pourpoint ce que signifie « érotisme anal » et ouvre de grands yeux quand il entreprend de le lui expliquer. Rappelons qu'elle avait vingt-sept ans...

Une autre fois, toujours selon Mitchum, la doublure de Mitchum s'approche d'elle pour lui proposer, en termes choisis, une partouze avec un de ses copains, où tous deux l'auraient pénétrée simultanément. « Tous les deux en même temps ? dit-elle. — Et pourquoi pas ? — Vous voulez me tuer ! — Personne est jamais mort de ça, que je sache. — Oh si. Sauf que ce n'est pas ce qu'on dit officiellement ; on appelle ça mort naturelle... » Mitchum, me rapportant cette histoire en 1982, me précisa que Marilyn plaisantait ; mais quant à sa doublure, il en était moins sûr.

Quoi qu'il en soit, Marilyn en vit de rudes pendant le tournage — presque autant que le personnage qu'elle jouait. Le scénario comportait des séquences horrifiantes, où un radeau est emporté par les rapides ; et Otto Preminger tint absolument à les faire interpréter par les acteurs eux-mêmes. Il en résulta plusieurs accidents, réels et simulés.

Pour commencer, Marilyn glissa dans l'eau alors qu'elle portait des bottes de pêche lui montant jusqu'en haut des cuisses ; il fallut plusieurs hommes, dont Mitchum, pour l'arracher au cours impétueux de la rivière. Aussitôt gros titres dans tout le pays : MARILYN MONROE MANQUE DE SE NOYER. Une autre fois, m'a dit Norman Bishop, « le radeau sur lequel étaient Marilyn et Mitchum donna sur un rocher et resta bloqué. Si vous aviez vu comme ça bougeait ! D'une seconde à l'autre, le radeau pouvait se renverser ». Bishop et un collègue bondirent dans un canot de sauvetage et la catastrophe fut de nouveau évitée.

Le 20 août, un troisième accident fait la une de nombreux quotidiens : MISS MONROE BLESSÉE A LA JAMBE AU CANADA. Cependant les articles qui suivaient ne donnaient guère de détails, car il n'y avait eu en fait aucun accident. Ce n'était qu'un moyen habile, de la part de Marilyn, de se venger d'Otto Preminger, avec lequel elle avait accrochage sur accrochage. La supercherie n'a été révélée que récemment, par l'actrice Shelley Winters (qui, pendant une période, partagea un appartement avec Marilyn).

Shelley Winters, qui participait à la réalisation d'un autre film dans les environs de Jasper, était venue rendre visite à Marilyn. Comme des centaines de touristes, elle regarda l'actrice tourner (depuis le matin, lui dit-on) dans une petite scène où elle est debout sur un radeau amarré à la rive. « Marilyn ne savait plus où elle en était, écrit S. Winters, et comme chaque fois, dans ce cas-là, ouvrait la bouche et souriait à tout ce qui se présentait. Preminger se mit à proférer des paroles épouvantables et insinua qu'avec le talent qu'elle avait, elle aurait mieux fait de ne jamais abandonner son premier ''métier''. (...) Marilyn garda les yeux baissés ; son sourire n'en devint que plus figé. »

Quand ce fut fini, Shelley Winters l'aida à remonter sur la rive, et, voyant que Marilyn n'avait pas le pas très assuré, lui dit : « Attention à ne pas glisser. Tu pourrais te casser la jambe. » Ces paroles inspirèrent Marilyn. Quand leur voiture s'arrêta devant l'hôtel, elle déclara : « Je ne peux pas sortir. Je me suis cassé la jambe. » On la monte dans sa chambre, on demande des médecins, Winters lui donne du Percodan (un analgésique) et une double vodka, et Marilyn, toujours en présence de son amie, appelle à Los Angeles Darryl Zanuck, grand patron du studio. Généreuse, elle le rassure : elle fera tout son possible pour terminer le film en dépit de « douleurs terribles ».

Sur quoi on dîna ; Marilyn, Mitchum et Shelley Winters se goinfrèrent de homards, sans oublier, bien entendu, de les arroser copieusement.

Le lendemain, une escouade de docteurs en médecine, amenés de Los Angeles par avion privé, débarque à l'hôtel. Les radios ne révèlent aucune lésion ; mais les experts, polis, n'écartent pas l'éventualité d'une « foulure ». Et Marilyn réussit à les persuader de lui mettre un plâtre et de lui donner des béquilles...

Elle se déplaçait encore avec quand le tournage reprit, après un retard forcément très onéreux pour le studio. Preminger maintenant suintait de politesse.

« Une nigaude ? Elle était rusée comme un renard, oui, ma jeune amie Marilyn, dit Shelley Winters. Ce soir-là, nous allâmes dans une boîte. A un moment, je la vois esquisser une rumba avec Mitch. "Rassieds-toi, pour l'amour du ciel ! lui dis-je. Tu n'es même pas encore capable de marcher. — Oh, c'est vrai, j'avais oublié..." Et elle s'assit en ricanant sur les genoux de Mitch. »

Cette farce eut aussi pour effet de faire rappliquer Joe DiMaggio. Selon Maurice Zolotow, qui interviewa Marilyn environ un an plus tard, Joe l'appela le soir même de l'« accident ». Comme elle pleurait, DiMaggio arriva dès le lendemain, avec encore un autre médecin ; il était aussi accompagné de son copain new-yorkais George Solotaire.

DiMaggio semblait tout à fait à son aise dans ce coin sauvage du Canada (ce qui n'eût pas du tout été le cas dans l'atmosphère artificielle des studios d'Hollywood). On le vit souvent sur le lieu du tournage, la cigarette aux lèvres, très actif, prenant des photos de Marilyn et donnant même des coups de main aux techniciens. Marilyn, de son côté, l'accompagnait à la pêche, et ils emmenaient avec eux le petit

131

acteur de dix ans qui était le fils de Mitchum dans le film, Tommy Rettig. Quelque temps auparavant, celui-ci avait dit à Marilyn que « son curé » l'avait mis en garde contre « une femme comme elle ». Très touchée par ce que ce conseil impliquait, Marilyn faisait tout pour gagner la confiance du jeune Tommy. Les enfants, apparemment, occupaient une place de plus en plus grande dans ses pensées.

Un soir, dans le train spécial qui transportait la troupe, Snyder demanda à Marilyn : « Pourquoi tu te maries pas avec ce Rital ? Ça te plairait pas d'élever une douzaine de gosses ?

— C'est peut-être ce que je ferai », répondit-elle.

Le couple ayant disparu durant tout un week-end pendant le séjour de DiMaggio, on parla immédiatement de mariage secret. Peu après, elle alla à maintes reprises retrouver DiMaggio chez lui, dans la maison de Beach Street à San Francisco qu'il avait achetée pour 14 000 dollars après ses premiers succès, et où sa sœur Marie faisait office de maîtresse de maison. Parfois tous deux se levaient avant l'aube pour aller pêcher. Marilyn portant jean, blouson de cuir et écharpe, on les reconnaissait rarement ; les rares fois où des reporters réussirent à les repérer, DiMaggio les chassa d'un « barrez-vous ! » sans ambiguïté. Sur son propre territoire, DiMaggio offrait à Marilyn une tranquillité qu'elle n'avait pour ainsi dire jamais connue.

Elle passa la fête d'Halloween, le 31 octobre, en compagnie du journaliste Lee Belser qui la trouva changée et plus calme. Elle flânait dans son appartement de Doheny, se préoccupait d'un chaton qu'on entendait miauler au-dehors, allait constamment ouvrir sa porte, chargée de pommes et de petits gâteaux à l'intention des enfants costumés qui sonnaient. Ces petits gâteaux étaient l'œuvre de la sœur de Joe, et Joe fut toujours au centre de la conversation.

« Plus il se faisait tard, raconte Belser, et plus la moyenne d'âge des joyeux masques s'élevait. Finalement, elle me demanda de répondre à sa place aux coups de sonnette, et je trouvais ça comique d'être là, en train de refouler tous ces mâles déguisés qui affluaient à la porte de Marilyn Monroe. »

Durant les dernières semaines de 1953, elle disparut totalement. Et pourtant, elle devait commencer à tourner dans un film intitulé déjà *Pink Tights**, avec Frank Sinatra comme partenaire — détail qui, apparemment, la laissa indifférente. Après la Noël (DiMaggio lui offrit à cette occasion un vison) elle refit un instant surface, par téléphone, pour dire qu'elle n'avait pas de projet de mariage. Vers la même époque, un émissaire de DiMaggio arriva à Las Vegas, se mit en rapport avec la direction d'un hôtel pour organiser une cérémonie de mariage, puis annula tout.

C'est alors, à Los Angeles, que la Twentieth Century Fox annonça que Marilyn, ne s'étant pas présentée au travail, était renvoyée. Celle-ci, enfin consciente de son pouvoir, ne réagit pas. Elle avait décidé que ce *Pink Tights* était trop mauvais pour elle.

Un an après, elle devait fournir, de ce qui se passa ensuite, une version d'un prosaïque irrésistible :

« Après beaucoup de discussions, Joe et moi sommes arrivés à la conclusion que, puisque nous ne pouvions pas renoncer l'un à l'autre, l'unique solution était le mariage. (...) Un jour, Joe m'a dit : ''Puisque tu as tous ces ennuis avec le studio et que tu ne travailles pas, pourquoi on ne se marierait pas tout de suite ? Il faut que j'aille au Japon pour le base-ball ; ça nous fait un voyage de noces tout trouvé.'' Et c'est ainsi que nous nous sommes mariés. »

14

Le 14 janvier 1954, le juge Charles Peery, de San Francisco, fut dérangé, en plein *lunch* entre confrères, par un coup de téléphone de Reno Barsocchinni, gérant du restaurant de Joe DiMaggio à Fisherman's Wharf** : était-il possible de célébrer sur-le-champ un mariage civil ? Charles Peery arriva à l'hôtel de ville quelques instants à peine avant les mariés. DiMaggio était accompagné de Barsocchinni, son témoin, et

---

* Titre non traduit en français. Littéralement : « Collants roses ».
** Quartier du port de San Francisco.

de Frank « Lefty » O'Doul, grand champion de base-ball d'avant-guerre qui avait « poussé » DiMaggio à ses débuts. Marilyn, quant à elle, vêtue d'un tailleur marron à col d'hermine, n'avait fait venir aucun de ses amis. Elle dira plus tard que Joe et elle s'étaient décidés deux jours à peine auparavant.

Les mariages préparés dans le secret peuvent comporter des inconvénients. Le chef du bureau du deuxième étage de la mairie, pris au dépourvu, n'avait pas de machine pour rédiger l'acte de mariage ; il fallut attendre qu'on en apporte une, et cela dura longtemps. Marilyn en profita pour donner une série de coups de fil de la plus haute importance.

Avant de partir pour la cérémonie, elle avait déjà téléphoné au directeur de la publicité de la Fox, pour le prévenir. Maintenant — foin de sentimentalisme ! — elle cherchait à joindre ses relations les plus importantes dans le monde de la presse. Elle appela d'abord Sydney Skolsky : pas de réponse. Elle laissa un message pour Louella Parsons, chef de rubrique dont le pouvoir alors était énorme. Enfin elle réussit à atteindre personnellement le journaliste de Los Angeles Kendis Rochlen et lui présenta la nouvelle en des termes que celui-ci n'oublierait jamais.

On entendait un grand brouhaha autour de Marilyn quand Rochlen lui demanda quelles étaient « ses impressions » à l'idée d'être bientôt mariée. « Kendis, chuchota la voix familière, troublante, j'ai sucé ma dernière b... »

On ne compte plus les occasions dans lesquelles Marilyn aurait, selon les journalistes, prononcé ces paroles. Qui sait ? Mais Rochlen, qui est un vétéran dans la profession, jure qu'il n'invente rien. A cette époque, et Marilyn le savait très bien, ce genre d'« impression » n'était pas imprimable.

Il y avait maintenant un demi-millier de personnes attroupées sur la place de l'hôtel de ville. Quand le juge ouvrit une fenêtre pour faire entrer un peu d'air, on ne s'entendit plus dans le bureau. Des têtes de reporters apparurent au-dessus d'une cloison. Finalement, DiMaggio s'écria : « Okay, que ce mariage se fasse ! » et le juge lança un appel au calme de la fenêtre. On obéit et un long « chut-chut » s'éleva de la place.

Marilyn signa Norma Jeane Mortenson Dougherty, et déclara avoir vingt-cinq ans (elle en avait presque vingt-huit). Sur quoi DiMaggio exhiba l'anneau nuptial — d'or blanc serti d'un cercle de diamants*. On remarqua que Marilyn, prononçant la formule consacrée, fit serment «de l'aimer, l'honorer et le chérir», mais qu'elle ne promit pas de lui obéir. Il était déjà de bon ton de faire cette omission en 1954, mais n'oublions pas que DiMaggio était fils d'un Sicilien de Sicile ; et que l'après-midi même, un porte-parole de l'archevêché le déclara «automatiquement excommunié» — puisqu'il avait épousé sa première femme à l'église catholique.

Dans la mêlée qui suivit la cérémonie, on demanda à DiMaggio ce que lui et sa jeune épouse allait faire «dans l'immédiat». «Et qu'est-ce que vous feriez à notre place ?» répliqua-t-il avec un clin d'œil. Pensaient-ils avoir des enfants ? «Nous comptons en avoir un. Je vous en donne mon billet. » Et Marilyn d'ajouter : «J'aimerais en avoir six.» Enfin DiMaggio éclata : «J'en ai assez de tout ce peuple. La réception est annulée !» Et ils partirent.

Quelques heures après, leur voiture s'arrêta à trois cents kilomètres au sud, dans la petite ville de Paso Robles, où ils dînèrent aux chandelles (un bon steak chacun). En sortant du restaurant, ils dirent aux curieux qui, là aussi, les avaient reconnus, qu'ils repartaient pour Hollywood ; en fait, ils se rendirent au Clifton Motel le plus proche. Là, ils prirent une chambre à quatre dollars — après que Joe se fut assuré qu'elle était pourvue d'un poste de télévision — accrochèrent à la porte l'écriteau «Ne pas déranger» et ne ressortirent que quinze heures après. Dans les jours qui suivirent, on orna cette chambre d'une plaque de cuivre, disant : «Joe et Marilyn ont dormi ici.» Entretemps Mr. and Mrs. DiMaggio avaient disparu ; ce fut une des plus longues éclipses de Marilyn Monroe, plus de quinze jours.

Dans la dernière semaine de janvier, cependant, Joe s'étant rendu à New York pour affaires, Marilyn ne put résister à l'envie d'appeler un journaliste. Peu après, elle rencontrait Sydney Skolsky dans une rue tranquille. «On m'a dit de ne pas me faire voir», lui confia-t-elle, avant de déballer toute l'histoire de sa lune de miel.

---

* De son côté, Marilyn offrit à DiMaggio en cadeau de mariage des clichés d'elle-même nue, pris pour le fameux calendrier, mais non publiés à l'époque car jugés trop osés. Ce fait n'a été révélé que des années plus tard (*NdA*).

Joe et elle s'étaient terrés dans les montagnes, près de Palm Springs, où un ami leur avait prêté sa « cabane ». « Nous étions seuls tous les deux. Joe et moi avons fait de longues promenades dans la neige. Il n'y avait pas la télévision. Nous avons vraiment appris à nous connaître. Et on a joué au billard. Joe m'a appris. » Skolsky eut ainsi une exclusivité nationale, et Marilyn prépara l'étape suivante, cette fois spectaculaire et internationale, du vol nuptial : les DiMaggio allaient au Japon.

Pour l'étoile du base-ball, ce voyage en Extrême-Orient n'était guère plus qu'une visite de routine en territoire conquis. C'était à Tokyo, deux ans auparavant, qu'il avait disputé son dernier match de professionnel. DiMaggio et le général MacArthur étaient — au cours officiel — les deux Américains les mieux cotés au Japon ; et le base-ball était devenu là-bas aussi une industrie. Ce voyage, programmé bien avant le mariage comme on l'a vu, était financé par le journal *Yomiuri Shimbun*, pour l'ouverture de la saison de base-ball au Japon.

A l'aéroport de San Francisco, le couple fut pris en charge par Kay Patterson, représentante du *Yomiuri* en Californie. « Joe, dit-elle, avait l'air parfaitement à son aise — il était le roi de San Francisco — et Marilyn était charmante, complètement amoureuse ; elle ne cessait de le contempler, et ne cherchait pas du tout à jouer le premier rôle. »

Leur avion fit une escale technique à Hawaii — où pour la première fois peut-être ils prirent conscience du caractère réellement explosif de leur union. Une foule de plusieurs milliers de personnes envahit la piste en hurlant le nom de Marilyn. On lui arracha même des mèches de cheveux pendant qu'elle se rendait au salon de transit. Quand elle se fut un peu remise, elle murmura aux journalistes : « L'essentiel de ma carrière, dorénavant, c'est le mariage. »

Hawaii leur donna un avant-goût de l'hystérie qui les attendait à Tokyo : il fallut les faire sortir en cachette par une des soutes à bagages. Le cri poussé par les multitudes était maintenant « Mon-chan ! Mon-chan ! » ce qui signifie à peu près « gentille petite fille ». Plus tard, devant l'Imperial Hotel, deux cents policiers tentèrent de contenir la foule, qui ne fut satisfaite que lorsque Marilyn apparut au balcon. Marilyn remercia les Japonais pour « ce merveilleux accueil » ; mais elle était encore effarée. « J'avais l'impression d'être un dictateur dans les actualités du temps de la guerre », confia-t-elle par la suite à Sydney Skolsky.

Marilyn s'efforça de museler ce monstre qu'était devenue sa propre image, et se tira avec dignité d'une conférence de presse durant laquelle deux cents journalistes la bombardèrent d'inepties. A la question « Portez-vous des dessous ? » elle répondit : « Je vais m'acheter un kimono. » Des dessous, elle en portait, pour une fois, comme le révèlent les photographies.

Les jours passant, les Japonais se calmèrent un peu. « Les Japonaises ne mettront pas leurs vêtements de dessous au panier après la visite de l'honorable-actrice-aux-fesses-qui-swinguent, observa un pontife de la presse, parce qu'il fait bien trop froid ici, (...) mais je suis sûr qu'on les verra bientôt, elles aussi, tortiller leur popotin. »

Pendant dix jours, et surtout lorsqu'ils s'échappaient de Tokyo, Marilyn sembla effectivement désireuse de laisser le premier rôle à DiMaggio. Vêtue et maquillée avec réserve, elle le suivait d'un pas tranquille pendant ses parties de golf, et restait discrètement dans la voiture pendant que DiMaggio s'entretenait avec ses admirateurs. Le soir, elle le regardait jouer au billard américain avec « Lefty » O'Doul. Puis, happée de nouveau par son propre mythe, elle alla — sans son mari — égayer les soldats qui combattaient en Corée.

Marilyn avait parlé d'un marine, plusieurs semaines auparavant : « Il est venu sonner chez moi ; il revenait de Corée. Il m'a dit à quel point le cinéma était important pour les hommes qui faisaient leur service là-bas, et tandis qu'il parlait, il s'est mis à pleurer... »

Par un froid glacial, derrière le rideau de toile d'une loge de fortune, elle se changea pour devenir la Marilyn Monroe que la première division de marines avait vue dans les films ; et devant treize mille hommes en liesse, elle chanta d'une voix fluette, sans micro, « *Diamonds Are a Girl's Best Friend* » (« Les diamants sont les meilleurs amis d'une femme »), « *Bye, Bye Baby* » et « *Do It Again* » (« Fais-le encore »).

Elle eut quelques ennuis avec « *Do It Again* » : un officier intervint pour dire que c'était une chanson trop suggestive. Elle fit remarquer que les paroles en avaient été écrites par Gershwin lui-même ; rien à faire ; alors elle changea le refrain en « *Kiss me Again* ».

Marilyn n'admettait pas l'interférence d'une censure entre son auditoire et elle. Pendant trois jours de folie, l'ange du désir s'incarna dans les bases, en grand décolleté pourpre sous la tempête de neige. Le film de ces concerts montre une Marilyn tourbillonnante, visiblement enflammée elle-même par les feux qu'elle déchaînait sous tous ces uniformes.

Marilyn dira plus tard à son amie Amy Greene que la Corée la guérit de sa terreur des foules : « Jamais, auparavant, je ne m'étais sentie une star en moi-même. C'était terrible : partout où je baissais les yeux, je voyais un type qui me souriait. »

Joe DiMaggio, au contraire, qui avait vu les actualités au Japon, n'était pas du tout enthousiasmé par cette équipée. Il y eut des conversations tendues au téléphone entre l'un et l'autre ; les transmissions eurent même la délicatesse d'en diffuser une par haut-parleurs lors d'un grand dîner où Marilyn était présente. Et tout le mess entendit : « Joe, tu m'aimes encore ? Est-ce que je te manque ? » Question à laquelle DiMaggio répondit par un long silence.

Quelques semaines plus tard, devant Sydney Skolsky, Marilyn se remit à évoquer, très animée, ces trois jours en Corée, puis, se tournant vers DiMaggio : « Joe, tu peux imaginer ce que c'est ? Tu as déjà vu dix mille personnes se lever pour t'applaudir ?

— Non, soixante-quinze mille », répondit-il calmement, avec son laconisme habituel s'agissant de ses incroyables exploits au Yankee Stadium. Marilyn, raconte Skolsky, ne savait plus où se mettre tant elle avait honte de ses propres paroles.

Marilyn, donc, retourna à Tokyo avec une légère pneumonie qui, peut-être, adoucit le courroux de son époux. On n'est guère plus fixé sur les raisons qui l'incitèrent à écourter sa lune de miel en faveur des forces armées américaines. Selon sa propre version, c'est un général qui lui suggéra cette idée pendant le vol de Hawaii à Tokyo ; et DiMaggio n'aurait fait aucune objection. Selon Sydney Skolsky, elle avait déjà formé le projet de cette visite avant de quitter les États-Unis ; DiMaggio désapprouva, mais elle passa outre.

Une personne au moins avait remarqué un détail qui ne

cadrait pas avec tous les gros titres dégouttant de miel. Le *Los Angeles Times* rapporta — photo à l'appui — que Marilyn était partie de Tokyo «avec le pouce droit bandé, qu'elle cachait la plupart du temps sous son vison. ''Je me suis cognée, a-t-elle dit. J'ai un témoin. Joe était là. Il l'a entendu craquer.'' Mrs. DiMaggio s'est refusée à fournir de plus amples détails sur ce sujet. »

Mais à plusieurs de ses amis, elle a confié que c'était Joe qui lui avait cassé ce pouce, dans un moment d'irritation. Comme pour tout ce que Marilyn racontait à droite et à gauche, il convient d'être prudent. Toutefois, voici la version de l'incident, selon Amy Greene : «Marilyn s'approcha de lui pour l'enlacer. Irrité, car il était en train de parler à George Solotaire, il lui écarta les bras d'un geste vif, et le tranchant d'une de ses mains — qu'il avait énormes — vint donner contre le pouce de Marilyn... »

Ainsi il se serait agi plutôt d'un accident que d'un acte prémédité. Il n'empêche que de nombreuses personnes, se fondant sur ce que leur disait Marilyn, accusent DiMaggio d'avoir maltraité sa femme à maintes reprises pendant leur bref mariage.

Lois Weber, agent de presse de Marilyn au milieu des années 50, a dit : «Je suis sûre que Marilyn avait peur de lui, une peur physique. Elle disait que Joe avait mauvais caractère ; et manifestement, il n'était pas homme à plaisanter sur certaines choses. » Tout le monde s'accorde pour dire qu'il était possessif et jaloux.

Selon Henry Rosenfeld, confident new-yorkais de Marilyn, celle-ci aurait affirmé que «même pendant leur voyage de noces, il commença à l'accuser de coucher avec n'importe qui». Et à Gladys Whitten, sa coiffeuse (pour laquelle elle avait rapporté un cadeau d'Extrême-Orient), elle raconta la rage de DiMaggio devant l'immense succès qu'avait eu sa visite en Corée. Marilyn aurait dit : « Il a menacé de divorcer pendant notre lune de miel ! »

Bien plus tard, alors que ce divorce était advenu, Marilyn, regardant de vieilles photos en compagnie de l'actrice Maureen Stapleton, lui en tendit une en disant : «Ça, c'était juste après le mariage. Regarde mes mains : elles montrent qu'en réalité, je le repoussais. Au fond, tout au fond, je ne voulais pas l'épouser. »

Aussi étonnant que cela paraisse, le premier mois de son mariage avec DiMaggio ne s'était pas écoulé qu'elle parlait déjà d'épouser quelqu'un d'autre. Dès leur retour, les DiMaggio invitèrent Skolsky chez eux, dans leur suite au Berverly Hills Hotel. Peu après le début de la visite, DiMaggio sortit de la pièce et alors, comme Skolsky l'a écrit des années plus tard, Marilyn «lâcha une bombe» :

« Sydney ?

— Oui ?

— Tu sais avec qui je vais me marier ?

— Te marier ? Qu'est-ce que tu racontes ?

— Je vais épouser Arthur Miller. »

Skolsky, abasourdi, dit que vraiment, il ne comprenait pas. «Attends, dit Marilyn, et tu verras. »

15

Peu après, DiMaggio emmena sa femme chez lui, à San Francisco ; là, pendant un mois environ, au début de 1954, ils furent relativement à l'abri des intrusions de la presse.

On sut quand même un peu ce qu'ils faisaient : on les décrivit s'embarquant sur le bateau de Joe, le *Yankee Clipper* — Marilyn, en jean et mocassins, se coltinant le sac du casse-croûte. A San Francisco, elle était plus libre de ses mouvements qu'à Holly-wood. Elle allait faire ses emplettes chez Magnin ; on la vit même une fois aider un conducteur à tourner un tramway à câble en bas d'une côte.

Il était question, à demi-mot, d'une possible grossesse dans les rubriques mondaines. Mais les voisins et les pêcheurs en savaient plus que tous les journalistes. Ils la voyaient rester long-temps seule, le soir, un manteau jeté sur les épaules, sur la terrasse derrière la maison. Une nuit, on l'aperçut courant sur la route qui part du quai : elle poussait des sanglots déchirants. DiMaggio la poursuivait, les pêcheurs détournèrent les yeux.

A Hollywood, on attendait. Elle revint en mars. Arrivant à son hôtel, elle fit une plaisanterie mélancolique, à propos de l'espace réservé aux enfants dans le registre. Elle était là pour recevoir le prix de «l'actrice la plus populaire», et ce ne fut pas qu'une cérémonie : on lui fit une vraie fête. DiMaggio n'en était pas ; il avait dit qu'il n'accompagnerait Marilyn à Hollywood qu'au cas où elle aurait un Oscar — elle n'en eut jamais un seul.

Derrière les coulisses, elle régla son différend avec la Twentieth Century Fox et, ayant imposé ses conditions, accepta de tourner dans *La joyeuse parade* (*There's No Business Like Show Business*). Son rôle comportait des numéros de chant et de danse dont la difficulté la stimulait ; l'un d'eux s'appelait — ô coïncidence — «Quand on a ce qu'on veut, on ne le veut plus». Pour ce qui est de DiMaggio, il n'avait certainement pas voulu le brusque changement qui se produisit dans leur vie avec le retour de Marilyn à Hollywood.

«Joe est le chef de la maison ; je vivrai partout où il voudra», avait déclaré peu auparavant Marilyn. Ce même Joe était maintenant obligé, pour ainsi dire, d'habiter quelque temps à Los Angeles, ville qu'il méprisait entre toutes. Le couple loua une maison North Palm Drive, à Beverly Hills. Huit pièces — dont une destinée au fils de Joe — une piscine, et deux Cadillac noires, semblables, parquées à l'extérieur. C'était une des rares maisons de la ville dont la porte donnait presque directement sur le trottoir.

Skolsky, assistant à la répétition d'une scène où Marilyn chantait, fut frappé par le nombre de coups de fil qu'elle recevait de Joe, et en conclut que tout allait bien. Joe se chargeait tout seul de leur nouvelle installation, et cela semblait la chagriner sincèrement. Quand elle partit, très pressée de rentrer chez elle, elle invita son chroniqueur de confiance à la suivre.

Ainsi le public apprit bientôt que Marilyn avait placé à côté de la cheminée la télévision pour permettre à son mari de la regarder de son fauteuil préféré. C'était dans ce fauteuil, confiat-elle à Skolsky, qu'elle lui servait son dîner quand il y avait au programme une partie de base-ball ou un grand match de

141

boxe, — ou aussi, mais moins systématiquement, un western.

« Comme cela Joe n'a pas à remuer le petit doigt, expliquait-elle. Traitez ainsi votre mari, il vous appréciera deux fois plus. J'aime repasser ses chemises, mais souvent, je n'en ai pas le temps. J'aime voir Joe dans une chemise que j'ai repassée moi-même. L'homme ne doit pas avoir à penser à son linge et à ses vêtements. C'est à la femme de veiller à ce que ses affaires soient toujours propres et ses chaussures astiquées. » Dans le cas de Marilyn, le petit trio de domestiques qu'elle avait engagé facilitait bien sûr grandement la tâche.

Skolsky rapporta consciencieusement les menus propos de la star, y compris celui-ci : « Oh, évidemment, Joe et moi nous avons nos disputes. C'est dans la nature humaine. On apprend beaucoup plus de choses sur le mariage quand on le vit réellement. » En fait, Joe et elle avaient déjà compris qu'il leur était impossible de vivre ensemble.

Quant à ce qu'elle dit des soins du ménage, c'est de la pure fabulation de sa part. Comme l'écrit Sheilah Graham, qui eut une conversation avec Marilyn quelques mois plus tard, après le divorce : « S'ils étaient égaux du point de vue de la gloire, ils étaient très différents dans la vie. Joe était un maniaque de la propreté. Sur sa table de toilette tout était rangé par ordre alphabétique : A, aspirine ; B, brosses ; C, crèmes, etc. Tandis que Marilyn, aussitôt rentrée, jetait son sac, puis son mouchoir, sa robe, ses bas, son soutien-gorge : on pouvait la suivre à la trace. Et lui, toujours, il essayait de la corriger. Peine perdue. Ils arrivèrent à un point où ils ne pouvaient plus se parler sans hurler. »

Le fond du problème n'était pas sexuel. De ce côté-là, au moins, les choses allaient bien avec le champion de base-ball : « La plus grande batte de Joe, confia-t-elle une fois à Jet Fore, une de ses amies dans les studios, n'est pas celle dont il se sert sur le terrain. » Et plus tard, elle dira à Truman Capote : « S'il n'y avait que ça dans la vie, nous serions toujours mariés. »

Amy Greene, chez qui Marilyn irait vivre bientôt, rapporte ce propos plus sérieux : « Elle disait que comme amant, il n'y avait pas meilleur que Joe ; mais à un moment, il faut sortir du lit, se mettre à parler. Et là, cela ne marchait plus du tout. »

Un soir, cette année-là, le téléphone sonne chez Brad Dex-

142

ter, acteur que Marilyn a connu bien auparavant, durant le tournage de *Quand la ville dort*. Depuis ils n'ont plus eu aucune relation ; aussi Dexter n'en croit pas ses oreilles, en entendant, à l'autre bout du fil, Marilyn Monroe. « J'aimerais te .faire connaître Joe, dit-elle. Peux-tu venir dîner chez nous ? Et viens un peu en avance, avant le retour de Joe, que nous puissions parler un peu. »

Dexter se présente chez elle à l'heure convenue, et aussitôt Marilyn lui expose ses ennuis. « J'ai un très grave problème depuis que je suis mariée. Joe me tient isolée ; il m'empêche de fréquenter qui que ce soit dans le monde du cinéma. Il souffre d'un terrible sentiment d'insécurité. Il a même réussi à me détacher de mes amies actrices. Je ne sais plus à qui m'adresser. C'est pourquoi j'ai pensé que tu pourrais être un pont entre nous : toi aussi, t'es un dur, tu joues au poker, t'aimes le sport : toi et Joe, vous pourriez devenir copains. Et quand je serai là, j'aurai au moins quelqu'un à qui parler de ce qu'on a fait au studio pendant la journée. »

Malgré quelques appréhensions, Dexter promet d'essayer de l'aider. DiMaggio arrive, il est clair que ce sera impossible. « Il était d'une raideur, d'une froideur incroyables, m'a raconté Dexter. Il s'assit sans rien dire, mais on voyait très bien à quoi il pensait : avais-je couché avec elle ? Pourquoi étais-je ici ? Il était évident que l'idée de Marilyn était irréalisable. J'ai dit, en mentant, que j'avais un autre rendez-vous, et je ne suis pas resté dîner. »

Au moment du divorce, Marilyn dira au juge : « Votre Honneur, mon mari était parfois d'une humeur si noire qu'il restait sans m'adresser la parole pendant cinq jours, même sept jours de suite. Encore plus même, quelquefois. Je lui demandais : qu'est-ce qui ne va pas ? Pas de réponse. (…) Il m'interdisait de recevoir des visites : en neuf mois, je n'ai reçu que trois fois des amis. (…) La plupart du temps, il ne me témoignait que froideur et indifférence. »

L'ulcère jamais vraiment guéri que DiMaggio avait au duodénum se remit à saigner. Et Marilyn commença à craquer au studio, avant la fin du tournage de *La grande parade*. Billy Travilla, son habilleur, se rappelle un jour où, pour des raisons techniques, il était absolument nécessaire de filmer trois

143

pages de script sans couper. « Marilyn avait juste une petite réplique à donner, à la troisième page, mais, chaque fois, la langue lui fourchait. Il faudrait qu'on en finisse avec cette scène ! lui ont dit les producteurs. Alors elle a éclaté en larmes et s'est réfugiée dans sa loge ; puis elle s'est excusée, comme une gosse. Et elle m'a dit, après : "Tu sais, chaque jour, je perds un morceau de mon esprit. Ça se vide sous mon crâne. Je crois que je vais devenir folle, je ne veux pas qu'on me voie comme ça. Si je le deviens vraiment, emmène-moi et cache-moi, je t'en prie." »

Désormais, Marilyn redoute constamment de finir victime de la folie héréditaire.

DiMaggio, de son côté, se sentait plus que jamais offensé par la façon qu'elle avait d'exposer son corps aux regards, non seulement au « travail » mais même chez eux. Le mariage avait un peu modéré l'exhibitionnisme de Marilyn : elle ne se montrait nue à la maison que devant les femmes. Une fois, une de ses invitées, assise à côté de DiMaggio, alors que Marilyn évoluait devant eux dans le plus simple appareil, dit à celui-ci, en plaisantant, que sa femme voulait l'attirer dans leur chambre à coucher. DiMaggio resta de glace.

Au moment du mariage, les patrons de la Fox s'étaient frotté les mains en pensant au formidable gain de publicité que leur procureraient les apparitions régulières dans les studios du héros sportif de service. Un des dirigeants proclama : « Nous n'avons pas perdu une étoile ; nous avons gagné un centre de terrain* ! » Or DiMaggio ne se présenta qu'une seule fois sur les plateaux de *La joyeuse parade* ; et comme sa femme était dans une tenue trop suggestive à son goût, il refusa de poser avec elle pour les photographes.

En août 1954, Marilyn termina *La joyeuse parade* et immédiatement, sans souffler un seul jour, commença à travailler pour *Sept ans de réflexion* (*The Seven Year Itch*), de Billy Wilder. C'était, aux yeux de Marilyn, la récompense qu'on lui devait pour avoir participé à *La joyeuse parade* ; la chance, enfin, de jouer un grand rôle avec un autre grand acteur — *distinguo* dont DiMaggio se contrefichait certainement. Ce film est l'histoire

---

* Comme au base-ball...

d'un homme marié, d'une quarantaine d'années (Tom Ewell) tenté par la jeune femme du dessus (Marilyn) alors que son épouse et ses enfants sont en vacances. C'est un feu d'artifice, particulièrement émoustillant, de situations à double sens.

Wilder, quand je l'ai vu, ne pouvait évoquer sans rire le tournage de la scène où Marilyn descelle la trappe de l'escalier intérieur qui relie les deux appartements, pour descendre voir Tom Ewell. «Elle était en chemise de nuit. Regardant sa poitrine, je lui dis : ''Mais les femmes ne portent pas de soutien-gorge quand elles se mettent en chemise de nuit. On va trop remarquer vos seins avec celui que vous portez. — Quel soutien-gorge ?''

«Elle me fait toucher. Effectivement, elle ne portait rien. Par leur forme, leur densité, l'impression qu'ils donnaient d'échapper aux lois de la gravité, ces seins étaient un miracle.»

Marilyn semble carrément nue dans une autre scène où elle se penche au balcon (on est à New York, en pleine canicule) pour informer son voisin qu'elle met ses dessous dans le réfrigérateur. C'était très osé pour l'époque, mais pas assez pour elle : elle aurait voulu jouer toute nue une des scènes d'amour. Aussi ne se fit-elle pas prier pour interpréter la fameuse «scène de la jupe» — dont la presse parla comme de «l'exhibition la plus intéressante depuis Lady Godiva», mais qui fit sortir Joe DiMaggio de ses gonds.

Vers la fin de l'été, Marilyn alla voir Marlon Brando sur les plateaux de *Désirée* — film où il joue le rôle de Napoléon. Et Brando et d'autres personnes ce jour-là remarquèrent qu'elle avait le bras droit bleu, presque noir. L'acteur lui demanda pourquoi ; elle répondit qu'elle s'était mordue en dormant. Quelques semaines plus tard, après la scène de la jupe, des amis voyant qu'elle a encore des ecchymoses, elle déclarera, cette fois, que c'est Joe qui l'a battue.

Revenons à la célèbre scène. Le 9 septembre, donc, Marilyn arrive à New York pour les extérieurs de *Sept ans de réflexion*. Evoquant les tumultes qui s'ensuivirent, Roy Craft, son agent de publicité, m'a dit : «Les Russes auraient pu envahir Manhattan, personne ne s'en serait aperçu.» Elle descend de l'avion sans DiMaggio ; mais, assure-t-elle aux journalistes : «Tout va très bien entre nous. Le bonheur dans le mariage est ce qui passe avant tout.»

145

Cinq jours plus tard, en pleine nuit, elle arrive avec Tom Ewell devant le Trans-Lux Theater, et on tourne. Elle doit se placer sur une bouche d'aération du métro pour jouir du souffle d'air qui en sort à chaque passage de train et qui chaque fois, fait envoler sa robe — tandis qu'Ewell regarde ce spectacle en souriant jusqu'aux oreilles.

Les services de publicité des studios n'ont pas manqué de prévenir la presse, en lui communiquant le lieu exact du tournage — au carrefour de Lexington Avenue avec la 52e Rue — et en garantissant que «ça va bloquer la circulation». Il est minuit passé, mais des milliers de badauds se pressent derrière les barrières de bois de la police pour suivre les évolutions de la jupe de Marilyn, que d'immenses ventilateurs retroussent jusqu'à ses épaules — ou plutôt pour reluquer ses jambes et ses hanches, couvertes d'un slip si fin qu'on devine les poils du pubis. Voilà ce que les New-Yorkais virent, prise après prise ; autrement dit beaucoup plus que dans le film, car les prises de vues de la moitié inférieure de l'anatomie de Marilyn furent refaites en studio, dans un esprit bien plus pudique.

Joe DiMaggio, qui a rejoint sa femme à New York, est à quelques blocs d'immeubles de là, dans un bar, avec George Solotaire, car il n'a aucune intention d'assister à cette partie du tournage. Et pourtant il finit par s'y rendre, sur les instances d'une vieille connaissance, le journaliste Walter Winchell ; il traverse le cordon de policiers et se poste à côté de la première caméra. Il voit la jupe qui s'envole, il entend le rugissement de la foule, et presque aussitôt, Winchell l'entend marmonner : «Mais qu'est-ce que c'est que ça ?» Puis : «Je te l'ai dit, que j'avais rien à foutre ici. Partons !»

Une fois les prises de vues terminées, Winchell accompagne DiMaggio dans la loge de Marilyn. Celle-ci, affalée dans un fauteuil, s'exclame : «Hé, salut, Giuseppe !» (Joe), et Winchell perçoit que sa gaieté n'est pas naturelle. D'ailleurs, presque aussitôt ils se disputent à propos d'engagements que Joe a pris pour le base-ball et continuent de se chamailler pendant le souper. Tout journaliste qu'il était, Winchell se sentit tellement gêné qu'il les abandonna à leur sort.

Cette nuit-là, on dormit peu au St. Regis Hotel, dans les chambres qui jouxtaient la suite des DiMaggio. Le cameraman chef opérateur de *Sept ans de réflexion*, Milton Krasner, qui occupait l'une d'elles, fut réveillé par des hurlements de colère de l'autre côté du mur. Contrairement aux confidences de Marilyn, ce genre de témoignage est difficile à récuser, de même que ceux qui suivent.

Gladys Whitten, sa coiffeuse, ainsi que la première habilleuse, n'étant pas logées à proximité immédiate de Marilyn, n'entendirent rien pendant la nuit ; mais le lendemain matin, «elle nous a dit (je cite Gladys) qu'elle nous avait appelées en criant de toutes ses forces. (...) Son mari était fou furieux et l'a battue. (...) Des coups aux épaules, on voyait les traces ; mais on les a fait disparaître, vous comprenez, (...) un peu de crème, et elle a continué le travail. »

Cela est confirmé par l'amie new-yorkaise de Marilyn, Amy Greene, qui lui rendit visite pour essayer le fameux vison. «J'étais assise sur le lit, dans son vison, et Marilyn commence à se déshabiller. Elle avait oublié ma présence, sans doute. (...) Elle enlève son corsage : elle était pleine de bleus dans le dos — je n'arrivais pas à y croire. (...) Elle ne savait quoi dire, et comme ce n'était pas une menteuse, elle dit simplement : Eh oui. (...)»

Amy Greene ajoute : «Marilyn était une petite bêcheuse, à l'occasion ; quand elle buvait du champagne, elle ne pouvait s'empêcher de l'asticoter [Joe]. Ce n'étaient pas des intellectuels, ils étaient incapables d'atténuer leurs peines en en parlant, alors ils se ruaient l'un sur l'autre. (...)» Ce fut la seule fois qu'Amy Greene constata d'elle-même que Joe la maltraitait.

Whitey Snyder, son maquilleur, l'une des rares personnes d'Hollywood qui s'entendaient bien avec DiMaggio, m'a dit : «Ils s'aimaient, mais le mariage était invivable pour eux. (...) Parfois il lui faisait passer un mauvais quart d'heure, il la frappait. »

Mais elle gardait courageusement les apparences. «Je ne suis qu'une jolie femme qui sera bientôt oubliée», déclara-t-elle à un groupe de reporters sportifs en ce même mois de septembre 1954, après la scène de la jupe. «Joe lui, ne le sera pas. Il est de tous les temps. »

La jolie femme était en fait dans un état catastrophique. Tom

Ewell s'aperçut qu'elle avait des nausées, qu'elle «tremblait comme une feuille» et se bourrait de médicaments. Milton Greene, lui rendant visite au St. Regis, la trouva complètement abrutie — par les sédatifs, apparemment — et incapable de mener une conversation sensée.

Marilyn et DiMaggio retournèrent ensemble en Californie et se terrèrent pendant dix jours. Marilyn passa une bonne partie de son temps en conversations avec la sœur de Fred Karger, Mary. Deux ou trois fois, des voisins la virent se promener, en pleurant semblait-il, dans les rues. Bientôt elle s'alita; et c'est couchée qu'elle reçut Skolsky pour lui accorder une interview — pleine de fadaises — sur son séjour à New York. Skolsky fut aussi témoin d'une scène de ménage, dont il ne dit rien à ses lecteurs.

Enfin, le matin du lundi 4 octobre, Marilyn annonce à Billy Wilder, d'une voix balbutiante, très troublée, qu'elle n'ira pas ce jour-là au studio : «Joe et moi, dit-elle en bégayant, nous allons divorcer. »

Aussitôt le service de publicité de la Fox, dirigé par Harry Brand, élabore un plan d'action. On prépare tout, minutieusement, comme une mise en scène; et Brand consulte Jerry Giesler, l'avocat haut en couleur que l'on chargeait régulièrement de liquider les folies hollywoodiennes. (Par la suite, il s'avéra que Marilyn était déjà en contact avec lui depuis une dizaine de jours.) Et, dès le lundi après-midi, l'homme de loi et le directeur de publicité annoncent à la presse que «des conflits de carrière» sont à l'origine de la rupture. Giesler déclare qu'au nom de Marilyn il entame le lendemain même une procédure de divorce, «pour incompatibilité d'humeur, comme d'habitude», précise-t-il; et que d'autre part, l'actrice est malade. Virus? Dérangement nerveux? Les reportages divergent sur ce point. Enfin un seul journal rapporte cette autre information, donnée par Giesler : Marilyn n'est pas enceinte.

Une nuée de journalistes s'abat devant la maison de Palm Drive. Les compagnies d'autobus changent leurs itinéraires pour que les touristes aussi participent au siège. Les DiMaggio restent chez eux pendant qu'aux studios, on orchestre le «final». «Le divorce Monroe fut une grande production» (Roy Craft)

Le matin du 6, à la première heure, tandis que les reporters de nouveau alertés convergeaient vers Palm Drive, la Twentieth Century Fox envoya chez Marilyn la même équipe d'esthéticiens que pour le film. «Quelqu'un nous fit entrer à la dérobée par l'arrière de la maison, m'a dit Gladys Whitten. Tandis que nous l'apprêtions, Marilyn ne cessait de dire : Je ne veux pas faire ça. Et elle se prenait la tête entre les mains et pleurait. »

Billy Travilla trinqua avec elle, malgré l'heure matinale. «Elle pleurait, disait : ''J'aurais voulu être différente. Si seulement j'avais pu donner plus d'amour.'' Et elle se maudissait, sans dire exactement pourquoi. »

Joe DiMaggio refusa, comme on le lui proposait, de s'en aller discrètement par la ruelle derrière la maison. A dix heures précises, il ouvrit la porte et, tandis qu'il se dirigeait vers sa voiture, sur le trottoir jonché de roses, essuya le feu roulant des flashes et des questions des journalistes.

«Qu'allez-vous faire maintenant? »

DiMaggio, arrêté un instant par la bousculade, hurle, dominant le vacarme :

«Je vais à San Francisco.

— Est-ce que vous reviendrez chez vous?

— Chez moi, c'est à San Francisco. » DiMaggio court presque. «Chez moi, ça a toujours été là-bas. Je ne reviendrai jamais dans cette maison. »

La voiture, conduite par son ami Barsocchinni, démarra, et DiMaggio disparut, en faisant de la main un salut de pure forme.

Ce qui se passa après, selon Gladys Whitten, fut «horrible». Et le correspondant du *New York Herald Tribune*, Joe Hyams, a écrit des années plus tard : «Je revois aussi nettement que si c'était alors son visage strié de larmes [celui de Marilyn] au moment où elle sortit par la grande porte et fut assaillie par une foule d'un demi-millier de journalistes déchaînés comme une meute à l'hallali. Seul le petit Skolsky essayait de la protéger. Il y avait dans cette scène quelque chose qui me dégoûtait de mon métier. »

Le correspondant d'Associated Press était visiblement à l'abri de ce genre de doutes, puisqu'il écrivit simplement : «Marilyn Monroe a fait aujourd'hui une sortie qui vaut un Oscar...»

149

Elle fit son apparition cinquante minutes après le départ de DiMaggio. Les maquilleurs n'avaient pu effacer de son front une tache sombre, qui était encore une ecchymose. Vêtue de noir, elle se cramponnait aux bras de son avocat et du patron de la publicité de la Fox. Les reporters, auxquels on avait promis une conférence de presse, la bombardèrent de questions. Elle éclata en sanglots, disant : « Il n'y a rien à ajouter », et plusieurs fois : « Je regrette... » Elle se mit à bégayer et à chanceler sur ses talons hauts ; on crut un instant qu'elle allait s'évanouir.

Il y avait à cela une cause immédiate. « Comme Marilyn allait à sa voiture, m'a raconté Billy Travilla, quelqu'un lui remit une enveloppe ; elle contenait un bout de papier hygiénique sur lequel on avait écrit, avec la matière que vous pouvez imaginer, *pute*. Ce public était d'une cruauté avec elle ! Tous ces gens ordinaires devant la maison étaient des admirateurs de Joe — pas de Marilyn. »

Le lendemain matin, elle se présenta à l'heure au travail, et confia à son maquilleur qu'elle « se sentait revivre pour la première fois depuis des jours et des jours ». A San Francisco, DiMaggio dormit jusqu'à midi, posa crânement pour les journalistes, puis fit une partie de golf. Apparemment le drame était terminé ; et pour la presse, il n'y avait plus qu'à attendre l'ouverture du procès, fixée à trois semaines de là. Mais dans l'ombre commençaient à se tramer de sales histoires.

Il y avait pas mal de temps déjà que Joe DiMaggio, profondément frustré par ce mariage désastreux, s'était adressé à des détectives privés. Or, à la direction de la Fox, on avait eu, vers la même époque, la même idée, mais pour des raisons très différentes. Si de petits scandales alimentent la publicité, un vrai scandale, au contraire, peut ruiner la carrière de l'acteur, occasionnant une terrible perte sèche pour la société de production. Ainsi Marilyn était-elle espionnée — pour la première fois dans son existence.

Un soir, alors qu'elle était encore la respectable épouse de Joe DiMaggio, elle alla rendre visite (comme elle le ferait jusqu'à la fin de ses jours) à Anne « Nana » Karger, mère de l'homme qu'elle avait jadis tant aimé puis perdu. Les Karger, la connaissant depuis l'époque où elle n'avait pas un sou en poche, se rassemblèrent pour admirer ses affaires, le vison, la Cadillac décapotable. «Quand elle s'est préparée à partir, cette nuit-là, m'a dit Patti Karger, on a aperçu deux types, dehors, qui attendaient pour la suivre. Tout le monde à la maison a aussitôt pigé; et nous avons fait de notre mieux pour aider Marilyn qui ne savait pas quoi faire.»

Marilyn avait pris l'habitude de téléphoner chez Skolsky à n'importe quelle heure. Une fois, selon sa fille, Steffi Skolsky, les coups de fil commencèrent bien avant le jour. «Finalement, j'ai réveillé mon père, dit Steffi, et Marilyn est arrivée chez nous dès sept heures, sans maquillage, les cheveux défaits, son manteau de fourrure simplement jeté sur les épaules. (...) Mon père a dit après que Marilyn devait s'en aller de chez elle, prendre le large. Elle pensait qu'"ils" essayaient de la droguer.»

Peu de jours après la séparation, l'acteur Brad Dexter tomba sur DiMaggio au Villa Capri : le mari de Marilyn était visiblement en train de comploter avec Frank Sinatra et un détective privé, Barney Ruditsky.

Ruditsky était un ancien détective new-yorkais; il avait émigré en Californie où il était devenu copropriétaire du Sherry's, sur le Sunset Strip — établissement qui était alors un rendez-vous de la pègre. Accessoirement, il dirigeait le City Detective and Guard Service, entreprise privée spécialisée dans les gardes du corps et les formes les plus sordides d'enquête matrimoniale.

Quant au «baryton» (c'est ainsi que Sinatra avait défini sa profession, pour le *Who's Who*), il sortait à grand-peine, à trente-neuf ans, d'une très mauvaise passe.

On lui avait décerné un Oscar pour son interprétation du seconde classe Maggio, dans *Tant qu'il y aura des hommes*, et sa réputation de «plus grand chanteur de charme des temps modernes» était solidement établie. Quelques mois plus tard, le magazine *Time* lui consacra un article remarquable; on y citait cette phrase écrite par Sinatra : «Sans ma passion pour la musique, j'aurais probablement fini par mener une vie de criminel.» Et *Time* notait : «Il est un ami déclaré de Joe Fischetti, héritier des vestiges de la bande d'Al Capone, et s'est attiré une fois de gros ennuis en allant voir un de ses copains en exil à La Havane, Lucky Luciano… ce qui ne signifie pas, en soi, qu'il mélange affaires et plaisirs ; Frankie est trop malin pour cela…»

Frank Sinatra et Joe DiMaggio, tous deux Américains de la première génération, étaient alors les Italiens les plus célèbres du monde. Ils honoraient de leur présence habituelle les mêmes «boîtes», comme Toots Shor's à New York. En 1954, ils connurent les mêmes malheurs. Sinatra, en effet, semblait ne s'être uni que pour le pire avec l'actrice Ava Gardner. Avant même de se marier, il avait failli se tuer en absorbant trop de somnifères. Et deux ans après ce mariage, il serait admis dans un hôpital new-yorkais «avec plusieurs écorchures à l'avant-bras». Au moment de la rupture entre Joe DiMaggio et Marilyn, il ne s'était pas encore dépêtré de cette relation tumultueuse avec Ava Gardner.

Brad Dexter, donc, n'avait plus vu ni Marilyn ni DiMaggio depuis l'entrevue malheureuse de North Palm Drive où l'actrice avait essayé de l'utiliser comme «pont» entre elle et son mari. DiMaggio, le reconnaissant dans la pénombre du Villa Capri, s'excusa, la main sur le cœur : «Je regrette pour l'autre soir, nom de Dieu ! Je ne savais pas qui vous étiez, ni quel sorte d'homme vous êtes. Vous pouvez me donner un coup de main maintenant ? »

Selon Dexter, Marilyn s'était réfugiée dans sa loge, à la Fox, pour ne pas risquer de voir DiMaggio avant la prononciation du divorce. De fait, celui-ci était désespérément à la recherche d'un moyen de la reprendre. Ce qui n'était pas simple, car Darryl Zanuck, le président de la Fox, soucieux de la tranquillité de Marilyn et de son rendement au travail, avait, entre autres mesures exceptionnelles, ordonné d'empêcher Joe DiMaggio d'entrer dans les studios.

Dexter, acteur bien connu des gardiens de la firme cinématographique, se vit proposer un plan d'action consistant à introduire l'étoile du base-ball en territoire ennemi, cachée sous une couverture au fond de son automobile.

«Comme ils insistaient, raconte Dexter, j'ai dit qu'il fallait d'abord que j'appelle Marilyn pour lui demander si elle voulait voir Joe. Ce que j'ai fait, et elle a répondu : ''Je t'en prie,

Brad, je ne veux pas voir Joe ; je ne veux pas lui parler ; c'est fini.''

« Je suis retourné leur transmettre ce message et j'ai refusé de collaborer. »

Le matin du 27 octobre, Marilyn se présenta devant le tribunal de Santa Monica. Après une audience de pure forme, on lui accorda le divorce au motif de « cruauté mentale », ce qui équivaut à l'incompatibilité d'humeur du Code civil français. Joe DiMaggio n'était pas là, et il ne fit pas appel. Mais il n'avait pas renoncé à retourner la situation en sa faveur. On le vit à Los Angeles la veille du divorce : il déclara qu'il était venu voir son fils.

Et le jour même du divorce, faisant litière de ses propres principes, il contacta la presse à propos de sa vie privée, fit savoir au public qu'il n'avait pas perdu l'espoir d'une réconciliation et dit, selon un journaliste : « J'espère qu'elle verra la lumière. »

Marilyn, de son côté, émettait des signaux contradictoires et très surprenants. La veille de l'audience, elle accorda sa première interview depuis la séparation pour affirmer qu'il n'y avait pas d'autre homme dans sa vie. Puis, tout en se préparant à persuader le juge de la « cruauté mentale » de DiMaggio, elle le revit. C'est avec lui qu'elle aurait passé la nuit qui précéda le divorce et la nuit suivante. Chez Sinatra.

A Los Angeles régnait un certain scepticisme quant aux motifs officiels du divorce. L'attendu du jugement qui évoque « la froideur et l'indifférence » de DiMaggio ne semblait pas correspondre à la réalité. De même, on avait de la peine à admettre que l'exhibitionnisme — somme toute, professionnel — de Marilyn eût été la cause immédiate de la séparation. Explication rejetée, en particulier, par Roy Craft, porte-parole de la Fox : « Que Marilyn fît parade de ses charmes, tout le monde le savait quand ils se sont mariés, m'a-t-il dit. Si l'on choisit de construire sa maison à côté d'un abattoir, ce n'est pas pour se plaindre après d'entendre les cris des cochons. »

Huit ans plus tard, à l'occasion de la mort de Marilyn, Walter Winchell, ami de Joe DiMaggio, écrivit : « Après le divorce, Joe me révéla la raison *réelle* qu'elle avait donnée à la justice.

153

Cette raison n'a jamais été rendue publique ; ici non plus elle ne le sera pas. En me disant cela, il pleurait, et les jeunes sportifs qui nous entouraient, curieux, dans les vestiaires, le regardaient sans comprendre. »

La mort de Marilyn et le silence de Joe DiMaggio laissent planer un voile de mystère sur la fin de ce mariage. Cependant...

16

Cependant de nouveaux éléments d'information ont été mis récemment à notre disposition. Et ce qu'ils révèlent n'est pas joli, de la part de DiMaggio et Sinatra. Et, outre Marilyn, il y aurait eu une autre victime de leurs poursuites impitoyables : un homme qui, trente ans après, frémit encore à la seule mention du nom de DiMaggio.

Quelques jours après le divorce, au début de novembre 1954, DiMaggio téléphona à Sydney Skolsky, sollicitant une entrevue dans les plus brefs délais. On prend notre *lunch* ensemble ? suggère Skolsky. Mais DiMaggio préfère le voir à l'abri des regards indiscrets, dans sa chambre de l'Hollywood Knickerbocker Hotel.

« J'eus le sentiment d'avoir en face de moi une idole à genoux, me suppliant d'examiner ses pieds d'argile, écrit Skolsky. Il m'indiqua le lit, m'invitant à m'asseoir, et prit un siège tout près de moi.

« ''Vous savez tout. Il y a une chose que je dois savoir, dit-il, sur le ton doux et modulé de la chanson d'amour désespérée. Y a-t-il un autre homme ? Pourquoi ce divorce ?'' »

Skolsky, profondément gêné, resta le plus évasif possible et s'empressa de mettre fin à l'entretien. Il avait compris depuis pas mal de temps que DiMaggio était d'une jalousie morbide : en particulier, il y avait eu ces coups de fil affolés de Marilyn disant qu'elle était surveillée et suivie. D'autre part, toujours

154

selon Skolsky, DiMaggio avait fini par prendre au sérieux les rumeurs faisant état de rapports sexuels entre Marilyn et Natasha Lytess, sa conseillère artistique. Les détectives, cependant, tourmentèrent surtout un homme : le professeur de chant de Marilyn, Hal Schaefer, qui avait alors vingt-neuf ans.

Schaefer, compositeur et pianiste brillant qui débuta sous l'égide de Duke Ellington, compte parmi ses élèves, outre Marilyn, Peggy Lee, Judy Garland et Barbra Streisand. Il avait gagné la confiance de Marilyn l'année précédente, lors du tournage de *Les hommes préfèrent les blondes*, et peu à peu ils étaient devenus amis intimes. Leur collaboration professionnelle officielle commença, à la demande expresse de Marilyn, pendant le tournage de *La joyeuse parade*, c'est-à-dire aux premiers temps de son mariage avec DiMaggio. En avril 1954, Schaefer et elle travaillaient d'arrache-pied au Bungalow 4, tout au bout des terrains de la Fox.

L'affection que la star et le prof de chant éprouvaient l'un pour l'autre ne passa pas inaperçue. Les responsables du département de musique remarquèrent aussi avec gratitude que la technique vocale de Marilyn s'améliorait de jour en jour. Et personne ne se soucia du fait qu'ils travaillaient jusque tard dans la nuit au Bungalow 4, ou s'éclipsaient ensemble pour prendre leurs repas. Or, soudain, Marilyn se mit à rompre des lances pour Hal Schaefer.

Un jour, Irving Berlin lui-même, le compositeur, vint au studio pour entendre certains nouveaux arrangements de ses chansons. « Il s'extasia devant le spectacle et parla avec enthousiasme de l'interprétation de Marilyn, m'a dit Lionel Newman, directeur du département musical de la Fox. Le lendemain, Marilyn débarque dans mon bureau et me demande, rouge de colère, pourquoi Hal n'a pas reçu la part de compliments qu'il mérite. Et elle annonce que si Berlin ne va pas voir Hal pour le féliciter personnellement, elle ne termine pas le film. Finalement Berlin arrangea les bidons ; mais Marilyn continuait de fulminer, chaque fois qu'elle évoquait cet incident. »

Pendant trente ans, Hal Schaefer est resté muet sur le chapitre de ses rapports avec Marilyn Monroe. Maintenant il habite dans un autre État ; en 1984, il a évoqué tranquillement devant moi cette année qu'il considère comme la plus terrible de son existence. « Je lui trouvai quelque chose de surnaturel qui me frappa, comme si elle n'était pas tout à fait de ce monde, qu'une partie fût ailleurs, dit Schaefer, évoquant leur première rencontre. Elle parlait peu, s'ouvrait peu. Au début elle n'avait aucune assurance, mais elle réagit à mon enseignement et fit des progrès. Je lui dis d'acheter une pile d'albums d'Ella Fitzgerald — c'est ce qui a eu sur elle la plus grosse influence : elle est devenue vraiment bonne à partir de ce moment-là. (...) Du point de vue du travail avec elle, c'était parfait. Il y eut un temps, il est vrai, où elle s'est mise à arriver toujours en retard. Je lui ai dit qu'avec moi, ça ne marcherait pas... Ma réputation était faite. Je lui ai déclaré que le fait qu'elle était Marilyn Monroe ne me faisait ni chaud ni froid, et elle a cessé de venir en retard. »

Pendant plusieurs mois, leurs rapports restèrent strictement professionnels. « C'est durant le tournage de *La joyeuse parade*, m'a dit Schaefer, que j'ai appris à mieux la connaître. A ses yeux j'étais, me semblait-il, l'homme le plus aimable, le plus doux qu'elle eût connu. Elle raffolait de ma manière de jouer du piano, elle pensait que j'aurais dû être mondialement connu. Pour moi, je n'étais certes pas le meilleur amant du monde, je n'étais pas Tyrone Power ; mais je lui donnais ce dont elle avait le plus besoin, une aide. Je ne me suis pas servi d'elle. Je la soutenais, je prenais soin d'elle. »

Ainsi Schaefer et Marilyn devinrent amants. Il m'a bien précisé que ce n'était pas l'aspect le plus important de leurs rapports. Et lui aussi, comme beaucoup d'autres, pense que « Marilyn devait être insatisfaite, presque en permanence. Je crois qu'elle considérait comme *sa fonction*, elle suprêmement belle et attirante, de faire l'amour, parce que c'était une chose qu'elle pouvait faire, qu'elle pouvait donner. Mais ce n'était vraiment pas une réussite, en ce qui la concernait. »

Quant à la rupture avec DiMaggio, « je n'en ai pas été la cause, insiste Schaefer. Leur mariage était déjà brisé, et pas à cause de moi. (...) Elle l'aurait quitté, quoi qu'il advienne. Cela n'avait rien à voir avec moi. Ni avec personne d'autre. Mais DiMaggio ne pouvait pas croire cela. Son amour-propre ne pouvait pas l'admettre ».

A la mi-été 1954, Marilyn parla à Schaefer de ses ennuis

conjugaux, de la jalousie invraisemblable de son mari, des coups qu'elle recevait parfois. Que DiMaggio fût jaloux comme un pou, Schaefer s'en convainquit lui-même en découvrant que les détectives de DiMaggio avaient mis des micros dans la voiture de Marilyn.

« Parfois elle me disait : ''Allons faire un tour dans ma voiture'', sa grande Cadillac noire décapotable. Une fois, je l'ai emmenée dans le petit quartier juif de Fairfax Avenue. Il n'était pas tard. Elle a mis une perruque brune et ne s'est pas maquillée. Et pourtant, quelqu'un l'a reconnue au moment où nous sortions. Nous sommes montés dans la voiture et nous sommes partis. Nous parlons dans la voiture, en particulier de l'endroit où nous voulons aller ; quand nous y arrivons, il y a quelqu'un. Soit il y avait des micros, soit nous étions filés. Je lui ai dit que je pensais qu'il y avait des micros. »

Tous deux eurent très vite la certitude qu'ils étaient surveillés. « Quel cauchemar ! Elle était terrorisée. Et aussi furieuse, parce qu'elle ne pouvait plus vivre sa vie. C'était la frustration complète. »

Quelques semaines plus tard, Schaefer, d'après ce qu'il m'a dit, décida d'avoir une explication avec DiMaggio. Il appela chez eux, à North Palm Drive, eut au bout du fil DiMaggio lui-même qui dit à Schaefer : passez dans une heure ici. Au dernier moment, Marilyn redoutant des scènes de violence, persuada Schaefer de renoncer à aller voir son mari.

Le soir du 27 juillet 1954, trois mois avant le divorce, des amis de Schaefer s'étonnèrent de ne pas le voir arriver à un rendez-vous. Finalement, ils le trouvèrent à quatre heures du matin, étendu sans connaissance sur le plancher de son bureau, aux studios. A l'époque, on dit qu'il avait eu une syncope due au surmenage ; mais ses amis savaient qu'il avait tenté de se tuer. Schaefer en tremble encore aujourd'hui : « J'ai bu un produit pour nettoyer les machines à écrire, j'ai bu du tétrachloride de carbone (liquide détersif), j'ai bu environ un litre de brandy, et j'ai avalé une centaine de comprimés — tout ce qu'il y avait là... »

Schaefer faillit y rester. « Je ne voulais plus continuer. Ce qui se passait avec Marilyn y était pour beaucoup, mais il n'y avait pas que ça : c'était ma façon d'être dans la vie. J'étais abattu, déprimé, je buvais trop. »

157

Une fois sorti de l'hôpital, il engagea deux infirmiers et loua une maison près de la mer, au nord de Los Angeles. Ce fut le début d'une longue et douloureuse convalescence.

Marilyn était allée le voir à l'hôpital aussitôt après sa tentative de suicide ; elle lui rendit aussi visite sur la côte. « Elle restait passer la nuit, le vendredi ou le samedi, mais pas tout le temps, je crois. Je pense que nous n'avions plus de rapports sexuels à ce moment-là. (…) J'étais encore malade comme un chien, et puis les deux infirmiers étaient là. » C'est alors que « cela » recommença :

« Une fois, il la suivirent jusque chez moi. Je n'en garde pas un souvenir très net : j'étais trop mal fichu. Je me rappelle simplement qu'ils étaient là, dehors, hurlant des menaces. Puis ils annoncèrent qu'ils allaient entrer, et qu'il était inutile d'essayer d'appeler la police parce qu'ils avaient coupé les lignes. Je me rappelle une fois : c'était l'aube. Nous n'avions dormi ni l'un ni l'autre ; Marilyn était immobile, debout, dans un coin. Et ils dirent : "On va entrer, simplement pour la prendre, et on vous laissera seul. Vous n'avez rien à craindre. Nous savons qu'elle est là, nous voulons l'en faire sortir." Marilyn, terrifiée, finit par se glisser jusqu'à sa voiture et partit. A ce point, il n'y eut jamais de véritable violence physique. »

Ces épreuves les rapprochèrent encore plus l'un de l'autre. « Marilyn se mit à me soigner elle aussi. Elle était très douce et faisait preuve d'un esprit très pratique. Je me remettais, là-bas, et Marilyn s'y plaisait. Elle avait l'air bien, allait nager, prenait un peu de soleil — c'était un endroit très isolé. Nous avons commencé à faire des projets pour l'avenir. »

A l'automne, Schaefer revint à Los Angeles. Marilyn et lui se virent très rarement, et en secret, pour échapper à la publicité qui entourait l'affaire du divorce. Ils n'y réussirent pas complètement.

Le jour de la séparation, un grand quotidien rapporta que DiMaggio avait « désapprouvé » les visites que Marilyn avait rendues à Schaefer à l'hôpital, au mois de juillet précédent. La journaliste Louella Parsons, qui connaissait bien Marilyn, reprit cette nouvelle et bâtit dessus toute une théorie de l'affaire : « C'est la jalousie, je pense, qui a relevé sa tête hideuse quand Marilyn Monroe et Joe DiMaggio se sont livré leur dernière bataille. (…) Joe est italien, il est d'une nature jalouse. »

Le divorce était à peine prononcé qu'on se mit à parler dans la presse d'une possible réconciliation. Marilyn et DiMaggio, effectivement, ne cessaient de se revoir à ce moment-là, mais il n'y eut pas de *happy end*. Les choses se précipitèrent le 5 novembre.

Ce matin-là, Marilyn déclara fermement, à l'intention du public : «Il n'y a pas une parole de vraie dans toutes ces rumeurs de réconciliation.» DiMaggio, privé de tout droit sur son ex-femme, continuait de la faire espionner ; mais cela ne lui suffisait pas...

La folle initiative qu'il prit ce vendredi soir, flanqué de son ami Frank Sinatra, fut un boomerang pour les deux hommes. Deux ans plus tard — à la suite d'un article-bombe paru dans le magazine à scandales *Confidential* —, elle fit même l'objet d'une enquête, à la demande d'une commission du Sénat de Californie et d'un grand jury de Los Angeles. La reconstitution qui suit s'appuie : 1. Sur les dépositions faites devant ces deux organismes officiels ; 2. Sur une masse de témoignages oculaires et de rapports de presse, contradictoires les uns et les autres ; et 3. Sur des informations que j'ai recueillies moi-même.

Le soir du 5 novembre, James Bacon, un journaliste qui se trouvait toujours là où il fallait, et qui avait lui-même eu, jadis, une aventure avec Marilyn, décida d'aller manger au Villa Capri — histoire de voir s'il s'y trouvait quelques célébrités italiennes. Effectivement, il aperçut en entrant Joe DiMaggio et Frank Sinatra, dînant en compagnie «d'autres *paesani*, entre autres Hank Sanicola, l'imprésario de Sinatra, que tous deux voyaient beaucoup à l'époque. Je ne m'assis pas à leur table ; j'aurais pu, en tant qu'ami de toujours de Frank — mais j'avais remarqué que DiMaggio était d'une humeur atroce.»

Cependant, de l'autre côté de la ville, à Beverly Hills, la soirée se terminait tranquillement pour les occupants d'une maison située au coin de Kildea Drive et de Waring Avenue. Dans son tout petit appartement du rez-de-chaussée, Florence Kotz, cinquante ans, se couchait déjà ; Mrs. Virginia Blasgen, la propriétaire, se préparait à aller en faire de même ; son fils, adolescent, dormait déjà. Au-dessus, à l'unique étage, une actrice, Sheila Stewart, partageait un dîner tardif avec Marilyn Monroe. Sheila Stewart, trente-sept ans, était liée depuis peu à Marilyn ; toutes deux avait la même passion pour le chant. Ce soir-là, Marilyn étudiait un script.

Dehors, dans le noir, un jeune détective privé, Philip Irwin, rôdait en voiture dans la zone. Il travaillait dans l'agence de Ruditsky et, depuis des mois, participait à la surveillance de Marilyn.

Soudain, en passant devant la maison de Kildea Drive, il aperçoit la voiture de Marilyn garée. Coup de téléphone au patron, Ruditsky, qui bientôt rapplique, repère l'objectif puis va téléphoner à Frank Sinatra, au Villa Capri.

Dans ce restaurant, Jim Bacon voit Sinatra et Joe DiMaggio conférer, l'air sombre, puis sortir précipitamment.

DiMaggio est le premier à arriver sur les lieux. Il fait deux fois le tour du bloc de maisons, puis se gare derrière la voiture de son ex-épouse.

« Il était dans tous ses états. (Je cite la déposition faite plus tard par Philip Irwin.) Comme il se dirigeait vers cette maison, je l'ai arrêté et ai essayé de le calmer. »

Sur ces entrefaites, arrive Frank Sinatra.

Ce fut alors que Virginia Blasgen, la propriétaire, jetant un coup d'œil à sa fenêtre, aperçut, dit-elle, deux hommes : « L'un grand, l'autre petit (…), le grand marchait furieusement d'avant en arrière (…), le petit sautillait à côté de lui, en me faisant un grand sourire. (…)» Mrs. Blasgen reconnut Joe DiMaggio («le grand») et Frank Sinatra («le petit»).

L'opération fut déclenchée à 23 heures 30.

Le plus grand choc fut pour Florence Kotz, qui, étant endormie, ignorait ces curieuses allées et venues devant la maison, et se réveilla en sursaut : on défonçait sa porte, une lumière blanche éblouissante, des clic-clac d'appareil photo. Elle se mit à hurler. Aussitôt les intrus s'enfuirent, en se bousculant dans leur hâte.

DiMaggio et ses hommes s'étaient trompés d'appartement.

Sur le moment, en 1954, la police du quartier classa l'affaire dans la rubrique des tentatives de cambriolage. La victime, Florence Kotz, fit refaire sa porte et souffrit de graves troubles nerveux. Rien ne transpira jusqu'en 1957, année où le Sénat de l'État de Californie décida d'examiner de près les activités de certains détectives privés, et fit comparaître devant sa commission, entre autres personnes appelées à déposer, Philip Irwin.

Alors ce fut au tour de Sinatra d'être tiré de son sommeil, à quatre heures du matin, par deux policiers porteurs d'une citation à comparaître, qui ne lâchèrent le chanteur qu'après l'avoir introduit dans la salle d'audience de la commission sénatoriale. Il nia, sous serment, avoir participé à l'effraction, affirmant qu'au moment où Joe DiMaggio, Philip Irwin et Barney Ruditsky pénétraient chez Mrs. Kotz, lui se trouvait dans sa voiture. Or, Irwin répéta ce qu'il avait déclaré déjà à la commission, à savoir que Sinatra avait aidé DiMaggio à enfoncer la porte, et contesta une bonne partie de la version donnée par le chanteur.

Ayant entendu les deux dépositions, Edwin Regan, membre de la commission, dit sèchement : « Manifestement, il y a faux témoignage. » Et un grand jury fut saisi de l'affaire.

Les avocats de Sinatra chargèrent un autre fameux détective d'Hollywood, Fred Otash, de leur procurer de nouvelles « informations » pour contrebattre les affirmations d'Irwin. Otash entreprit de montrer qu'Irwin était un menteur, et que personne n'avait pu reconnaître Sinatra au cœur de cette sombre nuit de novembre. On ne sut jamais, officiellement, le fin mot de l'affaire. Les débats du grand jury s'ensablèrent, et les jurés transmirent le dossier au Chief of Police (préfet de police de Los Angeles) « pour le cas où il y aurait d'autres témoignages ».

Joe DiMaggio, quant à lui, ne fournit jamais sa propre version. Aussi bien le grand jury que le Sénat de Californie désiraient évidemment l'entendre ; il fit savoir qu'il était dans l'incapacité de se rendre à leur convocation. Il était alors sur la côte est, il n'allait pas se soucier d'une simple citation en Californie.

La publicité donnée à l'affaire apporta un léger réconfort, cependant, à la pauvre Florence Kotz. Elle poursuivit en justice Sinatra, DiMaggio, leurs détectives et plusieurs de leurs amis ; mais les choses se réglèrent à l'amiable : ils lui offrirent 7 500 dollars.

Dans les tonnes d'encre qu'a fait couler l'inepte entreprise de DiMaggio et consorts (dont l'appellation consacrée est depuis lors : «l'expédition de la mauvaise porte»), un nom brille par son absence : celui de la personne qui était réellement visée, l'ami-amant de Marilyn, Hal Schaefer. Sheila Stewart m'a révélé : «Hal Schaefer était lui aussi chez moi, ce soir-là ; je les ai fait dîner tous les deux. Ils étaient assis dans la salle à manger, tandis que j'étais dans la cuisine, ayant fini de débarrasser, quand nous avons entendu le vacarme.»

«Ce fut comme l'explosion d'une bombe, dit de son côté Schaefer. Toute la maison trembla. C'était terrifiant...
— Etiez-vous déjà couchés, Marilyn et vous ? lui ai-je demandé.
— Non, pas à ce moment-là, non (...), mais nous étions deux adultes consentants, comme on dit, et elle était légalement séparée. (...) Heureusement qu'ils se sont trompés de porte. Je crois qu'ils m'auraient fait passer un très mauvais quart d'heure.»

Marilyn, selon Sheila Stewart, comprit tout de suite ce qui se passait. Quand ils furent partis, Schaefer et Marilyn s'en allèrent, chacun dans sa voiture et chacun chez soi.

Devant chez elle, un autre détective encore, mais toujours de la même bande, vit, deux heures plus tard, arriver Joe DiMaggio. Il frappa à la porte, Marilyn le fit entrer. Il n'était toujours pas ressorti quand notre éclaireur quitta son poste, à l'aube.

Des ennuis d'un autre ordre, cependant, attendaient Marilyn. On a écrit, au moment de la séparation, qu'elle semblait «malade, physiquement et émotivement». Son avocat, comme on sait, l'avait dit de son côté, tout en niant qu'elle fût enceinte. Elle était soignée, avait-il précisé, par le Dr Leon Krohn.

Le Dr Krohn, «Red» pour les amis, fut pendant des dizaines d'années un gynécologue célèbre d'Hollywood. En tant que généraliste, il soigna aussi quelques hommes, entre autres Frank Sinatra. Krohn ne séparait pas sa vie professionnelle de sa vie tout court, ce qui l'amena à jouer un certain rôle juste après le divorce. A cette époque, en effet, il hébergea chez lui Joe DiMaggio et, plusieurs fois, régulièrement à l'aurore, intercepta des coups de fil de Marilyn demandant si «ça allait bien pour Joe».

Cela faisait deux ans, depuis l'opération de l'appendicite à laquelle il avait assisté, à la demande expresse de Marilyn, que le Dr Krohn était son gynécologue. Le matin qui suivit la malheureuse « expédition » — événement dont la presse ne sut rien, pendant très longtemps —, on annonça que Marilyn serait hospitalisée, dans les vingt-quatre heures, « pour une opération de nature corrective » dont se chargeait le Dr Krohn.

Le lendemain matin donc, Marilyn, affligée, dit-elle, de « maux d'estomac », fit une apparition à la Fox à l'intention des photographes de publicité. Puis, conduite par Joe DiMaggio, elle se rendit pour l'opération à l'hôpital des Cèdres du Liban. A la presse, le Dr Krohn expliqua qu'il s'agissait de corriger une petite anomalie gynécologique dont Marilyn souffrait « depuis des années ». Joe passa toute la nuit à l'hôpital, dormant en gendarme dans le salon des médecins ou arpentant le couloir devant la chambre de Marilyn.

Quatre jours plus tard, elle ressortit de là, tout juste coiffée, l'air hagard, et ne dit rien aux reporters. Le soir même, on les vit dîner, DiMaggio et elle, au Villa Capri... On devait les revoir plusieurs fois ensemble, ce mois-là, et il fut de nouveau question de réconciliation dans les organes d'information. Mais Marilyn en avait décidé autrement.

Au bout de quelques semaines, Joe DiMaggio se retrouva effectivement seul. Bientôt il se mit à passer régulièrement au bureau de l'agent d'affaires de Marilyn, Sunset Boulevard, pour demander, presque à genoux, qu'on lui dît si elle avait prononcé son nom. A maintes reprises, dans les années suivantes, il la reverrait ; il lui resterait fidèle, au fond, jusqu'après la mort ; et Marilyn s'amuserait de tant d'assiduité, lui serait reconnaissante de son aide ; mais jamais elle ne lui redonna son cœur.

Un autre homme attendait déjà, en décembre 1954 ; mais la presse ne fit pas attention à lui : tout l'intérêt était encore concentré sur DiMaggio. Hal Schaefer, qui désormais était profondément amoureux de Marilyn, fut écarté. « Peut-être nous reverrons-nous un jour », dit-elle, à la fin de son dernier coup de téléphone.

Schaefer, encore aujourd'hui, parle de DiMaggio avec terreur ; de Marilyn avec tristesse. « Elle m'avait dit qu'elle m'aimait. Elle ne devait pas savoir ce que cela veut dire. »

Moins de vingt-quatre heures avant l'« expédition de la mau-

vaise porte » et un peu plus de vingt-quatre heures avant l'opération, Marilyn accordait sa dernière danse, à trois heures du
matin, Chez Romanoff, où il y avait eu réception en son honneur à l'occasion de la fin du montage de *Sept ans de réflexion*.
Etonnée de voir tant de monde à la fête, elle avait chuchoté,
à l'oreille de Skolsky : «Je me sens comme Cendrillon. Je
n'aurais pas cru qu'ils viendraient tous. Ma parole ! »

Elle-même était arrivée avec une heure de retard à cause
d'une panne d'essence.

Humphrey Bogart et Lauren Bacall, Claudette Colbert, William Holden, Jimmy Stewart, Susan Hayward, Gary Cooper,
Doris Gray et d'autres firent la queue pour apposer leur signature sur un portrait-souvenir géant intitulé « Marilyn ». Et c'est
là que Marilyn rencontra, pour la première fois de sa vie, l'idole
de son enfance, Clark Gable ; et tous deux envisagèrent de faire
un film ensemble.

Même les grands patrons d'Hollywood s'étaient déplacés
pour elle : Sam Goldwyn, Jack Warner, et le vieil ennemi de
l'actrice, Darryl Zanuck. Quelques jours plus tard, Skolsky écrivit : «Cette soirée fut un grand moment pour Marilyn, car elle
signifiait, selon le code spécial d'Hollywood, que l'élite de la
ville l'avait finalement acceptée. »

Or Marilyn se préparait à lui jouer un bon tour, à cette
«élite». Elle avait décidé de la rejeter. Juste avant Noël, elle
mit sa perruque brune, ses lunettes noires et se rendit à l'aéroport de Los Angeles, avec dans son sac un billet délivré au nom
de « Zelda Zonk».

Cendrillon, alias Zelda Zonk, disparaissait de la scène.

Troisième Partie

Déménagements et retour

«Comment, moi, mettre tout Marilyn dans une gélule? Plus on connaît les gens, plus ils sont compliqués. Si elle avait été simple, il aurait été facile de l'aider.»

Arthur MILLER

17

Dans le froid glacial d'avant l'aube, tandis que l'avion de Marilyn vole vers la côte est, un ranch-wagon, conduit par un tout petit bout de femme, file sur les routes boisées du Connecticut. Amy Greene s'est levée tôt pour pouvoir accueillir à l'aéroport de LaGuardia l'actrice et son compagnon de voyage. Milton, le mari d'Amy, trente-trois ans, est le complice de Marilyn dans sa fuite d'Hollywood. Pendant les deux années qui vont suivre, il sera son ami intime, le défenseur de sa cause et son associé en affaires.

Cette opération, qui, elle, réussit, n'a pas été décidée sur un coup de tête. Cela fait dix-huit mois déjà que Milton Greene connaît Marilyn. Leur rencontre, telle que la tradition la rapporte, n'est pas sans rappeler celle de Stanley et Livingstone. Frappée par le visage enfantin de l'homme qu'on lui présente, Marilyn dit :

« Mais vous n'êtes qu'un gamin !

— Mais vous n'êtes qu'une gamine », réplique-t-il.

Ce fut une amitié immédiate. Greene, photographe de mode distingué, avait été envoyé à Los Angeles par le magazine *Look*. Sa manière d'être lui valut la sympathie même de Joe DiMaggio. Il la photographia revêtue de robes amples et dans des poses pudiques — sans rien enlever de son charme typique.

Le plan qui allait atterrer Hollywood — dont Marilyn était

désormais la valeur la plus forte — fut conçu la première fois qu'ils dînèrent ensemble. Le vin aidant, Greene révéla à Marilyn son rêve : faire des films tout seul, indépendamment des grandes firmes ; et Marilyn lui dit qu'elle aimerait bien être dans un de ses futurs films. Elle était mécontente de la Fox.

D'abord, elle se sentait exploitée. Malgré son immense succès, elle restait liée à un contrat qui lui rapportait au maximum 1 500 dollars par semaine. Ainsi *Les hommes préfèrent les blondes*, le premier de ses films à grand succès (on en était au cinquième, à la fin de 1954), ne lui avait rapporté que 18 000 dollars. Selon les normes hollywoodiennes, ce n'était pas énorme puisqu'il fallait déduire les frais d'agence, le salaire de Natasha Lytess, son professeur d'art dramatique, et celui des esthéticiens — sans parler des impôts. Jane Russell, qui avait partagé la tête d'affiche avec Marilyn n'étant pas liée par un contrat à long terme, avait touché, elle, 100 000 dollars.

Milton Greene convint que ce n'était pas juste. Et il assura Marilyn qu'elle pouvait gagner beaucoup plus, si elle rompait avec la Fox.

Marilyn, d'autre part, se plaignait d'être cantonnée dans des rôles bêtifiants. Pour elle, c'était au moins aussi important que les problèmes d'argent. Cela faisait longtemps, désormais, qu'elle disait aux journalistes son «désir profond de faire quelque chose d'autre — des rôles comme Julie dans *Bury the Dead*, Marguerite dans *Faust*, Teresa dans *Cradle Song** ». Qu'elle tenait à travailler avec des acteurs «sérieux», comme Marlon Brando et Richard Burton. Elle voulait *jouer* mais, à la Fox, on s'en fichait éperdument.

Greene ne pouvait pas ne pas l'écouter. «Je croyais avoir fait le tour de ce monde-là, m'a-t-il dit maintenant. Dans ce métier, j'avais déjà vu tant de mannequins et tant d'actrices. Mais jamais je n'avais connu personne avec ce ton de voix, cette amabilité, cette bonté réelles. Elle ne pouvait voir un chien mort dans la rue sans pleurer. Elle était tellement sensible qu'il fallait tout le temps surveiller le ton de sa propre voix. Plus tard, j'ai découvert que c'était une schizoïde — qu'elle pouvait être suprêmement brillante,

---

* *Bury the Dead* (Enterrez les morts), d'Irwing Shaw ; *Cradle Song* (La Berceuse), de Sierra Gregorio Martinez.

d'une bonté infinie, puis une minute après exactement l'inverse. »

A l'époque où nous sommes, cela dit, Greene est complètement subjugué. La conspiration se noue dès ce dîner. Il demande à voir le contrat de Marilyn, consulte un avocat, et bientôt annonce à sa nouvelle amie que ce contrat n'est qu'un chiffon de papier : elle peut, elle doit quitter la Twentieth Century Fox. Ces conseils tombent en terrain fertile. Quand Greene repart pour New York, Marilyn le conduit à l'aéroport et l'étonne par la ferveur de son baiser d'adieu.

Ils se revoient dans les mois qui suivent. Ils ont une longue discussion lors d'un cocktail où se trouvent aussi Bogart, Frank Sinatra et Judy Garland ; et chez Gene Kelly (dont la maison était toujours ouverte aux gens de l'est des Etats-Unis en visite en Californie), ils passent toute une soirée l'un à côté de l'autre tandis que l'on joue aux charades en action.

Comme on l'a vu, aussi bien Milton Greene que sa femme, Amy, vont lui rendre visite lorsqu'elle séjourne à New York pour la célèbre scène de la jupe. Quand elle retourne à Los Angeles, Milton reste en contact avec elle, par téléphone, démontant dans leurs moindres détails les engagements contractuels de Marilyn. Puis viennent les semaines de la désagrégation du ménage DiMaggio, et elle perd un peu pied. Dès qu'elle se reprend, cependant, elle décide de partir, attirée aussi bien par la perspective d'une très nette promotion professionnelle que par l'espoir de trouver le repos : les Greene, en effet, ouvrent leur foyer à l'illustre enfant sans famille de Hollywood.

Et c'est ainsi que, dans les derniers jours de 1954, Marilyn arriva en secret chez les Greene, dans le Connecticut. Là ils possèdent une vieille ferme, du début du XVIIIe siècle, entourée de plus de 10 ha de terres boisées où court un ruisseau plein de truites et dort un petit lac. La salle de séjour, aménagée dans l'ancienne étable, est aussi haute que la maison ; dans la vaste cheminée brûlent d'énormes bûches. On donne à Marilyn l'atelier, qui à lui tout seul est un petit chez-soi, avec un balcon qui domine le lac. Pour elle, cette maison dans les bois est le pays des merveilles.

Elle n'avait pour ainsi dire jamais vu la neige auparavant ni observé le changement des saisons. Quand le printemps arrive, elle l'accueille avec un émerveillement enfantin. Ici, personne ne la dérange. Elle peut aller se promener dans les bois, emmitouflée dans les vêtements chauds que lui donne Amy. Elle peut aller déjeuner de sandwiches et d'éclairs au chocolat faits maison au Petit Coin, restaurant voisin que tient le frère de Milton.

« Elle aimait conduire, raconte Amy. Nous prenions la décapotable, abaissions le toit et allions faire un tour sur la grand-route. Nous aimions toutes les deux sentir le vent frais sur la figure et le souffle du chauffage sur les jambes. »

A la maison, Marilyn fut bientôt « Tata » (« Auntie ») pour le fils des Greene, Josh, âgé d'un an. Elle le faisait manger, lui donnait son bain et, à la grande surprise des Greene, resta avec lui le soir de la Saint-Sylvestre pour leur permettre de sortir. « C'est la seule vraie famille que j'ai jamais connue », dira-t-elle quelques mois plus tard à une journaliste.

Ce n'était pas tout à fait vrai, bien sûr. Marilyn avait déjà eu les mêmes paroles pour les DiMaggio de San Francisco, et des années auparavant, pour la famille de Fred Karger. Elle se greffait sur les autres. Mais quand ils ne lui servaient plus, elle cassait net ; Amy Greene perçut très tôt cela et se dit qu'elle n'échapperait pas à la règle.

« Ce que voulait Marilyn avant tout, c'était devenir une *grande* étoile du cinéma. Pour monter, elle était prête à faire n'importe quoi, à abandonner n'importe qui. »

C'est à ce moment-là, de chez les Greene, qu'elle plaqua Hal Schaefer d'un simple coup de téléphone. Quant à Sydney Skolsky, qui avait loyalement résisté à la tentation de publier ce qu'il savait du ménage DiMaggio, il fut mis au *freezer* en vue d'une éventuelle réactivation — qui advint effectivement, plusieurs années plus tard. Natasha Lytess, elle non plus, n'en avait plus pour longtemps.

Comprenant que son élève allait la quitter, Natasha sollicita une aide financière de Marilyn. Bien plus tard, elle a écrit : « Je l'avais dirigée personnellement des années durant, toujours à sa disposition, travaillant avec elle nuit et jour. Mais quand je lui ai demandé de faire quelque chose pour moi, elle a eu l'impression que je voulais l'exploiter. » Cette impression, Marilyn n'était pas la seule à l'avoir à l'époque, semble-t-il.

Quoi qu'il en soit, Natasha Lytess faisait désormais partie du personnel en surnombre.

A monde nouveau nouveaux amis.

Les Greene étaient des âmes sœurs qui pouvaient lui transmettre, rien qu'en le lui montrant, le raffinement et la culture de l'Est. Amy Greene, ex-mannequin dont les traits rappelaient son origine latine, était d'une beauté qui ne dépendait que d'elle-même. Elle dit à Marilyn (qui était de six ans son aînée) que pour bien apparaître dans la vie ordinaire, elle n'avait nul besoin des jupes et des pulls ultramoulants qui avaient fait sa célébrité sur les écrans.

« Je ne l'aurais pas cru, mais elle avait des affaires minables, dit Amy. Chaque fois qu'elle voulait sortir, elle était forcée de farfouiller dans mes tiroirs. Un jour, nous avons invité à dîner Norman Norell, grand couturier à l'époque, et nous lui avons fait dessiner, pour elle, des vêtements portables. » Marilyn accueillit cet autre changement avec joie, et il s'ensuivit des orgies d'achats dans les boutiques de Manhattan, aux frais de Milton Greene.

Marilyn a rarement eu des amies de son âge. Cette intimité subite avec Amy Greene l'amena à révéler une bonne part d'elle-même. Ainsi — pour commencer par les futilités — Amy vérifia, lors d'un scandale soulevé par Marilyn chez Bonwit Teller sur la 5e Avenue, qu'effectivement, comme le voulait la légende, elle ne portait jamais de culotte. Par contre, c'était une adepte fanatique du soutien-gorge. « Quelqu'un, qui sait où, lui avait dit que si elle portait toujours un soutien-gorge, elle aurait des seins toujours fermes ; et elle se tenait fermement à cette règle. Elle le gardait pour dormir, et elle me dit que lorsqu'elle couchait avec quelqu'un, aussitôt fait l'amour, hop, elle le remettait. » Chez Bonwit Teller, elle était apparue aux essayeuses en soutien-gorge et serviette hygiénique.

Il y avait beaucoup d'aspects agaçants chez Marilyn, surtout pour une femme aussi soigneuse qu'Amy Greene. Sa chambre était une évocation du chaos originel : nippes pendant de toutes parts, cosmétiques, pommades, ustensiles de toilette, etc., éparpillés de tous côtés. Elle ne mettait non plus aucun ordre dans sa vie ; cela impliquait des efforts, une attitude responsable qui l'ennuyaient. On était sur le point de la condamner pour conduite sans permis, à Los Angeles : il y aurait toujours des amis pour arranger ça.

En revanche, les Greene furent stupéfaits de la voir se plonger dans leur bibliothèque. Ayant commencé un livre sur Napoléon, elle découvrit Joséphine ; et de rafler aussitôt tous les bouquins où il est question de l'impératrice. Pendant toute une période, il n'est plus question au dîner que de Joséphine et de sa cour.

« Elle était fascinée par les femmes célèbres », dit Amy Greene. Le geste de Mme Récamier (amie de Joséphine), faisant briser les seins de la statue qui la représente nue dans la splendeur de sa jeunesse, lorsque ses propres seins commencent à s'avachir, transporte Marilyn d'extase.

Une autre fois, assise dans l'escalier avec Amy, elle s'abîme dans la contemplation d'un profil en camée d'Emma, Lady Hamilton, la maîtresse de l'amiral Nelson. Elle n'arrivait pas à croire qu'une telle femme eût commencé par gagner sa vie comme servante ; mais quand elle s'en est convaincue, elle en fait toute une fête, comme s'il s'agissait d'elle-même. « Elle était comme un enfant, avec les histoires. Parce que, disait-elle, on ne lui en avait pas raconté dans son enfance » (Amy Greene).

Milton Greene avait un side-car. Un jour que Marilyn et lui s'apprêtaient à partir ensemble en promenade, Amy, voyant la longue écharpe blanche qu'elle avait mise pour l'occasion, évoqua par plaisanterie Isadora Duncan (qui est morte étranglée par sa propre écharpe, cette écharpe s'étant prise dans les rayons d'une roue de la voiture de sport d'un ami). « Qui est Isadora Duncan ? me demande tout de suite Marilyn... Et ce fut la semaine Isadora Duncan dans le Connecticut. »

Pour noter ses nouvelles expériences, Marilyn acheta un carnet à reliure de cuir, avec un fermoir et une clé minuscule. Elle l'avait toujours avec elle, même dans la maison, pour enregistrer des moments de la conversation ou recopier des passages d'articles qui l'intéressaient. Toute la nuit, la radio restait allumée dans sa chambre, et les Greene finirent par comprendre que sa soif de lecture n'était pas seule en cause... Elle était désormais irrémédiablement insomniaque.

C'est alors que Marilyn parla à Amy de ses misères passées, de l'enfant qu'elle prétendait avoir eu dans son adolescence,

172

des avortements en série. Elle continuait de souffrir d'atroces douleurs menstruelles, qui la faisaient crier et qu'aucune sorte d'antalgiques ne soulageaient. Amy l'emmena chez un gynécologue de ses amis.

Selon le Dr Lee Siegel, de Los Angeles, qui la soigna pendant des années, elle avait une endométrite, maladie caractérisée par une extension de la muqueuse de l'utérus à d'autres parties de l'appareil reproducteur, comme les trompes et les ovaires. Cette maladie occasionne effectivement des douleurs constantes aux organes reproducteurs, douleurs qui deviennent extrêmes lors de la menstruation. C'est d'autre part une maladie progressive, qui empire avec l'âge ; à un certain moment, elle compromet toute chance de mener une grossesse à terme.

Quoi qu'il en soit, Marilyn approchait alors de ses vingt-neuf ans. Sans doute à cause de tous les avortements qu'elle avait subis, elle avait peur des gynécologues, d'après Amy Greene ; et celle-ci, sur les instances de Marilyn, assista à l'examen. Son utérus était dans un tel état que le médecin, persuadé que désormais elle ne pourrait plus enfanter, suggéra une hystérectomie.

Pour Marilyn, il n'en était pas question. « Elle était catégorique, dit Amy Greene. Elle a dit : "Je ne peux pas faire ça. Je veux avoir un enfant. J'aurai un garçon." Elle parlait tout le temps d'avoir un garçon. »

Quelques mois plus tard, Jane Russell — qui avait tourné avec elle dans *Les hommes préfèrent les blondes* — lui apprit l'existence de la WAIF, organisation qui fondait des foyers pour les enfants non désirés, et lui demanda si elle voulait participer financièrement à cette œuvre. Ce fut le début de l'engagement actif de Marilyn en faveur de l'enfance abandonnée ou malheureuse, engagement qu'elle maintint jusqu'à son dernier jour. Bientôt la presse allait se faire l'écho de ses efforts désespérés pour avoir elle-même des enfants.

Cette époque de la vie de Marilyn ne reste pas moins dominée par le plaisir que lui procurait sa nouvelle liberté. Les fêtes de Noël leur fournirent l'occasion, à elle et aux Greene, de s'amuser follement aux dépens de la société d'Hollywood. Le téléphone sonnait en permanence, pour Marilyn ; Amy répondait, jouant les innocentes. Frank Sinatra, qui continuait de refréner Joe DiMaggio à Los Angeles, avala une histoire grosse comme une maison. *Idem* pour Billy Wilder, le metteur en scène du dernier film de Marilyn. Bob Hope, qui la voulait pour son spectacle de Noël en Corée, appela personnellement. Tandis que les deux autres, assis à côté d'elle, pouffaient, Amy Greene, faisant un suprême effort, lui demanda : «Mais, dites-moi, Mr. Hope, Miss Monroe a-t-elle disparu ? » Quand Amy eut raccroché, Marilyn et elle se roulèrent littéralement par terre.

Elle ne resta pas très longtemps cachée, cependant. Au début de janvier 1955, à New York, Milton Greene réunit une petite conférence de presse-cocktail, à laquelle n'avait été invitée qu'une élite de quatre-vingts personnes. Marilyn, couverte d'hermine, annonça qu'elle avait constitué sa propre société, Marilyn Monroe Productions : elle en était la présidente, avec 51 % du capital ; le vice-président était Milton Greene, avec 49 %. Elle déclara d'autre part qu'elle n'avait pas l'intention de renouveler son contrat avec la Twentieth Century Fox — ce qui surprit beaucoup les présidents de la Fox, puisque son contrat n'était même pas arrivé à expiration.

Marilyn dit aussi qu'elle était «une nouvelle femme» ; qu'elle avait décidé cette rupture «pour jouer de meilleurs rôles». «Beaucoup de mes films ne me plaisent pas. J'en ai assez des histoires de fesses. Je vais élargir mon horizon. Personne n'est limité… non, personne. » Quel genre de rôle désirait-elle interpréter maintenant ? «Quelque chose, par exemple, dans *Les frères Karamazov* de Dostoïevski. » Comment ça s'écrit ? demande un journaliste en gloussant. «Ça, mon petit, c'est pas à moi qu'il faut demander l'orthographe des noms que je viens de dire. »

Milton Greene se lança dans l'exposition de son grand projet (réunir des acteurs et des metteurs en scène concevant librement leurs films, sans avoir à se plier au diktat des grandes compagnies — sous-entendu, d'Hollywood). La presse ne lui accorda guère d'attention. Ce qui intéressait les journaux, c'était Marilyn ; et Greene devait bientôt s'apercevoir que la vice-présidence de «Marilyn Monroe Productions» ne lui laissait plus une minute de libre et qu'elle lui coûtait fort cher.

174

Marilyn n'avait à son actif que sa célébrité ; elle était fauchée ; et, comme son contrat avec la Fox restait valide, elle ne pouvait pas travailler légalement pour de l'argent. C'était donc Greene qui payait tout.

Durant toute l'année 1955, il misa sur sa propre conviction qu'Hollywood, quels que fussent les recours juridiques possibles, ne pouvait se passer de la manne qui tombait dans les caisses dès qu'une affiche portait le nom de Marilyn : la Fox finirait par se rendre. Et Greene gagna le pari ; mais auparavant il dut hypothéquer jusqu'à sa dernière chaussette pour faire vivre Marilyn, c'est-à-dire surtout financer ses frais de représentation.

Greene pensait, en effet, qu'elle devait continuer de mener le train de vie d'une star. Marilyn ne fit à cela aucune objection et bientôt, emménagea dans une somptueuse suite de trois pièces, au Waldorf Astoria. C'était son premier *home* à Manhattan et en même temps, pour ainsi dire, son lieu de travail. Greene payait donc cet appartement, toute la garde-robe de Marilyn, les soins de beauté à cinq cents dollars la semaine (en dollars de 1955) et la note de l'hôpital psychiatrique où était la mère de Marilyn. Il lui acheta aussi une Thunderbird sport, noire, car Marilyn se prenait maintenant pour un as du volant.

Elle avait le droit, aux termes de son contrat avec la Fox, de faire des apparitions, non rétribuées, en public. Greene veilla à faire apparaître une image qui associât l'ancienne Marilyn à la nouvelle. Et c'est ainsi qu'en mars 1955, juchée en petite tenue sur un éléphant rose, elle arriva dans les jardins de Madison Square, dans le cadre d'une « féerie » organisée en faveur de la « Fondation de l'arthrite et du rhumatisme ». La manœuvre était dirigée par le comédien Milton Berle, déguisé en « Monsieur Loyal ». (Berle, soit dit en passant, prétend lui aussi avoir été amant de Marilyn*.) Vingt-cinq mille personnes applaudirent à tout rompre, et il n'y eut d'yeux que pour elle durant tout le spectacle.

Peu après, le matin du Vendredi saint, à l'heure du petit déjeuner, la maison de campagne des Greene fut envahie par

---

* En 1948, pendant le tournage des *Reines du music-hall*, si l'on en croit les mémoires de Berle, publiés en 1974 (*NdA*).

des équipes de télévision, Milton Greene s'étant débrouillé pour la faire passer à l'émission *Person to Person* animée par Edward Murrow. On présenta la chose aux téléspectateurs comme une « visite impromptue » chez Mr. et Mrs. Greene et leur hôte célèbre. Marilyn, abrutie par des doses massives de somnifères et d'analgésiques (ses règles, encore), regretta d'avoir donné son accord. D'autant plus qu'elle n'avait pas l'habitude de la télévision ; la pensée de parler simultanément à cinquante millions de personnes la paralysait.

Presque immédiatement, Murrow, l'animateur, se mit à poser aux Greene des questions sur Marilyn. Fait-elle la cuisine ? Aide-t-elle au ménage ? Fait-elle elle-même son lit ? Les Greene, très à l'aise, mentent comme il convient. Quant à la star elle-même, elle ne réussit à articuler, d'une voix tremblotante, que deux ou trois pensées dignes de ce nom sur les rapports entre acteurs et metteur en scène ; après quoi elle se réfugie en terrain connu : l'histoire de l'éléphant rose lui a beaucoup plu, parce que, dit-elle, « on ne m'a jamais emmenée au cirque quand j'étais gosse ».

A cette époque, la maison de campagne du Connecticut n'est plus, pour Marilyn, qu'un lieu de retraite pour les week-ends. Elle vit principalement à New York, découvrant la ville par elle-même, essayant de devenir elle-même une New-Yorkaise. Elle rencontre des foules de gens nouveaux et se fait quelques vrais amis. C'est alors, en particulier, que commence une amitié surprenante avec un jeune admirateur de seize ans — Jim Haspiel.

Tout a commencé, pour être exact, l'année précédente, quand Marilyn était à New York pour les extérieurs de *Sept ans de réflexion* et que chaque soir, plusieurs centaines de personnes se rassemblaient pour la voir sortir du St. Regis Hotel. Un soir, il y a dans cette petite foule Jim Haspiel. Jim a quitté sa famille à quinze ans ; depuis, il vit au jour le jour, changeant sans cesse de garni ; il passe une bonne partie de son temps au cinéma, et la Marilyn de *Niagara* lui a fait une impression inoubliable. Quel choc, quand il voit apparaître la vraie Marilyn ! Non seulement elle semble beaucoup plus petite (elle mesurait cinq pieds six pouces — un mètre soixante-six — selon sa demande de passeport), mais elle a de grandes oreilles. Jim est pris par l'envie irrésistible de la connaître personnellement, et il est toujours là quand elle revient deux heures plus tard.

Marilyn sort de sa voiture, on l'entoure, on prend des photos, on demande des autographes. Jim, lui, n'a pas d'appareil photo, pas même un bout de papier ; il lui demande un baiser. Il m'a raconté la scène : «Tout son visage disait : non ! — ''Juste ici, sur la joue'', je lui dis. Quelques personnes se mettent à faire ''Oh, oh !''. Alors elle a cédé, et m'a embrassé. » Or, le soir suivant, Marilyn refuse un baiser à un gosse de huit ans à peine, en murmurant que ça ne plaira pas à «Joe». Pour Jim, c'est limpide : quelque chose, en lui, a attiré Marilyn. La suite prouva qu'il avait raison.

En ce temps-là, Marilyn était constamment suivie, dans ses déplacements dans New York, par un quarteron de jeunes mordus, les «Monroe Six», dont l'âge oscillait entre les treize et les quatorze ans. Ils s'étaient connus «sur le tas», chacun s'apercevant qu'il n'était pas le seul à faire le guet à la sortie des immeubles d'habitation ou de bureaux où elle se trouvait, et ils avaient fini par unir leurs forces. Jim Haspiel se joignaient quelquefois aux «Six», mais il ne fut jamais des leurs. C'était un solitaire ; et c'est cela, à son avis, qui plaisait à Marilyn.

Après la mort de Marilyn, on trouva dans sa chambre une enveloppe jaune foncé, contenant des photos de ses «enfants» : du fils de Joe DiMaggio, des enfants d'Arthur Miller — et de Jim Haspiel.

Marilyn lui accorda bientôt toute sa confiance. Elle le laissait venir chez elle et acceptait sa compagnie quand elle sillonnait New York en taxi. Et pourtant, pendant des mois et des mois, elle ne sut même pas comment il s'appelait. Elle ne le lui demandait pas ; et lui-même, à force d'oublier de se présenter, avait jugé, finalement, que c'était superflu. Ce n'est qu'un an plus tard qu'au détour d'une conversation elle lui dit soudain «Jimmy» ; il supposa qu'elle s'était résolue à demander son nom aux «Monroe Six».

C'était surtout pendant les déplacements de Marilyn qu'ils se voyaient ; il est souvent question de taxis dans les anecdotes que raconte Jim Haspiel. Quand arrivait le moment de payer, par exemple : elle donne un billet et attend ; le chauffeur, jouant les étonnés : « Quoi ? Vous êtes Marilyn Monroe et vous attendez la monnaie ! » Cela se répéta plusieurs fois : elle ne pouvait supporter cette forme de culot chez les New-Yorkais. Elle se faisait rendre jusqu'au dernier centime, puis donnait un pourboire royal.

Le jeune Haspiel, s'étant manifestement entiché d'elle, ne manquait pas non plus d'arrogance. Un jour elle lui interdit de monter avec elle dans le taxi, lui explique qu'elle veut être seule et lui tend un billet de vingt dollars pour ses propres frais de déplacement. Il refuse l'argent et, de dépit, lui claque la portière au nez.

« Ce n'était pas bien du tout de ma part, évidemment. Mais je crois que ce qui me distinguait des autres, à ses yeux, c'est que moi, je n'étais pas un flagorneur ; il m'arrivait de lui répondre. » Cette audace, selon Haspiel, était *une* des raisons de l'affection qu'elle lui portait ; car il pense qu'il y avait une **autre** raison : le fait qu'en lui, l'adolescent solitaire et obstiné, elle revoyait sa propre image d'« orpheline ».

La Marilyn d'Haspiel est une femme que peu de gens ont connue, une Marilyn qui n'était presque jamais maquillée, qui détestait s'habiller « correctement », qui « courait les rues de New York en souliers plats et en socquettes ». Une Marilyn qui enfourchait, un peu incertaine, sa bicyclette anglaise, flambant neuve, et partait faire un tour à Central Park, ou poussait jusqu'au bord de l'océan, à Coney Island, tout au sud de Brooklyn. Jim l'aidait à faire ses achats chez Whelan's, un de ses drugstores préféré, au coin de Lexington Avenue et de la 93e Rue. Dans toutes ces activités quotidiennes, elle semblait, selon Haspiel, parfaitement à son aise.

Haspiel constata aussi qu'elle aspirait à bien plus qu'à devenir une New-Yorkaise ; qu'elle était là pour se préparer à ce saut de qualité dans sa carrière dont elle avait si souvent parlé, en vain, à Hollywood. Une fois, Haspiel lui tendit un tabloïd à grand tirage dans lequel il avait trouvé quelques potins croustillants la concernant : Marilyn eut un geste de mépris et ne regarda même pas. En revanche, elle dévorait le *New York Times* et même le *Wall Street Journal*. Cet été-là, un autre ami, rendant visite à Marilyn, remarqua que la table basse du séjour était jonchée de livres : les *Essais* d'Emerson, la *Mythologie grecque* d'Edith Hamilton, la correspondance de George Sand, *Ulysse* de Joyce, et *Comment dirige Stanislavski* de Michael Gorchakov.

18

A la fin d'avril 1955, trois semaines après être passée à la télévision avec Amy et Milton Greene, Marilyn assista aux obsèques de l'actrice anglaise Constance Collier, morte à l'âge de soixante-dix-sept ans. Truman Capote évoque cette cérémonie dans un de ses livres : il était assis à côté de Marilyn (ils s'étaient connus peu de temps auparavant) ; elle était tout en noir, «rongeait ce qui lui restait d'ongle au pouce... et à intervalles réguliers, enlevait ses lunettes pour essuyer les larmes qui débordaient de ses yeux bleu-gris. » Elle dit à Capote : «Je déteste tout ça. Moi, je ne veux pas de funérailles — que mes cendres soient simplement éparpillées au vent par un de mes fils, si jamais j'en ai... »

C'était Capote qui avait présenté Marilyn à Constance Collier ; et l'actrice légendaire avait donné quelques leçons à la nouvelle venue d'Hollywood pendant ses dernières semaines ; et elle, qui se consacrait depuis des années à la formation des acteurs américains, avait formulé ce verdict : «Oh certes, il y a quelque chose là-dedans. C'est une belle enfant. Mais elle n'a rien d'une actrice au sens traditionnel — dans aucun des sens traditionnels. Ce qu'elle a — cette présence, cette luminosité, cette intelligence papillonnante — ne pourrait jamais apparaître sur la scène. C'est si fragile, si subtil, cela ne peut être saisi que par la caméra. C'est comme un colibri en vol : seule une caméra peut en fixer la poésie. Mais il faut délirer pour penser que cette fille est, tout simplement, une nouvelle Harlow ou que sais-je. Mais j'espère, je prie le Ciel, qu'elle survive assez longtemps pour libérer ce drôle de talent, charmant et étrange, qui s'agite en elle comme un esprit captif... »

Un libérateur de son talent : c'était, en fait, ce que Marilyn cherchait déjà. Et elle le trouva en Lee Strasberg, fondateur de l'Actor's Studio, l'école d'art dramatique la plus influente du monde à l'époque. L'école qui, dans les années 50, compta parmi ses élèves Marlon Brando, James Dean, Eli Wallach et Anne Jackson, Paul Newman, Montgomery Clift, Steve McQueen, Shelley Winters, Maureen Stapleton et Tom Ewell — le partenaire de Marilyn dans *Sept ans de réflexion*. Leur maître à tous n'était pas le genre de personne sur lequel on porte des jugements modérés : pape, gourou, dieu, génie pour les uns — imposteur, charlatan, «psychiatre suprême» pour d'autres...

Strasberg avait cinquante-trois ans quand Marilyn est venue s'installer à New York. Originaire d'un pauvre ghetto juif de Pologne, il avait émigré, encore enfant, avec sa famille. Très vite il se donne corps et âme au théâtre. Sa révélation, la lumière directrice qu'il transmettra à des générations d'acteurs américains, c'est la méthode de Stanislavski, ou «la Méthode» tout court, la «science» du jeu de l'acteur, autrement dit le «système de l'immersion totale». L'acteur doit rompre avec le banal par une intense exploration des scènes et de lui-même. Pour entrer en communication avec le public, il doit trouver, à chacun de ses gestes, à chaque phrase qu'il prononce, une «motivation» qui ne peut provenir que de son expérience personnelle, de ses propres joies et de ses propres douleurs passées. Aussi l'introspection est-elle obligatoire ; Strasberg encourageait d'ailleurs ses clients à se faire psychanalyser.

Marilyn avait déjà fait la connaissance de la femme et de la fille de Strasberg sur un plateau d'Hollywood, et leur avait longuement parlé de son désir d'étudier un jour chez le maître. En mars 1955, elle rencontre le metteur en scène Cheryl Crawford, cofondateur de l'Actor's Studio. Elle l'entretient de ce qui lui tient à cœur, et Crawford promet de l'aider. Dès le lendemain, elle voit Strasberg, chez lui, dans son appartement encombré de bouquins, au carrefour de Broadway et de la 86e Rue. Après une brève conversation, il accepte de lui donner des leçons particulières (pour être «élève» à part entière, au Studio, il fallait déjà être monté sur les planches). Leçons qui, dans un premier temps, auront lieu chez lui, car Strasberg a vite remarqué que Marilyn est une grande émotive — qu'elle est «du genre à avoir des problèmes émotionnels» comme il le dit lui-même.

Marilyn racontant son passé (elle lui dit tout de suite qu'elle a été call-girl), il s'aperçoit en effet qu'elle est très nerveuse. Elle bégaie tant elle a le trac. Néanmoins, son nouveau maître est emballé par elle.

«Je vis, dirait plus tard Strasberg, que l'air qu'elle avait ne correspondait pas à ce qu'elle était, et que ce qui se passait à l'intérieur n'était pas ce qui se passait à l'extérieur, et ça, ça veut dire toujours qu'il doit y avoir quelque chose, là, sur quoi travailler. C'était comme si elle avait attendu qu'on appuie sur un bouton : on appuyait, ça s'ouvrait, et on découvrait un trésor d'or et de joyaux.»

Strasberg finirait par ne reculer devant aucune hyperbole pour décrire Marilyn. Ainsi il a dit de sa présence : «Elle était comme enveloppée d'une flamme mystique, comme le halo qui entoure le Christ lors de la Cène. Il y avait cette grande lumière blanche autour de Marilyn.»

En 1955 cependant, on n'en était pas là. Strasberg, loin de couvrir Marilyn de fleurs, la soumet à des mois et des mois d'exercices éreintants et de travail. Dans cette Mecque du jeu théâtral américain, il n'y a pas d'étoiles, tous sont égaux. Marilyn s'y rend en jean et en pull (de grands pulls flottants), sans maquillage, et cherche la place où on la remarquera le moins. Un jour elle se retrouve à côté de l'acteur Kevin Mac-Carthy ; des condisciples sont en train d'interpréter, mal, une scène des *Trois sœurs* ; Kevin subit, et fait tout juste attention à sa voisine :

«Il y avait une femme assise à côté de moi, ébouriffée, mal fagotée, sans aucune allure. Un quart d'heure plus tard — j'avais interrompu la représentation par un commentaire bien envoyé — je me tourne de nouveau vers elle : ô surprise, c'était Marilyn Monroe, une Marilyn qui respirait, qui palpitait, surgie du néant... Mon Dieu, c'est elle ! me suis-je dit... Elle venait tout juste de s'animer.» .

Eli Wallach, qui la connut vers la même époque, au même

181

endroit, fut lui aussi frappé par la capacité qu'elle avait de se métarmorphoser d'un instant à l'autre, de mettre soudain sur « marche » le personnage Marilyn Monroe, de passer de l'obscurité à la blanche lumière de la perception de Strasberg. Dans les rues, raconte Wallach (dont elle éveilla très vite la sympathie), elle pouvait rester parfaitement anonyme ; puis, tout à coup, tout le monde se retournait et s'arrêtait à son passage. « Je me suis sentie Marilyn un instant, c'est tout », murmurait-elle.

Wallach ne cessait de découvrir en elle des contradictions stupéfiantes. Un jour pendant l'été 1955, au moment de la sortie à New York de *Sept ans de réflexion*, tous deux regardaient des ouvriers ériger un immense panneau-poster, de douze mètres de haut, de la scène de la jupe : d'abord le bas, puis, à l'aide d'une grue, le haut. « C'est l'idée que les gens se font de moi, dit Marilyn, songeuse. La jupe sur la tête ! »

« Ça n'avait pas l'air de la tracasser, dit Wallach. Elle acceptait ça. »

Les séances de travail dirigées par Strasberg semblaient parfois la dépasser. Un de ses « collègues », Franco Corsaro, qui s'attribua alors le titre de « traducteur de Marilyn », a dit : « La moitié du temps, elle n'aurait même pas su dire de quoi Lee [Strasberg] parlait. »

Ce n'est pas du tout l'avis de Peggy Feury, qui aujourd'hui dirige une école d'interprétation à Los Angeles. « Marilyn avait une intelligence étonnante du jeu de l'acteur. Mais voilà : elle avait une telle frousse de ne pas être capable qu'elle cafouillait complètement ; et alors, tout le monde la prenait pour une demeurée. » Bref, elle avait le trac — sauf pour la pantomime, semble-t-il. Une fois on lui demanda de faire le petit chat : elle se fit prêter un chaton, l'observa durant des heures, puis exécuta l'exercice à la perfection.

Les rapports de Marilyn avec les Strasberg débordèrent vite du cadre purement professionnel. Le fait qu'elle passait de moins en moins de temps avec les Greene dans le Connecticut avait réveillé son terrible besoin de sécurité. Lee et Paula Strasberg le comprirent et lui ouvrirent grand leurs portes. Elle se plut dans ce foyer de Juifs new-yorkais, plein d'animation ; elle alla passer les week-ends et les fêtes avec eux, dans leur petite

182

maison de Fire Island. L'orpheline de vocation s'était encore trouvé une famille adoptive.

La fille de Strasberg, Susan, qui elle-même était déjà actrice à dix-sept ans, partagea plusieurs fois sa chambre avec Marilyn. Quelle exaltation, quelle peur presque quand, ouvrant les yeux, le matin, Susan voyait Marilyn se préparant pour la journée ! Ou le soir, quand Marilyn, aussitôt arrivée chez eux, « envoyait dinguer ses souliers et se mettait à danser au milieu de la pièce, même toute seule, si personne n'avait envie de danser avec elle ».

Une fois, entendant qu'elle enviait les gens qui savent dessiner, Susan lui tendit un bloc de papier et une plume. Et Marilyn se mit elle-même à dessiner avec une facilité ahurissante. « J'ai réussi à garder deux de ses esquisses, m'a dit Susan. L'une est un autoportrait tout en lignes courbes, vives, pleines de mouvement et d'une grâce sensuelle, féline. L'autre représente une petite fille noire, dans une robe misérable, avec une chaussette en accordéon autour de la cheville. » Marilyn intitula ce dessin *Lonely* (« Solitaire »). Beaucoup de ses dessins on été sauvegardés — petites œuvres d'amateur certes, mais qui ne manquent ni de sensibilité ni d'esprit. Sur l'un d'eux, on voit une femme élégante, tenant un verre de champagne, et le titre est : *Oh, What the Hell!* (Oh, et puis flûte !).

Les années passant, Marilyn, par ses élans de générosité, récompensera magnifiquement les Strasberg de leur hospitalité. Elle paie tous les frais d'un voyage de Strasberg en Union soviétique ; donne sa Thunderbird à leur fils John, pour ses dix-huit ans ; et par sa seule présence aux réceptions d'affaires que donnent les Strasberg, fait entrer des milliers de dollars dans les caisses du Studio.

Enfin, elle leur a légué toutes ses affaires personnelles — robes, fourrures, récompenses qui lui avaient été décernées, lettres, livres, même son linge — ainsi que les droits sur un de ses films, *Le prince et la danseuse*. Beaucoup de ces souvenirs sont aujourd'hui jalousement gardés par la deuxième femme de Strasberg, Anna.

Nul doute que Marilyn accrut singulièrement la renommée du Studio et la fortune personnelle de Strasberg. Entre autres par l'habitude qu'elle avait d'amener au Studio des célébri-

183

tés. Beaucoup ont attaqué Strasberg, le traitant d'opportuniste dans ses rapports avec Marilyn, et son propre fils m'a dit : « Le plus tragique, c'est que les gens, même mon père dans un sens, l'exploitaient. Ils s'appropriaient de ce qu'il y avait d'unique dans sa personne, dans sa façon de vivre, alors qu'elle, elle n'avait besoin que d'affection. Mes parents l'aimaient bien, certainement, mais ce sentiment était lié inextricablement à l'art. »

Marilyn mettrait aussi sur son testament un autre couple de New York : Norman Rosten et sa femme Hedda. Eux, on ne les a jamais accusés d'avoir exploité Marilyn. Ils l'ont acceptée dans leur intimité sans complication et lui ont offert la relation de pure amitié la plus durable, peut-être, de sa vie. Cela commença tout à fait par hasard, par un jour de pluie, au printemps 1955.

Norman Rosten était assis à son bureau, chez lui, à Brooklyn Heights, quand un ami, le photographe Sam Shaw, téléphone pour demander s'il peut passer : il est avec « quelqu'un », ils ont été surpris par l'averse dans Prospect Park, non loin de là. Quelques minutes plus tard, Shaw arrive, suivi d'une jeune personne en manteau de poil de chameau, toute dégoulinante de pluie. Shaw fait les présentations d'une voix indistincte, et Rosten croit comprendre qu'elle s'appelle « Marion ». Une fois dans l'appartement, elle prend un recueil de poèmes que Rosten a écrits pour sa fille, s'assoit et lit, sans rien dire. Et ce n'est que plus tard, quand Hedda lui demande ce qu'elle fait dans la vie, qu'elle leur révèle timidement qu'elle est Marilyn Monroe.

Peu après cette visite, elle qui n'écrit jamais, envoie cette lettre à Norman Rosten :

Cher Norman,
Cela me fait un drôle d'effet d'écrire « Norman », puisque mon propre prénom est Norma. J'ai presque l'impression d'écrire mon propre nom, cependant...
D'abord, merci de nous avoir laissés venir chez vous, Sam et moi, samedi. C'était très agréable. J'ai eu beaucoup de plaisir à connaître Hedda, elle a été si bonne avec moi... Re-cependant...
Merci mille fois pour votre livre de poésies — avec lequel j'ai passé

toute ma grasse matinée de dimanche. Il m'a beaucoup touchée… J'avais
toujours pensé que si j'avais eu un enfant, je n'aurais voulu qu'un gar-
çon ; mais après ces « Chants pour Patricia », je sais que j'aurais aimé
autant une petite fille — mais peut-être que ce sentiment que j'avais n'était
que freudien de toute façon ou d'une autre…

Il m'est arrivé d'écrire des poèmes de temps à autre, mais en général
c'était quand j'étais déprimée. Les quelques personnes auxquelles je les
ai fait lire (environ deux personnes en fait) ont dit que ça les déprimait
— l'une d'elles a pleuré, mais c'était une vieille amie que je connaissais
depuis longtemps.

J'espère vous revoir.

En tout cas merci.

Et mon bon souvenir à Hedda et Patricia et à vous

Marilyn M.

Il s'était donc passé quelque chose de très important pour Marilyn lors de cette première rencontre. Et sans cesse, cet été-là, elle alla les revoir. Dès le début, les Rosten ne témoignè-rent aucune curiosité, aucun intérêt pour son personnage social — « nous nous fichions éperdument de ce qu'elle était », a dit Norman Rosten. En cela, ils étaient, aux yeux de Marilyn, des gens exceptionnels. Et puis il y avait la poésie, et la vie qu'ils menaient, simple, à l'écart de l'agitation du monde, et dans laquelle ils l'acceptaient. Et les Rosten, de leur côté, étaient ravis : « Elle se débarrassait vraiment de ses stéréotypes dans la vie ordinaire. Pour nous, c'était un enchantement continuel. Cet être, humain, inclassable… »

« Elle aimait la poésie. Elle avait un instinct de poète : elle comprenait que la poésie est un raccourci qui conduit, ''en cou-pant'', au cœur même du vécu. »

« *Il m'est arrivé d'écrire des poèmes* » : Robert Slatzer le confirme. En 1952, quand ils étaient tous les deux dans l'hôtel canadien, près des chutes du Niagara, elle composa, sous l'influence du whisky, des sonnets, selon Slatzer « pleins d'hernies » — il faut dire que le sonnet est une forme peut-être encore plus stricte en anglais qu'en français.

En 1955, dans le silence calfeutré de sa chambre au Wal-dorf Astoria, elle s'essayait de nouveau à la poésie — sous l'influence, cette fois, des soirées chez les Rosten. Leurs poè-

185

tes préférés étaient Whitman, que Marilyn aussi aimait depuis longtemps, et l'Irlandais William Yeats — qui, pour elle, fut une découverte. Quand on se mettait à lire des vers chez les Rosten, chacun, à son tour, prenait un recueil, l'ouvrait au hasard et lisait ce sur quoi il était tombé. Et c'est ainsi qu'un soir Marilyn dit (« sans déclamer, mais en haletant, comme en classe, et lentement ») :

> *Ne donne jamais tout ton cœur, car l'amour*
> *Apparaîtra indigne de la moindre pensée*
> *Aux femmes passionnées, s'il semble*
> *Acquis ; et jamais elles ne songeront*
> *Qu'il s'efface de baiser en baiser ;*
> *Car tout ce qui est aimable est fugace*
> *Délice, brève rêverie.*
> *Oh, ne donne jamais ton cœur d'emblée,*
> *Car elles, quoi que ces douces lèvres disent,*
> *Ont toutes donné leur cœur au jeu.*
> *Ce jeu, peut-on le jouer si l'on est*
> *Muet et sourd et aveugle d'amour ?*
> *L'auteur de ces vers sait ce qu'il en coûte,*
> *Car il a donné tout son cœur et perdu.*

Il y eut un silence, quand elle eut fini la lecture de ce poème — l'un des plus célèbres de Yeats. « Elle pensait jusqu'alors, dit Rosten, que les poètes sont des mystiques, des êtres à part, sans lien avec la vie ordinaire. J'ai essayé de la détromper... » Et bientôt, Marilyn envoya à Norman Rosten ses propres tâtonnements. Ainsi ces vers :

> *Vie —*
> *Je suis de tes deux directions*
> *Existant plus avec le vieux gel*
> *Solide comme une toile d'araignée dans le vent*
> *Pendant vers le bas le plus souvent*
> *Et comme ci comme ça demeurant*
> *Ces rayons perlés ont les couleurs*
> *Que j'ai vues dans les peintures — ah vie*
> *On t'a eue...*
> *Plus fine que le fil de l'araignée*

186

Ténue comme tout —
Mais ça s'est attaché
Et ça a résisté aux grands vents
Et aux caresses brûlantes des feux
Vie — dont je suis en de singuliers moments
Des deux directions à la fois —
Comme ci comme ça je demeure pendant vers le bas
Le plus souvent
Quand tes deux directions me tirent.

Pour Marilyn, 1955 fut une année d'exploration — exploration de son moi et exploration dans tous les domaines de l'art, en compagnie, parfois, de Norman Rosten qu'elle « empruntait » à sa femme. Un soir, au Carnegie Hall, on les présenta au pianiste russe Emil Gilels. Gilels baisa la main de Marilyn et lui conseilla de visiter l'Union soviétique. A lui aussi Marilyn confia qu'elle était alors en train de lire Dostoïevski.

Les journaux eurent tôt fait de se livrer aux spéculations qu'on imagine sur le compte de Rosten. Mais celui-ci était heureux de son mariage ; l'idée d'une aventure avec Marilyn, dit-il, ne l'a jamais effleuré : « Coucher avec quelqu'un comme Marilyn, ce n'est pas coucher avec une femme, mais avec une institution. Qui peut dominer un tel rapport ? Ce doit être effrayant de se trouver dans cette situation ! »

Les Rosten connurent une Marilyn qui aimait les soins du ménage, pourvu qu'il s'agît d'une distraction occasionnelle et non d'une nécessité. Elle se vantait de très bien faire la vaisselle — héritage, affirmait-elle, de la servitude endurée dans les foyers nourriciers de son enfance. Elle soumit aussi ses nouveaux amis à diverses expériences culinaires de son cru : Rosten se rappelle de bons ragoûts, de bonnes soupes de poissons — et des salades catastrophiques, noyées dans le vinaigre. « Ses combinaisons de couleurs » (petits pois et carottes), si elles n'étaient pas très convaincantes pour le palais, n'en étaient pas moins cohérentes. Une fois, elle suggéra de « nuancer » un plat trop épicé avec un sèche-cheveux !

Patricia, la fille des Rosten, qui avait alors huit ans, a gardé de Marilyn un souvenir émerveillé : « C'était si drôle d'être avec elle, parce qu'elle ne respectait aucune règle ; les enfants

(Better it done with an sir. Olivian accent)

for Norman

From time to time
I make it ryme
but don't hold that kind
of thing
against
me.

Oh well what the hell
so it went so—
what I want to tell—
—Is what's on my mind   →(intended lal to ryme with)

taint Dishes
taint wishes
its Thoughts
flinging
by
before I
die. [and to Think | in ink

Vers griffonnés par Marilyn au milieu des années 50.
Elle était encore capable de se moquer d'elle-même.

188

raffolent des grandes personnes qui peuvent vivre sans cela. Quand elle me caressait ou m'embrassait, je sentais une chaleur et une douceur (oserais-je dire "maternelle" en parlant d'elle ?) qui étaient très rassurantes. C'était un peu comme de se plonger dans cette couette couleur champagne qui ornait son lit. »

Une fois, la petite Patricia était entrée dans la chambre de Marilyn pour fourrer son nez dans ses produits de beauté, et Marilyn la surprit. « Elle me planta devant son miroir et me dit qu'elle allait me montrer comment on fait ça. De ses mains habiles, elle transforma ma frimousse en un visage que moi-même je trouvais fascinant. Les yeux étaient plus grands et plus lumineux, les pommettes saillantes, la bouche vermeille. J'avais les cheveux qui tombaient sur les épaules : elle en fit une "tour" élégante, à la française. J'avais l'air d'une fille de dix-sept ans, tout à coup. Et elle, elle était très contente de son œuvre ; elle me prit par la main et me ramena dans la salle de séjour pour me faire admirer par les grandes personnes. »

Les Rosten aussi l'invitaient dans la maison d'été qu'ils

---

* Traduction de la poésie ci-contre :

(Mieux si on le dit avec un accent à la sir Olivier)

                              Pour Norman
                    De temps en temps
                    Je fais des rimes
                    Mais ne retiens pas ces
                    choses
                    contre
                    moi.
                    Et puis ? Qu'est-ce que ça peut faire
                    Si ça ne se vend pas
                    Ce que je veux dire
                    — c'est ce qui est dans ma pensée
                                              (doit rimer avec)
                    Plats souillés
                    Désirs souillés
                    C'est des pensées
                    qui passent
                    en sifflant
                    avant de
                    mourir./et penser/ dans l'encre

189

louaient à Long Island. Quand elle était là, adieu les sorties tranquilles ! Norman Rosten parle d'un week-end où ils étaient allés sur la plage ; Marilyn s'était installée le plus discrètement possible, en maillot de bain, chapeau de paille et lunettes de soleil, sous un parasol. «Lentement, imperceptiblement, comme si la nouvelle s'était transmise par télépathie, des jeunes gens apparaissaient à proximité ; et soudain, nous nous retrouvâmes encerclés. Ils la regardaient d'un air incrédule, comme un mirage, s'approchaient d'elle, en poussant de petits cris de joie, en cherchant à porter la main sur elle. Ils étaient de plus en plus nombreux, de plus en plus enthousiastes, et ne se contrôlaient plus. Elle recula, épouvantée.

«Cette contradiction me frappa : amour de la foule et besoin d'être adulée, et, en même temps, une frayeur sans nom. Elle se mit à rire nerveusement, rompit brusquement le cercle et courut vers l'eau, à une cinquantaine de mètres de là. Ses jeunes admirateurs poussèrent de grands cris et se lancèrent à sa poursuite. Elle se dirigeait vers le large, en m'appelant pour que je la rejoigne. J'essayai de repousser tous ces gars bruyants qui l'entouraient, je n'étais pas très rassuré moi non plus...»

Soudain Marilyn boit la tasse, crache. «Je ne suis pas bonne nageuse, même quand je vais bien», dit-elle en haletant. Ses prouesses aquatiques avec Tommy Zahn, le champion de surf des années 40, semblent bien loin... Heureusement, un hors-bord passe et vient à la rescousse. Mais le jeune pilote, comme médusé à la vue de cette femme affalée, épuisée, dans son canot, en oublie le gouvernail, et ils tournent, ils tournent, jusqu'à ce que Rosten lui crie de faire attention...

Mais Marilyn savait aussi avoir pitié des admirateurs qui la reconnaissaient. Ainsi, un jour, elle s'arrête à une station-service sur East Side Drive. Le garçon qui la sert s'entretient avec son copain puis annonce : «Je parie dix dollars à mon ami que vous êtes Marilyn Monroe !» (Elle avait ses lunettes noires et un immense fichu sur la tête.)

Le compagnon de Marilyn réplique : «Non. Ce n'est pas la première fois qu'on prend madame pour elle ; mais ce n'est pas elle.»

Ils repartent, quand Marilyn s'écrie : «Mon Dieu, il lui donne les dix dollars !» Elle rappelle les deux pompistes, enlève ses lunettes et dit : «Rendez-lui cet argent. Je suis bien Monroe.»

A la fin de cette première année new-yorkaise, elle va faire ses achats de Noël chez Saks, en compagnie du jeune Haspiel. Là encore, elle s'est «déguisée» : foulard de soie noué sous le menton, casquette d'étudiant, lunettes noires, et le visage barbouillé de crème aux hormones. Jim Haspiel, à un moment, la quitte pour quelques minutes. Quand il la rejoignit, au rayon des cravates, huit vendeurs s'empressaient autour d'elle, sous les regards de «deux cents à deux cent cinquante clients» — le reste du magasin était désert.

Elle fend la foule vers lui et lui chuchote : «Sois discret, s'il te plaît, je ne veux pas qu'on sache que c'est moi» (!). Haspiel se dit qu'elle avait une telle habitude de la foule qu'elle ne la remarquait même plus. En fait, il est permis de la soupçonner d'avoir raffolé de ces scènes de reconnaissance quand cela l'arrangeait, d'y avoir trouvé une nourriture vitale, en quelque sorte.

Selon Norman Rosten, elle considérait comme un bonheur le fait d'être femme, pour le pouvoir que cela lui donnait. «Elle ressentait très bien, pense Rosten, la différence psychologique entre les sexes ; elle n'aurait jamais reproché à un homme de ''dégainer'', si je puis dire, avant une femme. On pouvait la désirer, rêver de la posséder, cela ne faisait de mal à personne. Elle pouvait être séduisante et chaleureuse, et en même temps avoir le cran de se battre toute seule contre l'establishment d'Hollywood, à dominance masculine — et elle gagnait.»

Vers la même période, à la fin de 1955, elle demanda à Rosten de la conduire à l'exposition Rodin, au Metropolitan Museum. «Elle resta fascinée devant deux sculptures», dit Rosten : *Pygmalion et Galatée* et *La main de Dieu* — cette grande main de marbre blanc qui tient un homme et une femme passionnément enlacés.

Elle-même, dès cette année-là, commença à dire à quelques amis qu'elle avait trouvé le grand amour. De fait, elle avait, fermement accroché au bout de sa ligne, le plus gros poisson du théâtre américain ; il ne restait plus qu'à l'amener doucement sur la rive.

191

19

Arthur Miller n'aimait pas parler de Marilyn quand elle vivait ; depuis 1962 il n'en a plus rien dit. Il m'a répondu aimablement pendant que j'écrivais ce livre, mais il a déclaré : «Quand j'aurai quelque chose à dire au sujet de Marilyn, je le ferai sur ma propre machine à écrire.»

Quand on sait ce qu'il a eu à subir de la part de la presse cinq ans durant, on ne peut que respecter sa position, même à un stade si tardif de l'enquête. Cela dit, ce que Marilyn et lui-même ont confié aux uns et aux autres en 1956, moment le plus fort, peut-être, de leur union, permet de reconstituer cette histoire d'amour qui aboutit à l'un des mariages les plus célèbres de l'époque.

Quand Marilyn s'installe à New York, Arthur Miller approche de la quarantaine. Elle a vingt-neuf ans. Il continue d'habiter à Brooklyn avec sa femme, Mary, et leurs deux enfants, qui n'ont pas dix ans.

Tout dramaturge qu'il est (seul aspect sous lequel le connaisse l'Amérique), il n'en est pas moins un adepte fervent du travail physique, dans l'industrie — ne serait-ce que pour y puiser la matière de ses pièces. A une certaine étape de sa vie, Miller se fit une règle de travailler chaque année quelques semaines en usine. «Celui qui ne sait pas ce que c'est que de rester huit heures de suite à la même place, tous les jours, celui-là ne sait rien de rien, a-t-il dit. C'est la seule façon de comprendre ce qui pousse les gens, après le travail, à aller au bistrot et à se bagarrer. Ce n'est pas le genre de choses qu'on apprend chez Sardi.»

Lui, ce n'est pas le genre d'endroit où il va après le spectacle ; en général, d'ailleurs, il ne perd pas son temps à suivre les caprices de la mode new-yorkaise. Quand il a absolument besoin d'un nouveau costume, il l'achète en solde et est très content que cela se sache. Il a un faible pour les bonnes godasses à épaisses semelles de cuir, et aime à dire qu'il lui suffit d'une paire par pièce qu'il écrit. Sa tenue favorite, quand il n'est pas en ville, consiste en un anorak et un pantalon kaki de grosse toile.

Ne pas être en ville : c'est devenu une de ses obsessions, en 1955. Il y a longtemps déjà, après son premier succès, *Ils étaient tous mes fils* (*All My Sons*), Miller a acheté un peu plus d'un hectare et demi, pas cher, dans le Connecticut. Aussitôt, il se bâtit dessus une cabane (en six semaines), s'y installe et confectionne, en six semaines également, sa pièce suivante, *Mort d'un commis-voyageur* (*Death of a Salesman*) — œuvre qui lui valut le prix Pulitzer (1949).

Depuis 1950, année où il fait la connaissance de Marilyn à Hollywood, Miller a produit trois autres pièces, entre autres *Les sorcières de Salem* (1953) où, s'inspirant des célèbres procès en sorcellerie qui eurent lieu à Salem, en Nouvelle-Angleterre, au début du XVIIIe siècle, il s'en prend violemment à la moderne chasse aux sorcières que déchaîne le maccarthysme. *Vu du pont*, histoire d'un homme qui trahit le prétendant de sa fille, immigré illégalement aux USA, sort en 1955, au moment de l'arrivée de Marilyn.

Arthur Miller était le genre d'homme capable de dire, à une certaine époque : « J'ai un nom. On est forcé de m'entendre quand je parle. » Ce n'était pas un milliardaire, mais il avait de l'argent. Il disait aussi : « Pour avoir une vie féconde, il faut de la tension. Pour créer, et, par là, je ne veux pas dire seulement écrire, il faut subir des tensions. Le paradis est un état d'inertie où rien ne se produit. C'est une forme de mort. Les tensions sont nécessaires. S'il n'y en a plus, c'est la mort au bout de six mois. »

Or, il semble bien que ces tensions vitales avaient disparu de sa vie personnelle au début de 1955. Son mariage est au point mort. Sa femme, qui, dans les premiers temps, il y a quinze ans, travaillait pour lui permettre, à lui, de créer, qui lui a donné deux enfants, qui corrigeait ses manuscrits — cette femme ne lui suffit plus. « Marilyn ou pas », dira-t-il plus tard en substance, nous aurions divorcé.

Miller dira également à un reporter de *Time*, en 1956 : « Je ne savais rien du tout de la venue de Marilyn à New York, jusqu'à ce que je l'apprenne par les journaux. » Ils ne s'étaient plus vus depuis la fin de 1950, mais ni l'un ni l'autre n'avait oublié.

Miller se souvenait d'une jeune femme rencontrée lors d'un cocktail à Hollywood, «tellement terrorisée qu'elle ne disait mot, immobile, muette, refusant d'alimenter des conversations aussi creuses». Lui, dit-il, avait su gagner la confiance de Marilyn, et au cours des trois jours suivants, l'avait vue «environ huit heures». Et elle lui avait parlé de son «sentiment oppressant d'infériorité, de son incapacité de se faire de vrais amis, du fait que les gens ne voyaient en elle qu'un corps, attirant certes, mais rien d'autre».

Miller, très impressionné par «sa capacité de sentir et à la fois de saisir la réalité», dit qu'à son avis, elle devait aller à New York pour s'initier sérieusement à l'interprétation. Quand il fut parti, elle lui écrivit plusieurs lettres pour lui confier ses désarrois, et il répondit… Puis il se plongea dans une nouvelle pièce, et leur correspondance s'interrompit.

Maurice Zolotow, qui connaissait aussi bien Marilyn que Miller, pense que cette rencontre d'Hollywood marqua Miller à jamais, au point d'influencer toute son œuvre ultérieure. Tant dans *Les sorcières de Salem* que dans *Vu du pont*, on note, selon Zolotow, des thèmes récurrents : l'éternelle situation à trois, l'infidélité dans le mariage, l'amour d'un homme mûr pour une jeune fille. Miller lui-même — des années et des années plus tard, il est vrai — écrira : *Vu du pont* «exprimait une préoccupation très personnelle (…), inséparable dans une certaine mesure de ma propre vie intime».

Clifford Odets, autre dramaturge américain, a dit, après avoir lu *Les sorcières*, auxquelles Miller s'attaqua après sa première rencontre avec Marilyn : «Un homme qui écrit une pièce pareille est forcément un homme dont le ménage est fichu. »

Quoi qu'il en soit, leurs retrouvailles eurent lieu, selon Marilyn, encore une fois lors d'une soirée réunissant des acteurs et des gens du théâtre. Elle buvait une vodka-orange quand Miller l'aborda. Ils parlèrent un moment et se séparèrent à la fin de la réception. Miller résista durant quinze jours. Puis il téléphona à Paula Strasberg pour lui demander le numéro de

Marilyn, ils se revirent chez Norman Rosten, qui était un ancien camarade d'université de Miller, et leur liaison commença.

Pendant presque un an — exploit remarquable — la presse n'en sut rien. Miller, après avoir longtemps emprunté la bicyclette de son fils, se décida à en acheter une neuve, anglaise, avec dérailleur, comme celle de Marilyn ; ils allaient se promener le long de la mer, tout au sud de Brooklyn, et mangeaient dans des gargotes ignorées des journalistes.

Peter Leonardi, qui fut secrétaire de Marilyn cette année-là, dira lui-même, plus tard : « J'étais avec elle matin, midi et soir, et ce durant des semaines, et jamais je n'ai entendu ne fût-ce que le nom de Miller. »

Pendant l'été 1955, elle invita à dîner les amis qui étaient dans le secret. « Elle ne fit rien d'autre durant les deux jours qui précédèrent, a raconté Miller. Je n'avais jamais vu personne se préoccuper à ce point pour un simple repas. D'ailleurs elle avait fait vraiment trop : il y avait quelque chose d'excessivement formel dans cette soirée, elle l'avait trop préparée. Et elle-même, elle était sur les genoux. »

Cela dit, Maureen Stapleton, qui fréquentait aussi l'Actor's Studio, se rappelle une autre soirée tout à fait dans le style cahotique habituel de Marilyn. Marilyn, aussitôt la répétition terminée, partit, en annonçant qu'elle devait préparer à manger pour Miller et quelques amis. Malheureusement, elle avait oublié qu'il fallait plusieurs heures pour cuire le morceau de viande qu'elle avait ; le dîner fut servi au moment où la plupart des invités allaient déjà se coucher.

Miller, dont elle cultivait depuis longtemps déjà la présence, sous la forme d'une photographie sur sa table de chevet, était maintenant une réalité quotidienne. Et il faisait vraiment penser, la barbe en moins — comme les journalistes l'ont répété en chœur pendant des années — à l'autre homme dont le portrait accompagnait partout Marilyn : Abraham Lincoln. Bien plus tard, comme on lui demandait de quoi elle était le plus reconnaissante à Miller, Marilyn répondit : « De m'avoir fait comprendre l'importance de la liberté politique dans notre société. » Miller était homme à parler des heures durant de ce qu'il pensait de la société, en fumant la pipe, ou des cigarettes qu'il faisait constamment rouler d'un coin à l'autre de la bouche. Et Marilyn buvait ses paroles.

Un ami intime du couple a dit : «L'attrait qu'ils éprouvaient l'un pour l'autre mis à part — et c'est bien sûr le plus grand ''à part'' de leur histoire —, ce que Marilyn trouvait de passionnant chez Arthur, c'était d'être au contact d'un homme ayant une conception globale de la société, et qui avait énormément lu. »

Un an à peine était passé depuis l'époque où Marilyn essayait de persuader Joe DiMaggio de lire «tout, n'importe quoi, de Mickey Spillane à Jules Verne». Pour son anniversaire, elle lui avait offert une médaille d'or (à accrocher à sa chaîne de montre), portant cette citation du *Petit Prince* : «On ne voit bien qu'avec le cœur ; l'essentiel est invisible pour les yeux. » «Hein ? Qu'est-ce que ça veut dire ? » s'était exclamé DiMaggio. Avec Arthur Miller les rôles étaient exactement inversés ; c'était Marilyn qui posait les questions.

Cependant, elle se mettra bientôt à dire et à redire, avec insistance : «Je suis amoureuse de l'homme, pas de son intellect. L'Arthur Miller qui m'a conquise était un homme chaleureux, amical. Il m'a aidée à trouver l'équilibre. J'ai toujours manqué de confiance en moi. Arthur m'a aidée à surmonter ce sentiment. »

Arthur Miller aussi fut transformé par Marilyn. «Miller était complètement, sérieusement amoureux, écrira plus tard Norman Rosten. C'était quelque chose d'extraordinaire à voir. »

En avril 1956, Miller déclara à Robert Ajemian, de *Time* : «Elle est la femme la plus féminine que je puisse imaginer. On a envie de mourir quand on est avec elle. Cette femme, pour tout homme, est un défi. Sa présence révèle la nature profonde de chacun : le farceur devient faux, l'esprit confus s'embrouille désespérément, le timide s'emmure... »

Il se dit persuadé, d'autre part, qu'on exagérait beaucoup en présentant Marilyn comme une femme de mœurs faciles. «Elle a eu plusieurs hommes dans sa vie, c'est connu. Mais pas en sautant sans cesse du lit de l'un dans le lit de l'autre. Toutes les relations qu'elle a eues avaient un sens pour elle, le sens de l'espoir — même quand elle se trompait lourdement.

Moi, j'ai connu des assistantes sociales qui ont une histoire bien plus mouvementée que la sienne. »

Et le dramaturge admire en Marilyn un être « foncièrement incapable de dire autre chose que la vérité ». En tant qu'actrice, déclare-t-il, « elle croisera les bras plutôt que de jouer un rôle faux. Elle cherche toujours la réalité qui est à la base de toute situation donnée. Quand on est acteur, c'est bien sûr une qualité formidable, car elle permet d'aller à la racine des choses. »

Miller évoque aussi, dans cette interview, le terrible complexe d'infériorité de Marilyn dans le domaine intellectuel. « Par exemple, elle vient me dire : ''J'ai entendu un mot nouveau l'autre jour : qu'est-ce qu'il veut dire ?'' Pas plus tard qu'hier elle m'a demandé ce que signifie ''imperméable''. Souvent aussi, elle prononce les mots de travers : ainsi elle dira peut-être ''introveineuse'' au lieu d'''intraveineuse''. Mais elle veut apprendre. »

A l'époque, Marilyn venait de lire un livre sur Goya. Peu après l'avoir commencé... « elle m'a dit, au téléphone : ''Pour le moment, ça n'a aucun intérêt.'' Je la rappelle quelque temps après, et elle me dit encore : ''J'en suis aux deux tiers, toujours rien d'intéressant.'' Il faut dire que c'est le genre de livre tout en idées et en conjectures, sans aucun fait positif. Quand elle a eu fini, Marilyn m'a dit : ''Eh bien, il n'y a rien là-dedans. Pourquoi écrit-on des choses pareilles ?'' Bonne question. C'est ainsi qu'il faudrait lire les livres. »

« Au lieu de cesser de croire dans la vie, comme tout l'y poussait, disait enfin Miller, elle a gardé le sens de l'authentique et la force de continuer de chercher une relation sincère. Elle ne veut plus gaspiller ses dons, elle ne veut plus gâcher sa vie. Evidemment, on lui a tellement répété qu'elle était une sale fille, qu'elle ne valait rien, qu'on a développé en elle une terrible tendance à l'autodestruction. Mais elle s'en sort, maintenant. »

Miller était tout à fait mordu. Et Marilyn aussi — pensaient leurs amis communs. Or elle continuait d'être hantée par ses spectres familiers — et par la tentation de la nouveauté.

Dans les premiers mois de 1955, Joe DiMaggio n'avait toujours pas renoncé ; et Marilyn elle-même ne s'était pas encore complètement coupée de lui. Ironie du sort : c'était à travers la famille de Fred Karger, le grand amour de jeunesse de Marilyn, qu'il réussissait la plupart du temps à revoir son ex-femme. La sœur de Fred, Mary, s'était en effet installée avec ses enfants dans le New Jersey, juste en face de New York ; et Marilyn allait souvent chez elle, parfois en compagnie de Joe.

Tous deux semblaient très bien s'entendre, selon les Karger. DiMaggio jouait au golf avec Mary, et les enfants raffolaient de Marilyn, parce qu'elle était toujours prête à s'amuser, et aussi suivait de drôles de régimes alimentaires.

Anne, la fille de Mary, se souvient encore d'une farce jouée par les voisins, un après-midi où ils savaient que Marilyn était là.

« Leur fils, qui travaillait dans les pompiers, a donné une fausse alerte au feu. Une dizaine, peut-être, de voitures de pompiers sont arrivées devant chez nous. Quelqu'un leur a dit que Marilyn était là. Ils ont tenu absolument à la voir. Elle est sortie et elle leur a parlé ; elle s'est montrée vraiment adorable. »

A New York même, cependant, Joe DiMaggio donnait libre cours à sa jalousie, offrant de lui-même un spectacle pitoyable ; il suppliait même des journalistes de l'aider ou, au moins, de le conseiller, comme en ont témoigné Earl Wilson et sa femme. Et Marilyn dit, à l'époque, à son vieil ami new-yorkais Henry Rosenfeld que DiMaggio était venu un soir au Waldorf : « Il a presque défoncé ma porte. Il a fallu appeler la police pour qu'il se calme. Il était très, très jaloux. »

Il n'en reste pas moins que le 1er juin 1955, Marilyn arriva à la première de *Sept ans de réflexion* au bras de Joe DiMaggio. Après le spectacle, il donna une réception en son honneur chez Toots Shor. Mais les choses se gâtèrent soudain : Joe et elle eurent une altercation pendant le souper, et elle partit avec son ami photographe, Sam Shaw.

Laissons à Jim Haspiel le mot de la fin. Haspiel aussi guettait Marilyn à toute heure du jour et de la nuit ; plus d'une fois, il aperçut Joe DiMaggio, « dans l'embrasure d'une porte, près de chez elle ; il restait là jusque tard le soir, dans l'espoir de la voir passer, exactement comme ses fans — mais eux, ils l'attendaient dans la rue. Voilà à quoi le réduisait sa passion ».

Sept ans de réflexion fournit à Marilyn l'occasion d'une plaisanterie diabolique aux dépens de Fred Karger — l'homme qui avait refusé de l'épouser en 1948, sept ans auparavant. Au moment de la sortie du film à Los Angeles (où Marilyn retourna alors quelques jours), le second mariage de Fred, avec l'actrice Jane Wyman, était en pleine crise ; et Marilyn le savait. Avec le concours de deux amis — dont la première femme de Fred, Patti — elle pénétra en pleine nuit dans l'enceinte du Grauman's Theater (le célèbre cinéma dont il a été question plus haut, voir p. 115), y vola sa propre effigie en carton, grandeur nature, dans la fameuse scène de la jupe, et alla la planter sur la pelouse de Jane Wyman. Celle-ci ne comprit pas l'ironie de la chose...

Pendant l'été 1955, ce fut au tour de Fred Karger de se rendre à New York, et il descendit au Waldorf Astoria, où Marilyn habitait. Il l'invita à prendre un verre. Ne la voyant pas venir, il rappela : cette fois, il eut l'impression qu'elle était ivre. Un peu plus tard, il monta chez elle et la trouva complètement hébétée par l'alcool et les somnifères.

Sa relation avec Arthur Miller avait commencé à ce moment-là ; mais elle ne fréquentait pas que lui et surtout, semble-t-il, ne pensait pas qu'à lui. Résumons la situation en trois noms : Henry Rosenfeld, Rainier de Monaco, Marlon Brando.

1. Henry Rosenfeld, qui était fabricant de vêtements, et depuis longtemps un de ses amis, l'avait aidée pour la location de la suite au Waldorf ; et il lui prêta beaucoup d'argent à cette époque. Dès lors Marilyn le consulta régulièrement sur ses propres problèmes financiers. Elle lui proposa même une fois (mais à une époque ultérieure) de prendre tous les droits sur un de ses films si, en contrepartie, il lui garantissait mille dollars par semaine. Rosenfeld refusa noblement, en lui expliquant qu'avec ce capital il gagnerait bien plus que la pension qu'elle lui demandait. Quoi qu'il en soit, en 1955, il se rapprocha beaucoup de Marilyn et lui demanda même sa main (d'après une confidence de Marilyn à Norman Rosten)...

2. Aristote Onassis n'assistait pas sans regret au déclin rapide d'une de ses stations préférées, la principauté de Monaco ; la meilleure société, en effet, désertait cet endroit. Il eut une idée pour la faire revenir : marier le prince Rainier avec une femme

jouissant d'un prestige universel ; et il demanda à son ami George Schlee de lui trouver ça aux États-Unis. Schlee en toucha un mot à Gardner Cowles, éditeur du magazine *Look* : Pourquoi pas une actrice de cinéma ? suggéra celui-ci à Schlee.

« Schlee m'a alors demandé (je cite ce que Cowles m'a déclaré en 1983) si j'avais quelqu'un de particulier en vue. Oui, lui ai-je dit. Marilyn Monroe n'a jamais été aussi célèbre, et elle habite à deux pas d'ici. [Effectivement, Cowles était voisin des Greene dans le Connecticut.] Proposons-lui cette idée. »

Cowles invite Marilyn et les Greene dans sa maison de campagne et les présente à Schlee. « Schlee et moi n'y avons pas été par quatre chemins. Marilyn a dit que cela la tentait, mais qu'elle ne savait même pas où se trouve Monaco ; et que, de toute façon, elle serait heureuse de faire la connaissance du prince. »

La princesse Marilyn de Monaco ? Marilyn et les Greene s'offrirent une bonne partie de rigolade en rentrant, ce soir-là — sans négliger pour autant le sérieux de cette proposition. Et pendant quelques jours, il fut beaucoup question de « Reindeer » (« le renne » en anglais), surnom qu'ils avaient tout de suite donné à Rainier.

Rêveries et plaisanteries cessèrent brusquement, cependant, quand on annonça le prochain mariage du prince avec Grace Kelly. Marilyn lui téléphona pour la féliciter, et lui fit cette réflexion, comme en post-scriptum : « Je suis si heureuse que tu aies trouvé un moyen de sortir de tout ça. »

3. Marlon Brando était alors la plus célèbre émanation hollywoodienne de l'Actor's Studio ; Marilyn l'admirait depuis longtemps. L'année précédente, après le succès de Brando dans *Sur les quais* (*On the Waterfront*), elle avait demandé à Sam Goldwyn un rôle dans le prochain film de Brando, *Guys and Dolls*. Maintenant, à New York, elle espérait l'avoir, ainsi que Charlie Chaplin, pour l'un de ses premiers projets de tournage indépendants.

Marilyn, comme on lui demandait de définir le sex-appeal, a dit (en 1956) : « Il y a des gens auxquels on réagit ; d'autres pas. Je réagis aux hommes, trop... personnellement, moi, je réagis à Marlon Brando. » Elle ne réalisa jamais son ambition de travailler avec lui, mais ils eurent une aventure en 1955.

200

Un mannequin d'environ dix-neuf ans. Hollywood n'était qu'un rêve

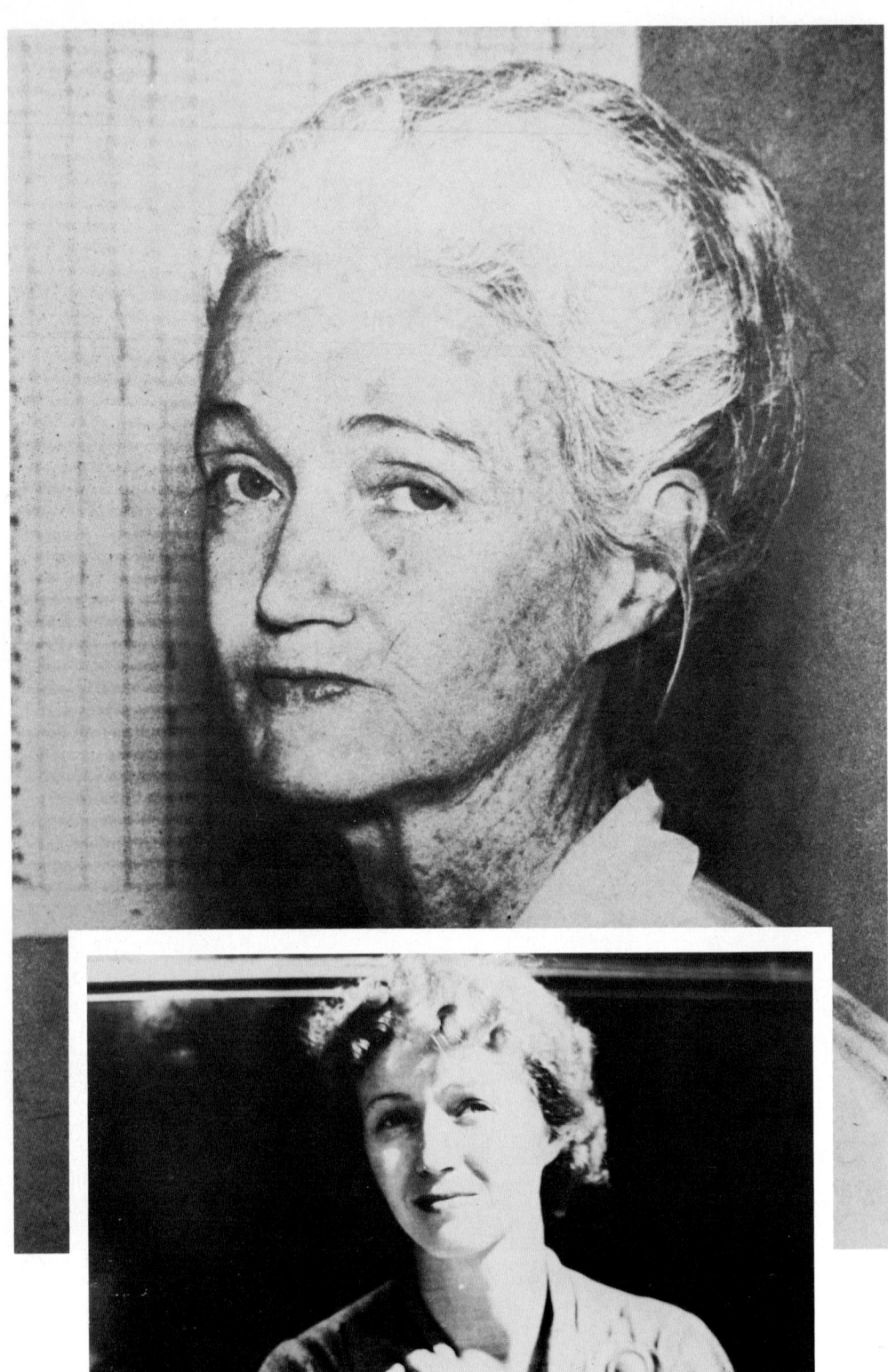

La mère de Marilyn, Gladys, en 1963, à l'âge de soixante-deux ans.
La même, jeune fille *(en encadré)*. Elle a survécu à sa célèbre fille

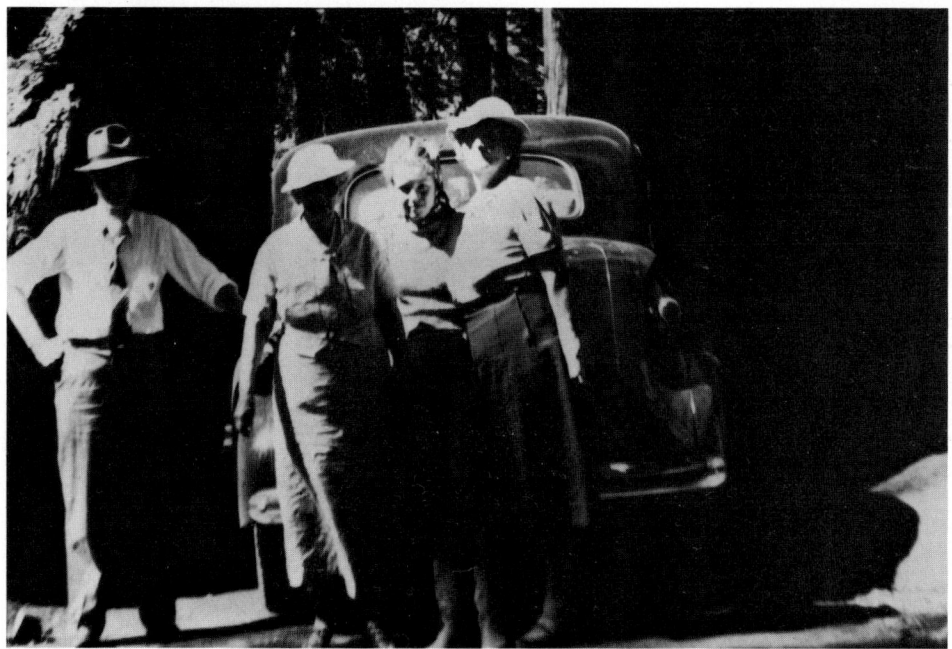

Ci-dessus : Une grande fille pour son âge. Marilyn, à douze ans, avec une de ses familles nourricières

Ci-dessous : Avec son premier mari, Jim Dougherty, dans l'île de Catalina en 1944. Elle avait dix-sept ans, elle commençait déjà à regarder les autres hommes

Avec le bébé de quelqu'un d'autre — pendant le mariage avec Dougherty. L'idée d'avoir un enfant « me fit dresser les cheveux sur la tête », devait dire Marilyn un jour. Dougherty soutient le contraire. Après une kyrielle d'avortements, elle voulut avoir des enfants, sans y réussir

Une starlette avec bibliothèque. Marilyn se plongeait dans l'art et la culture. Elle admirait l'actrice italienne Eleonora Duse *(dans le coin gauche supérieur)*. Au centre, à moitié dans l'ombre, la photo d'Arthur Miller : ils se connurent en 1950, et se marièrent six ans plus tard

Un petit homme très puissant. Johnny Hyde, son agent et amant, l'engagea fermement sur la route de la gloire, avant de succomber à une maladie de cœur

Quelques-uns de ses amants
En haut à gauche : Le photographe André de Dienes, dans le nord de l'Arizona, 1946. Photo prise par Marilyn. *En haut à droite :* Le maître nageur Tommy Zahn, 1946. *En bas à gauche :* Le professeur de chant Fred Karger, auquel Marilyn donna son cœur en 1948. Il ne voulut pas l'épouser. *En bas à droite :* Le deuxième mari ? Robert Slatzer aux chutes du Niagara avec Marilyn en 1952. Il la connut en 1946 et resta son ami jusqu'à la fin

Chez « Nana » Karger, mère d'un de ses ex-amants, en 1960. L'« orpheline » s'attacha à de nombreuses familles, et surtout à Mrs. Karger

La leçon d'art dramatique. Avec Natasha Lytess, sa première conseillère artistique, au début des années 50. Elles habitèrent ensemble pendant un temps

En haut : Avec le Dernier Héros Américain, Joe DiMaggio, peu avant leur mariage en 1954. Leur lune de miel était à peine terminée qu'elle parlait déjà d'épouser un jour Arthur Miller

En bas : Annonçant sa séparation d'avec Joe DiMaggio — leur mariage n'avait duré que neuf mois

« Les conspirateurs ». Marilyn avec le photographe Milton Greene, grâce auquel elle s'enfuit d'Hollywood en 1955

Le « fan » qui devint un ami. James Haspiel, à seize ans, vola un baiser à Marilyn. Pendant la période new-yorkaise, il était souvent en sa compagnie

Les Greene, qui continuaient de la voir régulièrement, eurent vent de l'affaire pendant l'été. L'épisode m'a été confirmé par d'autres amis et collègues de Marilyn. Brando, renommé pour son arrogance et ses instincts violents, à l'écran et ailleurs, était, dans l'intimité, d'une grande bonté et d'une rare loyauté. Marilyn parlait de lui à Amy Greene comme d'un homme «tendre, adorable». Dans ses rapports avec le public, elle le désignait par un nom de code : «Carlo» — et elle était ravie de voir que presque personne ne savait de qui il s'agissait. Une photographie prise en décembre 1955, lors d'une fête donnée en faveur des acteurs nécessiteux, les montre tous les deux l'un à côté de l'autre, rêveurs, heureux*.

Cette liaison, qui était restée secrète, cessa quand Marilyn décida d'afficher publiquement sa relation avec Arthur Miller. Mais Brando et elle restèrent amis jusqu'à la fin. On sait maintenant que, peu avant sa mort, en 1962, elle passa des heures à lui parler au téléphone. J'ai pris contact avec Brando pour ce livre ; il m'a lui-même appelé et m'a dit, d'une voix émue : «Je l'ai connue, effectivement, mais je ne pourrais jamais parler d'elle publiquement ; c'est une question de sentiment de ma part, à son égard. J'espère que vous me comprenez. »

Tout au long de cette année 1955, Marilyn réussit, pour une fois, sinon à interdire toute intrusion de la presse dans sa vie privée, du moins à brouiller toutes les pistes. En octobre, elle accorde une longue interview à Earl Wilson, et pas une seule fois, ne tombe dans les pièges qu'il lui tend. Quel est votre acteur préféré ? — Brando, et un tel et un tel et un tel... Votre auteur de théâtre préféré ? — Arthur Miller et Tennesse Williams. Éprouve-t-elle «de l'intérêt» pour quelqu'un ? «Rien de bien sérieux, mais je suis toujours intéressée ! »

En janvier 1956, le même chroniqueur révèle qu'Arthur Miller et sa femme projettent de divorcer. En privé, Marilyn et Miller parlent maintenant de mariage ; et si, en public, ils maintiennent cinq mois encore une attitude évasive, Marilyn n'en a pas moins réalisé le souhait qu'elle avait formulé presque cyniquement en présence de Sydney Skolsky à la fin de sa lune de

* Ce n'est pas la photographie qui est reproduite dans ce livre (*NdA*).

miel avec DiMaggio : devenir la femme d'Arthur Miller. La nouvelle année s'annonce donc sous les meilleurs auspices, et pas seulement en amour.

Lee Strasberg, en effet, décide qu'elle est prête pour jouer devant ses condisciples de l'Actor's Studio. Maureen Stapleton et elle répètent un certain temps une scène des *Anges déchus* de Noël Coward, puis abandonnent et se mettent au travail sur le début d'*Anna Christie* d'Eugene O'Neill — que Marilyn avait jadis étudié avec Natasha Lytess. Marilyn joue Anna.

Maureen Stapleton se souvient qu'« elle avait un mal terrible à apprendre son rôle. Je lui dis : Ecoute, ce n'est pas une première ! On mettra le livre sur la table, devant nous — tout le monde fait ça... Marilyn était absolument contre, et nous avions beau répéter, il y avait toujours une réplique qu'elle oubliait. Mais quand nous avons joué devant les autres — une scène d'un quart d'heure — ça a été parfait. Sa voix, si fluette qu'elle fût, portait — malgré tous ses complexes à ce sujet. Après nous sommes allées dans un bar de la 10e Avenue pour arroser ça : nous avions trompé la mort une fois de plus. »

« Elle fut formidable, disait récemment l'actrice Kim Stanley. A l'Actor's Studio, on avait pour règle de ne pas applaudir — un peu comme dans une église — mais cette fois-là, on n'a pas pu s'empêcher de battre des mains... » Ce succès fit taire les sceptiques ; mais certains n'en gardaient pas moins leurs doutes. Marilyn avait réussi à jouer toute une scène. Et alors ? En soi, cela n'avait rien d'exceptionnel.

Cependant, Strasberg lui-même, au début de 1956, déclara au metteur en scène Joshua Logan : « J'ai travaillé avec des centaines et des centaines d'acteurs. Il n'y en a que deux qui volent nettement au-dessus des autres : Marlon Brando et Marilyn Monroe... »

C'était vraiment une période très favorable pour Marilyn, car, en plus, elle gagna sa bataille avec la Twentieth Century Fox. Un an avait passé depuis sa fuite à New York : la Fox lui avait gardé sa loge. On n'y avait rien changé ; on continuait d'épousseter régulièrement les produits de maquillage, les faux cils, les flacons et les boîtes de comprimés, le livre de poèmes d'amour oublié — et la photo de Joe DiMaggio ; et les lettre d'admirateurs s'y amoncelaient.

Milton Greene gagna son pari. Personne ne pouvait remplacer Marilyn, le studio pactisa et lui proposa un contrat extrêmement avantageux qu'elle signa le dernier jour de 1955. Elle s'engageait à tourner au moins dans quatre films de la Fox au cours des sept années suivantes ; et elle aurait le droit de jouer pour d'autres producteurs (un film par an). Pour chaque film de la Fox, Marilyn Monroe Productions recevrait 100 000 dollars de fixe, plus un pourcentage sur les profits. C'était une affaire inouïe, selon les normes de 1955 : Marilyn pouvait compter sur un revenu global de huit millions de dollars, au minimum, pour toute la période considérée.

Enfin une clause spéciale, de la première importance pour Marilyn, lui permettait de refuser de jouer dans des films qu'elle jugeait de niveau inférieur à la « série A » — ou de travailler avec des réalisateurs, voire des cameramen, qui ne lui plaisaient pas. Pour faciliter les choses dès le départ, elle soumit à la Fox une liste de seize metteurs en scène — liste dressée avec le concours des Greene — avec lesquelles elle était prête à collaborer. La Fox accepta.

Dans l'euphorie de la victoire, Marilyn annonça ses projets pour 1956. Elle retournerait à Hollywood pour faire *Bus Stop* (*Arrêt d'autobus*) avec Joshua Logan. D'autre part, avec Laurence Olivier, elle s'attaquerait bientôt à une mise en scène à l'écran de la pièce de Terence Rattigan, *The Sleeping Prince*.

L'acteur le plus célèbre du monde non seulement honora de sa présence la conférence de presse de Marilyn, mais il dit aux journalistes que sa future partenaire était « une brillante comédienne et, par conséquent, une très bonne actrice ». 150 reporters étaient là, se bousculant pour prendre des photographies ; puis une bretelle de la robe de Marilyn céda et ce fut du délire.

Sir Laurence, malgré ses déclarations publiques, était un peu inquiet. Quand la conférence fut terminée, il dit au producteur Saul Colin, dans la limousine qui les emmenait : « Saul, je me demande si je n'ai pas fait une erreur. »

De fait, Marilyn était un personnage difficile à cerner désormais, comme l'a perçu très nettement une journaliste qui la vit à l'époque, Dorothy Manning. Première impression de Manning : « Elle s'est complètement défaite de cette petite voix timide, tendue ; elle ne fait plus aucun effort pour chercher ses mots. (...) Au lieu de cela, une femme pleine d'assurance, gaie, détendue, qui en quelques minutes vous en dit plus, infiniment plus que les autres vedettes en plusieurs heures. » Deuxième impression (elle revoit Marilyn le même jour) : « On sentait de nouveau en elle un trouble, une anxiété, un manque complet de confiance en soi. C'était maintenant une femme bizarre, déroutante, et surtout sans défense ; c'en était touchant. »

Au fond, Manning disait délicatement ce qu'avait deviné Laurence Olivier. Evoquant par la suite sa première rencontre avec Marilyn, il écrivit : « On pouvait la qualifier de schizoïde sans passer très loin de la réalité. »

Marilyn était déjà entrée en contact avec la psychiatrie à Hollywood. C'était la grande époque du divan, surtout en Californie. Comme l'a dit un médecin qui connut Marilyn : « A cette époque, ici, on pouvait se faire psychanalyser ou se faire faire un lavement à la même enseigne au néon. C'était le temps des imposteurs. Une foule de soi-disant ''docteurs'' étaient venus ici ; ils avaient du baratin, ils savaient se lancer, et ils réussissaient. Ils avaient une clientèle déjà faite : tous les névrosés qui travaillaient sur les plateaux d'Hollywood. »

C'est en 1954, alors qu'elle était l'épouse de DiMaggio, que Marilyn consulta pour la première fois un analyste (dont on ignore l'identité) ; elle fut en traitement chez lui pendant six mois environ.

Pour ses médecins, il était évident qu'elle avait besoin d'une aide psychiatrique. Ainsi le Dr Milton Gottlieb, qui fut un temps son gynécologue, dit : « Elle manquait d'assurance, elle avait peur de la vie réelle. C'était une jeune femme très perturbée. »

Et le Dr Elliott Corday, qui fut son généraliste de 1948 au milieu des années 50, ajoute : « J'ai fini par renoncer à la soigner parce qu'elle ne voulait pas aller voir un psychiatre décent. Les gens comprendraient mieux sa mort s'ils avaient entendu ce qu'elle me disait déjà alors. Plusieurs tentatives de suicide, bien plus qu'on ne sait. En 1954 elle recourait déjà aux drogues — les vraies drogues, pas seulement les somnifères. A la fin, je lui ai dit que je préférais ne pas être témoin de ce qui allait se passer. »

Pour ce qui est des « vraies drogues » : les « seringues hypo-dermiques », les « deux ou trois flacons contenant une espèce de poudre, et autres ustensiles », trouvés dans l'appartement de Marilyn par les détectives de Joe DiMaggio (si on les croit), constituent-ils une preuve ?

Marilyn, arrivant chez les Greene, leur dit qu'elle avait inter-rompu tout traitement psychiatrique. Milton lui dit qu'elle devait continuer, et il lui promit de lui trouver un bon psycha-nalyste. Lui aussi en arriva peu à peu à la tenir pour une « schizo ». Il l'envoya chez le Dr Hohenberg, une psychothé-rapeute qui exerçait à New York. Marilyn la vit pendant pres-que toute l'année 1955, cinq fois par semaine.

Lee Strasberg approuvait : ces séances chez le Dr Hohen-berg la « libéraient », lui permettaient de se soumettre aux rigueurs de la technique dramatique d'« immersion totale ». Et après qu'elle eut subi un an de traitement, Arthur Miller dit que la psychiatrie l'avait énormément aidée. « Elle a une vision plus claire des problèmes maintenant ; elle a découvert que dans beaucoup de situations, ce n'est pas elle qui a tort. C'est un grand changement ; elle-même dit qu'elle le doit à la psychiatrie. »

Le temps passant, Miller se ferait plus sceptique à ce sujet. D'autres exprimèrent hautement leur mépris. Ainsi Billy Wilder : « Il y a dans ce monde des polissons merveilleux, Monroe par exemple ; mais un jour ils finissent sur le divan d'un psychanalyste, et il en sort quelque chose de bien réparé, d'une fadeur ! Des gens comme Monroe, il ne faut pas les rec-tifier. Elle a ses deux pieds gauches, il faut les lui laisser : c'est son charme. »

Elle restait bien trop émotive, selon tous les critères de nor-malité. « Elle éprouvait une telle angoisse, à l'idée qu'elle allait rencontrer des gens qu'elle ne connaissait pas, que sa peau se couvrait de rougeurs » (Henry Rosenfeld).

Un jour, Adèle Fletcher devait déjeuner avec elle chez Elsa Maxwell, qui elle aussi avait une suite au Waldorf Astoria. « Elle est arrivée chez Elsa avec trois heures de retard, à l'heure exacte où elle aurait dû se trouver dans le studio de Cecil Beaton. J'appris par la suite qu'elle s'était fait faire trois mises en plis avant de sortir de chez elle. Elle redoutait continuellement de ne pas apparaître sous son meilleur aspect, et que l'on se mette à dire que sa beauté se fanait. »

Peter Leonardi, assistant de Marilyn en 1955, dit à l'époque : «Avant chaque interview, chaque apparition en public, elle est paralysée, elle *projette*. Parfois elle reste des heures à regarder par la fenêtre, tortillant sans cesse une de ses boucles. Elle se fait tant de bile, souvent, qu'elle en a mal au cœur. »

Quand elle tourne, elle note ses pensées dans un carnet. «De quoi ai-je peur ? » lit un jour un technicien curieux. «Je sais jouer, je le sais. Mais j'ai peur. Je ne devrais pas, il ne faut pas que j'aie peur. Merde ! »

Milton Greene la voyait sombrer dans la dépendance des barbituriques. Elle pouvait prendre des somnifères à trois heures du matin, tout en sachant qu'elle devait se lever dès six heures pour un rendez-vous ; elle ne sortait de sa stupeur qu'à coup de stimulants, du Dexamyl en général ; et elle buvait de plus en plus.

En 1955, elle dit à Amy Greene et Henry Rosenfeld qu'elle avait subi un nouvel avortement. Cela portait le total à treize s'il faut retenir le chiffre qu'elle avait donné à Amy ; elle n'avait alors que vingt-neuf ans… Amy Greene ne sait pas qui était le père ; Rosenfeld préfère ne pas le nommer.

Malgré la sécurité que lui donnait sa relation avec Arthur Miller, elle continue de se comporter en personne incapable de supporter la solitude, surtout la nuit. Encore plus souvent qu'auparavant, elle téléphone aux amis à deux heures, trois heures du matin ; et cela se termine par des virées en voiture, dans Manhattan, ou dans les quartiers périphériques plongés dans les ténèbres, jusqu'à l'aube.

Pour l'aider, Lee Strasberg l'invitait à venir dormir chez lui. «Elle était complètement déséquilibrée, a dit Strasberg. Elle avait besoin d'une famille. D'être tenue en main. Pas du tout de coucher avec quelqu'un, mais d'être soutenue. En effet, quand elle prenait ces comprimés, cela provoquait en elle une réaction : elle en voulait encore plus. Nous, nous ne lui en donnions pas. C'est pour cela qu'elle a pris l'habitude de venir chez nous, et d'y passer la nuit. Je lui parlais un peu, et elle finissait par aller dormir. »

En mai 1956, le magazine *Time* lui consacra plusieurs pages, dont celle de couverture. Les journalistes avaient travaillé des mois sur le sujet, recueillant des interviews dans le monde entier, à Tokyo, Paris, Londres. Ezra Goodman, qui avait connu Marilyn par Sydney Skolsky, passa plusieurs semaines à Los Angeles. Il passa au crible les mythes qu'elle entretenait sur son passé, s'entretint avec ses anciens professeurs, ses collègues, ses médecins, ses psychiatres, et remit à *Time* un article énorme.

Il concluait : « Elle pousse peut-être le mépris d'elle-même au point de chercher à pactiser avec le monde (comme l'ont fait observer les psychiatres) non pas en s'ajustant à la réalité, mais en reconstruisant tout, elle-même et le monde qui l'entoure. (...) Il y a en elle un paramètre énigmatique, presque magique, que personne n'est capable de définir, mais qui l'a amenée là où elle est — alors qu'avec ses antécédents, elle devrait être aujourd'hui une schizophrène à interner, ou une clocharde alcoolique. Ce que les gens trouvent attirant chez elle, c'est peut-être, justement, ce manque d'assurance, cette incapacité d'être heureuse, cette façon de traverser la vie en somnambule. L'énigme que constitue Marilyn Monroe n'est pas résolue. Des années de filature constante ne suffiraient pas à la résoudre. Mais la psychanalyse peut-être... »

Selon Goodman, *Time* ne tint aucun compte de l'essentiel de l'article et publia l'histoire rassurante d'une actrice promise à une gloire de plus en plus éclatante. Le public, peut-être, ne désirait rien d'autre.

Norman Rosten, tout en percevant la détresse profonde de Marilyn, pensait qu'elle était de ces gens « qui toujours savent survivre ». Mais survivre, pour Marilyn, signifiait continuer — et continuer signifiait d'autres films. Il n'y eut personne, apparemment, pour lui indiquer une autre voie. D'ailleurs, cela n'aurait sans doute rien changé. Elle avait fait vingt-quatre films au cours des sept premières années de sa carrière. Entre 1955 et 1962 — encore sept ans —, elle n'en terminerait que cinq. Mais dès le premier elle prouva, comme elle l'avait assuré à *Time*, qu'elle était effectivement « une vraie actrice ».

En février 1956, mettant fin à un exil d'un an, Marilyn retourna à Hollywood. Un accueil tumultueux l'attendait. Des centaines de journalistes prirent l'avion d'assaut, et il y avait une telle foule autour de l'aéroport qu'elle ne put en sortir qu'au bout de deux heures.

Elle était revenue pour l'adaptation cinématographique d'une pièce qui avait beaucoup de succès : *Bus Stop*. Le réalisateur, Joshua Logan, que Marilyn avait proposé à la Fox sur le conseil de Milton Greene, semblait fait sur mesure pour l'élève de Strasberg : il était le seul metteur en scène américain à avoir étudié en Union soviétique sous la direction de Stanislavski. Au début, Logan regimba quand on lui parla de travailler avec Marilyn, mais les dithyrambes de Lee Strasberg finirent par le convaincre. Et aujourd'hui encore, il ne peut évoquer sans ferveur l'époque de sa collaboration avec Marilyn :

«Je n'aurais jamais imaginé qu'elle avait ce talent étincelant. On s'en sentait soi-même valorisé. Tout ce qu'elle faisait exprimer à son visage, sa peau, ses cheveux, son corps, en lisant son rôle, était fascinant ; elle vous donnait vraiment l'inspiration. Quand elle jouait j'étais aux anges. Sexuellement, ça allait encore plus loin, *cela va sans dire**. On avait l'impression de voir, d'approcher, de sentir un miracle... à quoi s'ajoutait son talent. J'étais fou d'elle. Je le suis toujours.»

Bus Stop est l'histoire du jeune cow-boy naïf, Bo (joué par Don Murray), qui rencontre dans un autobus une jeune entraîneuse de cabaret, au passé déjà encombré d'hommes, et qui finit par l'épouser. Encore une variation sur le thème de l'allumeuse... dit-on à Hollywood en ricanant. Eh bien, l'on se trompait : ce fut une des meilleures créations de Marilyn, grâce à la discipline apprise auprès de Strasberg, grâce aussi à l'infinie patience de Logan.

---

* En français dans le texte.

Milton Greene l'avait averti. « Surveillez votre ton de voix ; n'apeurez pas Marilyn, vous la perdriez. » Le temps a émoussé le souvenir, mais Logan se rappelle encore toutes les occasions où il invoqua Bouddha.

Pour la première fois, Marilyn participa à l'élaboration d'aspects essentiels du script. Et Logan apprécia sa contribution, jusqu'au moment où elle se mit à défendre mordicus sa conception du rôle d'un *autre* personnage. Elle en appela à Buddy Adler, nouveau patron de la Fox — lequel convoqua Logan dans son bureau. On concevra la furie de Logan...

Marilyn n'avait plus besoin de Natasha Lytess. Celle-ci avait voulu voir son ancienne élève revenue à Hollywood ; un personnage subalterne l'avait éconduite. Natasha en partant se retourna : Marilyn était à la fenêtre, seule, immobile, comme pétrifiée. La place de Natasha était maintenant occupée par Paula.

Paula Strasberg, être compact, dans les quarante-cinq ans, « petits plats-apothicaire-mère juive », comme la décrit sa fille Susan. Toujours en robe noire flottante, comme une veuve grecque de carte postale. Jamais sans un énorme sac-garde-manger et pharmacie, pourvu également d'une lampe électrique et d'une loupe. Elle ne manquait pas non plus d'éventails, comme on le vit lors des tournages en extérieur.

Bien que ses rapports avec son mari fussent depuis longtemps refroidis, Paula était la *doyenne* indispensable de la maison Strasberg. C'était elle qui, inlassablement, refaisait le décor de la vie privée et publique du Génie du théâtre ; et elle ne tarissait jamais sur le chapitre d'autres petites merveilles : ses enfants dont Marilyn était devenue, en quelque sorte, le troisième. La benjamine, plus que les deux premiers, ne pouvait se passer des soins permanents du Maître. Lee Strasberg, hélas, ne pouvait abandonner pour elle le « Studio » (l'Actor's Studio) ; aussi Paula le remplaça auprès de Marilyn. Paula aussi était une actrice et une enseignante consommée. Et son dévouement pour Marilyn était sincère — de même que les crises de nerfs que la présence de Paula occasionnait chez les metteurs en scène.

Joshua Logan fut atterré en apprenant que Marilyn exigeait la présence de Mrs. Strasberg sur le plateau. Il se tourna vers Milton Greene qui, depuis la signature du contrat avec la Fox, révélait des dons certains pour la diplomatie. Greene eut des pourparlers avec Lee Strasberg, au terme desquels on accorda à sa femme une enclave, dont les frontières étaient les quatre murs de la loge de Marilyn.

C'était une tâche ingrate à maints égards que celle à laquelle s'attelait Paula Strasberg. Certes elle percevait des gages substantiels (jusqu'à 2 000 dollars par semaine), mais elle allait devenir l'objet des risées, et parfois de la haine, du personnel technique, et des caprices, de plus en plus arrogants, de Marilyn elle-même. En ce qui concerne *Bus Stop* cependant, l'accord mis au point par Milton Greene fut un bon cadre de travail, entre autres parce que la façon dont Logan dirigeait s'accordait avec le «langage» de l'Actor's Studio.

Ainsi quand il conseillait à Marilyn de «glisser» dans un manteau, «comme si elle glissait dans un bain de mousse». Mais par la suite, dans d'autres films, c'est le système Strasberg qui sembla glisser — dans le ridicule. Dans *Le milliardaire*, Paula exhorta Marilyn à embrasser Yves Montand «comme de l'eau froide coulant sur une barrière de fer». Rosie Steinberg, la script-girl du film, en rit encore.

Dans une occasion au moins, Marilyn poussa «la Méthode» un peu trop loin. Elle devait, à un certain moment, frapper au visage son partenaire, Don Murray, avec un vêtement déchiré. Marilyn ne s'entendait pas très bien avec Murray : quand on tourna cette scène, elle le balafra. Imitant peut-être son condisciple et amant des derniers mois, Marlon Brando, qui disait-on, ne pouvait jouer la violence sans la commettre... L'incident en tout cas provoqua une crise. Malgré les supplications de Logan, Marilyn refusait de s'excuser et, telle une furie, accablait ses camarades acteurs de ses cris. Arthur Miller, ou du moins le rapport qu'elle avait avec lui, ne lui donnait apparemment ni l'égalité de l'humeur, ni la paix de l'esprit. Mais grâce à Paula Strasberg, les calmants étaient toujours là, à portée de main, dans des flacons.

Marilyn comptait sur elle pour d'autres aspects de l'existence. Quand, par exemple, Marilyn était conviée à des réceptions de caractère officiel, c'était Paula qui s'y rendait en avant-garde. Si les gens qui étaient là n'avaient pas l'heur de plaire à Marilyn, elle restait dans la voiture tandis que Paula, à l'intérieur, se chargeait de tous les salamalecs. Paula était aussi sa confidente pour toutes questions sentimentales, et sa garde-malade.

Au mois d'avril 1956, en plein tournage de *Bus Stop*, grands titres : MARILYN MONROE HOSPITALISÉE. « Infection virale, épuisement, surmenage, et bronchite aiguë », diagnostique son médecin — lequel reconnaît peu après qu'elle est simplement « paumée ».

Logan admet que son étoile est malade, « mais pas au point de justifier deux semaines d'extinction ». Comme la Fox doit payer, de toute façon, Logan fignole une scène qui ne nécessite pas la présence de Marilyn. Quinze jours, à 40 000 dollars par jour, pour produire une bagarre qui, dans le film, dure une demi-minute !

Une fois (avant ou après cet arrêt de travail), Logan se rend compte que Marilyn va être en retard pour une scène essentielle, où elle doit courir dans les rues au coucher du soleil. On lui a donné trois heures pour se préparer. Logan commence à courir lui-même à sa loge : « la pauvre chérie était encore en train de se regarder dans le miroir ». Sans gaspiller une parole, Logan l'entraîne littéralement sur le lieu du tournage, lui crie « Cours ! » et fait signe au cameraman de commencer à tourner.

Mais Logan pouvait tout lui pardonner. Il est encore plein d'admiration quand il se rappelle à quel point elle se plongeait dans son rôle : elle, elle pleurait réellement — quand d'autres auraient pris leur tube de glycérine. Et tous deux éprouvaient le même plaisir à refiler au comité de censure des prises osées pour l'époque.

Il la laissait se tromper maintes et maintes fois dans ses répliques, indifférent aux hectomètres de pellicule qui ainsi se perdaient. Il la tolérait les jours où elle n'arrivait pas à produire une seule prise de vues utilisable — ou quand elle quittait le plateau avec Paula Strasberg, pour aller « travailler sa motivation ». D'autres ne furent pas si patients.

La presse, que Marilyn avait toujours courtisée, fut tenue à l'écart pendant le tournage de *Bus Stop*. Quand on filma en extérieur, on construisit même des couloirs spéciaux pour la faire arriver jusqu'au plateau sans qu'elle pût avoir de contact avec les reporters. Ces derniers, qui étaient toujours là en grand nombre, finirent par recourir à des tactiques dignes de la guerre de guérilla : ils se mettaient en embuscade dans des hôtels voisins du sien, puis actionnaient de puissants projecteurs pour l'attirer à son balcon.

Bill Woodfield, qui était alors photographe du magazine *This Week*, se retrouva ainsi dans une arène de l'Arizona où l'on tournait une scène de rodéo avec Marilyn. Il n'était pas le seul, d'ailleurs, à avoir des problèmes pour la photographier : « C'était au point, dit-il, que nous nous cachions tous sous les gradins, avec nos appareils. J'ai pris quelques instantanés de Marilyn vomissant là-dessous, juste à côté de moi. A cause des scène auxquelles on la faisait participer... J'ai fait faire les tirages, et je les ai soumis à Milton Greene en lui disant : voilà de quoi on doit se contenter, à cause de vous ! Finalement, il lui a donné un peu de liberté, et j'ai pu prendre de belles photos. »

C'est à ce moment-là que *Time* consacra plusieurs pages d'un de ses numéros (dont celle de couverture) à Marilyn. Les reporters de cet hebdomadaire découvrirent pas mal de choses sur la parentèle Monroe : c'était un point assez vulnérable, parce que Marilyn ne savait pas toujours conjuguer les temps du passé. Le résultat — ô logique ! — fut qu'un des plus jeunes journalistes de *Time* se vit accorder une interview personnelle, dans de drôles de circonstances.

Darrach prit Marilyn à la sortie de la Fox à onze heures du matin et l'amena à l'hôtel où elle était descendue, le Château-Marmont. Marilyn, qui pourtant conduisait vite, demanda à Darrach de conduire lentement : elle avait l'air d'« avoir peur de tout en général ». Une fois arrivée dans sa suite à l'hôtel, Marilyn déclara qu'elle était fatiguée et proposa de faire l'interview au lit.

Et c'est ainsi que Darrach peut affirmer en riant, aujourd'hui : « J'ai passé dix heures au lit avec Marilyn Monroe. » Ils se mirent l'un en face de l'autre, Marilyn à la tête, lui au pied, et ils parlèrent jusqu'au soir.

« C'était Marilyn : elle était forcément jolie. Et, bien sûr, il y avait ces seins et ce derrière extraordinaires. Je n'ai jamais vu un postérieur comme le sien ; il était vraiment remarquable, très subtilement composé. Mais pas un seul instant je n'ai ressenti d'attrait sexuel : sa peau avait un aspect qui ne me donnait aucune envie de la caresser. Elle était épuisée ; elle avait un air un peu malsain ; sa peau, justement, semblait desséchée, par une nervosité rentrée, brûlante. Mais rien de sexuel n'émanait de sa personne. Je suis sûr qu'elle réservait cela pour les caméras. »

Pendant un moment, durant le tournage de *Bus Stop*, les rapports de Marilyn avec la presse furent assurés par Pat Newcomb, laquelle travaillait pour Arthur Jacobs, propriétaire d'un des principaux bureaux de relations publiques d'Hollywood. Pat Newcomb, très jeune, était une novice dans ce domaine. Son père était juge, sa mère assistante sociale, et Pat elle-même avait fait des études de psychologie. Mais ces antécédents ne suffisaient pas, quand il fallait « gérer » un personnage comme Marilyn Monroe.

« Nous nous sommes heurtées presque immédiatement, dit Newcomb. Pendant des années je n'ai pas su pourquoi ; en fait c'était à cause d'un type : Marilyn pensait que je l'aimais alors qu'il ne m'intéressait pas du tout. Je ne voyais pas comment faire face à cette situation. Arthur Jacobs m'a demandé de renoncer sans tarder à ce travail. »

Ainsi Pat Newcomb dut quitter le lieu du tournage. Cela ne l'empêchera pas de devenir, des années plus tard, la principale attachée de presse de Marilyn, ainsi que sa confidente, et d'être l'une des dernières personnes à voir Marilyn le jour de sa mort. Même alors, à deux doigts de la fin, elles se querellèrent encore.

La jalousie, ou l'esprit de rivalité, de Marilyn était connue. Elle eut un démêlé avec Logan à propos de Hope Lange qui avait un rôle de jeune fille dans *Bus Stop* : les cheveux de Hope étaient trop blonds ! On allait trop la remarquer... Logan céda et Hope Lange dut se faire teindre. (Dans les derniers mois de sa vie, lors du tournage de *Quelque chose doit craquer*, Marilyn eut la même attitude, tout aussi irrationnelle, vis-à-vis de l'autre vedette du film, Cyd Charisse.) Pendant le tournage de *Bus Stop*, on fit venir par avion la psychiatre new-yorkaise de Marilyn : c'était la première fois qu'une telle chose se produisait.

Malgré toutes les folies de Marilyn, le résultat fut un film excellent, et une grande réussite personnelle pour elle. Le critique du *New York Times* Bosley Crowther dit carrément que Marilyn s'était «enfin révélée une actrice». Et il continuait : «Heureusement pour elle — et pour l'idée qu'on n'arrive pas au succès sans travail —, elle donne dans ce film une performance qui fait d'elle une authentique star du cinéma, et pas seulement une personnalité tout en toc et un *sex-symbol*, comme elle était jusqu'ici. »

C'était l'hommage auquel Marilyn aspirait depuis des années ; aussi fut-elle consternée (beaucoup le furent, d'ailleurs) en voyant que *Bus Stop* n'était même pas nommé pour un Oscar. Le drame, cependant, c'était qu'au moment même où l'actrice réalisait son rêve, la femme, elle, se désintégrait. «Elle peut devenir une des plus grandes stars que nous ayons jamais eues, dit Logan à cette époque, si elle sait maîtriser ses émotions et garder sa santé. »

Logan fut un des premiers à percevoir la gravité des problèmes de Marilyn. «Quand je pense vraiment à elle, j'en perds presque la voix, me déclarait-il récemment. Je doute qu'elle ait connu plus de deux jours de bonheur, de contentement réel dans toute sa vie — sauf quand elle travaillait. »

A presque trente ans, cependant, elle semblait avoir enfin trouvé le bonheur dans l'amour.

21

Chaque jour pendant huit semaines, au printemps 1956, une femme, se présentant comme Mrs. Leslie, téléphona à la réception du Guest Ranch, au bord du Pyramid Lake, dans le Nevada, en demandant si elle pouvait parler à Mr. Leslie. Un Indien portait le message à une petite cabane, et Mr. Leslie, pipe à la main, se précipitait au téléphone.

«Mrs. Leslie» était Marilyn Monroe, occupée par le tournage de *Bus Stop*, tandis qu'Arthur Miller («Mr. Leslie») «se faisait une résidence» dans le Nevada, pour obtenir le divorce selon les lois de cet Etat. Ils avaient emprunté ces noms de code au roman de Vina Delmar, *About Mrs. Leslie* — qui raconte l'histoire d'une chanteuse de night-club et d'un homme marié qui vivent ensemble six semaines chaque année.

Arthur Miller était prudent, comme il convient à un homme qui vient d'intenter un procès de divorce. A cette époque, il ne parlait pas, publiquement du moins, de son désir d'épouser Marilyn. «Pendant longtemps, je ne pourrai pas me permettre de me remarier, dit-il à un reporter de *Time*. Où prendrais-je l'argent pour entretenir deux familles ? Ma pièce, *Vu du pont*, vient d'être retirée de l'affiche à Broadway. Elle m'a rapporté trente-cinq mille dollars ; et deux ans au moins passeront avant que je puisse en achever une autre. Elle non plus [Marilyn] n'est pas prête pour un nouveau mariage. Elle est trop passionnée par tous ses projets. »

Marilyn avait plus de peine à garder le secret. Exactement comme elle l'avait fait avant d'épouser Joe DiMaggio, elle tint à informer ses journalistes favoris. C'est ainsi que May Mann, du *New York Herald Tribune*, eut la surprise de recevoir un télégramme de Marilyn, lui fixant un rendez-vous téléphonique. A l'heure précise, elle lui téléphona pour lui dire, en confidence, que Miller et elle allait se marier — «à la mi-été ; mais attendez pour publier ça».

Le 2 juin, *Bus Stop* étant achevé, Marilyn retourna immédiatement à New York. Miller se préparait à la suivre, mais il en fut empêché par une affaire qui s'annonçait très grave. Alors qu'il était encore dans le Nevada, il reçut l'ordre de comparaître devant la Commission sur les activités antiaméricaines. Les parlementaires avaient décidé d'interroger le premier dramaturge du pays sur ses relations avec le communisme. C'était une épreuve — Miller le savait parfaitement — qui avait ruiné la carrière de dizaines de ses collègues au cours des dix années précédentes.

La Commission de la Chambre sur les activités antiaméricaines avait pris beaucoup d'importance en 1947, quand on lui avait communiqué une liste établie au ministère de la Justice, qui énumérait les organisations «totalitaires», «fascistes», «communistes» ou «professant toutes autres opinions subversives». Sa fonction était d'interroger ou de dénoncer; et elle s'attaquait surtout aux communistes, réels ou imaginaires.

Le plus célèbre animateur de cette politique de répression fut, à partir de 1950, le sénateur Joseph McCarthy. Deux futurs présidents, Richard Nixon et Ronald Reagan, appuyèrent les chasseurs de sorcières.

L'une de leurs principales cibles fut la communauté d'Hollywood, qui comptait beaucoup d'idéalistes acquis aux idées de gauche depuis les années 30 et 40. Des écrivains, des réalisateurs furent poursuivis. Certains, leur carrière brisée, se suicidèrent ou devinrent des épaves humaines. Le scénariste Alvah Bessie, dont on attendait beaucoup, se retrouva technicien dans une boîte de nuit. L'auteur de romans noirs Dashiell Hammett (*Le faucon maltais*, *La clé de verre*) préféra être emprisonné plutôt que de dénoncer des amis de gauche; ce fut fatal pour sa carrière.

Jusqu'à 1956, la Commission n'avait jamais trouvé un motif valable pour citer Miller, bien qu'il fût l'objet d'attaques constantes et bruyantes de la droite. Une campagne de protestation contre sa première grande pièce, *Ils étaient tous mes fils*, aboutit à son interdiction en Allemagne occupée : on lui reprochait de donner une image «fausse» des fournisseurs de l'armée et des militaires eux-mêmes. En 1949, des activistes de droite empêchèrent l'accès aux salles qui projetaient la version cinématographique de *Mort d'un commis-voyageur*. Et c'est alors que le «maccarthysme» battait son plein, quatre ans plus tard, que Miller réalisa *Les sorcières de Salem* : tout le monde comprit les allusions à l'époque présente, mais Miller s'en sortit indemne. La liste noire qui circulait à Hollywood — privant de leur travail les suspects de communisme — n'avait pas cours à Broadway.

La décision de convoquer finalement Miller, en 1956, n'était pas sans rapport avec l'apparition, dans sa vie, de Marilyn Monroe. La presse ne cessait d'évoquer son mariage imminent avec Miller; et le président de la Commission, Francis Walter, y vit une occasion de se faire de la publicité. La Commission ne faisait plus les premières pages des journaux, depuis un certain temps. En secret, on offrit à Miller une porte de sortie s'il s'arrangeait pour faire poser Marilyn aux côtés de Francis Walter. Il refusa.

La déposition de Miller eut lieu à Washington, le 21 juin. L'écrivain, en complet bleu et lunettes à monture d'écaille, reconnut s'être « inscrit à une forme ou une autre » de cours de formation marxiste vers 1939. Mais il dit « ignorer » avoir présenté une demande d'inscription au parti communiste.

L'affrontement avec la Commission se produisit quand Miller refusa, à maintes reprises, de nommer les personnes qu'il avait rencontrées à des réunions communistes. « Je ne saurais attirer des ennuis à d'autres personnes, en les nommant, dit-il aux parlementaires. C'étaient des écrivains, des poètes, autant que je sache ; et la vie d'écrivain, malgré ce qu'il semble parfois, n'est pas facile. Je ne veux pas rendre la vie de qui que ce soit plus difficile. Je vous demande de ne pas me poser cette question. »

Un mois après cette audience, la Chambre des représentants accusa Miller de mépris pour le Congrès — ce qui pouvait signifier un an de prison. Il fut condamné, fit appel et, finalement, fut acquitté deux ans plus tard. Dès le début, ce fut une lutte qu'il mena avec le soutien de Marilyn Monroe.

Comme on lui demandait de commenter la déposition de Miller devant la Commission du Congrès, elle dit, se faisant bien plus ignorante qu'elle n'était : « Je ne connais pas grand-chose à la politique. Il va falloir que je lui parle [à Miller] mais je pense qu'il est très fatigué. » Deux ans plus tard, au moment de l'acquittement, elle déclara ne jamais avoir douté du résultat, « parce que j'ai étudié Thomas Jefferson pendant des années et que, selon Thomas Jefferson, cette affaire devait se résoudre ainsi... ».

Marilyn jouait les ingénues, mais elle était farouchement du côté de Miller et s'initiait à la politique avec sa perspicacité habituelle. Lors des brèves apparitions qu'elle fit devant les journalistes au moment où Miller était sur la sellette, elle fut un modèle de calme et de dignité. La présence même de Marilyn fut pour Miller une protection, auprès de l'opinion publique, dont aucune autre victime de la Commission n'avait joui. Au lieu de l'attaquer, l'ensemble de la presse le présenta comme l'amant persécuté du *sex-symbol* national. Marilyn joua un rôle essentiel, enfin — selon Henry Rosenfeld —, en donnant à Miller de quoi faire face aux frais, énormes, de la défense.

On sait que Marilyn était courageuse : elle le prouva encore une fois en cette occasion. En 1960, elle dit à l'écrivain anglais W.J. Weatherby : « Certains de ces salopards d'Hollywood voulaient que je laisse tomber Arthur, disaient que cette histoire allait ruiner ma carrière. Ce sont des trouillards, ils veulent que vous soyez comme eux. C'est pour cela que je suis pour la victoire de Kennedy : Nixon a trempé dans toute cette affaire. »

En 1961, Danny Greenson, le fils du psychiatre de Marilyn, lui demanda de lui parler de cet épisode. « D'après ce qu'elle m'a dit, elle ne cessait de répéter à Miller : ''Il ne faut pas te laisser marcher sur les pieds par ces salauds. Tu dois leur tenir tête.'' Elle n'avait pas une grande culture politique, mais instinctivement, elle était toujours avec les petits, les perdants — c'est-à-dire du bon côté, à mon avis. Marilyn n'était pas qu'une belle poupée. »

Outre Miller, plusieurs collaborateurs de Marilyn étaient d'extrême gauche, selon les critères des années 50. La Commission sur les activités antiaméricaines avait des dossiers aussi bien sur Lee que sur Paula Strasberg. Paula, la conseillère dramatique de Marilyn, avait été membre du parti communiste. Ces relations de Marilyn n'avaient pas échappé au FBI.

Le Freedom of Information Act (loi sur la liberté de l'information) a permis de forcer le FBI à communiquer quelques documents concernant Marilyn. Le plus ancien, daté du 9 août 1955 (Marilyn fréquentait alors depuis plusieurs mois ses nouveaux amis new-yorkais), a été presque entièrement caviardé, sous prétexte qu'il entre dans la catégorie B-1 : protection des secrets concernant la défense nationale... Copie de ce rapport fut également adressée à la CIA — au vice-directeur des projets.

D'autres documents concernant cette période de la vie de Marilyn restent totalement inaccessibles, presque toujours à cause de la « sécurité nationale ». Pour ceux qu'irritent ces procédés du FBI, signalons que le seul ami intime qu'eut parmi ses collègues, en quarante ans, le directeur du FBI, J. Edgar

Hoover, exposait fièrement chez lui une copie originale du célèbre calendrier.

Le jour même où il passait devant la Commission, le 21 juin 1956, Miller renonça à ses propres règles de sécurité concernant Marilyn. On lui demanda pourquoi il voulait un passeport pour aller en Angleterre ; il répondit : « Mon objectif est double. D'abord il est question de mettre en scène, en Angleterre, ma pièce *Vu du pont* ; je veux aller participer aux discussions ; et cela me permettra d'être là-bas avec la femme qui sera alors mon épouse. » Lors d'une autre interview, encore à Washington, il déclara carrément qu'il allait épouser « sous peu » Marilyn Monroe — pour couper court à toute rumeur contraire.

Le jour même, Marilyn appela Norma Rosten. « Tu as appris ça ? lui dit-elle, d'un ton presque hystérique. Il a dit à tout le monde qu'il se mariait avec Marilyn Monroe. Avec moi ! C'est incroyable. Il ne me l'a jamais vraiment demandé ! Il faut que tu viennes ici tout de suite. J'ai besoin d'être soutenue moralement. Je devrais même dire : Au secours ! Je suis assiégée, bloquée dans mon appartement. Il y a des journalistes qui essayent de rentrer ; il y en a partout dans l'hôtel. »

Marilyn, cependant, bavarda avec un ouvrier qui était venu chez elle réparer la climatisation. Et finalement, c'est lui qui, en sortant, annonça triomphalement : « Elle m'a dit : ''Bien sûr que je vais me marier.'' »

Quand Miller arriva, les journalistes intensifièrent leur siège. Marilyn et lui montèrent dans un vieux break et s'enfuirent à Roxbury, où se trouvait la retraite campagnarde de Miller, dans le Connecticut. Les journalistes les suivirent, se mirent à camper juste devant chez eux. Miller, n'y tenant plus, réussit à les disperser en leur promettant une conférence de presse pour la fin de la semaine.

Tous deux purent jouir ainsi de quelques jours de tranquillité relative ; ils firent des projets divers, en attendant de savoir si l'on allait donner son passeport à Miller. Etaient avec eux le père de Miller, Isadore, soixante-douze ans, et sa mère, Augusta. Marilyn leur avait dit, en pleurs : « Pour la première fois de ma vie, je peux dire papa et maman à quelqu'un. » Les Miller étaient juifs, pieux mais sans excès, et Marilyn annonça qu'elle voulait se marier dans la foi judaïque.

Pendant l'année écoulée, Marilyn avait été entourée d'amis juifs — les Rosten, les Strasberg et autres — et elle s'était attachée à leurs coutumes. Elle avait célébré la Pâque juive avec Milton Greene, pendant le tournage de *Bus Stop* ; avait mangé des *bagels* et de la carpe farcie avec Eli Wallach. On lui avait expliqué la signification du *mezuzah*, ce cylindre contenant les dix commandements que les juifs mettent à leur porte.

La ferveur de Marilyn dépassa bientôt celle de Miller. A Roxbury, elle tannait Augusta pour qu'elle lui apprenne des recettes juives. Et c'est sur les instances de Marilyn que les Miller téléphonèrent à un rabbin de la branche réformée du judaïsme, lequel accepta de donner à Marilyn une succincte instruction religieuse et de célébrer ensuite la cérémonie nuptiale.

Arthur Miller était heureux. Marilyn avait le comportement d'une personne heureuse, mais elle était un peu trop frénétique. On apprit que « son médecin lui avait prescrit le repos ». Le père de Miller, qui deviendrait un des plus fidèles amis de Marilyn, posa cette question : « Ont-ils bien pesé cette décision ? »

Les reporters étaient restés dans les parages. Ils apprirent que tous deux s'étaient soumis à une analyse de sang et que les prélèvements avaient été apportés au laboratoire par un cousin de Miller, Morton. Le bruit courut qu'ils s'étaient déjà mariés ; mais les journalistes visitèrent en vain une cinquantaine de bureaux de l'état civil.

Le lendemain, 29 juin, était le jour fixé pour la conférence de presse. Les journalistes arrivèrent en foule (dans les quatre cents), envahirent la propriété de Miller, piétinèrent l'herbe, grimpèrent aux arbres : personne !

Vers une heure, on entendit une voiture qui approchait. Peu après, le véhicule apparut et s'arrêta net devant la foule ; Marilyn et Miller en sortirent et se précipitèrent sans rien dire à l'intérieur de la maison.

Quelques minutes plus tard, le cousin de Miller, refoulant ses larmes, expliqua qu'il y avait eu une tragédie. Alors qu'il ramenait Marilyn et Arthur chez eux, il avait accéléré pour échapper aux poursuites d'une voiture de presse ; et le conducteur de cette voiture, ne connaissant pas cette petite route, était rentré dans un arbre. La passagère, Mara Sherbatoff, chef du bureau new-yorkais de *Paris-Match*, projetée contre le pare-brise, avait été grièvement blessée au cou ; elle devait mourir peu après sur la table d'opération.

Dans la maison de Roxbury, l'humeur de Marilyn oscillait entre l'hystérie provoquée par l'accident et la colère contre son attaché de presse qui avait fait venir la télévision. Marilyn détestait la télévision. Finalement elle parut, entourée de Miller et des parents de celui-ci, pour une parodie de conférence de presse.

Milton Greene se démenait, donnant des instructions, prévenant les incidents. Marilyn affichait la sérénité. Miller, une cigarette non allumée aux lèvres, semblait presque montrer les dents aux reporters. Il refusa encore de dire où et quand ils allaient se marier.

L'après-midi, Marilyn fit venir Milton Greene dans la chambre à coucher et lui demanda conseil sur une question que Greene pensait réglée depuis longtemps. « Arthur veut que je l'épouse, dit-elle, maintenant — ce soir. Est-ce que je fais une erreur ? Qu'est-ce que tu en penses ? » Ebranlé, Greene alla à la fenêtre, puis revint vers le lit et dit, sans conviction : « Marilyn, tu dois faire ce qui te semble le mieux. »

Le soir même, après de nombreux coups de téléphone à des hommes de loi et aux autorités locales, Marilyn et Miller sortirent du Connecticut et s'arrêtèrent dans la première ville de l'État de New York : White Plains.

Le juge Seymour Robinowitz dut renvoyer à plus tard la réception qu'il donnait pour son propre anniversaire (c'était la deuxième fois, en moins de trois ans, qu'un mariage de Marilyn dérangeait les occupations mondaines d'un juge) et se rendit au tribunal. Marilyn, en sweater et en jupe, remplit encore une fois les papiers de mariage. A « nom du père », elle inscrivit « Edward Mortenson », ne fit aucune mention d'un mariage avec Robert Slatzer, et cette fois, dit la vérité à propos de son âge. Elle venait d'avoir trente ans au début du mois. Miller, presque quarante et un ans, portait un costume de lin bleu et n'avait pas de cravate. Il remit à Marilyn une alliance empruntée.

Cette cérémonie eut lieu à 19 heures 21, dans la chaleur moite d'un soir d'été. La presse ne sut rien sur le moment.

Deux jours plus tard, toujours dans le plus grand secret, fut célébré le mariage juif que Marilyn désirait tant. Marilyn promit au rabbin, Robert Goldburg, que tous ses enfants seraient élevés dans la foi judaïque.

Cette seconde cérémonie eut lieu devant une cheminée de marbre, chez l'agent littéraire de Miller, à Waccabuc, toujours dans l'Etat de New York. Cette fois Marilyn avait vraiment l'air d'une mariée, avec la robe et le voile, et Miller avait mis une cravate et une fleur à sa boutonnière. Tous deux burent le vin, échangèrent les alliances, et le jeune marié cassa son verre en souvenir de la destruction de Jérusalem.

Cette semaine de tension se termina par une scène bucolique. Vingt-cinq personnes furent invitées au lunch de mariage en plein air : homard, dinde et champagne, et évidemment la pièce montée. (Les Miller s'étaient adressés à huit pâtissiers avant d'en trouver un qui acceptât de la confectionner en quelques heures.) Marilyn et Arthur coupèrent les tranches, et s'embrassèrent sans retenue. Depuis plusieurs mois, on notait, chez Miller, une aisance physique qui l'avait complètement transformé.

« Le conte de fées était devenu réalité, a écrit plus tard Norman Rosten. Le Prince était apparu, la Princesse était sauve. »

Au cours des deux derniers jours, Miller avait fait l'acquisition d'un anneau d'or. Il portait l'inscription : « A. à M., juin 1956. Maintenant Pour Toujours. » Marilyn, de son côté, écrivit, au dos d'une photographie du mariage : « Espoir, Espoir, Espoir. »

22

Quinze jours après, dans une élégante demeure de la campagne anglaise, Mr. et Mrs. Miller dansaient joue contre joue le célèbre air de Gershwin *Embraceable You*. Miller avait eu son passeport, et ils étaient arrivés en Grande-Bretagne pour tourner *Le prince et la danseuse (The Prince and the Showgirl)*, avec Sir Laurence Olivier.

Terence Rattigan, l'auteur de la pièce (dont le titre original était *The Sleeping Prince* — Le prince dormant), avait réuni une brillante compagnie pour accueillir les jeunes mariés. Dansant à côté d'eux, on pouvait reconnaître Sir John Gielgud, Douglas Fairbanks junior, Dame Sybil Thorndike et Sir Lewis Casson, Dame Peggy Ashcroft, Dame Edith Evans, et Dame Margot Fonteyn, ainsi que des ducs, duchesses et chevaliers, et l'ambassadeur des Etats-Unis.

A un niveau plus plébéien, on attendait impatiemment Marilyn depuis des semaines. La presse à grand tirage se surpassait par la stupidité de ses grands titres, et c'était à qui raconterait le plus de fadaises sur son compte. La nouvelle de son arrivée fit la une des journaux — éclipsant un très important discours du Premier ministre Anthony Eden (sur l'imminence de la catastrophe économique pour l'Angleterre). Un quotidien offrit à Marilyn une bicyclette pour se promener dans la campagne anglaise, puis se plaignit quand on s'aperçut que c'étaient ses domestiques qui l'utilisaient! Des petites vieilles faisaient au crochet des images de Marilyn, en fil d'or et d'argent. On l'invitait à des matches de cricket, à chasser la grouse en Ecosse, à manger des *fish and chips* avec les teddy boys. Un chœur d'étudiants vint chanter des chansons gaillardes — et le 23e Psaume — sous les fenêtres des Miller.

Aucune de ces tentatives d'approche, même les plus intelligentes, n'aboutit. Où était la Marilyn qui, jadis, courtisait la presse et passait tous leurs caprices aux journalistes? A sa place, il y avait une femme renfermée, se cachant avec un mari peu communicatif derrière les grilles de Parkside House — la maison de campagne qu'ils louaient à Lord Moore.

On avait mis des volets spéciaux aux fenêtres de sa chambre : «Miss Monroe ne peut dormir que dans l'obscurité absolue», avait-on prévenu le personnel. On avait aussi meublé intégralement de blanc cette chambre à coucher : lit blanc, rideaux et meubles blancs, tapis blanc — comme dans son appartement de Manhattan. (Le majordome et le cuisinier, ayant révélé ces secrets à la presse, furent congédiés.) Un géant, ex-policier de Scotland Yard, accompagnait Marilyn dans tous

223

ses déplacements. On remarqua qu'elle semblait avoir perdu son sens de l'humour ; que c'était désormais une star dans le pire sens du terme...

Des mois plus tôt, ayant appris les projets de Laurence Olivier, Noël Coward avait écrit dans son journal : « Larry [= Laurence] veut jouer les princes dormants avec Marilyn Monroe ; il risque fort de se réveiller bon pour l'asile. »

Marilyn avait rencontré plusieurs fois Olivier dans les années précédentes, alors que elle n'était personne et que lui était déjà Sir Laurence, le plus célèbre acteur du monde anglophone. Maintenant, en tant qu'acteur mais aussi metteur en scène, il allait devoir la diriger dans une histoire assez creuse : une girl américaine qui tombe amoureuse du prince d'un royaume imaginaire, peu enthousiaste à son égard.

Olivier était informé des dangers auxquels on s'exposait en travaillant avec Marilyn, mais il pensait être à la hauteur de la situation.

Il avait parlé d'elle avec trois réalisateurs qui l'avaient dirigée : John Huston, Billy Wilder et Joshua Logan. Logan, qui émergeait meurtri mais triomphant de *Bus Stop*, écrivit même plusieurs fois à Olivier pour le mettre en garde : « Ne lui dictez pas ce qu'elle doit faire. Elle en sait probablement plus, sur le jeu de l'acteur de cinéma, que n'importe qui d'autre. Ne lui donnez pas d'ordres, cela la désarçonne, et vous ne pourriez plus rien en tirer. » Cela dit, avait ajouté Logan, « vous et elle formez la plus belle combinaison depuis la création du noir et du blanc ! »

Olivier eut tout de suite un motif d'irritation en voyant que Marilyn avait amené Paula Strasberg. Mais se rappelant à quel point Marilyn, à New York, lui avait semblé « schizoïde », il espéra que Paula « saurait susciter le meilleur de ces deux moitiés. » Trouvant que Marilyn était décevante pendant les répétitions, il ne le lui manifesta pas directement, mais chercha à agir par l'intermédiaire de Paula Strasberg. La déception fut encore plus grande : « Paula, a-t-il dit, ne savait rien ; ce n'était ni une actrice, ni une directrice, ni une conseillère ni, encore moins, un maître, sauf aux yeux de Marilyn. Car un talent, elle l'avait : elle savait passer la pommade à Marilyn. »

Il s'en aperçut tout à coup, un jour qu'ils étaient montés

224

tous les trois dans la même voiture, lui devant, elles derrière. En effet, il entendit, abasourdi (Laurence Olivier jure qu'il n'exagère pas) : « Ma chérie, tu n'as aucune idée de l'importance de ta position dans le monde. Tu es la plus grande femme de ton temps, le plus bel être humain de ton époque et de tous les temps... C'est vrai, pense même aux plus grands, même au Christ... non, personne n'est plus populaire que toi. » Et cela continua une bonne heure ; Marilyn buvait du petit-lait.

Pendant le tournage, Olivier finit par exiler Paula à New York ; mais Marilyn s'arrangea pour la faire revenir. Olivier était bon pour quatre mois d'enfer professionnel.

Marilyn, comme on sait, « séchait » devant les caméras : Olivier essaya de l'aider à surmonter ce problème. Il lui suggère de rester assise sans rien dire, de compter jusqu'à trois, puis de donner sa réplique. Ça ne marche pas, Olivier éclate : « Vous ne savez pas compter non plus ?! » Logan l'avait averti ; et effectivement, Olivier perdit à jamais la possibilité de trouver la longueur d'onde de Marilyn.

Le système de Marilyn et Paula au contraire, fonctionnait parfois ; mais pour un acteur comme Olivier, il était dur de constater que Marilyn ne réussissait à « saisir » un état d'âme qu'après que Paula Strasberg lui eut dit, par exemple : « Mon chou, pense seulement : Coca-Cola et Frankie Sinatra ! » Il arriva à la conclusion que Marilyn était « une illustre dilettante de l'industrie du spectacle, une artiste d'instinct, sans formation et, probablement, impossible à former ».

« Plus Larry et Marilyn étaient fatigués et tendus, et plus le fossé entre eux s'élargissait, a dit le cameraman Jack Cardiff. Elle a commencé à se demander s'il était vraiment le génie qu'elle imaginait. » Marilyn elle-même a dit, des années plus tard : « Sir Olivier (sic) essayait d'être amical, en fait, j'ai compris qu'il jouait les dames patronnesses avec moi (...). J'ai commencé à être méchante avec lui, à arriver en retard ; il détestait ça. Mais si vous ne respectez pas vos artistes, ils ne peuvent pas bien travailler. Le respect est une chose qu'on ne peut obtenir qu'en se battant. »

Mais c'est Marilyn qui manqua alors de respect, à Olivier et tous les autres, dans les grandes et les petites choses. Elle ne remercia même pas Olivier et sa femme de leurs attentions

— des roses qu'ils lui envoyèrent en signe de bienvenue, de la très jolie montre gravée qu'ils lui offrirent à la fin du tournage...

Pour ce qui est du manque de ponctualité, Marilyn réussit un jour à battre son propre record, en arrivant à un rendez-vous avec neuf heures de retard. Sybil Thorndike, qui était déjà âgée mais devait jouer le soir au théâtre, l'attendit toute la matinée. «Elle tâtait en quelque sorte le terrain, a dit Louella Parsons, pour voir si elle était vraiment l'égale d'Olivier. Elle se conduisait comme l'enfant qui veut avoir une fessée. »

Quinze jours après le début du tournage, Arthur Miller lui-même, en ayant assez des gamineries de sa femme, reprit l'avion pour les Etats-Unis (sous le faux nom de « Mr. Stevenson » pour ne pas affronter les journalistes). Il voulait se rendre au chevet de sa fille malade ; mais Marilyn vit dans son départ une désertion. Elle se cloîtra chez elle pendant une semaine, prétextant une «crise de colite». La production s'interrompit jusqu'au retour — anticipé — de Miller.

Milton Greene, qui avait acheté en Angleterre une Jaguar, ne cessait de faire la navette entre la maison de Marilyn, les studios et Londres, s'efforçant de créer un minimum d'entente entre Marilyn et Olivier, et entre les deux acteurs et la presse anglaise.

Sans Greene, ce film n'aurait jamais été terminé ; mais il est tout aussi certain que *Le prince et la danseuse* fut le début de la fin de son association avec Marilyn. On apprit «de source anglaise» que Miller demandait à Marilyn de priver Greene de ses fonctions de vice-président de Marilyn Monroe Productions. A quoi Miller rétorqua : «Je m'intéresse, bien sûr, en tant que mari, aux affaires financières de ma femme ; mais rien de plus. L'idée qu'il y aurait un conflit entre Milton Greene et moi-même est une invention de chroniqueurs en mal de copie. »

Et Greene déclara : «Il n'y a aucun problème entre Miller et moi. Vendre mes parts de Marilyn Monroe Productions ? Jamais ! »

Ce n'etait qu'un écran de fumée. Miller, qui, en principe, terminait sa nouvelle pièce, se mêlait de plus en plus — c'était fatal — de la vie professionnelle de Marilyn. Greene comprit tout quand il s'aperçut que Miller s'occupait lui-même du dossier professionnel de sa femme, faisant des coupures de journaux, choisissant des photos de Marilyn, etc. Et bientôt, Miller critiqua violemment les communiqués de presse de Greene. « Miller pestait contre moi, affirme Greene. Il la voulait pour lui seul, il voulait qu'elle tourne, qu'elle joue pour lui. »

Un an plus tard, Greene fut remercié ; on lui racheta ses parts 100 000 dollars ; et, à sa place, le beau-frère de Miller et un de ses amis entrèrent au comité d'administration. Greene, qui fut choqué par tant d'ingratitude, rappelle aujourd'hui que les deux films dont il s'occupa, *Bus Stop* et *Le prince*, furent les seuls grands films de Marilyn qui ne coûtèrent pas plus que prévu.

Contre toute attente, *Le prince et la danseuse* ne fut pas une catastrophe. Quand il sortit, la plupart des critiques furent plus tendres que Noël Coward, et lui-même nota dans son journal : « Larry superbe. Marilyn Monroe très jolie, délicieuse par moments, mais trop de fesses et de nichons. Pour moi, c'est un film charmant. » Le miracle promis par Huston, Billy Wilder et Logan s'était accompli : une fois le montage terminé, Marilyn était effectivement saisissante. Olivier l'a lui-même dit, bien plus tard, dans ses Mémoires : « Marilyn fut une vraie merveille, la meilleure de nous tous. »

Avant de quitter l'Angleterre, Marilyn échangea quelques politesses, malgré tout, avec la reine Elizabeth, lors de la projection du film en présence de la famille royale. Elle présenta aussi ses excuses, sur les instances d'Olivier, à toute l'équipe du film rassemblée. Elle eut quand même le front de dire : « J'espère que vous me pardonnerez tous ; car ce n'était pas complètement ma faute, j'ai été malade. »

Peu après Marilyn serait immortalisée chez Madame Tussaud — la galerie de figures de cire, à Londres. Elle est représentée dans une robe somptueuse, un verre de champagne à la main. Pour Marilyn et son mari, après cinq mois de mariage, il n'y avait cependant rien à fêter.

Un an avant ce mariage, on avait demandé à Marilyn : quelle est votre définition de l'amour ? Elle avait répondu que l'amour est confiance, que pour aimer un homme, il faut avoir pleine confiance en lui. Or, la confiance de Marilyn fut assez malmenée pendant sa lune de miel avec Miller. Le premier coup, Marilyn le reçut presque dès le début.

C'est un incident sur lequel, par la suite, Marilyn revenait sans cesse (en changeant parfois quelque détail). L'essentiel est ceci : après une soirée, elle eut l'attention attirée par des notes que Miller avait laissées sur une table. Marilyn y lut des commentaires la concernant, qu'elle jugea extrêmement blessants. Lee et Paula Strasberg, qui étaient alors tous les deux en Angleterre, en furent les premiers informés.

« Il avait écrit que je l'avais profondément déçu, dit-elle aux Strasberg. Il m'avait prise en quelque sorte pour un ange, maintenant il pensait qu'il s'était trompé. Que sa première femme l'avait laissé tomber, mais que moi, j'avais fait encore pire. Qu'Olivier commençait à trouver que j'étais une emmerdeuse et une salope et que lui, Arthur, ne savait plus quoi répondre à ça. »

Marilyn dit à Bob Josephy, un ami des Miller dans le Connecticut, que le sens de cette note de Miller était : « Mon Dieu, j'ai épousé la même femme » (autrement dit qu'il avait découvert chez Marilyn les mêmes défauts que chez sa première femme, Mary Slattery). Le désespoir de Marilyn fut d'autant plus grand que, dit-elle à Josephy, Miller avait « haï » sa première femme. Des années plus tard, Marilyn affirma que dans ces lignes, Miller la traitait de « putain ».

L'existence même de cette note ne semble faire aucun doute ; selon un témoin, elle est restée en possession de Paula Strasberg pendant des années. Miller n'a jamais fait de commentaire direct sur cet incident. Cependant, dans sa pièce *Après la chute*, qui sortit deux ans après la mort de Marilyn, il y a une scène étonnante, où le principal personnage féminin tombe sur une note qui la bouleverse.

Dans *Après la chute*, ce personnage qui fait irrésistiblement penser à Marilyn, « Maggie », s'emporte contre son mari en lui demandant de ne pas la confondre avec sa première femme. L'homme réplique : « C'est pourtant ça. J'en suis arrivé à porter la même accusation contre deux femmes aussi différentes — pour moi, c'est un cercle qui est bouclé. J'ai voulu voir en

228

face la pire des choses que je puisse imaginer : que je sois incapable d'aimer. Et je l'ai écrit, comme une lettre de l'enfer. »

Durant le tournage du *Prince et la danseuse*, Miller s'était peut-être déjà aperçu (car il est certain qu'il le constata par la suite) qu'il ne pouvait pas compter sur la fidélité de Marilyn. On s'interrogeait depuis longtemps, évidemment, sur la nature réelle de ses relations avec Milton Greene. Le mariage avec Miller mit fin à ces rumeurs ; et pourtant, elles étaient peut-être fondées.

Dans ses Mémoires, publiés en 1980, l'artiste populaire Sammy Davis junior écrit, à propos de Marilyn : « Au moment du tournage de *Le prince et la danseuse* avec Laurence Olivier, elle traversait l'une des périodes les plus difficiles de sa vie. Elle avait une liaison avec un ami à moi, photographe (...). Ils se voyaient en cachette, souvent chez moi. Elle était toujours suivie là-bas, aussi nous devions recourir à toutes sortes de stratagèmes pour préserver le secret. Par exemple, je faisais semblant d'avoir une réception chez moi ; Marilyn et lui n'arrivaient et ne partaient jamais ensemble... »

Milton Greene est, on le sait, photographe, et il compte Sammy Davis parmi ses amis. Et d'ailleurs, c'est Greene qui fit faire à Davis la connaissance de Marilyn. En 1984, comme je rapportais à Greene ce passage des Mémoires de Davis, il est parti d'un grand éclat de rire et m'a demandé : « Il a vraiment dit ça ? Vous avez peut-être raison, mais moi, je ne dis rien. Simplement qu'elle et moi nous étions étroitement associés, que nous étions intimes et que nous nous aimions. Point à la ligne. »

Dans *Après la chute*, la scène décrite plus haut se produit alors que le héros tente de toutes ses forces d'empêcher sa femme d'ingurgiter un mélange suicidaire d'alcool et de somnifères. Il s'agit certainement de la transposition littéraire d'une scène réellement advenue pendant le tournage de *Le prince et la danseuse*.

Au moment de l'arrivée en Angleterre, les journalistes, sans connaître la véritable situation, posèrent à Marilyn des questions plaisantes sur ses habitudes de sommeil. Marilyn répliqua : « Eh bien, maintenant que je suis en Angleterre, disons que j'aime avant de dormir me parfumer avec la lavande de Yardley's. »

La vérité était moins jolie. Marilyn était malade à cause à la fois du manque de sommeil et des somnifères dont elle abusait. Fred Guiles, biographe de Marilyn qui, lui, parla avec Miller, écrit : « Avant, elle souffrait déjà d'insomnie, mais les comprimés la soulageaient en partie. Maintenant, ils n'avaient plus d'effet. La nuit avançant, elle devenait hystérique. Mais lui [Miller] ne voulait pas qu'elle s'abrutisse avec les barbituriques. Les nuits blanches commencèrent. »

Milton Greene, qui prenait en charge l'épave qu'était Marilyn le matin, ajoute ces détails : « Elle voulait du gin avec son thé, à neuf heures, avant de monter sur le plateau ! Je le lui donnais, mais coupé d'eau ; cela la mettait en colère. Il fallait aussi que je la gave de remontants. A Londres les comprimés n'avaient pas la même couleur : elle m'accusait de lui refiler autre chose. »

Sur le plateau, c'était Paula Strasberg qui gardait dans son sac les comprimés et lui en donnait avec parcimonie pendant les pauses. Greene le dit sans détour : « Elle avait l'esprit de plus en plus dérangé. » Comme pour *Bus Stop*, on fit venir de New York la psychiatre de Marilyn.

Pendant son séjour en Angleterre, elle rencontra la poétesse Edith Sitwell qu'elle avait connue à Hollywood trois ans auparavant. Sitwell refusa de dire à la presse de quoi elles avaient parlé ; mais elle devait déclarer, quand Marilyn mourut : « Si l'on m'avait demandé de dresser la liste des gens qui, selon moi, finiraient par se suicider, je l'aurais mise dessus. »

Laurence Olivier, comme Miller, avait de graves problèmes avec sa femme. Celle-ci, Vivien Leigh, était depuis longtemps sujette à des dépressions nerveuses et à des accès de rage où elle perdait son sang-froid. Pendant le tournage du *Prince*, elle fit une fausse couche. Sur ces entrefaites, Marilyn commença à être prise de vomissements, fut soignée par le médecin accoucheur de la reine, et le bruit courut qu'elle était aussi enceinte, puis qu'elle aussi avait fait une fausse couche.

Ces drames rapprochèrent Miller et Olivier. « Larry s'identifiait à Miller, écrit le critique britannique Kenneth Tynan. Il voyait tous les ennuis qu'occasionnait à Miller son mariage

230

avec Monroe, laquelle était presque une folle, avec toutes ses singularités psychonévrotiques — alors que Miller lui-même était un type stable, sobre, comme Larry. Et Miller et lui parlaient de cela — de ce que cela signifiait d'être marié à de grandes stars qui, d'une manière ou d'une autre, étaient des cinglées.

« Miller était sur la défensive. Il cherchait constamment à justifier ce qu'il supportait de Marilyn. Mais Larry vit bientôt la réalité, au-dessous de ces discours justificateurs : Miller était vidé par sa relation avec Marilyn, il ne savait plus que penser, était paralysé ; il ne pouvait plus travailler, ne pouvait plus réaliser des projets vitaux pour lui, ne pouvait plus se concentrer. »

Miller avait dit qu'il profiterait de son séjour en Angleterre pour *achever* une pièce. Les domestiques de Parkside House entendirent, certes, le crépitement de la machine à écrire ; mais Miller ne produisit rien de fondamental jusqu'au scénario des *Misfits*, quatre ans plus tard.

A la mi-novembre 1956, une Marilyn soumise, tout en noir sous son vison, reprit l'avion pour les Etats-Unis avec son mari. Pendant presque deux ans, elle ne tournerait plus dans aucun film.

23

Le mariage avec Miller devait durer trois ans et demi ; ce fut la plus longue relation continue de la vie de Marilyn. Elle dirait un jour avec regret : « Je n'avais jamais été habituée à être heureuse ; aussi ce n'était pas quelque chose que je tenais pour acquis. Mais je me figurais que le mariage pouvait donner ça. » Si jamais Marilyn espéra le bonheur et fit en sorte de l'obtenir, ce fut alors avec Miller. Quant à Miller, aucun homme autant que lui ne se donna aussi complètement à elle.

Après le mauvais départ en Angleterre, le couple passa sa

première vraie lune de miel à la Jamaïque. Pendant une semaine, ils se détendirent, loin de la presse, à Moot Point, la luxueuse villa d'un aristocrate anglais. Puis ils revinrent à New York et emménagèrent dans un nouvel appartement dans la 57e Rue Est.

Cet appartement deviendrait, pour le public, « l'appartement de Marilyn » — de même que la maison du Connecticut serait « la ferme d'Arthur ». Aussi surprenant que cela paraisse, le numéro de téléphone était dans l'annuaire : il suffisait de chercher à « Marilyn, Monroe », au lieu de « Monroe, Marilyn ». Là encore, la couleur dominante était le blanc : murs blancs, rideaux blancs, meubles de couleurs pâles, piano blanc.

Ce piano la suivait depuis la Californie et, fait beaucoup plus remarquable, depuis son enfance. Il avait jadis appartenu à l'acteur Fredric March ; Gladys Monroe l'avait acheté, « un peu déglingué », quand Marilyn avait huit ans. Elle savait tapoter quelques airs dessus : « L'églantine », « Marguerite au rouet », la « Lettre à Elise ».

Les pièces étaient envahies de livres et de disques ; la lithographie d'Abraham Lincoln, bien sûr, était là, accrochée à un mur. Sur une table d'échecs, dans la bibliothèque, des rois et des reines d'ivoire attendaient, arrêtés au milieu d'une partie. L'appartement comportait aussi un bureau bien équipé pour Arthur.

Marilyn, désormais, n'accorderait presque plus d'interviews sur sa vie privée ; à deux reprises, cependant, cette année-là (1957), elle fit connaître clairement ses priorités : son mariage passait avant sa carrière, au cas où une contradiction apparaîtrait entre l'un et l'autre. « Le cinéma est mon métier, dit-elle, Arthur est ma vie. Où qu'il soit, je veux être avec lui. Quand nous sommes à New York, c'est Arthur le chef. » Par la suite, elle déclara aussi qu'au début de leur mariage, elle avait avec Miller « une relation de maître à élève » — elle, l'élève, évidemment.

Marilyn fit d'autres déclarations d'intention. Elle répéta, exactement comme au temps de DiMaggio : « Il faut que je sois ici pour préparer le *breakfast* de mon mari, et lui servir, éventuellement, une bonne tasse de café au milieu de la matinée. Ecrire est un travail tellement solitaire. » La différence avec

232

DiMaggio est que Marilyn, maintenant, faisait une partie de ce qu'elle disait. «Le mariage, dit-elle lors d'une de ces interviews, me fait sentir plus femme, plus fière de moi. Il me rend aussi moins frénétique. Pour la première fois j'ai le sentiment d'être protégée. Comme si j'avais trouvé un endroit pour m'abriter du froid. »

Marilyn appelait Arthur «Art», «Poppy» ou «Pa»; lui, lui donnait des surnoms comme «Penny Dreadful» («roman à deux sous»), «Sugar Finney» («ma petite sirène») et «Gramercy 5*».

Quand, cette année-là, sortirent ses œuvres dramatiques complètes, il les dédia à Marilyn. Il déclara qu'il s'était habitué à être reconnu partout où il allait avec Marilyn, et défendait vigoureusement son goût pour les robes moulantes et décolletées. Miller n'était pas un expansif, mais il était clair que son enthousiasme pour Marilyn égalait celui qu'elle avait pour lui.

«Marilyn est une perfectionniste, dit-il; elle s'impose des exigences impossibles. Moi aussi. On ne peut jamais atteindre ce que l'on poursuit. J'essaie d'aider Marilyn à accepter cette vérité, et elle aussi m'y aide. »

Sur le mur du bureau de Miller, il y avait la photographie d'une femme blonde, dont le visage était presque perdu dans l'ombre. «C'est Marilyn, disait-il. J'aime ce qu'il y a de tendre, de rêveur dans cette image, je l'aime aussi parce qu'elle y est détendue. Les gens ne la voient pour ainsi dire jamais sous ce jour. » Miller se déclara «un homme neuf à quarante et un ans». «Elle m'a appris la vie. »

Jim Proctor, ami intime de Miller, a dit : ce printemps et cet été-là, «je ne crois pas avoir jamais vu deux personnes aussi folles d'amour l'une pour l'autre...». L'expérience anglaise semblait n'avoir été qu'une fausse alerte. Quand elle ne tournait plus, Marilyn, apparemment, redevenait elle-même.

Tous deux allaient faire de la barque sur le lac de Central Park. Se déguisant avec les grosses lunettes de Miller, elle emmenait promener le basset, Hugo. Marilyn chanta ce qui

---

* Gramercy est une place élégante et historique de New York, avec un parc. La maison portant le n° 5 est celle dont on ne parle pas dans les guides (*NdT*).

était désormais « sa » chanson pour les amis, « Les diamants sont les meilleurs amis d'une femme », à une réunion de la famille Miller. Elle écoutait, admirative, tout ce que disait son beau-père, Isadore Miller, lequel feignait d'être agacé par les gâteries de Marilyn.

Marilyn, d'autre part, jouait avec plaisir son rôle de belle-mère auprès des deux enfants que Miller avait eus de son premier mariage : Jane, dix ans, et Robert, neuf ans. Les gens d'Hollywood qui lui rendaient visite dans son appartement de Manhattan étaient très intrigués de la voir tout à coup disparaître au cours d'une importante discussion. Elle revenait en expliquant : « Il fallait que j'expédie les enfants à l'école. »

Des années plus tard, elle dira des enfants de Miller et du fils de DiMaggio : « Je suis très fière d'eux, parce qu'ils sont issus de foyers brisés. Je pense que je les comprends. Je crois que je les aime plus que quiconque. Je voulais être leur amie. Seul le temps pourra leur prouver cela, ils doivent me le donner, le temps. » Elle resta en rapport avec « ses enfants » bien après le divorce d'avec Miller, et l'on retrouva leurs photos dans la chambre où elle est morte.

Au cours de cette première année avec Miller, Marilyn redevient une assez bonne maîtresse de maison, avec l'aide d'une femme de chambre et d'une cuisinière. Elle pouvait encore, certes, arriver avec deux heures et demie de retard aux dîners qu'elle donnait elle-même : « Ah ! elle est encore dans la baignoire », expliquait Miller avec une petite grimace.

L'acteur Kevin McCarthy a évoqué devant moi cet appartement de la 57e Rue Est, où Marilyn « évoluait dans une robe noire courte, en hauts talons, sans bas. Elle avait des cicatrices aux jambes, parce qu'elle-même se les rasait très mal. Elle avait une drôle de façon d'être : douce, poignante, un peu dans la lune ».

Norman Rosten, de son côté, se rappelle de joyeuses soirées au champagne. « Marilyn adorait danser, dit-il, Miller aussi — au bout de quelques verres — il se lançait alors dans une interprétation très personnelle du fox-trot, très mouvementée : on s'attendait à chaque instant à le voir tomber. » Rosten, lui-même, dansant avec Marilyn, lui promit (une fois qu'il

234

était bien « parti ») de composer un poème à la gloire de ses seins.

Miller **avait** dit : « La vie continuera de la même façon, parce que je ne sais pas vivre autrement : beaucoup de travail, quelques rires, et beaucoup de soucis. » Des soucis, il y en eut aussi **au** printemps 1957.

C'est à ce moment-là, en effet, que Miller fut condamné en première instance pour « mépris du Congrès ». C'est alors aussi que l'enquête sur l'« Expédition de la mauvaise porte » fit les gros titres des journaux. Pour ne pas avoir à témoigner sur cette affaire, Marilyn prétexta « une infection virale ».

La rupture avec Milton Greene ne fut pas indolore. Un **magazine** à scandale publia un long article, photographies à **l'appui,** sur les rapports de Marilyn et Bob Slatzer en 1952 (à une époque où elle était officiellement avec Joe DiMaggio). Toutes ces informations avaient été fournies par l'**ancienne** femme de chambre de Marilyn à Hollywood. Marilyn donna des coups de téléphone affolés à Slatzer, pour lui dire que son nouveau mari était très contrarié par cette affaire.

En fait, il n'était qu'irrité. « Ce n'est pas toujours marrant d'être marié à une ampoule électrique, avait dit Joe DiMaggio. Mais Mr. Miller semble se débrouiller mieux. Il doit savoir comment décrocher. »

« Décrocher », pour Arthur Miller, cela avait toujours signifié s'échapper dans la nature. Marilyn et lui ne furent presque jamais à Manhattan pendant l'été 1957. Norman Rosten, à qui ils laissaient l'usage de leur appartement en leur absence, y trouva ce petit mot de bienvenue :

Cher Norman,

Il y a une tarte aux fraises, maison, dans le frigo. Du lait aussi — sers-toi. Reste ici autant que tu voudras — une semaine — quinze jours, etc. Tu es libre d'aller et de venir comme il te plaît...

Tu ne t'imposes pas. Nous sommes contents que tu sois à bord — même si nous coulons — plus on est de fous plus on rit !

Je te laisse ce couplet (d'une enfance non enfantine) :

Et voici —
Bonne nuit
Dors

et Doux repos
Où que tu poses ta Tête —
J'espère que tu trouveras ton nez —

                                 Marilyn

Dès le début de juin, les Miller mirent leurs affaires dans une Lincoln blanche décapotable et allèrent jusqu'à la pointe la plus orientale de Long Island. Là, à Amagansett, ils louèrent une maison de bois, Stony Hill Farm, où ils vécurent, la plupart du temps retirés du monde, pendant plusieurs mois. Au village, seulement, on voyait régulièrement Marilyn faire les courses, dans un short en loques et une chemise de son mari. Ils consommaient beaucoup de brioches et de glaces, et Arthur Miller aimait le steak bien épais.

Miller avait amené sa machine à écrire, il travaillait le matin. Il n'arrivait toujours pas à terminer sa dernière pièce, mais il rédigea quelques nouvelles. Parmi celles-ci les *Misfits*, qui fourniraient la matière du dernier film de Marilyn.

Mais à Amagansett le travail passait après la femme. On les voyait chaque jour tous les deux sur la plage, se promenant ou restant tranquillement assis. Une photographie prise par un ami montre Marilyn enlaçant amoureusement Miller qui pêche dans les rouleaux. Il reconnaissait avoir pris douze kilos depuis son mariage avec Marilyn : cela se voit sur cette photographie.

De temps à autre, il fallait quand même rentrer en ville. Il y eut la première du *Prince et la danseuse* ; ils s'y rendirent, Miller en smoking et sa femme en jupe. D'autre part Marilyn — pour des raisons mystérieuses — avait accepté d'être présente à l'inauguration du Club des *Sidewalk Superintendants**, dans le nouveau gratte-ciel de *Time & Life*. Elle y avait mis une condition : qu'on l'amène et qu'on la remmène par hélicoptère. (Miller, quant à lui, se tint à l'écart de cette festivité.) On lui avait ménagé une rencontre avec Laurence Rockefeller : elle arriva avec plus de deux heures de retard, et Rockefeller s'en alla, en grommelant que «jamais il n'avait attendu personne aussi longtemps».

---

* Personnes chargées de la surveillance des lieux où sont en cours des travaux de démolition ou de construction.

Pour ceux qui s'intéressaient de près à Marilyn, ces deux apparitions présentèrent un élément commun. La première du film était donnée au profit d'une œuvre pour l'enfance ; et lors de sa visite au club des «Inspecteurs des Trottoirs», elle dit avoir «de drôles de sensations au ventre».

Marilyn était enceinte. En juin, dans une interview censurée de son vivant — les agents de publicité la trouvant contraire à son «image» — elle avait dit : «Un homme et une femme ont besoin de quelque chose qui soit à eux. Un enfant fait le mariage. Il le rend parfait.» Elle avait donc conçu peu après son trente et unième anniversaire et à la veille de son premier anniversaire de mariage.

Marilyn était, on s'en doute, enchantée ; mais ce sentiment n'allait pas sans un certain effroi, une crainte indéterminée. Un soir, à Amagansett, Norman Rosten la trouva toute seule sous le porche, en train de sangloter. Cela n'empêcha pas Marilyn de dire quelques années plus tard à un ami, en lui montrant une photo d'elle, prise ce mois-là : «Ç'a été le moment le plus heureux de toute ma vie.»

Miller aussi était heureux. «Si l'on veut vraiment comprendre Marilyn, dirait-il, il faut la voir avec des enfants. Les enfants l'aiment à la folie ; elle se comporte comme eux, envers la vie : la même simplicité, les mêmes attitudes directes.»

Le premier jour d'août, cependant, Miller, qui était en train de travailler dans la maison, entendit Marilyn hurler. Elle était dans le jardin, pliée en deux par la douleur. Une ambulance l'emmena au Doctors Hospital de New York où exerçait son gynécologue. Il n'y avait rien à faire : c'était une grossesse extra-utérine.

Jim Haspiel, le jeune ami de Marilyn, lui rendit visite à l'hôpital après l'opération. La chambre était plongée dans l'obscurité ; Miller était à côté d'elle ; de la musique classique passait à la radio. Elle dit à Jim que, selon les médecins, l'enfant qu'elle venait de perdre aurait dû être un garçon. Marilyn devait mourir, cinq ans plus tard, le jour anniversaire de cette fausse couche.

Sur le moment, elle sembla très bien se remettre. Elle tint à donner quand même la «champagne party» qu'elle avait annulée avant l'opération. Les médecins dirent qu'elle serait

237

capable de mener une autre grossesse à terme, et Miller déclara : « Elle veut autant d'enfants que possible, et je pense la même chose. Je n'ai jamais connu une personne aussi courageuse. »

De retour à Amagansett, elle se reposa, et « essaya » de nouveau. Ce fut une triste épreuve, comme on le voit dans cette lettre aux Rosten :

Je crois que je suis enceinte depuis trois semaines ou peut-être deux. J'ai les seins tellement sensibles que je ne peux même pas y toucher — je n'ai jamais eu ça dans ma vie et ils me font mal aussi — j'ai aussi des crampes et de légères pertes depuis lundi — maintenant ça augmente et j'ai de plus en plus mal de minute en minute. Je n'ai rien mangé de tout hier — cette nuit j'ai pris 4 grands comprimés d'amutal — ce qui équivaut à 8 petites pilules.

Est-ce que j'ai pu le tuer en prenant tout cet amutal à jeun ? (sauf que j'ai pris aussi un peu de sherry)

Qu'est-ce que je dois faire ? s'il est encore en vie je veux le garder.

Marilyn, en fait, n'était pas enceinte ce mois-là, pas plus qu'elle ne le fut pendant de nombreux mois.

Dans les derniers jours de l'été, les Miller retournèrent à l'appartement de Manhattan.

Lena Pepitone, la nouvelle bonne qu'ils engagèrent à l'automne, décrit une Marilyn perturbée, à laquelle tous ces mois de repos et de soleil n'avaient pas rendu la santé. Marilyn restait au lit jusqu'à n'importe quelle heure, errait toute nue dans l'appartement. Souvent elle demandait à boire dès le réveil, en général de la vodka. Miller semblait stoïque et fuyait la compagnie. Heureusement pour tous les deux, l'hiver apporta une nouvelle préoccupation : « la ferme d'Arthur ».

Depuis quelque temps, Miller cherchait une nouvelle maison de campagne dans le Connecticut (ayant vendu celle qu'il partageait avec sa première femme). Bob Josephy, leur ami, qui, habitant à la campagne, les aidait dans leurs prospections, se souvient de Marilyn « débarquant en hauts talons, dans une tenue tout à fait inadéquate », quand on visite des fermes à vendre. Dans les derniers jours de l'année, avec l'argent de Marilyn essentiellement, ils achetèrent une propriété de cent vingt hectares — non loin de l'ancienne maison de Miller dans les environs de la petite ville coloniale de Roxbury.

La construction elle-même, du XVIIIe siècle, était, pour reprendre les termes de Marilyn, « une espèce de vieille boîte à sel avec un appentis-cuisine ». On leur conseilla de l'abattre et d'en construire une nouvelle ; Marilyn et Miller n'en firent rien ; au contraire, ils se mirent à la retaper, laissant les poutres et les planchers originaux, aménageant un bureau pour Miller. Ils construisirent aussi une nouvelle aile que Marilyn, reprise par l'espoir, baptisa « la nurserie ». Miller déclara : « C'est l'endroit où nous espérons vivre jusqu'à nos derniers jours. »

La région de Roxbury est peuplée de gentlemen-farmers et de familles qui y ont bâti leur retraite de campagne depuis des générations. Des acteurs et des gens de spectacle y vivaient aussi quand les Miller vinrent s'y installer (entre autres Richard Widmark, qui avait été le partenaire de Marilyn dans *Troublez-moi ce soir*) ; là, personne ne les importunait.

Marilyn s'assimila facilement : elle apportait une touche d'exotisme dans cette petite caste campagnarde. Leurs voisins les plus proches, les Diebolds, la connurent à un cocktail et furent emballés : ils la traitaient comme un de leurs enfants et non comme une star, et Marilyn semblait ravie.

Aux yeux de ces châtelains américains, Marilyn était une nouvelle Marie-Antoinette jouant les paysannes. Là, plus que partout ailleurs, elle put s'abandonner aux manifestations les plus extrêmes de son amour pour tous les êtres vivants. Hugo, le basset, pouvait être trempé, tout crotté, elle le faisait entrer dans la salle de séjour. Elle adopta Cindy, une chienne de race incertaine qu'elle trouva à moitié morte de faim dans leur arrière-cour. Elle fixa à un érable une petite mangeoire pour les oiseaux, et elle s'inquiétait de savoir comment ils se nourrissent pendant leurs migrations. Elle acheta deux perruches ondulées (une espèce parlante). Les deux oiseaux prirent souvent avec elle l'avion de Los Angeles. Lors de son premier vol clandestin pour New York, Butch, le favori de Marilyn, se réveilla en plein ciel en croassant : « J'suis l'oiseau d'Marilyn, l'oiseau d'Marilyn. »

Les psychiatres trouvèrent beaucoup à dire sur sa compassion immodérée pour les animaux et la nature. Inez Melson, l'ancien agent d'affaires de Marilyn en Californie, fut un jour réveillée par un coup de téléphone « en urgence ». Du Connecticut. Il était alors quatre heures du matin sur la côte est. Le pauvre Butch était complètement affolé par un orage : c'était tout ce que Marilyn avait à dire à Melson.

Ne pas pouvoir supporter la mort du moindre être vivant peut conduire à des tensions avec les autres êtres humains : un soir, Marilyn et Miller virent des pêcheurs qui retiraient de l'eau le produit de leur pêche ; Marilyn se précipita pour remettre à l'eau les poissons encore vivants. Cet épisode a inspiré à Miller une courte nouvelle : *Please Don't Kill Anything* (Je t'en prie, ne tue rien).

(Après avoir remis les poissons à l'eau) « elle me regarde, écrit-il, avec l'air émerveillé d'une petite fille malgré son sourire de femme, et me dit : ''Mais, comme cela, certains vivront peut-être très vieux... et verront leurs enfants grandir !'' »

Un jour, en se promenant dans le petit parc de la 58ᵉ Rue Est à New York, elle aperçut deux garçons qui prenaient des pigeons au piège. Ils lui expliquèrent que, pour chaque pigeon, on leur donnait cinquante *cents* au marché ; elle racheta aussitôt la liberté de ceux qu'ils avaient déjà pris. Et pendant longtemps retourna chaque semaine au parc pour retrouver les deux gamins et leur verser la rançon.

L'épisode le plus navrant est peut-être celui-ci : comme les Miller rentraient chez eux, à Roxbury, Marilyn soudain découvre qu'en leur absence, on a fauché l'herbe en bordure de la route, sans prendre garde à des milliers de capucines qui maintenant jonchent le sol, la tige coupée. Marilyn, « éclatant en larmes comme si on l'avait blessée », oblige Miller à s'arrêter, se précipite hors de la voiture, et se met à repiquer les fleurs une à une...

Arthur Miller voyait, entendait et se préoccupait. Dans *Please Don't Kill Anything*, il écrit : « Une part d'elle-même vouait une adoration farouche à tout ce qui vit ; mais elle voyait bien aussi qu'elle ne mourait pas avec les mites, les araignées et les oisillons, et elle savait que c'était un fait qu'il faut comprendre. »

A Amagansett, après la perte du bébé qu'elle attendait, Miller découvrit un soir Marilyn effondrée dans le fauteuil, sans connaissance et respirant bruyamment. Il n'y avait plus de comprimés dans le flacon de somnifères ; Marilyn était en train de glisser dans le coma. Elle ne dut la vie sauve qu'à l'intervention immédiate d'une équipe médicale de la clinique voisine.

Une autre fois, à New York, à trois heures du matin, Norman et Hedda Rosten furent priés de venir d'urgence à l'appartement de la 57e Rue. Marilyn avait encore avalé trop de barbituriques, et on venait de lui faire un lavage d'estomac. Quand ils arrivèrent, elle pleurait doucement dans son lit. La mort n'était pas passée loin ; Marilyn avait encore les doigts bleus. Rosten se penche pour lui demander : «Comment ça va, ma chérie ?

— En vie. Pas de chance. Tout le monde est cruel, tous des salauds. Oh, nom de Dieu... »

Lors d'une soirée chez lui, à Brooklyn Heights, en 1958, Norman Rosten voit Marilyn assise sur le rebord de la fenêtre, un verre à la main. Elle avait l'air mal luné, «prise dans son rêve éveillé, par des pensées qui n'étaient certainement pas agréables». Rosten s'approche d'elle et lui dit : «Hé, psst, reviens ! »

Marilyn lui parle de ses nuits sans sommeil, puis montre le vide. «D'ici à en bas, c'est rapide. Qu'est-ce que ça peut faire si je m'en vais ?

— Moi, ça me ferait quelque chose, dit Rosten, de même qu'à tous les gens qui sont ici : on entendrait un vilain bruit. »

Marilyn se mit à rire.

En plaisantant (mais son intention était sérieuse), Rosten amena Marilyn à faire un pacte avec lui : si l'un ou l'autre en arrivait à vouloir vraiment se suicider, il devait appeler l'autre, pour en être dissuadé. Rosten pensait, alors, que Marilyn l'appellerait un jour. Il m'a fait voir ce fragment d'un poème écrit par elle en 1958 :

A l'aide A l'aide
A l'aide je sens la vie
s'approcher
Quand moi je ne veux que mourir

Marilyn avait commencé à mourir cette année-là, à New York, dans l'être divisé que cachaient les célèbres yeux.

241

« Cela, alors, écrivait le photographe britannique Cecil Beaton, c'est le prodige de l'époque : une somnambule sans cesse dans son rêve, et qui serait à la fois Alice au pays des merveilles, Trilby et une artiste de Minsk. Peut-être est-elle née juste après la guerre, le jour même où nous avions besoin d'elle (...). Comme l'Ondine de Giraudoux, elle n'a que quinze ans ; mais qu'adviendra-t-il avec les années, seul le temps peut le dire. »

Les trois pages écrites par Beaton en 1957 sont parmi les plus fouillées et les plus perspicaces de la littérature consacrée à Marilyn. C'est une créature, disait-il, « aussi spectaculaire que l'averse argentée d'un geyser ; c'est un incroyable déploiement d'humeurs narcissiques, inspirées ». Le jeu de Marilyn, pour Beaton, était « de la pure charade ».

En 1958, Marilyn réalisa pour *Life*, avec le photographe Richard Avedon, une brillante série de portraits qui évoquaient de grandes stars du passé : Jean Harlow, Clara Bow, Lillian Russell, Theda Bara et Marlène Dietrich. Pour chacune la ressemblance était parfaite. C'était, écrivait Miller en commentaire, « une espèce d'histoire de notre fantaisie de masse, concernant les séductrices ».

Cette année-là, où Marilyn incarnait la fantaisie à la perfection, fut, pour la femme réelle, le début de l'évolution fatale vers la désintégration.

A cette époque elle fit la connaissance d'une de ses idoles, Montgomery Clift — qui serait trois ans plus tard un de ses partenaires dans les *Misfits*. La première fois qu'ils se virent, lors d'un dîner, tous deux se soûlèrent, lui au scotch, elle avec des cocktails au rhum. Un autre soir, chez les Miller, Clift s'enivra à un tel point que Marilyn eut ce commentaire : « C'est la seule personne que je connaisse qui soit arrivée encore plus bas que moi. »

... Marilyn était retournée à Los Angeles au début de juillet, pour *Certains l'aiment chaud (Some Like It Hot)*. Comme elle n'avait plus tourné à Hollywood depuis deux ans, les journalistes se rendirent en force à l'aéroport. Les passagers descendirent de l'avion : pas de Marilyn. Les suppositions les plus contradictoires se mirent à circuler. Mais au bout d'une demi-heure, elle apparut en haut de la passerelle :

« Une apparition blanche se matérialisa à la porte », écrivit le reporter du *Los Angeles Times* ; « cheveux blancs agités par le déplacement d'air que provoquait un autre avion ; chemisier de soie blanc ouvert sur une gorge poudrée de blanc ; jupe étroite de soie, blanche ; souliers blancs ; gants blancs. Marilyn Monroe regarda le monde en clignant de grands yeux... puis elle se mit à descendre lentement, avec un air malicieux. "Excusez-moi, dit-elle. Je dormais." »

Les journalistes remarquèrent qu'elle portait trois livres sous le bras : *L'importance de vivre* de Lin Yutang, *La vie parmi les sauvages* de Shirley Jackson, et *A l'acteur* de Michael Chekhov. On rapporta par la suite que son appartement, au Bel-Air Hotel, avait été décoré presque tout en blanc, et qu'elle avait acheté une autre perruche parce que son chien, qu'elle avait laissé sur la côte est, lui manquait.

Quant au tournage du film, elle se montra plus insupportable qu'elle ne l'avait jamais été. Cinq mois d'enfer commençaient pour Billy Wilder, et pas seulement pour lui. Un jour qu'elle était dans sa loge (en train de lire *Les droits de l'homme* de Thomas Paine), elle répondit, à un assistant du metteur en scène qui venait la chercher : « Allez vous faire foutre ! »

Quand on projette les premières épreuves, elle éclate : « Je ne refous plus les pieds au studio tant que Wilder se décide pas à refaire mon entrée. Quand Marilyn Monroe arrive dans une pièce, on doit pas regarder Tony Curtis jouant Joan Crawford : on doit voir Marilyn Monroe. »

Certains l'aiment chaud est l'histoire de deux hommes (Tony Curtis et Jack Lemmon) qui, pour échapper à des gangsters, se déguisent en femmes et se joignent à un orchestre de musique légère exclusivement féminin. Tony Curtis tombe amoureux de la fille qu'interprète Marilyn, joueuse de guitare hawaiienne ayant un penchant pour le whisky et les millionnaires. Dans les publicités pour le film, on présenterait Curtis et Lemmon comme «des amis de cœur» de Marilyn, évidemment. Mais sur le plateau, il n'en fut rien.

Marilyn rendit fous ses deux partenaires par ses retards interminables (arrivant «pour le lunch» à six heures du soir, par exemple), et par son incapacité à se rappeler même les dialogues les plus simples. Tous les records furent battus : soixante-cinq prises pour une réplique de trois mots ! Curtis, sur lequel elle renversa un fois un verre de champagne, parlerait, plus tard, de l'«arrogance haineuse» et de l'«égoïsme vindicatif» de Marilyn. C'est aussi Curtis qui, regardant les *rushes* d'une scène où il embrassait Marilyn, laissa échapper cette remarque (qui fut aussitôt répétée et est devenue célèbre) : «C'est comme d'embrasser Hitler.»

Les rituels qu'elle observait avant de jouer étonnaient fort les non-initiés et faisaient enrager ses collègues. «Avant chaque prise, a écrit Lloyd Shearer, Marilyn fermait les yeux et se plongeait dans une transe profonde. Elle tirait sur son maillot de bain style 1927 puis, soudain, étirait les bras et se mettait à battre violemment l'air de ses mains, en haut en bas, en haut en bas, comme si elle s'efforçait désespérément de les séparer de ses poignets.» Cela faisait partie des techniques que Marilyn avait héritées de l'Actor's Studio. Paula Strasberg, d'ailleurs, grande robe noire, capuchon noir, lunettes noires, n'était jamais très loin.

Billy Wilder tomba malade pendant le tournage. Quand *ce* fut fini, il déclara : «J'ai retrouvé mon appétit. Je réussis à dormir, pour la première fois depuis des mois. Je peux regarder ma femme sans avoir envie de la battre simplement parce que c'est une femme.» Par la suite il dirait, comparant ce long supplice à un voyage aérien : «Nous étions en plein ciel — et il y avait un dingue dans l'avion.»

«Quand on est metteur en scène, m'a-t-il dit, on essaie d'être aussi un peu psychologue. Il faut établir un contact avec les gens qu'on dirige. En général, je devine rapidement comment prendre les uns et les autres. Ce n'était pas le cas avec Marilyn : il était totalement impossible de prévoir ses réactions. Je ne savais jamais quelle journée nous allions avoir. Et chaque fois, je me demandais : comment va-t-elle être aujourd'hui ? Va-t-elle coopérer ou nous mettre des bâtons dans les roues ? Et si elle explose, et qu'encore une fois nous n'arrivions pas à tourner une seule scène ? Voilà quel était mon problème. Je peux faire face à tout, mais il faut que je sache ce qui m'attend. Avec Marilyn, je ne le savais jamais. »

Cela dit, comme la plupart des autres réalisateurs, Wilder ne regrettait rien, car une fois de plus, Marilyn semblait avoir ensorcelé la pellicule. Le film fut accueilli par un concert d'éloges et fit entrer des millions dans les caisses. Aujourd'hui, c'est le film de Marilyn que l'on repasse le plus souvent à la télévision.

Avant même la sortie du film, Wilder avait dit : « Il émane d'elle quelque chose de magique, d'indéfinissable, que personne d'autre n'a dans le métier. (...) J'ai une tante à Vienne qui elle aussi est actrice. Il me semble qu'elle s'appelle Mildred Lachenfarber. Elle arrive toujours sur le plateau à l'heure. Elle sait parfaitement son rôle. Elle n'embête jamais personne. Mais à la caisse, elle vaut quatorze *cents*. Vous voyez ce que je veux dire. »

Citons une dernière fois Wilder : « Comme actrice comique, m'a-t-il dit, c'était un génie absolu, elle avait un sens extraordinaire du dialogue comique. C'était un don divin. Croyez-moi, au cours des quinze dernières années, il y a une dizaine de projets qu'on m'a présentés, sur lesquels je me suis mis à travailler, jusqu'au moment où je me suis dit : Non, ça ne marchera pas, il faudrait Marilyn Monroe. — Il n'y a personne à ce niveau : tous les autres semblent ramper, par comparaison. »

Le 11 septembre 1958, Marilyn écrivit à Norman Rosten, de Coronado, Californie (c'était là qu'on tournait les extérieurs du film). Le papier à lettres de l'hôtel est décoré d'un paysage de plage ; dans l'eau Marilyn dessina un petit personnage féminin qui agite les bras et crie « Au secours ! ». Puis elle écrivit :

Cher Norman,
N'abandonne pas le navire au moment où nous coulons. J'ai l'impression que ce bateau n'arrivera jamais au port. Nous nous sommes engagés dans le Détroit des Détresses. Grande houle et vent de tra-

vers mais pourquoi m'en faire. Je n'ai pas de symbole phallique à perdre.

Marilyn.

P.S. «Aime-moi uniquement pour mes cheveux blonds*»

A la main, Marilyn ajoutait :

J'aurais écrit ceci
à la main mais elle tremble

Encore une fois on fit venir pendant le tournage un psychiatre de la côte est, et aussi un médecin, pour la soigner. Quatre jours après avoir écrit cette lettre à Rosten, elle fut hospitalisée aux Cèdres du Liban. «Epuisement nerveux.» Mais sa santé inspirait effectivement de vives inquiétudes, car elle était de nouveau enceinte.

Miller, qui l'avait rejointe, et qui se faisait plus de souci que tout le monde, bien sûr, demanda à Wilder, au bout de quelques semaines, de laisser Marilyn rentrer chez elle l'après-midi.

— Mais Arthur, répliqua Wilder, on n'arrive jamais à commencer à tourner avant trois heures : qu'est-ce qu'elle fait le matin ?

Miller, très surpris, dit que pourtant elle quittait l'hôtel chaque matin à sept heures pour se rendre sur le terrain. Le mystère de ces matinées perdues n'a jamais été éclairci.

Le 27 octobre, elle écrit à Rosten :

Cher Norman,
Merci de tes vœux pour Halloween. C'est dommage que nous ne puissions être ensemble. Je pourrais te faire peur.
Je n'écris à personne. Rien que des poèmes — c'est tellement plein de revenants ici ! Arthur a bonne mine mais il est plus faible — à force de me soutenir... J'ai besoin de me tenir à quelque chose...

---

* Note de l'auteur : Marilyn cite de travers ce passage d'un poème de Yeats :
... seul Dieu, ma chère,
Pourrait t'aimer uniquement pour ce que tu es
Et non pour tes cheveux blonds.

Marilyn signait « e.e.cummings » — nom d'un poète américain qu'elle venait de découvrir.

Les dernières scènes du film, exigeant beaucoup d'efforts physiques de la part des acteurs, furent tournées au début de novembre par une chaleur torride. Aussitôt après, Marilyn retourna à l'hôpital, puis continua de garder le lit dans sa chambre d'hôtel, « pour ne pas secouer le bébé ». On l'emmena en ambulance à l'aéroport. Elle retourna à New York. Et là, peu avant Noël, elle fit encore une fausse couche.

Avant de commencer *Certains l'aiment chaud*, elle avait demandé à Rosten : « Est-ce que je dois faire ce film, ou rester à la maison pour essayer de nouveau d'avoir un gosse ? C'est ce que je désire le plus, je crois, un enfant, mais peut-être que Dieu essaie de me dire quelque chose, par mes grossesses. Je serais sans doute une mère complètement dingue ; j'aimerais mon enfant à mort. Je le veux, mais j'ai très peur. Arthur dit qu'il en veut un, mais il est devenu moins enthousiaste. Il pense que je dois faire ce film. Je suis une star de cinéma ; donc... »

Marilyn se soumit à de nouvelles interventions chirurgicales pour augmenter ses chances de mener une grossesse à terme. Mais 1959 arriva et passa, et elle attendit en vain l'heureux événement. C'est alors aussi que les amis qui les fréquentaient le plus commencèrent à comprendre que leur mariage n'était plus, comme le dit Rosten, qu'« une façade d'harmonie conjugale ».

Les Strasberg, lors d'une visite à Roxbury, trouvèrent « l'atmosphère lourde ». (Je cite Susan.) « Nous nous sommes dit, mes parents et moi, qu'ils s'étaient peut-être disputés. Nous sommes restés dans le séjour pendant plus d'une heure sans qu'Arthur pense à nous offrir quelque chose à grignoter ou à boire. »

C'étaient les Miller qui avaient dit aux Strasberg d'arriver pour le déjeuner ; mais quand Marilyn, enfin, apparut, il s'avéra qu'il n'y avait rien dans le réfrigérateur. Marilyn buvait verre sur verre, Miller restait assis l'air maussade ; finalement, les invités allèrent manger au restaurant.

Marilyn, cependant, continuait de fréquenter l'Actor's Studio. Durant l'été 1959, alors que Susan Strasberg et elle allaient en voiture à la campagne, Marilyn s'exclama : « Tu sais, si c'était pas pour le boulot [à l'Actor's Studio], je sauterais par la portière. » Miller, quant à lui, appréciait de moins en moins les Strasberg.

Mais, apparemment, ce n'était plus lui le « chef » dans le couple. « Arthur était en train de devenir un laquais », dit Maureen Stapleton (l'actrice avec qui Marilyn s'était liée d'amitié au « Studio »). « C'était lui qui portait son nécessaire de maquillage, son sac à main ; il en faisait vraiment trop et je me suis dis : maintenant, c'est désespéré. » Cette impression, le réalisateur Martin Ritt l'eut aussi en dînant une fois avec les Miller : « Quelle soirée catastrophique ! Elle le faisait marcher à la baguette, il ne cessait de s'empresser auprès d'elle. Cela me gênait. »

Selon Norman Rosten (et cela n'est pas forcément contradictoire avec les deux témoignages précités), Miller se détachait sentimentalement de Marilyn, prenait en quelque sorte une position d'observateur de son propre mariage.

Sa créativité n'en restait pas moins compromise. Un article de l'époque, publié dans *Esquire*, le décrit dans son nouveau bureau new-yorkais, assis entre une pile de notes manuscrites et une *Encyclopaedia Britannica* flambant neuve — don de Marilyn. Aux murs, deux photographies de celle-ci. Cela fait trois ans qu'il « achève » sa nouvelle pièce… L'article s'intitulait : « L'agonie créative d'Arthur Miller. » (Sa pièce suivante, comme on l'a vu, ne sortira que deux ans après la mort de Marilyn.)

Pour le public, Marilyn continuait de faire des déclarations optimistes, qui, cependant, sonnaient de plus en plus faux : on eût dit qu'elle ressassait les conseils de ses psychiatres. « J'ai toujours vécu dans la peur, vraiment, jusqu'à maintenant, dit-elle à un journaliste anglais, cet été-là. Peur de plein de choses, même de décrocher le téléphone pour appeler quelqu'un. C'est le genre de chose que je suis en train de surmonter finalement. Ma philosophie, maintenant, est : jouis de l'instant qui passe. Je ne crains plus rien de l'avenir. »

Cet avenir comportait dans l'immédiat une visite officielle à Hollywood. En septembre 1959, pendant sa tournée aux Etats-Unis, Khrouchtchev se rendit dans la capitale du cinéma. Un déjeuner de bienvenue était prévu à la Twentieth Century

Fox, et l'on pria plusieurs stars, dont Marilyn, Elizabeth Taylor et Debbie Reynolds, d'être présentes. Miller, prudent après les persécutions dont il avait été l'objet, préféra ne pas accompagner sa femme.

Celle-ci, bien qu'ayant passé cinq heures à se faire une beauté, arriva en avance au banquet. Khrouchtchev, la voyant, s'arrêta pour lui parler, et elle lui transmit les salutations d'Arthur Miller. «Khrouchtchev m'a regardé comme un homme regarde une femme», dirait Marilyn, en se frappant la poitrine avec orgueil.

Cet épisode a probablement enrichi d'un nouveau rapport le dossier de Marilyn au FBI.

Marilyn avait connu un autre dirigeant politique en visite aux Etats-Unis : Sukarno, alors président de l'Indonésie. Cela s'était passé en 1956, pendant le tournage de *Bus Stop*, lors d'une réception diplomatique au Beverly Hills Hotel. Marilyn ne savait absolument rien de lui — elle l'appelait le «Prince» Sukarno. Ils n'en avaient pas moins éprouvé, instantanément, une vive attirance l'un pour l'autre.

«Tous deux faisaient bande à part, disparaissaient : c'était la drague à l'état pur, dit Logan, évoquant cette soirée. Je pense qu'ils sont convenus de se retrouver après.»

Des années plus tard, Sukarno raconta à son biographe que Marilyn, qui elle aussi habitait alors au Beverly Hills Hotel, lui téléphona pour le revoir seule à seul. Cela dit, Sukarno, qui se vantait volontiers de ses conquêtes féminines, ne laissa nullement entendre qu'il aurait eu une liaison avec Marilyn.

Quant à celle-ci, elle stupéfia Miller par la fougue avec laquelle elle réagit, à peu près un an plus tard, à la nouvelle d'un coup d'Etat manqué contre Sukarno ; elle se dit prête à «secourir» le président indonésien en lui offrant l'hospitalité aux Etats-Unis. A Robert Slatzer elle aurait dit que Sukarno et elle avaient «passé un soir ensemble».

Quoi qu'il se soit passé entre Marilyn et Sukarno, la CIA en tout cas en fut, au moins en partie, informée. A cette époque, l'Indonésie représentait, pour la politique de Washington, une menace aussi importante que le Viêt-nam. Et en 1957-1958, la CIA fit flèche de tout bois pour obtenir le renversement de Sukarno — considéré comme responsable de la dérive de son pays vers le communisme.

Il fut même question, à la CIA, de fabriquer un film pornographique bidon, où l'on aurait vu le chef de l'Indonésie faisant l'amour avec une blonde Soviétique, agent du KGB. L'intention était de diffuser ce film pour discréditer Sukarno, mais le projet avorta.

Par la suite, cependant, les Etats-Unis lancèrent une offensive de charme en direction de Sukarno... Et à cette occasion, selon Joseph Smith, ex-officier de la CIA en Asie, «il y eut une tentative de faire se rencontrer Sukarno et Monroe ; pour être précis, de les amener à coucher ensemble. J'ai entendu parler de ce plan au début de l'été 58. Je me rappelle un envoyé de Washington, parlant d''"un truc dingue avec Marilyn Monroe qui avait foiré"'».

On ne sait pas jusqu'à quel point la CIA impliqua Marilyn dans ses bêtises. Les documents, qui pourraient contenir quelque chose à ce sujet, restent protégés par le secret.

On est bien mieux renseigné, en revanche, sur ce qui advint, quand, en 1960, Marilyn retourna à Hollywood pour tourner *Let's Make Love* (littéralement : «Faisons l'amour» ; mais le titre français est *Le milliardaire*) avec comme partenaire Yves Montand.

25

Un soir de septembre 1959, Mr. et Mrs. Miller, M. et Mme Montand et Mr. et Mrs. Rosten, réunis après le spectacle dans une loge de Broadway, rient à gorge déployée — à cause des boutons de la braguette de M. Montand. Le Français vient de faire ses débuts en Amérique, et la salle aussi s'est tordue de rire ; et Yves Montand ne comprend pas. Pourquoi ? Parce que chaque fois qu'il mettait les mains dans les poches, ses boutons de braguette étincelaient aux feux de la rampe. Ainsi commença, dans une folle gaieté, une relation qui devait se terminer par un scandale national, et beaucoup de douleur pour Marilyn.

La Twentieth Century Fox — aussi invraisemblable que cela pût paraître à l'époque — n'arrivait pas à trouver une vedette masculine pour *Let's Make Love*, le nouveau film de Marilyn. Yul Brynner, Cary Grant, Rock Hudson, Charlton Heston et Gregory Peck, tous, pour une raison ou une autre, avaient décliné l'offre de la Fox, avec leurs plus sincères regrets. Au moment où la situation devenait critique, George Cukor, le metteur en scène, vit à la télévision le spectacle d'Yves Montand et se dit que, peut-être, il ferait l'affaire. Il téléphona à Marilyn ; celle-ci répondit — comme on put bientôt le lire en caractères gras dans les journaux : « Après mon mari, et avec Brando, Yves est l'homme le plus attirant que j'ai rencontré. » Et Montand fut engagé.

Let's Make Love est l'histoire d'un milliardaire (Yves Montand) qui tombe amoureux d'une girl (Marilyn) jouant dans une revue satirique dont il est lui-même la cible. Film décevant, inepte, qui à cet égard est une exception dans la dernière partie de la carrière de Marilyn. Elle fut merveilleuse, néanmoins, dans les scènes de music-hall, en particulier dans celle où elle interprète, avec une rare sensualité, la chanson de Cole Porter *My Heart Belongs to Daddy* (« Mon cœur appartient à papa »). Bien avant la fin du tournage, cela dit, le cœur de Marilyn appartenait à Yves Montand.

Arthur Miller connaissait Montand et l'aimait bien. Montand avait joué le premier rôle dans l'adaptation française des *Sorcières de Salem*, et ils étaient proches, politiquement. Pendant longtemps, Montand et Simone Signoret (à qui fut décerné un Oscar pour son rôle dans *Room at the Top**) avaient préféré ne pas aller aux Etats-Unis plutôt que de signer la déclaration comme quoi ils n'avaient jamais appartenu au parti communiste. Signoret et lui appuyaient régulièrement des initiatives pour la défense des libertés en France.

Montand faisait partie de ces habitants du cosmos qui n'avaient jamais vu un film de Marilyn Monroe, et il connais-

---

* *Les chemins de la ville haute* (1959).

sait à peine l'anglais. Miller déclara néanmoins : « Il colle splendidement à ce rôle. Marilyn et lui sont des êtres débordant de vitalité. Ils recèlent des émetteurs d'énergie incroyables. Yves sera une des grandes stars de l'écran américain. »

Et c'est ainsi qu'en janvier 1960, Montand, Signoret, Marilyn et Arthur Miller s'installent dans les bungalows 20 et 21 du Beverly Hills Hotel. En fait, malgré le nom de « bungalows », il s'agissait de deux petits appartements adjacents. Les deux couples se retrouvaient pour se faire à manger le soir et restaient ensemble à bavarder jusque tard dans la nuit.

Simone Signoret trouva en Marilyn une « copine » ; elle s'amusait de ses excentricités — entre autres, de la séance rituelle de décoloration du samedi matin, effectuée par une petite vieille — ex-coiffeuse de Jean Harlow — que Marilyn faisait venir spécialement à Los Angeles tous les week-ends, par avion.

Signoret trouvait aussi que Marilyn « avait le visage et l'allure de la plus belle des paysannes de l'Ile-de-France, telles que depuis des siècles on les a chantées ». Tard dans la nuit Signoret lui racontait des histoires d'acteurs, ou des histoires tout court, et Marilyn en voulait toujours, comme « un môme »...

Montand, lui, la voyait pendant la journée, au travail, et elle l'énervait de plus en plus. Elle quittait le studio, sans prévenir, pour tout un après-midi, par exemple ; il était impossible de continuer le tournage, et Montand marchait de long en large, en marmonnant : « Où est-elle ? Je ne peux pas passer mon temps à attendre. Je ne suis pas une auto ! »

La situation empira quand Miller dut s'éloigner quelque temps pour son travail. Marilyn dit à ses médecins qu'elle ne pouvait continuer de tourner parce qu'une des assistantes du cameraman, disait-elle, était homosexuelle.

Un matin, Montand appelle sa femme du studio, pour lui dire que Marilyn n'est pas venue et qu'elle ne répond pas au téléphone. Simone va frapper à la porte. Aucune réponse. Elle s'adresse alors à la standardiste de l'hôtel qui lui apprend que, si Marilyn ne répond pas au téléphone, elle vient cependant de demander une communication avec l'extérieur...

Montand, averti, revient à l'hôtel furieux et écrit ce billet (en substance) :

252

La prochaine fois que tu traînes en écoutant les histoires que te raconte ma femme au lieu d'aller te coucher, parce que tu as déjà décidé de ne pas te lever le lendemain pour aller au studio, préviens-moi. (...) Moi, je ne suis pas un affreux, je suis ton copain, et les caprices de petite fille ne m'ont jamais amusé. Salut. Yves.

Montand et Simone glissent le mot sous la porte de Marilyn, en en laissant la moitié à l'extérieur ; et ils attendent, pour voir ce qui va se passer : peu à peu, très lentement, la moitié visible passe sous la porte et finalement disparaît. Marilyn a donc le message, mais elle ne réagit toujours pas. Montand alors crie du palier que le travail de la journée a été annulé « à cause des absentéistes », et sort jusqu'au soir.

A vingt-trois heures (Marilyn ne s'est toujours pas manisfestée) Miller appelle, d'Irlande, les Montand, pour leur dire que Marilyn lui a téléphoné ; et il demande à Simone et Yves d'aller au bungalow n° 21.

« Alors, a écrit Signoret dans ses souvenirs, j'ai reçu dans mes bras une fille qui sanglotait en répétant : ''Je suis méchante, je suis méchante, je suis méchante, je ne le ferai plus, je le jure !'' » Montand lui tapota la tête, et lui dit d'être à l'heure le lendemain.

Malgré ces anicroches et ces mauvais moments, Marilyn prouva, pendant le tournage, que son sens de l'humour ne l'avait pas abandonnée. On lui dit que la censure va réagir si Montand et elle exécutent couchés une certaine scène de baiser — parce qu'ils auront l'air de faire effectivement l'amour. « Qu'à cela ne tienne, réplique Marilyn, nous pourrions aussi bien faire ça debout ! »

Un beau jour, ou un beau soir de printemps, Marilyn et Montand, malgré leurs différends professionnels, devinrent amants. Selon un ami de Miller (qui préfère garder l'anonymat), Marilyn avait déjà cessé depuis un certain temps d'être totalement fidèle à son mari. « Cela répondait chez elle à une nécessité irrépressible, dit cette personne. Elle avait des aventures, aussi passagères qu'elles fussent, simplement pour se raccrocher à quelque chose. » Elle avait, en particulier, renoué un moment avec Nico Minardos.

Cela faisait longtemps que Marilyn avait inclus Montand parmi ses amants idéaux (on se rappelle la liste dressée plus de dix ans auparavant avec Shelley Winters). Maintenant elle se met à dire à ses amis, dont son psychiatre, que le Français ressemble à Joe DiMaggio, qu'il l'excite physiquement. Sur le plateau, il était clair qu'ils n'avaient pas besoin de se forcer pour jouer les amoureux.

Simone Signoret perçut le danger : la « môme » était aussi une femme ; mais Simone devait partir pour honorer un contrat en Italie. Miller ne cessait de s'absenter et, d'ailleurs, semblait de plus en plus résigné à la crise définitive de son mariage. Ainsi Marilyn et Montand se retrouvaient souvent seuls dans les bungalows 21 et 22.

Un journaliste, se fondant sur une interview ultérieure de Montand, dit que Marilyn alla un soir frapper à sa porte, nue sous son vison (vieux truc de Marilyn), et le prit d'assaut.

Arthur Miller — selon un autre rapport — étant revenu au bungalow chercher sa pipe, les surprit une fois tous deux au lit. Un garçon d'étage alla raconter d'autres histoires de coucherie à un client journaliste ; et ainsi l'affaire devint publique.

Le tournage terminé, cet été-là, Montand rentra à Paris via New York — où Marilyn était déjà. Elle réserva une chambre d'hôtel et fit à Montand la surprise de l'attendre à l'aéroport, le sac plein de bouteilles de champagne. La brève escale se transforma en un impromptu de cinq heures ; les journalistes les virent s'étreignant à l'arrière de la limousine de l'actrice. Enfin Montand repartit pour Paris, très embarrassé à la pensée des souffrances qu'endurait Simone depuis des mois.

Un mois et quelque plus tard, Marilyn, qui travaillait désormais aux *Misfits* dans le Nevada, fit une dépression — qui interrompit le tournage — et on l'expédia à Los Angeles pour une cure de désintoxication. A cette époque, Montand fit un saut en Californie. De son lit d'hôpital elle le bombarda de coups de téléphone ; mais il refusa de lui parler.

« Je trouve que c'est une enfant ravissante, dit Montand à la journaliste Hedda Hopper qui était chez lui une fois que Marilyn appela, et j'aimerais la voir pour lui dire adieu ; mais je ne veux pas lui parler au téléphone : on pourrait nous écouter. Je n'ai jamais connu quelqu'un comme Marilyn Monroe, mais elle est encore un enfant. Je regrette, mais rien ne brisera mon ménage. »

Montand avait visiblement beaucoup de peine à nier qu'il y avait eu une relation amoureuse entre eux. « L'ennui, a-t-il dit à Art Buchwald, c'est qu'il y avait quelque chose de très fort entre Marilyn et moi... » Et à un autre reporter, il dit : « Si je n'étais pas marié et Marilyn non plus, je n'aurais rien contre le fait de l'épouser. »

Marilyn, elle, s'accrochait pitoyablement à l'espoir de le reprendre, en ces mois où son propre mariage n'existait plus, virtuellement. Mais ils ne se virent plus jamais.

Simone Signoret, bien que profondément remuée par cette affaire, maintint toujours une attitude impeccable. Dans un de ses rares commentaires à ce sujet, elle dit : « Si Marilyn est amoureuse de mon mari, cela prouve qu'elle a bon goût. Car moi aussi je suis amoureuse de lui. »

Dans les dernières lignes, poignantes, du chapitre qu'elle consacre à Marilyn dans sa biographie, elle a écrit : « Elle n'aura jamais su combien je ne l'ai jamais détestée, et comme j'avais bien compris cette histoire qui ne regardait que nous quatre. (...) Elle est partie sans savoir que je n'ai jamais cessé de porter le carré de mousseline champagne qu'elle m'avait prêté un jour. (...) Il est un peu usé maintenant, mais en le pliant soigneusement, dans un certain sens, ça ne se voit pas. »

26

Lors d'une des crises de Marilyn, pendant *Let's Make Love*, un nouveau docteur en médecine commença à visiter le bungalow 21 du Beverly Hills Hotel, à la demande de la psychothérapeute new-yorkaise de Marilyn. Il s'agissait du Dr Ralph Greenson, psychanalyste dont le renom dépassait largement les limites de la Californie.

D'origine russe, il s'était formé à Vienne et en Suisse et avait adhéré largement aux principes de l'école freudienne. Il avait été l'ami de la famille Freud et des associés de celui-ci. Pendant la guerre, il fut, dans l'armée de l'air américaine, chef du service des névroses de combat. Il est l'auteur de dizaines de publications scientifiques ; et au moment où il prit en charge Marilyn (1960), il était depuis longtemps professeur de psychiatrie clinique à l'UCLA (University of California at Los Angeles). Bref, il était — pour reprendre l'expression d'un confrère, «l'épine dorsale de la psychanalyse dans tout l'ouest des Etat-Unis».

Greenson n'était pas un inconnu à Hollywood même ; beaucoup de ses clients — dont Frank Sinatra — appartenaient au monde du spectacle. En 1960 il avait quarante-neuf ans. C'était un homme mince, qui ne parlait jamais en l'air, connu pour sa sagesse pleine de sensibilité et l'intérêt réel, personnel, qu'il portait à ses patients. C'est ainsi que Greenson finit par «adopter» Marilyn, devenir son ami ; il serait l'une des dernières personnes à lui parler de son vivant et le premier, que l'on sache, à la voir dans la mort.

Le Dr Greenson observe le plus strict secret professionnel, quelle que soit la célébrité de ses clients. Après la mort de Marilyn cependant, il a communiqué une certaine part de ce qu'il savait sur elle aux psychiatres du Centre de prévention du suicide de LA que le coroner avait chargé d'enquêter sur ce cas. Il est mort maintenant, mais il a accordé aussi des interviews à deux personnes qui ont gardé leurs notes, mais n'ont pas encore le droit de les publier.

Personnellement, j'ai fait la connaissance d'un médecin qui a préservé une bonne part de la correspondance professionnelle du Dr Greenson concernant Marilyn, de leur première entrevue en 1960 à sa mort. Ces lettres révèlent que deux ans avant sa disparition, Marilyn versait déjà dans une forme de folie.

Lors de la première visite, après une journée de travail à *Let's Make Love*, Greenson nota qu'elle avait dû se bourrer de calmants, car elle articulait mal et réagissait peu. Elle semblait lointaine, ne comprenait pas les plus simples traits d'esprit et tenait des discours incohérents. Tout de suite elle voulut s'allonger sur son lit pour une séance à la Freud. Greenson, alarmé par l'état dans lequel il la voyait, opta au contraire pour une «thérapie de soutien», et l'interrogea sur les événements de sa vie quotidienne.

Ce fut une longue jérémiade : elle déteste le rôle qu'on lui fait jouer (alors qu'elle avait auparavant déclaré ne jamais avoir lu un scénario aussi bon que celui de *Let's Make Love*) ; elle se plaint de Paula Strasberg, qui, dit-elle, ne lui sert plus à rien parce qu'elle s'intéresse trop à sa propre fille, Susan. Et voilà Greenson devenu «conseiller dramatique d'appui» !

Marilyn évoque aussi son insomnie chronique — pour justifier une consommation de drogues que Greenson juge absolument excessive. Elle rouspète contre ses médecins, — révélant par là même qu'elle papillonne de l'un à l'autre pour obtenir le plus d'ordonnances possible, car elle les consulte à l'insu les uns des autres. Elle révèle aussi des connaissances ahurissantes en psychopharmacologie, et Greenson est effrayé de constater qu'elle a chez elle une panoplie de médicaments extrêmement dangereux si l'on en abuse.

Greenson découvre qu'elle prend régulièrement du Demerol, analgésique narcotique analogue à la morphine, ainsi que du phénobarbital (un barbiturique), du penthotal sodium (dépresseur du système nerveux qu'on utilisait au début en anesthésie), et de l'amytal, qui est un autre barbiturique. Souvent elle se les administre par injection intraveineuse.

En privé, Greenson exprime son indignation à l'égard des «stupides toubibs» qui ont cédé aux cajoleries de Marilyn. A celle-ci, il conseille instamment : de n'avoir désormais qu'un seul médecin traitant, de ne plus prendre les médicaments par voie intraveineuse et surtout de renoncer au Demerol, dont l'abus provoque des conséquences catastrophiques.

Il entend deux médecins qui l'ont soignée et en conclut : «Bien qu'elle ait l'air d'une toxicomane, elle n'entre sans doute pas dans cette catégorie.» Car il lui arrive de cesser de prendre ces drogues sans présenter les habituels symptômes de manque. Mais ses deux médecins craignent que l'accoutumance définitive ne soit imminente.

Tout en essayant de la sevrer, Greenson lui rappelle les règles

257

de vie qui vous font dormir d'un sommeil réparateur. Travail de Sisyphe ! Un jour Marilyn le fait venir à l'hôtel et l'«implore de lui faire une intraveineuse de penthotal ou d'amytal — alors que la veille, elle a dormi quatorze heures de suite» !

«Je lui ai dit, écrivit Greenson, que tout ce qu'elle avait déjà absorbé aurait suffi à assommer une demi-douzaine de personnes, et que, si elle ne dormait pas, c'était qu'elle avait peur du sommeil. Je lui ai promis de la faire dormir avec moins de somnifères, pourvu qu'elle reconnaisse qu'elle lutte contre le sommeil, qu'elle cherche une forme d'oubli qui n'est pas le sommeil. »

Marilyn exprime aussi sans détour son «ressentiment venimeux» (dixit Greenson) à l'égard d'Arthur Miller. Son mari est «froid, insensible» (à ses problèmes à elle), attiré par d'autres femmes et dominé par sa mère. De plus, il néglige son propre père et n'est pas «gentil» avec ses propres enfants. Arthur, dit-elle à Greenson, vous donnera une autre version des choses, mais surtout ne le croyez pas !

Greenson voit Miller, et son impression est que «Miller tient vraiment à aider sa femme, qu'il est vraiment préoccupé, mais que de temps en temps il se fâche et la rejette. Miller a l'attitude du père qui aurait fait plus que tout autre père [pour son enfant] et qui à force de lâcher du mou s'aperçoit qu'il arrive au bout de sa corde». Marilyn, dit-il à Miller, a besoin d'amour et de dévouement, sans conditions. A moins de cela, tout lui est intolérable.

Bien plus tard, après la mort de Marilyn, Greenson dira à des confrères que si celle-ci finit par répudier Miller, ce fut, «dans une très grande mesure» — à son avis — pour des raisons sexuelles ; Marilyn se croyait frigide : «Elle avait de la peine à avoir plus de quelques orgasmes avec le même individu. »

Greenson rapporterait aussi que cette femme sexuellement insatisfaite, «retirait une fierté et un plaisir incommensurables de sa propre apparence ; qu'elle se jugeait une femme très belle, voire la plus belle du monde. Quand elle devait apparaître en public, elle se mettait en quatre pour se rendre séduisante et faire une très bonne impression — alors que chez elle, où personne ne la voyait, elle pouvait complètement négliger sa tenue.

Parfois elle se sentait insignifiante, sans aucune importance. Embellir son corps était pour elle le principal moyen d'acquérir une certaine stabilité et de donner un sens à sa vie».

Dès le début, ayant entendu Marilyn se plaindre de l'univers entier, il écrivit : «Quand l'angoisse monte en elle, elle se met à agir en orpheline, en enfant abandonné, en masochiste, qui provoque les autres, qui fait tout pour qu'ils la maltraitent et abusent d'elle. L'histoire de son passé, qu'elle a commencé à me relater, se fixe de plus en plus sur les expériences traumatisantes que vivent les orphelins.» Cette femme de trente-quatre ans continue de fonctionner sur l'idée qu'elle est une «enfant abandonnée sans défense».

A aucun moment Greenson n'émet de véritable diagnostic : il commence par noter des symptômes de paranoïa et de «réaction dépressive» mais, les mois passant, découvre aussi des indices de schizophrénie. La seule chose dont il est vraiment certain, ou, du moins qui est la plus importante, c'est qu'il a affaire à un psychisme fragile, qui peut s'effondrer à tout instant.

Comme le dit le *Manual of Mental Disorders*, que dans tous les Etats-Unis les psychiatres utilisent pour formuler leurs diagnostics : «La plus sérieuse complication d'un épisode dépressif majeur est le suicide.»

27

Trois ans auparavant, à New York, alors que Marilyn se remet tout juste d'une de ses fausses couches, Arthur Miller va faire un tour dans le petit parc en face du Doctors Hospital, en compagnie du photographe Sam Shaw ; et il lui parle d'une nouvelle qu'il vient d'écrire, *The Misfits* (littéralement : «ceux qui ne s'adaptent pas»).

L'idée lui en est venue alors qu'il habitait dans cette cabane au Nevada que nous avons déjà évoquée, en attendant de pouvoir divorcer d'avec sa première femme. Un jour, dans les environs (exactement au «Ranch du Styx» dans le canyon du Quail), il fit la rencontre de trois cow-boys qui gagnaient leur pain en chassant les mustangs — ces chevaux sauvages ou à demi sauvages de l'Ouest. Vagabonds, vivant délibérément en dehors des structures conventionnelles de la société américaine, ces hommes firent une grosse impression à Miller, qui vit en eux les derniers spécimens d'une espèce d'Américains en voie d'extinction, — de même d'ailleurs que les mustangs qu'ils capturaient pour les vendre à six *cents* la livre à des fabricants de nourriture pour chiens. De cette expérience, Miller tira une longue nouvelle pour le magazine *Esquire*.

Or, dans ce parc en face du Doctors Hospital, Miller a une illumination : le sujet des *Misfits*, s'il se prête mal à une adaptation théâtrale, peut en revanche faire un très bon film, avec sa femme dans le rôle principal. Ce fut le premier scénario de Miller, et, par la même occasion, un «cadeau de la Saint-Valentin» pour Marilyn — comme le dit un de leurs amis.

Leur amour était sinon mort, du moins moribond — comme on l'a vu — quand, en juillet 1960, une phalange de talents exceptionnels s'installe au Mapes Hotel de Reno (Nevada) pour «tenter de réaliser le film des films» — comme le déclare, modeste, le producteur à l'envoyé de *Time*. Mais comment pourrait-il en être autrement quand le scénariste est le plus grand dramaturge vivant d'Amérique ; le metteur en scène John Huston (qui, pour la première fois depuis des années, accepte de faire un film américain) ; et que les acteurs sont Clark Gable, Marilyn Monroe, Montgomery Clift, Eli Wallach et d'autres grandes vedettes qui ont accepté des rôles secondaires pour le seul amour de la gloire. Et pourtant, le film (*Les désaxés*, en français) n'eut pas un grand succès, ni auprès de la critique, ni auprès du public.

Roslyn (Marilyn), femme seule, perturbée, venue de l'est des Etats-Unis à Reno pour divorcer, tombe amoureuse de Gay (Clark Gable), homme bien plus vieux qu'elle, individualiste endurci, qui fait équipe avec deux autres hommes pour capturer des mustangs.

Roslyn, exacte réplique de la Marilyn réelle, intrigue et se bat pour empêcher le massacre de ces animaux. Sa lutte en faveur des chevaux se transforme en affrontement entre l'homme et la femme — dont, cependant, on peut espérer que l'amour sortira vainqueur.

Arthur Miller arrive dans le Nevada avant Marilyn. Il sait que son mariage est en pleine décomposition et, sans connaître peut-être toute la vérité, a lui-même constaté qu'elle le trompait avec Yves Montand. Quelques mois auparavant, alors que Miller était en Irlande pour élaborer avec Huston le script des *Misfits*, celui-ci lui a parlé d'un couple qui s'est disloqué, l'homme et la femme s'étant confessé mutuellement leurs infidélités. «La vérité détruit le couple», a commenté Miller.

Brad Dexter, à qui Marilyn avait demandé de servir de «pont» entre elle et DiMaggio, est de nouveau appelé à jouer les conseillers matrimoniaux. «Arthur m'accuse de coucher avec tous les types que je rencontre, lui dit Marilyn. C'est atroce. Tu ne pourrais pas lui parler?» Dexter invita Miller à manger au La Scala, à Beverly Hills, mais cela ne changea rien.

Cela dit, l'aventure Montand ne provoqua pas la rupture. Il semble néanmoins que ce soit vers cette époque que Miller décida de ne plus déverser ses énergies dans les problèmes de sa femme; il était temps de penser à sa propre conservation.

Le tournage des *Misfits* attira Cartier-Bresson et une photographe de grande classe, également, Inge Morath. Avec elle, Miller finirait par contracter un troisième mariage, heureux, qui dure toujours. Quant au mariage avec Marilyn, les *Misfits* en constituèrent le dernier acte, et il fut pénible.

Le 20 juillet 1960, à New York, Jim Haspiel alla à l'aéroport pour saluer Marilyn avant son départ pour le Nevada. Tout de suite, il remarqua son aspect débraillé, ravagé : «Elle avait des poches sous les yeux et une tache de sang derrière sa jupe. Je ne voulais pas la voir dans cet état, et j'ai tourné les talons.»

Quand l'avion atterrit à Reno, Marilyn se changea dans les toilettes de l'appareil, faisant attendre tout le monde, comme à l'accoutumée, — entre autres, la femme du gouverneur de l'Etat qui était venue lui souhaiter la bienvenue avec un bouquet de fleurs.

Dès le lendemain, par 40° à l'ombre (et le terrain était situé dans le désert), Marilyn commença à tourner. Elle était resplendissante : Cartier-Bresson, louant sa beauté et son intelligence, vit en elle l'incarnation de « ce mythe que nous appelons en France l'éternel féminin ».

« Jamais vous n'avez vu ni même rêvé un pareil être humain, renchérit Alice McIntyre dans *Esquire*. Elle est d'une telle blancheur, d'une telle pâleur, qu'en sa présence on peut fixer tous ceux qui l'entourent aussi facilement que les ténèbres où passe la lune. Peut-on exclure, en observant les diverses phases de sa personne, que MM soit une émanation de la Blanche Déesse elle-même ? Dédaignant toute espèce de lingerie, moulée dans une robe de soie blanche aux innombrables cerises rouges, elle est à la fois le symbole d'une disponibilité éternelle et impartiale qui pourtant reste toujours pure — et, en puissance, une déesse effrayante, dont les instincts peuvent donner la mort et dont les sourires, quand elle vous sourit à vous, sans ambiguïté possible, sont d'une douceur exquise à briser le cœur. »

La Blanche Déesse exulte, parce qu'elle tourne avec le Roi — Clark Gable, l'idole qui ressemble tant à la photo de son père (car elle croit ce que lui a dit sa mère), l'homme dont elle disait, enfant, qu'il était son véritable père.

« Toutes ces années, dit-elle à un journaliste, et maintenant, Rhett Butler ! N'est-ce pas incroyable, trop beau ? Nous répétions une très longue scène, et il s'est mis à trembler, oh, juste un peu. Je ne peux pas vous dire le plaisir que j'en ai eu. De découvrir que quelqu'un — mon idole — est — est *un humain*. »

Clark Gable lui-même, le professionnel par essence, perçut toute la valeur de Marilyn actrice. Il vécut assez longtemps, encore, pour pouvoir dire à son manager George Chasin que sa collaboration avec Marilyn avait fait des *Misfits* l'un des meilleurs de ses soixante-dix films. Mais lui aussi a dit : « Mais qu'est-ce qu'elle a, cette fille, bon Dieu ? ! Je l'aime bien, mais pour le sérieux professionnel, c'est zéro. Elle a failli me rendre dingue, à Reno : on n'arrêtait pas de l'attendre. »

Bientôt toute la troupe des *Misfits* est suspendue à ses humeurs. Chaque matin, même question : « Est-ce que Marilyn bosse aujourd'hui ? » Loin du Dr Greenson, elle recommence à boire et à se bourrer de comprimés. A un certain point, selon les calculs de John Huston, elle avale, avec de la vodka ou du champagne, jusqu'à vingt comprimés de Nembutal par jour.

Souvent, son vieil ami Whitey Snyder est obligé de la maquiller dans son lit, parce qu'il lui faut plusieurs heures avant de réussir à tenir sur ses pieds.

Ou bien, selon les souvenirs de Huston, « elle arrivait encore en robe de chambre sur le plateau. Il nous fallait attendre parfois toute la matinée, qu'elle ait retrouvé le simple usage de ses facultés mentales : c'était à ce point ! J'ai dit à Miller, je me rappelle : si elle continue à ce rythme-là, dans deux-trois ans elle sera bonne à interner, à moins qu'elle soit morte. Toute personne qui l'autorise à prendre des narcotiques devrait être pendue. C'était presque un acte d'accusation contre le pauvre Miller ; ensuite, j'ai découvert qu'il n'avait aucun pouvoir sur elle. »

Le 5 août, jour de l'anniversaire de John Huston, il y eut une terrible scène entre Miller et Marilyn, en présence de toute la troupe. Il en fut même question dans les journaux.

La cause immédiate en fut, semble-t-il, le sentiment de culpabilité de Marilyn. Elle avait fait plusieurs sauts à Los Angeles, pendant les week-ends, pour aller voir — ou plutôt essayer de voir — Yves Montand qui était de nouveau à Hollywood. De retour sur le terrain, à Reno, elle se mit à dire à tout un chacun que Miller la trompait avec la script-girl de Huston, Angela Allen — ce qui était absolument faux. Visiblement, comme le suppose Angela, elle accusait Miller de faire ce qu'elle se reprochait au fond à elle-même : « Jamais, dit Angela, elle n'aurait admis qu'elle se sentait elle-même coupable... »

Miller trimant sur le script — qui exigeait de constants remaniements —, elle décida de ne plus coucher dans la même pièce que lui. Un soir, elle frappa à la porte de Snyder et lui annonça qu'elle allait dormir chez lui. Miller résolut le problème, en se transportant avec sa machine à écrire dans une autre pièce, et Paula Strasberg vint s'installer chez Marilyn.

« J'étais du côté de Miller, dit John Huston. Il avait fait tout ce qui était possible pour sauver ce mariage. Pendant le tournage elle le mettait dans des positions gênantes devant tout le monde. Une fois elle l'a abandonné sur le terrain, c'est-à-dire, je le précise, en plein désert. Comme nous partions, j'ai vu Miller qui restait planté là. Il n'y avait pas d'autre voiture,

263

et elle ne voulait pas le laisser monter dans la sienne. C'était de la pure malignité, de la vengeance absurde. C'était honteux. »

Deux semaines plus tard, de grands incendies de forêt s'étant allumés sur les sierras alentour, un immense nuage de fumée noire offusqua le soleil au-dessus de Reno. L'électricité manqua ; les seuls endroits où l'on voyait de la lumière, la nuit, étaient les grands casinos, l'hôpital et une fenêtre au huitième étage du Mapes Hotel : on avait mis à la disposition de Miller la génératrice de la troupe, pour qu'il puisse continuer de travailler sur le script.

Pendant ce temps, dans l'obscurité, Marilyn contemplait la Truckee River, en compagnie de son attaché de presse et ami, Rupert Allan. Celui-ci lui parlait des migrations cycliques des saumons qui remontent les rivières pour pondre et alors meurent par milliers, comme le disait Allan, « parce qu'ils abandonnent la lutte, ou parce qu'ils sont mangés par d'autres poissons ou par les ratons laveurs.

— C'est terrible, dit Marilyn. Je peux les comprendre, les saumons. Je me sens comme eux. »

Et elle lui parle d'une de ses tentatives de suicide. Un jour, à New York, elle grimpe sur la corniche de son appartement du douzième étage, en chemise de nuit. « Mais il y avait [en dessous sans doute] une bonne femme en tailleur de tweed marron. Je me suis dit : si je saute, je vais la tuer elle aussi. J'ai attendu cinq, peut-être dix minutes. Elle bougeait toujours pas. Je commençais à me geler, je suis redescendue dans la pièce. Mais je l'aurais fait. »

Allan sentit que Marilyn n'inventait rien. Il lui dit que lui aussi, il avait parfois pensé à se tuer, et — comme Norman Rosten — il lui proposa un pacte, exactement dans les mêmes termes, à ceci près qu'ils convinrent d'un nom de code, au cas où celui qui appellerait dût laisser un message ; ce code était « Truckee River ».

Marilyn conclurait un troisième pacte de ce genre, avec Lee Strasberg, s'il faut croire celui-ci.

Le 26 août 1960 (c'est-à-dire peu après la discussion avec Allan), Gable, assis à côté de Marilyn dans un ranch-wagon, lui tint à peu près ce discours : « Ma poulette, on doit tous partir

264

un jour, qu'y ait à ça une raison ou qu'y en ait pas. Mourir est aussi naturel que vivre ; les gens qu'ont peur de mourir, c'est les gens qui ont trop peur de vivre : c'est ce que j'ai toujours vu. Alors, la seule chose à faire est d'oublier ça. »

Le lendemain, alors que le bruit courait qu'elle avait encore échappé à la mort grâce à un lavage d'estomac effectué à temps, Marilyn fut évacuée sur Los Angeles. Il faisait une chaleur torride ; on la transporta à l'avion enroulée dans un drap humide. Sur l'aéroport, tandis que la troupe se dispersait, des jeunes filles agitaient des pancartes :« Reviens vite, Marilyn », et : « Les désaxés ont besoin de toi ».

Dix interminables jours au Westside Hospital, sous la surveillance de Ralph Greenson et d'un spécialiste des maladies internes, le Dr Hyman Engelberg. C'est à ce moment-là qu'elle essaie, sans succès, d'avoir Yves Montand au bout du fil. Mais elle reçoit la visite de son ami Marlon Brando et de Frank Sinatra : tous deux se montrent pleins de sollicitude.

Quand elle retourne au travail, l'ambiance, dans la troupe, a changé : on y sent quelque chose d'irréel, une hystérie contenue. Pendant son absence, Louella Parsons a écrit, sans ambages, dans sa chronique (l'une des plus lues d'Amérique, rappelons-le) que Marilyn est « très malade, bien plus qu'on ne pouvait le craindre », et qu'elle est en traitement psychiatrique. L'état physique et mental de la star dont dépendent *Les désaxés* est donc maintenant connu du public ; ses collègues s'entretiennent dans un espoir illusoire en faisant de l'humour noir.

Un jour, à 4 heures 30 du matin, une agence télégraphique de New York téléphone : est-il vrai que Marilyn s'est suicidée. « Hein ? Impossible ! » réplique un attaché de presse du film. « Elle doit être demain sur le terrain à sept heures et demie ! D'ailleurs, Paula Strasberg ne serait jamais d'accord. »

Dans une des premières scènes des *Misfits*, on conseille à Marilyn-Roslyn — qui est en train de subir tout ce que peut avoir d'atroce une procédure de divorce — de jeter son alliance dans la Truckee River. Selon la croyance locale, lui dit-on, cela la protégera d'un autre divorce pour le restant de ses jours. Cette scène, on s'en doute, ne mit pas Marilyn de la meilleure humeur. Personne ne savait à quel point son propre divorce était imminent : pendant son séjour à l'hôpital, elle avait prié Earl Wilson de ne rien publier sur sa toxicomanie (aussi «légale» qu'elle fût), et lui avait promis, pour bientôt, un papier du tonnerre sur elle et Arthur Miller.

A la fin de septembre W.J. Weatherby, éminent journaliste travaillant pour le *Manchester Guardian*, arriva sur le lieu du tournage. Sa première impression : «Presque tous des maniaques dépressifs, on a l'impression de marcher sur un champ de mines.»

Il s'entretient avec Marilyn, avec Miller — qu'il trouve plein d'attentions pour sa femme, très protecteur. La rupture est-elle aussi inévitable que le veut la rumeur? Le soir du 10 octobre, cependant, Miller et lui ayant suivi un débat télévisé entre Kennedy et Nixon, Marilyn débarque, aussi discrètement qu'une escouade de SS. «Dieu soit loué, dit-elle froidement à Miller, t'as amené quelqu'un chez nous. Tu n'invites jamais personne. Tu parles d'une vie!» Puis elle disparaît dans la chambre.

«Miller, nota Weatherby, en resta baba.»

Une semaine plus tard, on fête, toute la troupe rassemblée, le quarante-cinquième anniversaire d'Arthur. Grand dîner à l'auberge de l'Arbre de Noël (Chrismas Tree Inn), dans l'euphorie générale, car il ne reste plus qu'un jour avant la fin des prises en extérieur. Même Marilyn a daigné venir. Au milieu du chambard, le cameraman, Russell Metty, qui est aussi le boute-en-train de la bande, adopte péniblement la station verticale, balance quelques vannes aux célébrités mâles, puis se tourne vers Marilyn : «Marilyn, s'il te plaît, nous t'en supplions : lève-toi et souhaite bon anniversaire à Arthur.» Silence. On la regarda. Elle secoua la tête.

Le repas fut bientôt terminé, et Marilyn rejoignit John Huston, assis à une des tables de jeu. Elle ne savait rien des jeux de hasard.

— Qu'est-ce qu'il faut que je demande aux dés, John?

— Rien, ma chérie. Lance-les, c'est tout. C'est comme pour ta vie. Ne pense pas. Vis-la.

«Elle avait un pot terrible, a dit Huston. Mais elle ne savait pas l'exploiter.»

Quand *Les Misfits* furent achevés, Miller et Marilyn rentrèrent à New York séparément. Le 11 novembre, jour de l'Armistice, elle accorda à Earl Wilson l'interview exclusive qu'elle lui avait promise. «Le mariage de Marilyn Monroe et d'Arthur Miller est mort, écrivit Wilson dans son article, il y aura bientôt un divorce à l'amiable. »

Marilyn, de nouveau assiégée par une meute de journalistes, confirme, pâle et éplorée. Dans la mêlée, un reporter lui abîme une dent avec son micro.

Moins d'une semaine plus tard, Marilyn est réveillée par le téléphone à quatre heures du matin : Clark Gable vient de mourir d'une crise cardiaque. S'adressant, par le téléphone intérieur, à un journaliste qui est dans le hall, Marilyn dit, en sanglotant : «Mon Dieu, quelle tragédie ! L'avoir connu, travailler avec lui, ç'avait été une si grande joie pour moi. J'envoie toute mon affection et ma plus sincère sympathie à sa femme, Kay. »

Kay Gable, qui alors attendait un enfant que son mari ne verrait jamais, nourrissait des sentiments contradictoires à l'égard de Marilyn. Non seulement elle la soupçonnait de faire les yeux doux à son mari, mais elle pensait — ainsi qu'elle l'avait dit à son ami Kendis Rochlen — que «la tension qu'il avait subie en travaillant avec Marilyn avait hâté sa fin». L'année suivante, Marilyn ne fut pas moins invitée au baptême ; elle garda si longtemps le nouveau-né dans les bras, et avec une telle ferveur, que les présents en furent gênés.

Marilyn elle-même se sentait coupable de la mort de Gable. Reconnaissant qu'elle avait été mesquine avec lui pendant le tournage des *Misfits*, elle dit à Sydney Skolsky : «Etais-je en train de punir mon père ? De me venger de toutes les années où *il* m'a fait attendre ? »

Selon Skolsky, elle était alors «au fond du désespoir».

Bien que Huston et Miller eussent travaillé comme des soutiers pour achever *Les Misfits*, on ne trouva pas que c'était «le chef-d'œuvre ultime du cinéma». En général, on ne pensa pas qu'il serait un succès ; mais beaucoup de critiques louèrent le jeu de Gable et de Marilyn.

En y réfléchissant aujourd'hui, Huston dit, très justement, qu'en fait, dans ce film. Marilyn ne jouait pas dans le sens qu'on donne normalement à ce terme : «Pour chaque scène, chaque fragment de scène, elle se plongeait au cœur de son expérience personnelle et en retirait quelque chose d'elle-même, et qui était unique, extraordinaire. Aucune technique en cela. Ce n'était que la vérité, ce n'était que Marilyn. Mais Marilyn-*plus*. Plus tout ce qu'elle trouvait en elle-même sur la féminité en général. »

Des années plus tard, Arthur Miller a dit : « Dans *Les Misfits*, son jeu d'actrice dramatique fut extraordinaire ; mais je ne suis pas sûr que toute cette torture vaille ce résultat ; rien ne peut valoir qu'on souffre ainsi le martyre. »

A l'époque, Miller, une semaine après qu'elle eut annoncé leur divorce prochain, visionna le film dans son entier. « Je n'arrive toujours pas à comprendre, dit-il, comme abasourdi. Nous avons réussi à faire ça. C'était un cadeau que je lui faisais, et j'en suis sorti sans elle. »

Quand tous ceux qui avaient participé à la réalisation se séparèrent, Marilyn, assise sur une table, un verre de bourbon sec dans la main, dit : « Moi je pense surtout à après, j'espère que je ferai mieux la prochaine fois. » Puis elle soupira. « J'essaie de me trouver moi-même en tant que personne. Des millions de personnes vivent leur vie entière sans se trouver. Pour moi, le meilleur moyen de me trouver, en tant que personne, est de me prouver à moi-même que je suis une actrice. »

Pour Marilyn actrice, cet espoir ne se réaliserait jamais, puisque le film suivant où elle tourna est resté inachevé. Quant à la personne Marilyn, elle battait l'air à la recherche d'une âme secourable. Quelques semaines auparavant, pendant le tournage, au moment où elle était au plus bas, elle avait repris contact avec Robert Slatzer et lui avait donné une photo, avec cette dédicace :

A Bob, avec tant de souvenirs inoubliables de Reno — et d'ailleurs — d'un « Désaxé » à un autre,

Tout mon amour,
Toujours
8 septembre 1960   *Marilyn.*

En novembre, à New York, elle appelle Nico Minardos. Il est en Grèce, pour un film avec Jayne Mansfield ; Marilyn lui demande s'il couche avec elle... Elle essaie aussi de joindre Milton Greene, mais celui-ci, pour des raisons dont il ne se souvient pas aujourd'hui, ne la rappelle pas. Et surtout, elle ne désespère toujours pas de reprendre Yves Montand.

La nouvelle du prochain divorce des Miller a suscité une vague de spéculations concernant le Français. Il semble, d'après des rapports en provenance de France, que le torchon brûle entre Montand et Signoret ; ces rumeurs, apparemment, n'étaient pas sans fondement. Dans la semaine qui précède Noël, Pat Newcomb, qui, de nouveau est son attachée de presse, est chez Marilyn ; elle l'aidera à vivre la conclusion de son drame conjugal. Dans cette semaine, donc, on attend l'arrivée de Montand à New York, et Marilyn compte bien le revoir. Or Simone Signoret, surmontant son orgueil, appelle Marilyn ; celle-ci fait signe à Pat Newcomb d'écouter à l'autre combiné.

«Simone a prié Marilyn de ne pas voir Montand, l'a suppliée de le laisser seul. Une femme comme elle, une grande dame, s'abaisser devant Marilyn : j'en ai été toute retournée» (Newcomb).

Mais Montand, à la dernière minute, annula son voyage. Marilyn en fut «anéantie».

La veille de Noël, selon Lena Pepitone, elle tente encore une fois de mettre fin à ses jours. Pepitone la trouve debout sur le rebord de la fenêtre de sa chambre, «se tenant à la moulure extérieure». Lena la saisit par la taille, et Marilyn s'écrie : «Non, Lena. Laisse-moi. Je veux mourir, je mérite de mourir. Qu'ai-je fait de ma vie ? Est-ce que j'ai quelqu'un, moi ? Et c'est Noël. »

Quelqu'un vint à la rescousse : Joe DiMaggio. Toujours il était resté à la disposition de Marilyn ; ayant appris la rupture avec Miller, il se présenta chez elle, le matin de Noël, avec un énorme poinsettia en pot.

Selon Pepitone, il revint dès lors régulièrement, pour le dîner, dans son sobre costume de ville ; il prenait l'ascenseur de service et repartait tôt le lendemain, avant l'arrivée d'éventuels visiteurs.

La dégradation de l'état général de Marilyn devint bientôt manifeste pour tous. En pleines fêtes de Noël, elle dérangea son notaire : elle voulait faire un nouveau testament... Elle ne se cachait plus d'user et d'abuser de drogues. Des amis la virent prendre rituellement ses barbituriques le matin, perçant les gélules avec une aiguille pour accélérer l'effet.

Quelquefois, la nuit, elle chercha réconfort et protection chez les Strasberg. On lui laissait la chambre de John, le fils, et lui campait sur le divan du living. Une fois même, elle le réveilla : elle était là, debout, en chemise de nuit ; et John, qui avait dix-neuf ans, se demandait ce qu'il fallait faire pour rasséréner cette femme qui en avait plus de trente, qui parlait d'une voix indistincte de « solitude », de « besoin de parler »...

Et Susan se rappelle Marilyn, assommée par les comprimés et l'alcool, « allant à quatre pattes jusqu'à la chambre de [ses] parents et grattant à la porte avec ses ongles... »

... Le 20 janvier 1961, à huit heures du soir, un juge rouvre son bureau pour Marilyn Monroe. Cette fois, la scène se passe à Ciudad Juarez, au Mexique ; et il s'agit de prononcer la dissolution du mariage de Marilyn et Arthur Miller. Marilyn, accompagnée par Pat Newcomb et un notaire mexicain, demande le divorce pour « incompatibilité d'humeur ». L'avocat qui représente Miller déclare que telle est également la volonté de son client.

Marilyn, qui est tout en noir, signe les papiers sans les lire, puis sort et coupe droit à travers le manipule de *paparazzi* qui s'est rassemblé pour elle. Afin de limiter au minimum la publicité, elle a choisi d'aller au Mexique le jour même de l'accession de Kennedy à la présidence. Le lendemain, vers midi, elle est de retour à New York.

Marilyn, très seule après le divorce, renoue avec Jim Haspiel, le jeune ami fidèle, qui est resté d'une discrétion remarquable durant l'ère Miller. Jim est estomaqué lorsqu'elle lui fait don d'une photo, avec cette dédicace : « Pour Jimmy, le seul, l'unique, mon ami. Avec tant d'affection, Marilyn. » « Only Jimmy » était bien souligné ; et Haspiel, qui était un homme fait désormais, en tira la triste conclusion que Marilyn n'avait pas de vrais amis.

Les premiers articles sur *Les Misfits* paraissent début février ; la plupart sont extrêmement critiques. Quelqu'un écrit, à propos du rôle de Marilyn : « Il n'exprime rien d'autre, en réalité, qu'une individualité névrotique et n'a guère de valeur symbolique. » Haspiel lui-même, qui a toujours été franc avec elle, lui téléphone pour lui dire que le film ne lui a pas plu.

Le lendemain la prédiction de John Huston s'accomplit, bien plus tôt qu'il ne l'avait pensé. Marilyn entre à l'hôpital psychiatrique.

28

La clinique psychiatrique Payne Whitney était située au cœur du Cornell Medical Center, l'hôpital de New York, dont le gratte-ciel de brique blanche domine l'East River, du côté de Manhattan. C'est le Dr Marianne Kris, psychiatre traitant de Marilyn, qui lui a recommandé cette clinique, entre autres et surtout parce que Marilyn a reconnu elle-même qu'elle doit faire une cure de désintoxication. L'hôpital, pour Marilyn, a en général signifié se reposer et se faire dorloter. Aussi son admission à Payne Whitney lui fait-elle l'effet d'une douche froide.

Elle arrive à la clinique emmitouflée dans un grand manteau de fourrure, se fait enregistrer sous le nom de « Faye Miller » (prénom qui fait penser à « fée », comme en français), et on lui donne une chambre à l'étage des « modérément perturbés ». Comme elle le dira par la suite, elle a immédiatement l'impression d'avoir été mise en prison. On ferme sa porte à clé, de l'extérieur, on lui enlève tous ses vêtements pour lui donner la tenue de l'hôpital, la salle de bain n'a pas de porte, et l'usage du téléphone est strictement réglementé et limité.

« J'avais toujours eu peur de devenir folle comme ma mère, dit-elle plus tard à Susan Strasberg, mais quand je suis arrivée dans ce service, j'ai vu que les dingues c'étaient *eux* — moi, j'étais simplement bourrée de problèmes. »

Selon une infirmière de Payne Whitney (interviewée des années plus tard par *Life*), Marilyn, une fois enfermée, se mit

271

à crier pendant longtemps : «Ouvrez cette porte ! Je ne veux embêter personne, laissez-moi simplement sortir ! S'il vous plaît ! Ouvrez ! » La gardienne des clés resta sourde à ces appels.

Marilyn décida alors (et elle-même a bien insisté sur ce point quand elle a raconté son internement) : «OK, si vous voulez me traiter comme une cinglée, eh bien vous allez voir ce que vous allez voir ! »

Selon une autre travailleuse, employée de la clinique, Marilyn se déshabilla et se mit toute nue à la fenêtre. Sur quoi on la transféra au service de sécurité, au huitième étage, où elle projeta une chaise à travers une porte vitrée.

«Nous éprouvions un tel besoin de la protéger, dira l'infirmière citée par *Life*. A la voir, nous avions tous envie de la prendre sur les genoux pour la consoler, de lui dire : ''Allons, ça va, maintenant.'' C'est le même sentiment qu'on a en voyant un enfant qui reste tout seul. Et on veut essuyer ses larmes, lui donner des petites tapes sur la tête, lui tenir les mains. »

On commença par l'attacher, en tout cas, s'il faut croire ce qu'elle dit quelques mois plus tard à Gloria Romanoff. «C'était un cauchemar. (...) Ils m'avaient gavée de sédatifs, mais pas au point que je sois incapable de voir ce qui se passait. Vous trouverez ça difficile à croire, mais, la nuit, c'était une procession continuelle : tout le personnel, docteurs, infirmières, défilait pour me regarder. Et moi, j'étais là, sans pouvoir bouger les bras, sans pouvoir me défendre. J'étais une curiosité. Personne qui se soit intéressé à savoir ce que j'avais ! »

La presse sut bientôt qu'elle était dans cette clinique. On dit aux journalistes qu'elle était atteinte d'«une maladie d'origine indéterminée». Un médecin démentit qu'il s'agît de schizophrénie, mais il dit : «Elle souffre d'une ''déconnection'' psychique aiguë parce qu'elle travaille trop. »

Marilyn ne cherchait pas moins à sortir au plus vite de cet enfer. Voici, fautes d'orthographe comprises (j'en donne des équivalents sans rien exagérer — *NdT*), le mot qu'elle écrivit à la hâte aux Strasberg :

Chers Lee et Paula,
Le Dr Kris m'a fait mettre au New York Hospital — division psti-

272

kiatrique sous la garde de deux docteurs idiots. tous les deux n'ont
aucun droit d'être mes docteurs.

Vous ne savez plus rien de moi parce que je suis enfermée avec tous
ces pauvres dingos. Je suis sûre que je vais finir dingue si je reste dans
ce cauchemar. s'il vous plaît aidez-moi Lee, c'est le dernier endroit
où moi je devrais être — peut-être si vous appelez le Dr Kris et lui assu-
rer que j'ai mes esprits et qu'il faut que je retourne aux cours... Lee,
j'essaye de me souvenir de ce que vous avez dit une fois au cours «que
l'art va bien au-delà de la science»

C'est les souvenirs de la science ici tout autour que j'aimerais oublier
— femmes qui hurlent, etc.

S'il vous plaît aidez-moi — si le Dr Kris vous assure que je suis
bien vous pouvez lui assurer que non. Ici, c'est pas fait pour moi!

Je vous aime tous les deux
Marilyn.

P.S. excusez l'orthographe — et il y a rien sur quoi écrire ici. Je suis
à l'étage des dangereux c'est comme une cellule — des cellules de ciment
imaginez pour me mettre ici ils m'ont menti en me disant qu'ils avaient
appeler mon docteur et Joe ils avaient fermé la porte de la salle de bain
alors j'ai brisé la vitre mais en dehors de ça je n'ai rien fait d'anticoo-
pératif.

C'est Joe DiMaggio, et non pas les Strasberg, qui réussit à
faire sortir Marilyn de cette clinique. Elle avait utilisé une des
rares communications téléphoniques auxquelles elle avait droit
pour lui téléphoner en Floride ; il prit immédiatement l'avion
de New York. Et le soir du quatrième jour, elle quitta l'établissement, discrètement, par le sous-sol. Elle passa les trois semaines
suivantes au département de neurologie du Columbia-Presby-
terian Medical Center. Et là, il n'y eut pas le moindre incident.

Quand elle sortit, les reporters étaient là en masse. Jamais,
depuis des années qu'ils «couvraient» les misères personnelles de l'actrice, ils n'offrirent de leur profession un spectacle
aussi déshonorant — comme le montrent d'ailleurs les bandes d'actualité de l'époque. Marilyn ne put arriver jusqu'à la
limousine qui l'attendait que grâce à l'intervention énergique
de seize policiers, appuyés par les gardiens de l'hôpital.

A cette occasion, le *New York Journal-American* battit un record de mauvais goût. L'auteur de l'article consacré à cet événement faisait dire à Marilyn : «Je me sens merveilleusement bien.» Puis il ajoutait :

Tout va pour le mieux, messieurs, pas de panique, pas de panique. Le visage de Marilyn a toujours cet aspect éthéré de pétale de rose, son sourire la même douceur, la même finesse, ses formes — ah! ces formes! Et surtout, on lui a remis les nerfs en place.

Tel n'était pas l'avis de Norman Rosten, qui lui avait rendu plusieurs fois visite. «Elle était malade, non seulement du corps et de l'esprit, mais dans son âme même, dans la source la plus intime du désir. Ses yeux n'avaient plus cette lumière...»

Pendant de nombreuses semaines, ce printemps-là, Marilyn fut soutenue par Joe DiMaggio, l'ex-mari qui n'avait pu l'oublier. Aucune autre femme n'avait remplacé Marilyn dans sa vie. Quand elle le lui permettait, il lui offrait un peu de stabilité. Elle alla le voir en Floride, où il entraînait son ancienne équipe, les Yankees de New York. A New York même, peu après, il resta parfois passer la nuit chez elle. On commençait à se demander s'ils n'allaient pas se remarier. Mais Marilyn était hors d'état de s'engager en quoi que ce soit.

Quelques mois plus tôt, il avait été question de lui donner le rôle de Sadie Thompson dans une adaptation pour le petit écran de *Rain* de Somerset Maugham. Ce projet avait été mis en sommeil.

On envisagea aussi de la faire jouer dans *Freud, passions secrètes* que Huston s'apprêtait à réaliser d'après un scénario de Sartre. Celui-ci ayant dit que Marilyn était «la plus grande actrice vivante», elle fut la première à qui l'on pensa comme incarnation possible du personnage de Cécile — patiente hystérique de Freud. Le Dr Greenson déconseilla formellement à Marilyn d'accepter — d'un côté parce que la fille de Freud (que Greenson connaissait bien) était contre l'idée même de ce film ; de l'autre, certainement, parce qu'un tel rôle ne pouvait qu'être catastrophique pour l'équilibre psychique de Marilyn.

En 1961 Marilyn ne travailla pas du tout. Par deux fois, au cours de l'été, elle retourna à l'hôpital : en mai, à Los Angeles, pour une nouvelle intervention gynécologique (où les chirurgiens s'aperçoivent que ses trompes de Fallope sont obstruées à la suite, très certainement, d'un avortement mal fait); et, un mois plus tard, à New York, pour une inflammation de la vésicule biliaire.

Le Dr Richard Cottrell, qui la soigne, est stupéfait de découvrir, derrière la star, une femme accablée de maux physiques. Outre la vésicule, Marilyn souffre en effet de fréquentes hémorragies utérines et d'ulcères au côlon. Pour ce qui est de cette dernière affection, Cottrell pensait qu'elle résultait d'une «névrose d'angoisse chronique» — car il jugeait sa patiente «extrêmement nerveuse, s'effrayant de tout, et dans un état confusionnel». Après l'opération, encore une fois on l'attacha à son lit.

Dans la dernière scène des *Misfits*, scène d'espoir, on voit Marilyn et Gable roulant en voiture dans la nuit, en suivant une étoile qui doit les guider vers chez eux. A l'hôpital, un soir, elle était sortie sur le balcon avec le Dr Cottrell et contemplait le ciel. «Regardez ces étoiles, murmura-t-elle. Elles brillent toutes là-haut très fort, mais chacune doit être si seule.» Puis elle ajouta, d'un ton abattu : «Tout ça, ce n'est qu'un semblant de monde.»

Cottrell, qui ne savait pas très bien quoi faire d'elle, avait remarqué, que, pensant peut-être à ses origines, Marilyn s'était inscrite à l'hôpital sous le nom de Norma Jean Baker. Ce prénom, elle ne l'avait plus utilisé depuis des années. (Quant à Baker, c'était le nom du premier mari de la mère de Marilyn.)

En 1961, la réalité de la vie de Marilyn n'était pas folichonne. Sa secrétaire à New York, Marjorie Stengel (qui avait travaillé aussi, entre autres, pour Montgomery Clift et Faye Dunaway), m'a dit : Marilyn, à trente-cinq ans, «était l'être humain le plus vide que j'eusse jamais connu». Stengel dit une fois à sa coiffeuse, qui lui demandait des potins sur la plus célèbre star du monde : «Ma chère, vous vivez certainement plus en un jour que Marilyn Monroe en quinze.»

L'appartement de Marilyn, selon Stengel, était désormais «sale, plein de poussière, cafardeux; sur tous les tapis il y avait des taches, qui avaient été faites par le chien». Et d'ajouter : «Vraiment, sa vie était réduite à rien. Elle ne voyait pas d'amis, elle ne sortait pas, je ne la voyais jamais lire vraiment quelque chose — sauf une fois Harold Robbins* — et elle ne faisait rien. A part les coups de fil. De longues conversations qu'elle ne voulait pas qu'on entende (elle se mettait alors dans une autre pièce), souvent avec son psychanalyste de Los Angeles. C'était effrayant. »

La Marilyn dont se souvient Stengel était aussi une femme qui employait à tout bout de champ des gros mots, sur un ton de voix cassant qui n'avait plus rien du célèbre gazouillement.

Et les drogues, malgré tous les efforts des psychiatres, étaient toujours là. « L'appartement était jonché de flacons à moitié vide, délivrés à mon nom, au sien, au nom de ses amis. Certains docteurs acceptent de faire ça, si on est riche et fameux. »

Lors des visites de Marilyn en Californie, un jeune coiffeur, George Masters, avait commencé à travailler pour elle. Il décrit ainsi l'aspect qu'elle avait, juste après l'opération de la vésicule : « Elle portait une robe de tissu-éponge déchiré. Elle disait qu'elle se nourrissait uniquement de caviar, de champagne et d'œufs durs. Elle pouvait rester quinze jours de suite sans prendre soin de sa personne, pendant des semaines sans jamais se coiffer : elle devenait affreuse à voir, elle sentait même mauvais parfois. C'est pour cela qu'il fallait neuf heures pour la préparer, pour recréer "Marilyn Monroe". »

Une fois, elle le fit venir de Californie à New York pour une mise en plis. Mais quand il arriva, elle lui dit qu'elle était désolée, elle était trop fatiguée pour le voir. Et elle lui remit un chèque de deux mille dollars.

« Une autre fois, dit Masters, elle m'a offert du Nembutal, comme on vous propose un apéro. Je l'ai gardé entre les dents et les lèvres et je l'ai recraché dès que j'ai pu. Elle devait faire ses mixtures en début de matinée. Elle me faisait attendre deux heures : elle était dans la salle de bain, soi-disant pour se laver la figure. Deux heures ! C'est quand même curieux, non ?

« Mais quand je me mettais à travailler sur elle, elle commençait à se transformer, presque comme un caméléon. Peu à peu, elle changeait sa voix, ses façons de faire. J'avais la chair de poule quand je commençais à voir apparaître Marilyn Monroe. »

_____
* Auteur de romans roses.

276

Masters, enfin, avait l'impression que Marilyn était devenue un être « asexué. Je crois que s'il lui restait un instinct alors, c'était celui de *conquérir* — les hommes, j'entends. C'était une bataille, c'était la seule chose qui la rallumait, je pense. Elle était deux personnages à la fois, peut-être même trois : elle-même, Marilyn Monroe, et l'être asexué, qui calculait, qui ne pensait qu'à lui ».

Un jour de l'été 1961, une odeur nauséabonde pénétra dans l'appartement de Jeanne Carmen — qui habitait un petit immeuble sis à trois « blocs » au sud de Sunset Drive, à Los Angeles. Carmen découvrit que cela provenait de la poubelle où Marilyn jetait ses pansements (c'était peu de temps après l'opération à la vésicule biliaire).

Marilyn était revenue au vieil appartement de Doheny qu'elle avait acheté au début des années 50. Marilyn et Carmen s'étaient connues à New York, à l'Actor's Studio, et elles avaient sympathisé ; maintenant qu'elles étaient voisines, elles devinrent amies intimes.

Leur immeuble, Doheny Road, était une construction basse, anonyme. La boîte aux lettres de Marilyn ne portait pas son nom, mais celui de sa secrétaire à New York, Marjorie Stengel. L'appartement de Marilyn donnait, parmi d'autres, sur une cour. Une entrée sombre conduisait à une grande chambre à coucher, encore plus sombre, d'un sinistre évoquant les rives du Styx, à cause des lourds rideaux qu'elle avait mis aux fenêtres. Cette pièce, salle de séjour à l'origine, était maintenant occupée par un énorme lit. Cet appartement était devenu, comme le dit un ami, « un sanctuaire du sommeil ». Pas d'images, très peu d'affaires personnelles.

Là, Marilyn et Jeanne Carmen passaient beaucoup de temps ensemble, surtout la nuit, à parler en buvant. Carmen, alors âgée de vingt-sept ans (soit presque huit de moins que Marilyn) voulait devenir une grande actrice ; elle utilisait quelquefois le pseudonyme de Saber Dareaux. Elle avait commencé comme Marilyn, comme cover-girl ; puis on lui avait donné des rôles dans des films sans intérêt. Elles avaient aussi en commun certains médecins : le Dr Lee Siegel et le gynécologue Leon Krohn, et eurent des discussions animées sur la possibilité de rétrécir chirurgicalement le vagin ou d'augmenter le tour de poitrine par certaines injections.

Toutes deux aussi étaient de grandes consommatrices de Seconal, Nembutal, etc. « Nous nous prêtions nos médicaments. Mais moi, il me suffisait de deux ou trois comprimés ; tandis que Marilyn en consommait des quantités folles... » Quant à la capacité d'absorption d'alcool, Marilyn était, aux yeux de Carmen, « une championne olympique ».

Elles parlent des hommes, de leurs amours. Marilyn lui révèle qu'elle a eu un enfant très jeune et qu'elle a toujours craint que Dieu ne la « punisse » de ne pas l'avoir gardé. « A l'entendre, dit Carmen, il était clair qu'elle ne retirait rien des rapports charnels. Elle n'avait jamais eu d'orgasme — elle faisait semblant de l'avoir. »

« Elle n'avait aucune confiance en elle. Elle était certaine qu'elle perdrait jusqu'à ses meilleurs amis si elle devenait vieille, laide, sur le pavé... »

Et, toujours, la question du suicide. « Il n'y a pas d'autre solution pour moi que la mort, disait Marilyn. Je voudrais m'en aller tout en blanc, dans une chemise de nuit de satin blanc, sur des oreillers de satin blanc. Et j'aurais dit à quelqu'un de venir me fermer les yeux et me faire belle. Tu ne ferais pas ça pour moi ? »

En mai, Marilyn avait demandé à Ralph Greenson d'être son psychiatre, en quelque sorte, « à plein temps ». Et Greenson, profondément touché par « l'atroce solitude » de Marilyn, avait pris une décision tout à fait exceptionnelle dans sa profession, et qui lui vaudrait les critiques de certains de ses collègues psychiatres : il avait décidé d'ouvrir sa maison à Marilyn, de lui offrir l'amour familial de sa femme, de ses deux enfants, et de lui-même. Les Greenson furent la dernière famille adoptive de Marilyn.

Ils habitaient une jolie maison de style mexicain en haut de l'unique colline de Santa Monica. C'était là en général que Greenson la recevait, pour qu'elle n'eût pas à se rendre à son cabinet en ville. Marilyn, contrairement à son habitude — peut-être parce que Greenson lui avait expliqué que le mépris de la ponctualité est en fait un mépris de l'autre — Marilyn arrivait toujours en avance. La fille de Greenson, Joan, vingt et un ans, étudiante aux beaux-arts, accueillait Marilyn, quand son père n'était pas prêt ; et toutes deux déambulaient le long de la retenue d'eau voisine, regardant la ville et le Pacifique.

Pour Joan Greenson, la connaissance de Marilyn fut à la fois déroutante et passionnante. Bientôt elle se lie d'amitié avec Marilyn, va la voir chez elle, sort avec elle en ville. Marilyn lui donne des conseils sur les garçons, lui montre comment rendre invisible sa légère moustache, elles échangent leurs nippes...

« C'étaient les débuts du twist, elle m'a appris les mouvements des hanches, de côté, en roulant, en avant en arrière, comme ce qu'on voyait à la télé — sans rien d'obscène. Marilyn me traitait un peu comme une petite sœur. Jamais elle ne m'a fait voir des photos où elle était nue, ni ne faisait allusion au fait qu'elle couchait avec un tel ou tel autre. *A moi* elle se montrait d'une fraîcheur toute virginale. »

Danny Greenson, vingt-quatre ans, étudiant lui aussi et très à gauche politiquement pour l'époque, s'attendait à voir « une pute d'Hollywood pleine aux as ». Eh bien non ! Elle lui plut, cette femme, en qui on ne sentait « rien de faux, ni d'artificiel, mais une véritable chaleur humaine ». Marilyn, mettant sa perruque noire, l'accompagna quand il cherchait un appartement. Il parlait de politique, et il s'aperçut qu'elle comprenait tout à fait ses idées.

Marilyn voyait le Dr Greenson six, voire sept fois par semaine. En général, puisque Greenson la recevait chez lui, elle était la dernière patiente de la journée. Il la faisait asseoir sur une chaise en face de lui, dans son bureau ; elle se tenait bien droite et pendant une heure, pas plus, parlait de ses problèmes. Après quoi, tous deux rejoignaient le reste de la famille. On sortait du réfrigérateur la bouteille de Dom Pérignon de Marilyn — un peu éventée le cas échéant si elle l'avait apportée pour la séance précédente. Parfois elle restait dîner et participait à la vaisselle — ce qui lui permettait d'évoquer encore ses souvenirs de l'orphelinat.

En mai 1961, avant l'opération de la vésicule et le déclin qui s'ensuivit, Greenson écrit, optimiste, qu'elle « est en très bonne voie ». Il ajoute : « Je suis épouvanté par le vide de son existence en termes de relations objectales. Essentiellement,

279

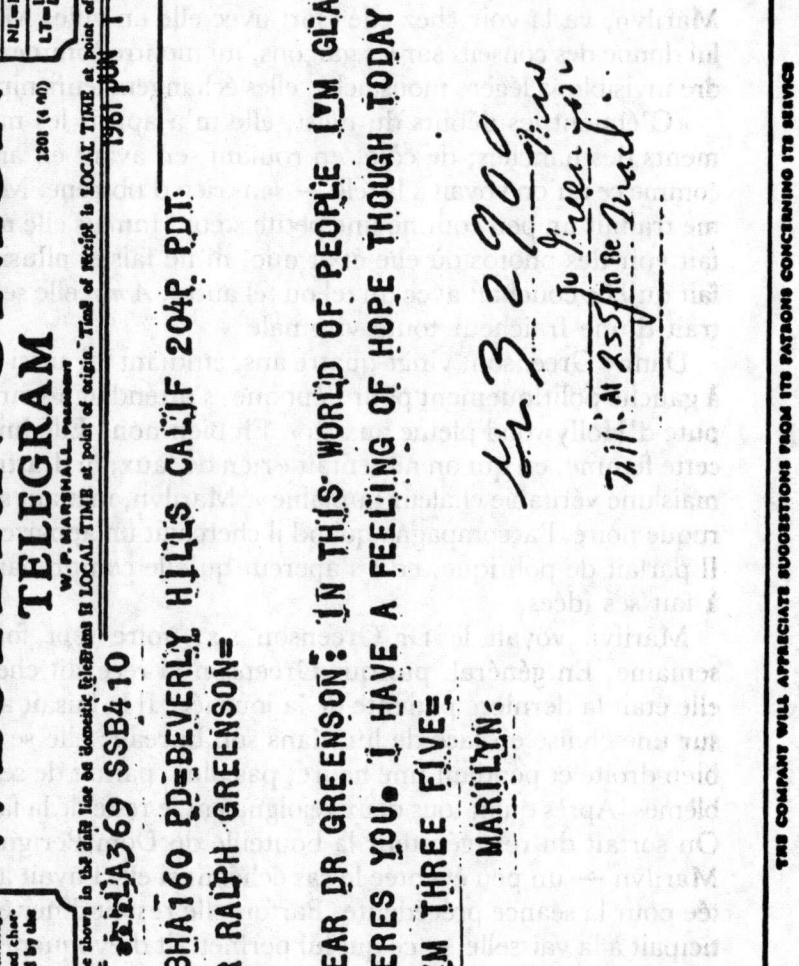

c'est le mode de vie narcissique. (…) Tout bien pesé, il y a une certaine amélioration ; mais je ne saurais dire à quel niveau de profondeur elle se situe, ni si cela durera. »

Trois semaines plus tard, Marilyn eut trente-cinq ans et, le 1er juin 1961, envoya à Greenson ce télégramme (voir page ci-contre) : CHER DR GREENSON DANS CE MONDE DE GENS JE ME REJOUIS QU'IL Y AIT VOUS. JE SENS UN ESPOIR BIEN QU'AUJOURD'HUI J'AIE TROIS CINQ. MARILYN.

Outre tout ce que nous venons de relater sur cette première partie de l'année 1961, Marilyn avait fait une confidence capitale à un Anglais qu'elle connaissait depuis des années, Gordon Heaver. Heaver, qui depuis 1952, travaillait comme préparateur de synopsis pour la Paramount, avait participé à plusieurs films de Hitchcock, et il avait fait un riche mariage. Il se vante d'avoir une mémoire d'éléphant — Hitchcock l'avait surnommé « Mister Memory », d'après un personnage des *Trente-neuf marches*.

Heaver m'a affirmé, donc, que dans les premiers jours de janvier 1961, Marilyn lui dit qu'elle venait d'avoir « un rendez-vous avec le prochain président des Etats-Unis ». A la façon dont elle le dit, il était clair, selon Heaver, que cela signifiait qu'elle avait couché avec John Kennedy. Cette conversation eut lieu deux semaines à peine, peut-être, avant la passation des pouvoirs et le divorce d'avec Miller.

Cette liaison avec le président, avec ses ramifications qui conduisent à Robert Kennedy, Frank Sinatra et à ses amis, est la sève de toutes les légendes concernant les derniers jours de Marilyn Monroe. Elle devait mourir moins de deux ans après avoir commencé à fréquenter ces milieux.

Quatrième Partie

Marilyn et les frères Kennedy

«Marilyn Monroe n'a jamais tout dit — à personne.»

Pat NEWCOMB,
attachée de presse de Marilyn
et intime des Kennedy.

«Malheur à l'homme qui prive une femme d'une illusion!»

Dicton persan,
rapporté par Conan Doyle.

Par une chaude nuit de la deuxième semaine de juillet 1960, juste avant le tournage des *Misfits*, deux hommes roulaient à faible allure le long de la mer, au nord de Santa Monica. Ils passèrent devant un ensemble de somptueuses villas, contournèrent un groupe de voitures garées sur deux files et vinrent se ranger discrètement contre le trottoir. Après s'être déchaussés, ils descendirent jusqu'à la ligne de brisement des vagues et repartirent à pied dans la direction d'où ils étaient venus.

Ces deux silhouettes cheminant dans la nuit étaient celles d'inspecteurs des services du District Attorney de Los Angeles. La demeure qu'ils devaient surveiller appartenait à l'acteur Peter Lawford et son épouse, Patricia Kennedy. Son frère John venait de recevoir l'investiture du parti démocrate pour les élections présidentielles, et, à en juger par le tapage qui provenait de la villa, on fêtait allégrement l'événement, ce soir-là, chez les Lawford.

Frank Hronek, le plus élevé en grade des deux inspecteurs, était une figure de légende au sein des forces de l'ordre californiennes. Cet homme (qui pendant la guerre avait servi dans les services secrets) était une encyclopédie ambulante pour toutes les questions touchant sa profession : crime organisé, dessous du *show business*, corruption politique, etc. Suspectant la présence chez les Lawford de personnes liées à la Mafia, il avait demandé à son supérieur l'autorisation d'espionner cette soirée. Ce dernier, étant démocrate, avait refusé ; Hronek agissait donc de son propre chef.

Comme ils approchaient de la grille, les deux hommes furent interceptés par des gardiens armés de fusils de chasse. Hronek leur montra sa carte, ce qui lui permit, tout en conversant quelques instants, d'observer la fête qui battait son plein autour de la piscine des Lawford. Il y avait là une flopée de jeunes femmes, dont plusieurs call-girls connues, s'exhibant dans le plus simple appareil. John Kennedy était là lui aussi.

Celui qui allait devenir président prit congé peu après : « Le candidat a besoin de repos », déclara un porte-parole. Repos, qu'il prit, selon un informateur des deux policiers, en compagnie de Marilyn Monroe.

Vrai ou faux ? Tout cela m'a été rapporté par le collègue de feu l'inspecteur Hronek, et il n'y a aucune raison de mettre sa parole en doute. Que penser, cependant, de l'allégation concernant Kennedy et Marilyn ? Cet informateur se bornait-il à rapporter un ragot, de ceux que l'on met en fiche pour les oublier aussitôt ? Y avait-il vraiment un Kennedy dans la vie amoureuse de Marilyn ?

Des rumeurs faisant état d'une liaison entre Marilyn et le président Kennedy, ou son frère Robert, ou encore avec les deux, ont commencé à circuler dès le jour de sa mort. Comme il y a eu énormément de versions de ces rumeurs et qu'elles ont souvent été reprises par les feuilles à scandales, la plupart des observateurs n'y ont accordé aucun crédit. Les enquêtes les plus récentes établissent cependant qu'elles étaient fondées.

Notre propos n'est pas de relater l'histoire sexuelle des Kennedy. Certaines tentatives en ce sens créent une sorte de mythe qui fausse aussi bien l'Histoire que l'image de Marilyn. On ne dispose pas moins aujourd'hui d'une somme suffisante d'études sérieuses et de souvenirs de contemporains pour émettre un jugement équilibré.

Avec la puissance et la fortune immense de leur famille, et l'assurance qui découle d'un tel héritage, il est compréhensible que les Kennedy aient eu une vie sexuelle hors du commun. Pour comprendre leurs rapports avec Marilyn, il faut avoir au moins un aperçu de la tradition familiale en la matière.

Pour les enfants de la génération de John Kennedy, il y eut d'abord l'exemple paternel : Joseph Kennedy poursuivait tout ce qui portait jupon, tel un seigneur féodal fort de son droit de cuissage. Il ne s'en cachait pas devant ses enfants, filles comme garçons ; il leur demandait même parfois d'intervenir pour faciliter ses infidélités.

John Kennedy confia un jour à Clara Boothe Luce, ancienne ambassadrice des Etats-Unis et épouse du directeur de *Time* : « Mon père disait à tous ses garçons de s'envoyer en l'air aussi souvent que possible. » On sait maintenant que John fit plus que suivre le conseil paternel. Depuis son temps dans la *Navy*, où ses camarades le surnommaient « Le Tringleur », jusqu'à son séjour à la Maison-Blanche, toujours on le vit s'intéresser de très près aux femmes.

Une journaliste, Nancy Dickerson, qui eut une passade avec lui, a dit : « John était irrésistible. Mais pour lui, le sexe n'avait pas plus d'importance qu'une tasse de café. » De toute évidence, pour ce Kennedy-là, sexe et amour étaient deux choses à ne pas confondre.

Son frère Robert (dit « Bob » ou « Bobby ») Kennedy, en revanche, jouissait jusqu'à ces derniers temps d'une réputation virtuellement sans tache (sauf en ce qui concerne Marilyn). John parlait de « la haute moralité [de Bobby] (...) puritain, absolument incorruptible. » En 1960, Robert, trente-cinq ans, était marié depuis dix ans et avait sept enfants ; on venait de le nommer « Père de l'Année ».

Or lui non plus n'était pas un saint. L'historien Arthur Schlesinger, biographe de Bobby et féal du clan Kennedy, m'a répondu franchement à ce sujet (lors d'un *lunch*, en 1983) : « Bobby était humain. Il aimait bien boire un verre, il appréciait les jeunes femmes. Il sacrifiait à ce penchant lorsqu'il était en voyage — et il lui fallait souvent voyager. »

Les Kennedy furent toujours fascinés par le monde du cinéma. Dans les années 20, Joseph, leur père s'établit en Californie pour produire des films à Hollywood et arrondir sa fortune. Il eut à l'époque, entre autres maîtresses; la grande actrice Gloria Swanson.

Son fils John eut encore plus de succès dans les années 40 et 50. La liste de ses conquêtes à Hollywood et sur la côte Ouest évoque aujourd'hui un album de photos un peu jaunies : Gene Tierney, Sonja Henie, Angela Greene, Kim Novak, Janet Leigh et Rhonda Fleming. Et n'oublions pas Angie Dickinson qui au temps de la présidence, fut pour le moins, une intime.

Judy Garland était dans les petits papiers de Robert ; et Greta Garbo fut reçue avec tous les honneurs à la Maison Blanche lors d'un dîner auquel n'assistaient que John Kennedy, sa femme et un ami du président, Lem Billings.

Marlène Dietrich, enfin, raconta cet épisode au metteur en scène Joshua Logan (qui me l'a rapporté) : « John Kennedy m'a invitée à la Maison Blanche. Il m'a fait un peu de rentrededans ; puis, comme je reprenais l'ascenseur, il m'a demandé d'un air grave : ''Juste une chose, vous avez couché avec papa ?'' »

Les deux frères Kennedy eurent besoin d'une base d'opération en Californie à partir de 1960, début de la campagne présidentielle. La villa de leur beau-frère Peter Lawford (qui, disons-le tout de suite, est toujours présent, comme trait d'union, dès qu'il est question de rapports entre Marilyn et les deux Kennedy) fit parfaitement l'affaire.

Dans les heureuses années de l'ascension des Kennedy, Peter et Pat Lawford menèrent la grande vie dans cette somptueuse demeure agrémentée d'une piscine chauffée et d'une salle de projection, aménagée à l'origine par Louis B. Mayer, patron de la Metro-Goldwyn-Mayer.

En 1960, Lawford avait trente-sept ans. Il était né en Angleterre. Son père, général pendant la première guerre mondiale, connut des temps difficiles dans les années 30, après avoir émigré en Floride. Lawford partit quelques années plus tard pour Hollywood, où son physique avantageux le fit rapidement passer d'un emploi de placeur dans un cinéma à des premiers rôles dans des films de série B.

Sa carrière d'acteur culmina vers le milieu des années 50. Sa célébrité reposait surtout sur une vie mondaine très active et sa passion du surf. Au printemps 1954, il épousa Patricia (« Pat ») Kennedy, sixième enfant de Joseph Kennedy, la plus ravissante de ses filles. En 1960, à la veille de l'élection de John Kennedy, ils vivaient à Santa Monica avec leurs trois enfants.

Le ménage Lawford offrait l'image d'une combinaison rare et parfaite, celle du play-boy californien et de l'héritière d'une grande dynastie de l'est des Etats-Unis. Un journaliste les a décrits ainsi : «Bronzés, sereins, avec cette chaleur impersonnelle propre aux hyperprivilégiés.» Un autre a noté : «Le problème avec les Lawford est qu'ils paraissent sans problèmes.»

Les problèmes, les Lawford étaient en train de les accumuler dans leur vie privée. Leur union ne devait pas durer : selon des voisins, tous deux buvaient. Lawford, qui devait mourir en 1984 d'une maladie du foie, aimait rester jusqu'à l'aube dans son bar privé. Amis et collègues s'accordent pour dire qu'il s'adonnait sans discernement à toutes sortes de drogues prohibées.

Il avait aussi des goûts particuliers. Sa mère, Lady Lawford, dit un jour à la presse, en 1950, que son fils avait reçu beaucoup de fessées dans son enfance. Et d'ajouter : «J'insiste sur le fait — et Peter est d'accord avec moi — que rien ne pouvait mieux le préparer à son rôle actuel.» L'une de ses maîtresses se souvient que, plutôt que de copuler, «il voulait que je lui morde le bout des seins jusqu'au sang». Une autre le quitta parce qu'il exigeait qu'elle prenne part à des séances d'amour collectif.

C'est donc ce triste sybarite qui recevait les frères Kennedy lorsque, étant en Californie, ils avaient besoin de détente. Même aujourd'hui, rares sont ceux qui acceptent de parler de ce qui se passait durant ces visites. Cependant, en 1984, j'ai pu recueillir le témoignage de Jeanne Martin, ex-épouse du chanteur Dean Martin. Elle et son mari étaient souvent invités chez les Lawford, et ils eurent l'occasion d'y rencontrer John et Robert Kennedy.

«J'ai vu Peter tenir le rôle de maquereau pour John Kennedy. Ce n'était pas très joli ; ils ne faisaient vraiment rien pour se cacher. Il faut dire que les Kennedy et la discrétion... Vraiment, on aurait dit des gosses, de vrais collégiens. Il se passait dans cette maison des choses stupéfiantes.»

Et Jeanne Martin de poursuivre : «Ethel (l'épouse de Robert Kennedy) pouvait se trouver dans une pièce et Bobby dans la chambre voisine avec telle ou telle femme. C'était un chaud lapin, mais pas le même genre que son frère. John, lui, était

289

un instinctif : avec lui, c'était droit au but, le genre : "Et si on montait là-haut ? " ou bien encore : "Venez donc dans la salle de bain. " Bobby ne s'est jamais attaqué à moi ; mais je sais qu'une de mes amies était allée dans la bibliothèque avec lui. Avant qu'elle ait eu le temps de se retourner, il avait tiré le verrou et l'avait renversée sur la banquette. Incroyable ! Vous aviez là le président des Etats-Unis et l'attorney général. »

Jeanne Martin était parfois présente lorsque Marilyn venait chez les Lawford. Si elle est « quasi certaine » de l'existence de relations sexuelles avec l'un et l'autre des frères Kennedy, elle ajoute toutefois « qu'à moins de se trouver soi-même dans la chambre, on ne peut honnêtement faire ce genre d'affirmation ».

Cette liaison entre Marilyn et les Kennedy est accréditée par d'autres témoignages. Sur la base de ces informations, on peut aujourd'hui y voir plus que de simples présomptions.

30

Au cours de l'automne 1954, le sénateur John Kennedy, alors âgé de trente-sept ans, vient de subir une grave opération dans un hôpital de New York. Il souffrait de problèmes vertébraux compliqués d'une maladie d'Addison (déréglement progressif des glandes surrénales). Convalescent, il passe le temps en jouant aux dames et en tirant sur des ballons avec un pistolet à bouchon.

Priscilla McMillan, une journaliste qui lui rendit visite, trouva que l'ambiance de sa chambre « évoquait celle d'un dortoir de collège ». Il y avait là des poissons tropicaux dans un aquarium, une poupée de Howdy Doody* sur le lit et, au mur, un poster de Marilyn Monroe en short bleu, jambes écartées — et la tête en bas, car Kennedy avait accroché l'affiche à l'envers.

Deux ans plus tôt, le calendrier pour lequel Marilyn avait

---

* Personnage d'une émission de télévision de l'époque, pour adolescents. Le « bon petit gars américain, genre prolo ».

posé nue avait fait la nouvelle de toute l'Amérique, et des milliers d'hommes l'avaient chez eux. Peut-être Kennedy portait-il toutefois sur son affiche un regard différent de ses contemporains. Depuis bientôt dix ans en effet, il était régulièrement l'hôte, lors de ses voyages à Hollywood, du célèbre manager d'acteurs, Charles Feldman, qui, au début des années 50, fut l'agent de Marilyn. Et deux personnes proches de Feldman affirment que, par son entremise, Kennedy la connut dès 1951 : 1. Grace Dobish, secrétaire de Feldman et 2. Alain Bernheim, qui travaillait avec Feldman et connaissait bien Marilyn. Bernheim croit que Feldman invita Marilyn à partager un dîner avec Kennedy. Toutefois Bernheim, qui le reconduisit chez lui se souvient que Kennedy repartit ce soir-là en compagnie d'une autre fille.

Deux amis de Marilyn disent également qu'elle voyait déjà Kennedy dans les années 50. A Robert Slatzer elle aurait dit avoir rencontré Kennedy (chez Charles Feldman) dès l'époque de son mariage avec DiMaggio, puis plus tard, à New York, lorsqu'elle était mariée à Miller. L'autre ami, Arthur James — qui fit la connaissance de Marilyn à la fin des années 40, à l'époque de sa liaison avec Charlie Chaplin junior — apporte un témoignage précis sur le début de ses relations avec Kennedy :

Au milieu des années 50, James, agent immobilier prospère, passait le plus clair de son temps à Malibu, où il habite encore aujourd'hui. D'après lui, «il se passa quelque chose» entre Marilyn et John Kennedy dès 1954, dans les derniers mois du mariage avec DiMaggio. Marilyn le lui aurait dit ; et James lui-même eut l'occasion de les observer ensemble.

«Bien que John Kennedy fût sénateur, ajoute James, il était relativement peu connu ici. Marilyn et lui n'avaient pas à se soucier du qu'en-dira-t-on. Ils allaient parfois boire un verre au Malibu Cottage, bar minable avec huit tabourets tout au plus et de la sciure sur le sol. A cette époque-là, c'était pourtant le lieu de rendez-vous de quelques-uns des plus grands noms d'Hollywood. »

James, qui s'étonne encore, malgré tout, de la liberté avec laquelle ils s'affichaient ensemble, dit avoir vu Kennedy, alors sénateur, se promener sur la plage, non loin de la jetée de

291

Malibu, en compagnie de Marilyn. Celle-ci lui aurait confié qu'ils prenaient soit une chambre au Holiday House Motel de Malibu, soit dans un autre hôtel, situé à l'intersection de Sunset Boulevard et de Pacific Coast Highway, et qui était très prisé des couples illégitimes. (Le nom de l'hôtel depuis a changé.)

« Je ne crois pas que Marilyn ait jamais beaucoup compté pour John Kennedy, estime James, mais Marilyn, elle, ne s'en est jamais remise, à plus forte raison quand il est devenu président. A la fin, leur nid d'amoureux était chez Peter Lawford, à Santa Monica. »

Peter Lawford, que j'ai interviewé peu avant son décès en 1984, fit la connaissance de Marilyn dès 1950 ; elle avait alors vingt-quatre ans. Leur première rencontre eut lieu à l'agence de William Morris ; ils se revirent au cours d'une surprise-partie, et Lawford s'enticha d'elle :

« Jamais je n'oublierai le premier soir où nous sommes sortis ensemble, me confia-t-il. J'étais allé la prendre chez elle. En entrant dans l'appartement, j'ai dû me faufiler entre des crottes de chien. Voyant cela, elle s'est contentée de dire : ''Oh, il a encore fait.'' Elle m'a quitté après le dîner ce soir-là, mais nous nous sommes revus plusieurs fois. Un jour, nous avons pris ma jeep pour aller faire du surf à Malibu. Je me souviens qu'elle s'abritait du soleil sous un grand chapeau. Nous avons dû sortir deux ou trois fois ensemble. » Lawford glissa sur le fait que sa passion n'était pas partagée.

Marilyn se plaignit de lui à « Nana » Karger, d'après ce que m'a dit une amie intime de celle-ci : « Lawford n'arrêtait pas de la poursuivre et de l'appeler. Elle venait se réfugier chez nous à trois heures du matin pour se débarrasser de lui et dormir un peu. A mon avis elle n'avait guère d'estime pour lui ; elle disait toujours qu'il lui en faisait voir de toutes les couleurs. »

Lawford et Marilyn continuèrent cependant de se voir de loin en loin au fil des ans. Plusieurs fois ils furent invités simultanément à passer le week-end chez Gene Kelly, lequel épuisait ses amis par des parties de volley-ball (qui commençaient *après* la fête, au lever du soleil). A l'époque, Lawford n'était pas encore marié avec Pat Kennedy, mais il était déjà avec elle.

Pat Lawford aimait bien Marilyn et pensait qu'elle avait

besoin d'être aidée. C'est elle — selon Peter Lawford (car Mrs. Lawford n'a pas répondu quand j'ai sollicité une interview) — qui se mit en tête de l'inviter fréquemment à la villa, dans les mois qui précédèrent la victoire de Kennedy.

Lawford, dont les sentiments à l'égard de Marilyn frisaient l'idolâtrie, niait formellement qu'elle eût été la maîtresse de l'un ou de l'autre des frères Kennedy. Lors de la plus récente enquête officielle sur la mort de l'actrice, en 1982, il déclara à un inspecteur du District Attorney de Los Angeles que celle-ci ne fit la connaissance de John Kennedy qu'en 1962 (alors qu'il était déjà président), lors d'une soirée (chez lui, Lawford) à laquelle elle se trouvait elle aussi invitée. A moi, il a dit des choses un peu différentes, tout en maintenant : «Toute cette histoire de liaison n'est que du vent.»

Une personne qui l'a connu de très près a une version bien différente. En 1976, Peter Lawford se maria (pour la troisième fois) avec une actrice débutante, Deborah Gould. Il avait cinquante-deux ans, et elle vingt-cinq ; leur union ne dura que quelques mois. La jeune femme comprit bientôt qu'elle venait d'épouser un homme qui «se détruisait tout seul». Outre l'alcool, il prenait de la drogue, surtout de la cocaïne et de l'*angel dust* ou PCP, substance chimique extrêmement dangereuse, souvent vendue pour du LSD.

Lors de ma rencontre avec Deborah Gould en 1983, je lui ai parlé du démenti de Lawford au sujet de Marilyn et des frères Kennedy. Avec elle, un soir où il était «bien parti», Lawford s'était montré beaucoup plus positif. Il s'était effondré, et comme elle tentait de le consoler, il s'était mis à parler longuement de Marilyn et des Kennedy.

«Peter m'a dit que John avait toujours voulu rencontrer Marilyn, c'était comme une idée fixe. Peter pouvait-il arranger ça ? Sûr — il faisait toujours tout ce qu'on lui demandait.»

Citant Lawford, Deborah Gould dit qu'une liaison commença avant la présidence de John Kennedy et se poursuivit par la suite. Cela est corroboré par la seconde femme de Lawford, Mary Rowan, dans une interview qu'elle a donnée au moment où ce livre partait pour l'imprimerie. Les deux femmes rapportent les propos de Lawford sur les liaisons qu'entretint Marilyn avec John et Robert Kennedy. Le récit de Deborah

Gould concerne la fin de la liaison avec le président, et décrit aussi comment Robert est entré dans la vie de l'actrice. Cet épisode sera traité plus loin.

Le lendemain matin, dit encore Deborah Gould, Lawford était rongé d'inquiétude. Il ne se souvenait pas exactement de ce qu'il avait révélé à sa femme. Il devait se rendre à New York ce jour-là, et il téléphona plus tard, toujours effrayé à la pensée de ce qu'il avait pu dire. «Il m'a recommandé d'oublier tout ce qu'il m'avait dit. »

Au début de 1960, lorsque la campagne de Kennedy passa «à la vitesse supérieure», la maison des Lawford à Santa Monica devint le lieu de rendez-vous des conseillers du candidat. Au nombre de ceux-ci se trouvait Pete Summers, stratège politique chargé des relations avec les différentes chaînes de télévision. Chez Lawford, Summers eut plusieurs fois l'occasion de rencontrer Marilyn en compagnie de Kennedy, toujours lors de réunions rassemblant une douzaine de personnes.

« On sentait qu'ils étaient très proches l'un de l'autre, dit Summers. Disons qu'elle avait une place à part ; le président appréciait vraiment beaucoup Marilyn. Elle était délicieuse, un peu nerveuse peut-être, mais je crois que cela venait du fait qu'elle se trouvait sur un terrain nouveau pour elle, avec toutes ces ''bêtes'' politiques. Elle n'était pas tout à fait à l'aise. Mais elle regardait sans cesse Kennedy avec des yeux éblouis : il avait un tel charme, un tel charisme... Cependant elle était parfaitement capable de tenir sa place dans une conversation ; elle était très brillante. »

Lorsque l'on connaît les problèmes psychologiques de Marilyn et l'abus qu'elle faisait de l'alcool et des somnifères, on peut se demander quelle genre d'attraction elle pouvait exercer sur un Kennedy. Mais elle savait toujours dissimuler ses misères sous un masque d'une saisissante beauté. D'ailleurs elle possédait à cette époque une culture politique bien plus étendue qu'on a jamais voulu lui reconnaître.

Des années durant, et surtout pendant son union avec Miller, Marilyn avait côtoyé des gens qui parlaient beaucoup de politique. A New York, elle avait cultivé une longue amitié avec l'éminent journaliste Lester Markel.

Markel avait été rédacteur en chef adjoint du *Herald Tribune* à l'âge de vingt-cinq ans, et était depuis presque un demi-siècle rédacteur en chef de l'édition dominicale du *New York Times*. Animée d'un de ses désirs subits d'élargir son horizon intellectuel, Marilyn lui avait écrit dans le milieu des années 50. Ils avaient déjeuné ensemble chez Sardi, puis Markel, lui-même une vedette dans sa profession, avait épaté ses collègues en faisant visiter à Marilyn la salle de rédaction de son journal.

Après la mort de Markel à l'âge de quatre-vingt-quatre ans, dans les années 70, sa fille découvrit, au fond d'un tiroir de son bureau, une lettre qu'il avait reçue de Marilyn en mars 1960, à l'époque où elle tournait *Let's Make Love*. Cette lettre nous offre un remarquable aperçu de l'intelligence de Marilyn et de son sens de la politique :

Cher Lester,
Je suis encore au lit. Oui, je réfléchis allongée, et je pense même a vous. Pour en revenir à notre discussion politique de l'autre jour . je vous ai dit qu'il n'y avait personne. *Eh bien, je retire ce que j'ai dit. Que penseriez-vous de Rockefeller ? D'abord c'est un républicain, ce qui ne peut que plaire au* New York Times ; *ensuite, et c'est cela le plus intéressant, il est plus libéral que bien des démocrates. Cela vaudrait peut-être la peine de le lancer, non ? En fait, à l'heure actuelle, Humphrey pourrait bien être le seul. Allez savoir ! Il est si difficile d'en apprendre un peu sur son compte. (Je ne pense à aucun journal en particulier !) Evidemment, Stevenson aurait pu y prétendre s'il avait été capable de s'adresser à la nation plutôt qu'à une poignée d'universitaires. Quant à ce Nixon, on n'a jamais rien vu comme lui auparavant : les autres, au moins, avaient une âme ! Non, l'idéal comme président, ce serait William Douglas ; malheureusement il ne pourrait pas gagner puisqu'il est divorcé. J'ai une idée : et si on mettait Douglas comme président et Kennedy comme vice-président ? Cela ferait voter les catholiques pour Douglas, malgré son divorce ! Et Stevenson pourrait être le secrétaire d'Etat !*

(...) Il est exact que je viens assez souvent dans votre immeuble pour voir mon excellent docteur*, comme vous l'ont rapporté vos espions. Mais

---

* Les Markel habitaient le même immeuble que les Strasberg et que Marianne Kris (*NdA*).

je ne voulais pas me faire voir de vous tant que je ne porterai pas mon
manteau en léopard de Somalie. Je tiens à ce que vous me considériez
comme un animal prédateur.

Mille baisers
Marilyn.

P.S. Quelques slogans pour la fin de l'année 1960 :
    « Nix on Nixon »
    « Over the hump with Humphrey (?) »
    « Stymied with Symington »
    « Back to Boston by Xmas — Kennedy » *

De toute évidence, c'est la lettre de quelqu'un qui, soit
connaît la politique sur le bout du doigt, soit — comme c'était
probablement le cas de Marilyn — s'est imposé un cours accéléré sur l'actualité.

A l'époque, Marilyn discutait souvent avec les Greenson dont
les opinions étaient sagement libérales. Eux la trouvaient plutôt radicale. « Marilyn se passionnait pour l'égalité des droits,
pour les Noirs, pour les pauvres, se souvient Joan Greenson.
Elle s'identifiait fortement aux ouvriers et avait le sentiment
d'être des leurs. »

Des années auparavant, lorsque, en autodidacte, elle avait
commencé à dévorer toute sorte de livres, Marilyn ne cachait
pas son admiration pour le leader hindou Nehru. Elle pensait
qu'il fallait laisser à Fidel Castro la chance de prouver s'il avait
vraiment l'intention d'instaurer la démocratie à Cuba.

Au printemps 1960, son nom figurait en tête d'une liste de
personnalités d'Hollywood, dont Marlon Brando, Gene Kelly,
Shirley MacLaine et Peter Lawford, qui soutenaient le SANE,
« Comité national pour une Politique nucléaire saine ». Inter-
rogée sur ses rêves ou ses cauchemars, Marilyn répondit :
« Mon cauchemar, c'est la bombe H. Et le vôtre ? »

Elle professait un scepticisme plein de bon sens — ce qui
n'était certainement pas l'avis de la droite de l'époque — quant

---

* « Gaffe à Nixon »
  « Avec Humphrey pour s'en sortir »
  « Dans l'impasse avec Symington »
  « De retour à Boston pour Noël — Kennedy » (*NdT*).

à la politique étrangère des Etats-Unis. Au cours de l'été 1960, elle appela au téléphone Rupert Allan, qui se trouvait à l'autre bout du pays, pour discuter avec lui des gros titres du jour. Elle s'irrite que l'on n'ait pas parlé davantage d'un avion de l'aéronavale américaine qui vient de violer l'espace aérien soviétique. Moscou affirme que c'était un avion-espion ; Washington rétorque qu'il s'acquittait d'une mission hydrographique. Ces prostestations d'innocence survenaient quelques semaines à peine après que les Etats-Unis eurent mensongèrement proclamé que l'avion U2 de la CIA, abattu par les Russes, se livrait à d'inoffensives études météorologiques.

Marilyn veut savoir pourquoi cet événement n'a pas fait la une des journaux. Allan, ancien de la Navy, lui répond que cette fois le gouvernement américain disait peut-être la vérité. « Je ne sais pas, Rupert, dit-elle. Je n'ai pas confiance en nous. »

« D'un autre côté, rapporte Allan, Marilyn était heureuse d'être américaine. Elle était à fond pour l'Amérique, quelquefois un peu naïvement. »

Marilyn s'était inscrite au parti démocrate. En avril 1960, lors des élections primaires, le comité de Roxbury, où elle résidait avec Arthur Miller, la nomma déléguée suppléante.

« Ne serait-ce pas merveilleux, dit un porte-parole du comité, si Marilyn pouvait être notre déléguée à la convention ? » Tout cela n'était pas tout à fait sérieux ; mais à la veille de l'ouverture de la convention, un quotidien de Los Angeles rapporta : « Les amis démocrates de Marilyn la poussent à y assister. »

31

Dans la deuxième semaine de juillet 1960, la convention démocrate se réunit, à Los Angeles, pour la première fois depuis quarante ans. Les Kennedy étaient venus en force ; non seulement les deux frères, John et Robert, mais aussi leur père Joseph, qui avait établi ses quartiers dans une demeure de

Beverly Hills que lui prêtait une grande star de son époque, Marion Davies.

On n'y vit pas Marilyn, pas plus qu'on ne parla d'elle, sinon en coulisses au Beverly Hilton Hotel. Fred Karger, qui devait animer un bal pour les démocrates, se décommanda à la dernière minute, parce que (d'après Patti, sa première femme) «il avait entendu parler d'une liaison entre Kennedy et Marilyn, et cela le consterna». Les démocrates le remplacèrent par Frank Sinatra et Judy Garland.

Marilyn ne parut pas à la convention pour une bonne raison : elle se trouvait alors à New York, pendant le bref intermède qui sépara la fin du tournage de *Let's Make Love* du début des *Misfits*. Ralph Roberts, l'acteur qui à cette époque devint son masseur et son ami, était en train de lui faire un massage dans l'appartement de la 57e Rue, quand arriva la nouvelle de la désignation de Kennedy.

Deux jours plus tard, au coucher du soleil, Kennedy, épuisé, déclara sur le podium du Coliseum* de Los Angeles : «Nous nous trouvons devant une Nouvelle Frontière, la frontière des années 60, une frontière dont nous ignorons les possibilités et les périls. (...) Je vous demande à tous d'être les nouveaux pionniers de cette Nouvelle Frontière.»

On peut être quasi certain aujourd'hui que Marilyn s'était précipitée à Los Angeles pour être aux côtés de Kennedy lors de cette soirée de triomphe.

Ce soir-là, Peter Lawford donna une fête en l'honneur de John, et emprunta aux Romanoff leur premier barman. Ce barman de haute volée, Ross Acuna, avait l'habitude de voir évoluer les célébrités ; et il a la mémoire longue. «J'ai vu Sammy Davis arriver avec Marilyn Monroe, dit-il, en parlant de cette soirée. Sur le moment je n'ai pas bien compris ; dans ce métier on voit de tout, mais il faut la fermer. Peu après, Kennedy arrive après son discours au Coliseum. Il avait tellement fait de discours pendant les derniers jours qu'il n'avait plus de voix : il m'a écrit ce qu'il voulait sur un bout de papier. Un daiquiri comme d'habitude. Très vite j'ai deviné que Marilyn et lui étaient très intimes. Quant à Sammy Davis, selon

---

* *Coliseum*, ici, équivalent d'un «palais des sports».

moi, tout ce qu'on lui avait demandé, c'était d'amener Marilyn. »

Jeanne Carmen, sa voisine et sa confidente à l'époque, rapporte également que Marilyn et Kennedy se virent ce soir-là (d'après ce que Marilyn elle-même lui dit). Il semble donc que les informations données aux inspecteurs du District Attorney étaient justes.

Peter Summers, l'animateur de la campagne de Kennedy, qui l'avait déjà vu en compagnie de Marilyn cette année-là, les revit de nouveau « deux ou trois fois » après l'investiture de Kennedy. Il remarqua que le manque d'assurance de la jeune femme vis-à-vis de Kennedy avait disparu.

Si elle a effectivement rencontré Kennedy au moment de la convention démocrate, ce fut parallèlement à son aventure tumultueuse avec Montand, au moment où son mariage avec Miller était déjà en pleine crise.

Plus tard, sur le terrain des *Misfits*, elle demanda au correspondant anglais W.J. Weatherby ce qu'il pensait de Kennedy. Weatherby répondit prudemment qu'il le préférait à Nixon. Marilyn, qu'il trouva étonnamment « espiègle (…), euphorique », lui dit en substance : que ce serait bien d'avoir un président aussi jeune, aussi beau !

— Vous voulez dire qu'il a une image hollywoodienne ? demande Weatherby.

— Reconnaissez qu'il est préférable à ces vieux débris qui sont à la fois idiots *et* moches, répliqua Marilyn.

En novembre, le lendemain même de l'élection de Kennedy, Art Buchwald écrivit dans le *Los Angeles Times* :

NE CÉDONS PAS D'UN POUCE
SUR LA DOCTRINE MONROE !

Qui sera le prochain ambassadeur auprès de Marilyn Monroe ? C'est un des nombreux problèmes auxquels Kennedy devra s'attaquer en janvier [lors de son entrée en fonction]. Il est évident qu'on ne peut la laisser à sa dérive. Trop de rapaces la convoitent, et maintenant que l'ambassadeur Miller a résigné ses fonctions, elle pourrait se mettre à vaguer, et divaguer.

299

En dehors de ses psychiatres et de ses amis les plus proches, peu de gens savaient dans quelle détresse elle se trouvait. Elle traversait alors cette période solitaire de trois mois qui aboutit à son entrée à la clinique psychiatrique. Miller n'était plus là, Montand l'avait rejetée ; elle plongeait à corps perdu dans les drogues. Elle trouvait quelque consolation dans les visites occasionnelles qu'elle faisait à l'Actor's Studio. C'est là qu'elle rencontra une nouvelle fois le reporter W. J. Weatherby. L'Anglais lui proposa d'aller boire un verre, et c'est ainsi que commença une série d'entretiens que tout journaliste lui aurait enviée.

Au cours des semaines qui suivirent, Weatherby retrouva plusieurs fois Marilyn dans un bar banal, aujourd'hui disparu, de la 8e Avenue. Le premier jour, elle jeta un coup d'œil méfiant au calepin de Weatherby, puis décida de lui faire confiance. «Prenez des notes si cela vous chante, mais ne publiez rien pour le moment. Attendez que j'aie quitté la scène !» Au cours de ces conversations, Weatherby remplit deux carnets en sténo dont il ne révéla le contenu que des années après la mort de l'actrice. Ses commentaires sur les Kennedy sont révélateurs.

Un mois après l'élection, à Weatherby qui hasardait que même John Kennedy n'était pas toujours cohérent dans ses propos, elle répliqua vivement : «Oh, mais si. »

Joan Greenson, fille du psychiatre de Marilyn, se souvient qu'elle «voulait que tout soit blanc ou noir, vrai ou faux, bon ou mauvais. Son côté entier rendait parfois la conversation difficile». C'était ce que Weatherby était en train de découvrir.

En janvier 1961, Marilyn arriva à leur rendez-vous dans un état qui l'inquiéta. Elle lui avoua qu'elle «tenait» grâce aux comprimés. Au cours de l'entretien, elle changeait brusquement d'humeur, tantôt spirituelle, tantôt irascible, faisant alterner volubilité et longs silences déprimés. Ils parlèrent des «droits civils» ; Marilyn avait évoqué une liaison qu'elle avait eue avec un jeune Noir. Weatherby lui-même fréquentait à l'époque une Noire. Et il osa dire que Kennedy n'allait apporter qu'un soutien limité à la cause des Noirs. «Le président ira jusqu'au bout,̇ affirma-t-elle. Les Kennedy connaissent parfaitement la situation. (…) Vous verrez que vous serez surpris. »

Vingt ans plus tard, lorsque je me suis entretenu avec lui,

Weatherby m'a dit : « Marilyn ne me laissait pas exprimer la moindre réserve au sujet des Kennedy. Elle parlait d'eux d'un air entendu, comme si elle suivait quelque fil intérieur. »

A leur rendez-vous suivant, le dernier de l'année 1961, Marilyn arriva une nouvelle fois dans un état second : elle avait des « absences ». Le projet d'ériger un monument à Michael Chekhov (son ancien professeur d'art dramatique, qui venait de mourir) l'enthousiasmait ; et elle semblait sérieusement croire que le président y apporterait son aide. « Au simple nom du président, elle était comme transfigurée. » Weatherby trouvait cela curieux ; il dévia la conversation sur d'autres sujets que les Kennedy.

Lorsqu'il se trouvait à New York, avant et après son élection, John Kennedy avait une prédilection pour l'hôtel Carlyle. Il était assuré d'y trouver une suite avec une superbe vue sur Manhattan, une direction qui accédait à ses moindres caprices, et un total respect de sa vie privée. Après son élection, lorsque la presse l'attendait dans le hall, le président s'esquivait (escorté par des hommes des services secrets) par une enfilade de tunnels qui reliaient le Carlyle aux immeubles et hôtels voisins. Le Carlyle se trouvait à dix-huit « blocs » de l'appartement de Marilyn.

Les rumeurs selon lesquelles Marilyn rendait visite à Kennedy au Carlyle sont corroborées par Jane Shalam (dont la famille était très influente dans le monde politique new-yorkais). Les fenêtres de l'appartement de Shalam donnaient sur l'entrée latérale du Carlyle. « A cette époque, j'ai souvent vu Marilyn arriver et repartir. La plupart du temps, personne ne la reconnaissait ; sans son maquillage, les cheveux tirés en arrière, on ne pouvait deviner qu'il s'agissait de Marilyn Monroe. C'était lorsque les Kennedy descendaient au Carlyle. Elle n'avait aucune autre raison d'y venir. »

Comme n'importe quel mortel, le président dut attendre longtemps, un soir qu'il avait invité Marilyn à dîner en tête à tête. Ceci est rapporté par le journaliste Earl Wilson qui obtint l'information de la « barbouze » qui escortait ce soir-là Marilyn. Wilson ne veut pas identifier sa source. L'imprésario de Peter Lawford, Milt Ebbins, joua une fois un rôle similaire.

Ebbins, qui était en bons termes avec le président, se souvient que Marilyn lui demanda un jour de la conduire à une soirée Park Avenue. Il l'y amena (ils avaient deux heures de retard) et il lui fit franchir un groupe de journalistes rassemblés dans le hall qui ne la reconnurent pas (Marilyn portait perruque, foulard et verres fumés); puis il fut rapidement congédié. Le président se trouvait à cette soirée, et Ebbins, avant de s'en aller, eut le temps de voir Marilyn en sa compagnie.

Marilyn elle-même parla à plusieurs personnes de sa relation avec John Kennedy. Paula Strasberg, aujourd'hui décédée, confia en privé que Marilyn lui avait parlé de cette liaison. Elle ajouta qu'elle possédait même des lettres s'y rapportant et les avait placées «dans un coffre qui ne serait ouvert que dans cinquante ans, afin que personne n'ait à en pâtir».

Marilyn parla également de Kennedy à Sydney Skolsky. En 1983, quelques semaines avant sa mort, Skolsky déclara : «Elle m'a dit qu'elle avait une liaison avec le président, et je l'ai crue.» Ce n'est que des années après la mort de l'actrice qu'il fit état de cette confidence. «Je confesse que j'ai encore des frissons en songeant à ce qui aurait pu m'arriver si j'avais tout de suite parlé de cette histoire dans ma chronique.»

Marilyn, selon Skolsky, disait toujours «le président» en parlant de Kennedy; elle n'utilisait jamais son prénom. «Elle se plaignait des ennuis que comportait le fait d'être seule avec lui. Même lorsqu'ils étaient seuls chez Peter Lawford à Santa Monica, ils étaient obligés de laisser une lumière allumée. Si jamais il arrivait quelque chose, si jamais la lumière s'éteignait, les agents du Service secret avaient ordre d'enfoncer la porte et de faire irruption dans la pièce. Mais je ne crois pas que cela soit jamais arrivé !»

Deux autres journalistes de la côte ouest affirment avoir été mis au courant de cette liaison. James Bacon, qui connaissait Marilyn depuis des années, rapporte : «Je crois que c'était moins d'un an avant sa mort. Elle buvait beaucoup à cette époque. Elle a dit qu'elle couchait avec John Kennedy, et qu'il ne se livrait jamais à aucun préliminaire parce qu'il était toujours pressé.»

Jimmy Starr, autre choniqueur de Los Angeles, fut instruit de cette liaison par l'actrice Angie Dickinson, alors plus jeune, et moins réservée qu'elle ne l'est aujourd'hui. Comme Skolsky et Bacon, Starr n'en fit pas mention à l'époque.

« Quand il est devenu président, raconte Henry Rosenfeld, elle a été transportée de joie. Il était la personne la plus importante au monde, et *elle* le fréquentait. Elle en était si excitée qu'on aurait dit une adolescente. »

Tout comme Skolsky, Rosenfeld estime que Marilyn, même s'il lui arrivait de manquer de discrétion, était très fière du caractère secret de toute l'affaire. Parfois, au téléphone, elle faisait allusion au président en disant : « Qui vous savez. »

Selon Rosenfeld, « à New York, ils se rencontraient de temps en temps dans un appartement de la 53e Rue, non loin de la 3e Avenue. Marilyn alla une ou deux fois le voir à Washington, encore que je sois sûr qu'elle n'est jamais allée à la Maison Blanche ».

En 1984, à Los Angeles, je me suis entretenu avec Pat Newcomb qui fut sa dernière attachée de presse et sans doute la personne qui fréquenta le plus Marilyn dans les derniers temps de sa vie. Elle connut Kennedy longtemps avant son élection, et devint une intime de sa famille. Questionnée sur les rapports entre Marilyn et le président, elle a répondu : « *No comment.* » Et Marilyn et Robert Kennedy ? « Je n'étais pas au courant. »

Presque tous les proches des Kennedy sont restés muets au sujet de Marilyn. J'ai toutefois pu trouver une exception de taille : le sénateur George Smathers, qui entra au Congrès en même temps que John Kennedy, en 1947, et le précéda au Sénat. Il fut le seul homme politique à tenir le rôle de garçon d'honneur au mariage de Kennedy. A l'époque de la présidence, c'était un ami sûr que l'on invitait aux dîners privés de la Maison Blanche. Aujourd'hui septuagénaire, il continue de tenir son cabinet juridique en Floride.

Smathers raconte qu'il entendit d'abord parler de Marilyn de la bouche même de John Kennedy, puis dans l'entourage de son frère Robert. « Je n'ai jamais cru que John Kennedy ait eu grand-chose à voir avec Marilyn Monroe avant la liaison que Bobby a eue avec elle. Il l'a prise à Bobby, ou quelque chose comme ça. John ne se gênait pas vis-à-vis des femmes de ses frères ou de ses amis. »

Enfin, Smathers dit avoir entendu des conversations sur Marilyn « à la Maison Blanche et dans la famille même ». Il dit avoir interrogé à ce sujet Stephen Smith, beau-frère de Kennedy, qui lui aurait répondu : « Je crois que Bobby a été le premier à fréquenter Marilyn de près. »

Cette accumulation de témoignages tend à prouver que Marilyn fréquenta effectivement les deux frères Kennedy. Pour le président, elle ne fut peut-être qu'une aventure parmi d'autres. Pour Robert, le « puritain » comme l'appelait son frère, il est possible que cette liaison ait eu plus d'importance.

Robert Kennedy ne se montrait jamais en public avec Marilyn. Il y eut toutefois une exception dont se souvient un homme qui connaissait bien les Kennedy. Il s'agit de Stanley Tretick, ce photographe du magazine *Look* qui prit quelques-uns des plus mémorables instantanés de la vie privée de la première famille du pays. Il avait accès à la Maison Blanche, était souvent invité à Hyannisport* et voyageait fréquemment avec Robert Kennedy.

Tretick vit l'Attorney général en compagnie de Marilyn lors d'une réception « réservée aux seuls invités ». Il croit se souvenir que c'était lors d'une escale à San Francisco, dans les derniers neuf mois de la vie de l'actrice. Selon lui, « ils dansaient ensemble. Cela se passait dans un hôtel, une réception plutôt chic, semi-privée, sans doute à but philanthropique. Ils dansaient serrés l'un contre l'autre, l'air très amoureux. Cela m'a frappé sur le moment, et je me suis dit : ''Ils forment vraiment un beau couple, tous les deux'' ; puis cela m'est sorti de l'esprit. »

Tretick ne les prit pas en photo. « Il y avait des moments où l'on ne pouvait pas prendre de photos ; parfois aussi, cela n'avait rien à voir avec le reportage en cours. Je ne suis même pas sûr d'avoir eu mon appareil avec moi. Si je me souviens de cette scène, c'est parce qu'ils allaient vraiment bien ensemble, qu'ils avaient l'air d'être très proches l'un de l'autre...»

Un autre témoin n'a aucun doute sur la nature des relations

* La maison de campagne des Kennedy dans le Massachusetts.

304

de Marilyn et de Robert Kennedy : Jeanne Carmen, la voisine de Marilyn à Doheny, se souvient d'un épisode étonnant qu'elle situe à la fin de l'été ou au début de l'automne 1961. «Un soir, j'étais chez Marilyn. Tout à coup, on sonne. Marilyn, qui était dans son bain, me dit d'aller ouvrir. J'ouvre la porte et me voici nez à nez avec Bobby. » Jeanne Carmen dit qu'elle reconnut immédiatement l'Attorney général ; mais qu'elle resta interloquée devant cette apparition inattendue. «Il avait l'air de ne pas savoir s'il devait se sauver, entrer ou simplement rester planté là. Eberluée, je lui répétais d'entrer, tout en restant en travers du passage. J'ai quand même fini par m'écarter, et Marilyn a jailli de la salle de bain pour se jeter dans ses bras. (...) Elle l'embrassait devant moi, ce qui ne lui ressemblait pas du tout... »

Jeanne Carmen but un verre de vin en leur compagnie — dans une atmosphère plutôt embarrassée — puis les laissa seuls. Elle se souvient que Marilyn lui avait dit, quelque temps plus tôt, avoir vu John Kennedy ; mais elle ne lui avait jamais beaucoup parlé du frère cadet.

Il y eut une autre fois, se rappelle-t-elle, où John et Robert arrivèrent ensemble avec deux autres personnes, et repartirent presque aussitôt en compagnie de Marilyn. Elle eut encore une fois l'occasion de rencontrer Robert Kennedy. Elle parle toutefois de cet épisode avec quelque réticence, ce qui est compréhensible, comme on va voir.

Jeanne Carmen avait découvert très tôt le malicieux plaisir que Marilyn avait à être nue. Un soir, elles allèrent ensemble au cinéma, nues sous leur vison. (Cela paraît plausible, lorsqu'on sait le goût affirmé de Marilyn pour ce genre de divertissement.)

Carmen dit, d'autre part, qu'elles étaient toutes les deux amies de l'acteur Jack Benny ; Marilyn le connaissait depuis 1953 ; et d'autres personnes m'ont confirmé cette amitié. Les trois amis allaient régulièrement recevoir des soins du visage dans un salon de massage de Sunset Boulevard. Un jour, en sortant de l'immeuble, les deux jeunes femmes se campèrent devant la voiture où les attendait Benny et, pour le taquiner, ouvrirent le temps d'un éclair leur manteau de vison. En dessous, elles étaient nues.

Selon Carmen, la nudité devint un prétexte à joyeuses far-
ces pour le trio — elle précise qu'en ce qui concerne Benny,
cela n'avait aucune résonance sexuelle — et ils se rendaient
parfois sur une plage naturiste. Au début des années 60, il existait en effet, dans le nord de Santa Monica, près de l'actuelle
Pepperdine University, une plage où il était permis de se baigner nu. Par une sorte de défi réciproque, Jack Benny et
Marilyn, déguisés, y accompagnaient Jeanne Carmen ; Marilyn
avait sa perruque noire, Benny une barbe postiche. Et cela marchait ; personne ne les reconnaissait. Cette barbe postiche traî-
nait dans l'appartement de Marilyn ; et c'est ici qu'entre en
jeu Robert Kennedy — à l'automne 1961.

« Bobby vit cette barbe, et je crois qu'il nous demanda à quoi
elle servait. Nous lui avons raconté ce qu'en faisait Benny, et
il a dit : "Même avec une dizaine de barbes, je suis certain
que Benny est reconnaissable. — Détrompe-toi. Je suis sûre
que toi aussi tu serais méconnaissable" répond Marilyn. Elle
lui a mis la barbe, je lui ai posé sur le nez des lunettes de soleil
et nous l'avons coiffé d'une casquette de base-ball. Il s'est
regardé dans la glace, a dit quelque chose comme : "Oui, je
pourrais probablement passer inaperçu." Et nous nous sommes écriées : "Chiche ! Allons-y." »

Jeanne Carmen reconnaît que son histoire peut paraître
absurde, mais elle affirme que Bobby semblait incapable de
ne pas relever un défi. Cela correspond bien à son caractère.
Ils prirent la décapotable de Carmen et se rendirent sur la plage
naturiste, Bobby avec son déguisement et Marilyn sa perruque. Il se faisait tard, et il n'y avait plus grand monde. « Nous
avons marché jusqu'à l'eau, puis nous sommes remontés nous
asseoir sur une couverture que j'avais dans la voiture. Nous
nous sommes vite aperçus que personne ne faisait attention à
nous. Sur le chemin du retour, nous avons bien ri. »

Après vérification de ses antécédents et du volumineux dossier qu'elle s'est constitué sur sa carrière, il ressort que Jeanne
Carmen a bien été ce qu'elle prétend, et qu'elle fréquentait
effectivement les personnes dont elle parle, y compris Peter
Lawford et Frank Sinatra. Elle connaissait le nom de la propriétaire des appartements du 400 Doheny Road à l'époque,
et manifestement, connaissait très bien les lieux lorsque nous

avons visité l'immeuble en 1983. Et Robert Kennedy est bien venu à Los Angeles en juillet et octobre 1961, périodes qui correspondent aux divers épisodes qu'elle décrit.

Le témoignage de Jeanne Carmen est le premier — chronologiquement — concernant Marilyn et Robert Kennedy. Il est étayé par une foule d'autres témoignages couvrant les mois qui suivirent.

Au cours de l'automne 1961, Marilyn rencontra également John Kennedy. A la mi-novembre, un an après son élection à la présidence, Kennedy revint pour la première fois à Los Angeles. Il devait y faire plusieurs discours et ranimer l'enthousiasme de ses partisans les plus influents en Californie. Au Beverly Hilton, où il était descendu, il y eut une grande réception réunissant environ deux cents politiciens et fonctionnaires californiens.

Parmi ces invités se trouvait Philip Watson qui cherchait à se faire élire County Assessor* de Los Angeles, poste auquel il devait accéder, et auquel il demeurerait jusqu'en 1977. Il était républicain, mais le poste auquel il aspirait étant apolitique, il briguait l'appui des deux partis. Le fait d'être présenté au président pouvait ouvrir bien des portes ; et il fut invité par Mark Boyar, qui avait été trésorier, pour la Californie, de la campagne présidentielle de Kennedy. Watson serra d'abord la main du président au premier étage du Hilton, parmi une longue ligne d'invités. Puis Boyar l'inclut dans un groupe plus restreint, qui se réunissait dans un appartement au rez-de-chaussée. Le président s'y trouvait en compagnie de Marilyn Monroe.

« Elle était là, près de lui, ainsi qu'une vingtaine d'autres personnes, rapporte Watson. Sa présence ne me surprit pas particulièrement car j'avais entendu des rumeurs à leur sujet. Je leur fus présenté à tous les deux. J'échangeai quelques mots avec elle. Elle portait une robe blanche moulante, et je la trouvais très belle mais pas très "futée". Telle est l'impression qu'elle me fit ce soir-là. Je n'ai rien remarqué de particulier entre eux ; ils ne se donnaient pas la main, ni rien de ce genre**. »

---

* Adjoint, élu, du District Attorney (voir note p. 14).
** Le lendemain de la réception au Hilton, le président rendit visite aux Lawford à Santa Monica. Whitey Snyder, maquilleur de Marilyn, y conduisit celle-ci, presque certainement ce même jour, 19 novembre 1961 (*NdA*).

307

Quelle que fût la nature précise des rapports des frères Kennedy avec Marilyn, ils jouaient avec le feu. Edwin Guthman, alors attaché de presse de Robert Kennedy, se souvient d'avoir vu ce dernier et Marilyn à deux ou trois soirées chez les Lawford (Guthman ne savait rien d'une quelconque liaison entre eux). « A la fin d'une de ces soirées — elle avait trop bu et était hors d'état de conduire — Bob et moi l'avons raccompagnée. C'est lui qui me l'a demandé. Il ne m'en a pas donné la raison, mais il était évident qu'il ne voulait pas qu'on le voie partir, en pleine nuit, seul avec Marilyn Monroe. »

L'Attorney général était conscient du danger qu'il y avait à flirter en public ou même à en donner simplement l'apparence. Peut-être ne s'en soucia-t-il pas suffisamment, ni assez tôt. A l'époque de la mort de Marilyn, le danger était devenu extrême. Aujourd'hui, mais seulement aujourd'hui, on peut mesurer à quel point les secrets d'alcôve des Kennedy étaient connus de leurs pires ennemis : les chefs du « crime organisé ».

L'ancien directeur adjoint du FBI, Courtney Evans, qui assurait la liaison entre J. Edgar Hoover (alors patron du FBI) et Robert Kennedy, est bien connu des journalistes pour son habileté à éluder les questions. Toutefois, en 1984, alors que nous parlions de la vulnérabilité du président Kennedy à des chantages portant sur sa vie sexuelle, Evans m'a dit : « Je sais que le crime organisé s'efforçait d'exercer des pressions sur la présidence. » C'était peu — mais bien plus que tout ce que l'on avait pu apprendre de source officielle jusqu'alors.

Prétextant une mémoire défaillante, Evans n'est pas entré dans les détails ; mais ce qu'il a dit oriente les soupçons vers deux ennemis jurés des Kennedy : Sam Giancana, un des plus puissants chefs de l'histoire de la Mafia, et Jimmy Hoffa, dirigeant criminel du syndicat des camionneurs (les *Teamsters*). Et Evans a indiqué que Marilyn Monroe fut (malgré elle, bien sûr) un élément de ces « pressions » :

J'ai demandé à Evans, en effet, si, à sa connaissance, il n'y avait pas eu, à un moment ou à un autre une « alerte, en quelque sorte, à propos de Monroe (...) ou une tentative, de la part du crime organisé, d'utiliser les rapports du président, ou de son frère, avec elle, pour faire pression sur eux».

Il m'a répondu : «Assurément. De telles rumeurs circulaient

aussi bien à Washington qu'à Los Angeles, bien avant qu'elle mourût. Je n'avais aucun moyen de savoir si c'était vrai ou faux. Mais j'avais mes propres soupçons... »

Evans m'a fait ensuite remarquer, d'un air presque soulagé, qu'étant agent de liaison entre deux hommes qui se détestaient profondément (Hoover et Robert Kennedy), il n'était peut-être pas informé de tout...

Certains faits concernant Marilyn et les Kennedy sont peut-être toujours enfermés dans les dossiers du FBI. Dans une note de bas de page à une lettre à Robert Slatzer, un officier du FBI a révélé que « les informations recueillies par le FBI sur Marilyn Monroe sont volumineuses ». Ce mot « volumineux », qui fait partie de la panoplie des termes utilisés pour décrire les archives du FBI, ne correspond en rien à la douzaine de documents, tout au plus, que le FBI a rendus publics, concernant Marilyn, malgré toutes les requêtes qui lui ont été adressées, en vertu de la loi sur la liberté de l'information.

32

Peu de temps avant la disparition de Marilyn, un journaliste demanda à Frank Sinatra s'il la connaissait bien.

« Qui ça ? fit-il ironiquement. Je vais vous dire, Miss Monroe me rappelle une oie blanche avec laquelle j'allais au lycée et qui a fini bonne sœur. Ça, c'est le genre de choses que vous pouvez écrire. »

Lorsqu'elle apprit cela, Marilyn rétorqua : « Il n'a qu'à consulter le *Who's Who*. »

Selon Milton Greene, elle fit la connaissance de Sinatra chez Romanoff en 1954. C'était l'époque où son mariage avec DiMaggio allait de mal en pis, quelques semaines avant la tristement fameuse « expédition de la mauvaise porte ».

Six ans plus tard, en 1960, juste après la victoire de Kennedy aux présidentielles, à l'époque où son mariage avec Miller se disloquait, Sinatra reprit contact avec Marilyn.

En août de cette année-là, il invita toute l'équipe des *Désaxés* à assister à son spectacle au Cal-Neva Lodge, non loin du lieu de tournage. Marilyn s'y rendit en compagnie d'Arthur Miller, lequel sembla plutôt en dehors de son élément.

Sinatra était en train de faire l'acquisition du Cal-Neva Lodge. Il s'agissait d'un casino doublé d'un complexe hôtelier. Situé sur les rives boisées du lac Tahoe, en hauteur, l'établissement était équipé d'une piscine et d'un ensemble de luxueux bungalows. Cet «Eden des Hautes Sierras», comme le proclamait la publicité, était surtout un paradis des gangsters.

Toute l'astuce résidait dans le fait que le Lodge se trouvait à cheval sur la frontière entre Nevada et Californie. Les jeux d'argent ne pouvaient avoir lieu qu'au Nevada, la loi californienne les interdisant.

Sinatra fit agrandir le casino et engagea de nouveaux gérants. Au nombre de ceux-ci, Paul «Skinny» D'Amato que la Commission parlementaire sur les assassinats devait un jour qualifier de «gangster du New Jersey». Selon cet organe du Congrès, son rôle, dans l'établissement, était de protéger les intérêts de Sam Giancana, chef de la Mafia de Chicago.

Giancana était assis sur le trône jadis occupé par Al Capone. En 1960, il se trouvait à la tête d'une organisation qui se ramifiait à travers une grande partie des Etats-Unis. Sur la côte ouest, ses hommes possédaient des casinos et organisaient le racket du *show business*.

Avec l'avènement de l'administration Kennedy, Giancana deviendrait une des cibles de la Justice. L'Attorney général Robert Kennedy, en effet, n'envisageait rien moins que la destruction de la Mafia américaine. Si jamais on parvenait à le coincer, Giancana, aux abois, pouvait se montrer très dangereux.

En 1981, au cours d'une déposition sous serment devant le Nevada Gaming Control Board (Administration surveillant les jeux d'argent), Sinatra devait déclarer qu'en 1960 il ne connaissait que très vaguement Giancana et ignorait qu'il fût un mafioso. Il ajouta qu'il ne l'avait jamais invité au Cal-Neva Lodge, et qu'apprenant sa présence dans l'établissement, il avait donné l'ordre qu'on le mît dehors.

La fille de Giancana affirme au contraire avoir assisté dès 1954 à plusieurs rencontres entre les deux hommes. Elle précise que Sinatra accueillait toujours son père «avec des marques de respect et d'amitié». Selon Peter Lawford, Sinatra était «fier d'afficher son amitié pour Giancana, qu'il recevait souvent chez lui, à Palm Springs».

Le Cal-Neva Lodge devait valoir à Sinatra le pire camouflet de sa carrière. Un jour en effet, Giancana déclara posséder des parts de l'établissement, ce qui n'échappa pas à des micros dissimulés par le FBI. En 1963, la preuve fut apportée de sa présence au Cal-Neva. Sinatra dut se retirer de cette affaire et le Gaming Board lui confisqua sa licence.

La famille Kennedy avait également ses entrées au Cal-Neva. Avant son rachat par Sinatra, le père du président y venait souvent. Chaque année en décembre, la direction expédiait aux Kennedy deux grands sapins de Noël.

Peter Lawford, beau-frère du président, était un habitué. Il y accompagna plusieurs fois Marilyn au cours des dernières semaines de sa vie.

Fin 1960, dès que Marilyn se fut définitivement séparée de Miller, Sinatra se montra plein d'attentions pour elle. Il lui offrit un caniche blanc pour remplacer Hugo, le basset qui était resté avec Miller. Sachant, elle aussi, ce qu'on disait des relations douteuses de Sinatra, Marilyn baptisa son chien « Maf » ! Elle trouvait cela fort drôle.

En 1961, quand Marilyn rentra en Californie après son séjour à la clinique Payne Whitney, Sinatra, alors en tournée, lui prêta sa maison.

« Même si je n'avais jamais rencontré Sinatra, raconte George Masters, coiffeur de Marilyn, j'avais l'impression de le connaître intimement. Marilyn m'emmenait assister à ses premières à Las Vegas, ou encore dans sa maison des collines de Bel-Air. C'était en grand secret que nous y allions, et je n'étais jamais averti de notre destination. En ce qui me concerne, Sinatra est resté aussi invisible que Howard Hughes. »

En mai, le Dr Greenson écrivait à un confrère : « Avant tout, je m'efforce de l'aider à ne plus se sentir aussi seule, pour éviter qu'elle ne cherche une fuite dans les drogues ou qu'elle ne fréquente des personnalités destructrices, susceptibles d'instaurer avec elle une sorte de relation sado-masochiste. (...) C'est le genre de programme que l'on adopte avec une adolescente qui requiert conseils, affection et fermeté, et cela semble lui être bénéfique.

« (...) Pour la première fois, elle a dit avoir hâte de rentrer à Los Angeles pour pouvoir me parler. Evidemment, cela ne l'empêche pas d'annuler plusieurs séances pour se rendre à Palm Springs chez Mr. F.S. Elle me fait des infidélités, un peu comme le ferait une enfant avec ses parents. »

Au début du mois suivant, Marilyn alla voir Sinatra qui se produisait au Sands Hotel de Las Vegas. Deux des sœurs du président Kennedy étaient présentes, Pat Lawford et Jean, la femme de Stephens Smith.

Le chanteur Eddie Fisher s'y trouvait également en compagnie de son épouse de l'époque, Elizabeth Taylor.

« Elizabeth et moi étions assis avec Jeanne et Dean Martin, raconte-t-il. Il y avait là Marilyn Monroe qui à l'époque avait une liaison avec Frank Sinatra. Sinatra était en scène, mais tous les regards étaient braqués sur Marilyn. Elle se balançait au rythme de la musique, ses seins jaillissant presque de son décolleté. Elle était très belle, et très ivre. Elle alla à la soirée qui suivit. Mais Sinatra ne lui cacha pas le déplaisir que lui avait causé sa conduite, et elle disparut. »

En juillet, après son opération de la vésicule biliaire, Marilyn vit presque tous les jours le Dr Greenson.

Ainsi qu'il l'écrivit plus tard, Greenson la trouva « terriblement seule » et habitée d'un « sentiment de persécution à coloration paranoïaque ». Il estimait que c'était une réaction à ces gens qu'elle fréquentait et qui « ne pouvaient que lui faire du mal ». Il ne nomme pas les personnes auxquelles il fait allusion.

Le mois suivant, Marilyn passa un week-end sur le yacht de Sinatra. Jeanne Martin et Gloria Romanoff, qui étaient également de la croisière, affirment que Marilyn était là en tant que compagne du chanteur. Ils partageaient la même cabine.

Marilyn donnait le change, socialement parlant, mais elle paraissait perdue et faisait une consommation massive de neuroleptiques.

« Avant d'embarquer, se souvient Jeanne Martin, j'étais passée chez Frank. Il m'a demandé : "Voudrais-tu aller aider Marilyn à s'habiller, que nous puissions nous mettre en route ?" Elle était incapable de s'organiser. »

« Elle prenait des somnifères, raconte Gloria Romanoff. Il lui arrivait de disparaître à dix heures du soir pour n'émerger que vers onze heures ou midi le lendemain. Nous taquinions Frank en lui disant : En voilà une belle histoire d'amour ! »

Jeanne Martin revoit Marilyn « déambulant sur les quais à la recherche de quelques cachets. Elle ne pouvait pas dormir, et on la voyait passer à peine habillée, cherchant quelqu'un qui pourrait lui donner des somnifères à trois heures du matin ».

A la fin de la croisière, alors qu'on envisageait une petite fête à terre, Marilyn quitta le bord et disparut sans un mot.

Un mois plus tard, elle demanda à Lena Pepitone de lui apporter (de New York) une robe qu'elle désirait porter lors d'une soirée avec Sinatra. Pepitone était là quand il vint prendre Marilyn. « Il a tiré de sa poche un coffret, et il a accroché deux magnifiques émeraudes aux oreilles de Marilyn. Puis ils se sont embrassés si passionnément que j'en étais gênée. »

Le coiffeur George Masters se souvient de ces boucles d'oreilles. Marilyn les porta une seule fois, puis les donna à Pat Newcomb.

Selon Lena Pepitone, dans le courant de l'été 1961, Marilyn se mit à parler d'épouser Sinatra. Elle se fâchait lorsqu'il voyait d'autres femmes. S'il n'existe aucune preuve qu'il fût jamais amoureux d'elle, il continua néanmoins à la voir jusqu'à sa mort.

Quelques mois plus tard, il allait annoncer ses fiançailles — rompues au bout de six mois — avec l'actrice Juliet Prowse. A cette époque, Marilyn se montrait déjà beaucoup plus réservée à son égard. A un ami avec qui elle regardait les photos de la croisière, elle déclara : « Je ne pense pas lui en offrir des tirages. Je lui ai assez donné déjà. »

Ainsi Marilyn, exactement à la même époque, fréquentait les Kennedy et, par l'intermédiaire de Sinatra, certains de leurs pires ennemis.

Les dernières enquêtes révèlent que le milieu californien commença à s'intéresser à Marilyn quelque temps avant l'élection de Kennedy, probablement à l'initiative du gangster de Los Angeles Mickey Cohen.

New-Yorkais de naissance, Cohen fait figure d'original dans l'histoire de la pègre américaine.

Etranger à la Mafia sicilienne, sa grande fierté était d'avoir remporté la guerre des gangs, qui avait fait rage dans les années 40, pour le contrôle des rackets à Los Angeles. La vérité est plus complexe, mais Cohen, qui avait échappé à d'innombrables tentatives d'assassinat, s'était assuré par la manière forte une coexistence difficile avec les familles de la Mafia traditionnelle.

En 1959, après un bref séjour en prison qui avait affaibli son pouvoir, Cohen reprit les choses en main. Publiquement c'était un personnage ; il se plaisait à frayer avec les grands noms d'Hollywood, dont Sinatra et son entourage. Il avait avancé de l'argent à Dean Martin et à Jerry Lewis au début de leur carrière pour qu'ils puissent — eux qui venaient de la côte est — monter leur spectacle en Californie.

En 1951, devant une commission d'enquête du Congrès, qui lui demandait comment il se faisait qu'il eût le numéro de téléphone personnel de Sinatra, Cohen répondit : « Pardi, c'est un ami ! »

Avec son bouledogue, qui avait un penchant pour les lasagnes, il aimait fréquenter le Villa Capri, ce restaurant où Sinatra et DiMaggio avaient mis au point leur fameuse opération contre Marilyn en 1954.

A la fin de 1959, alors que cela commençait à aller moins bien avec Miller, Marilyn fut plus souvent à Hollywood qu'elle ne l'avait été depuis des années. C'était pendant les mois où l'on ne cessait de renvoyer le début du tournage de *Let's Make Love*.

Durant toute cette année, le District Attorney de Los Angeles fit surveiller en permanence Cohen et ses amis italiens. Cohen venait de sortir de prison, et on entendait l'y faire retourner aussi vite que possible. Les inspecteurs du District Attorney s'intéressaient plus particulièrement à son rôle dans le trafic des stupéfiants et à ses efforts pour compromettre des stars du cinéma, à des fins de chantage ou d'exploitation commerciale.

Sa méthode était éprouvée et impitoyable. Un de ses hommes se chargeait de séduire une actrice. Puis leurs ébats amoureux étaient enregistrés et filmés.

Cela aurait été le cas de la liaison entre Lana Turner et un complice de Cohen, Johnny Stompanato. Celui-ci fut tué par la fille même de l'actrice. Les enregistrements des rapports intimes de Lana Turner et Johnny Stompanato se vendirent plusieurs centaines de dollars pièce.

Un soir de la fin 1959, en compagnie de son collègue Frank Hronek, l'inspecteur Gary Wean «planquait» aux abords d'un restaurant. Il croit se souvenir qu'il s'agissait du Plymouth House sur Sunset Boulevard. Ils eurent la surprise de voir Marilyn Monroe y entrer avec une femme et deux hommes. Ce soir-là, le compagnon de Marilyn était «un des bellâtres de la bande à Cohen», George Piscitelle, alors âgé de vingt-huit ans.

«Nous sommes restés là jusqu'à environ deux heures du matin, raconte Wean. Enfin, Piscitelle est ressorti avec Monroe. Nous avons filé leur voiture jusqu'à un motel sur Van Nuys Boulevard, de l'autre côté de Coldwater Canyon. Nous les avons vus y entrer, mais ensuite Frank et moi nous nous sommes séparés. Nous ne les avons pas vus ressortir.»

Selon Wean, Marilyn fut filée plusieurs autres fois, sans résultat. Il s'avéra toutefois qu'elle fréquentait occasionnellement Piscitelle et Sam LoCigno, autre ami de Cohen. Wean, qui eut l'occasion d'entendre l'enregistrement clandestin d'un moment intime de la vie de Marilyn, estime que l'objectif de ces hommes était le chantage.

Frank Hronek, le collègue de Wean, est mort. Ce récit est cependant corroboré par Jack Tobin, ancien reporter vedette du *Los Angeles Time*, spécialisé dans les affaires criminelles. Il se souvient que Hronek lui parla en effet de cet épisode.

Une source bien placée dans la police confirme de surcroît que le groupe de Cohen projetait de juteuses opérations contre des vedettes de tout premier plan. Piscitelle y participait. Et

Marilyn fut identifiée comme l'une des cibles de la Mafia*.

Cohen et ses associés sont morts, emportant avec eux le secret de leurs projets concernant Marilyn. Des personnes qui font autorité sur l'histoire de la pègre américaine affirment que, bien avant l'ère Kennedy, Mickey Cohen était déjà en rapport avec Sam Giancana. Il connaissait également Roselli, représentant de Giancana à Hollywood, et il est probable que vers 1960 les deux hommes collaboraient.

Roselli, de son côté, connaissait Marilyn. Bien avant qu'elle arrive à Hollywood, il était proche, criminellement parlant, de deux hommes qui allaient avoir une grande importance dans sa carrière d'actrice.

Harry Cohn, qui lui fit signer un de ses premiers contrats, avait utilisé des fonds de la Mafia, avancés par Roselli, pour s'assurer le contrôle de Columbia Pictures. Il demeura l'obligé de Roselli. Les deux hommes étaient très proches ; ils portaient au doigt le même rubis, fourni par Roselli qui disait qu'en matière de « fraternité de sang », c'était ce qu'un mafioso pouvait faire de plus pour un non-Italien.

Joe Schenck, grand manitou de la Twentieth Century Fox, avait fait de la prison pour faux témoignage. Il avait été arrêté après avoir accepté de se plier au racket de la Mafia. Il avait même personnellement fait les premiers versements en liquide, emballés dans du papier kraft. C'était avant que la jeune Marilyn devienne sa protégée. Un des mafiosi condamnés dans cette affaire était Johnny Roselli.

Il se peut qu'il ait connu Marilyn dès cette époque, à sa sortie de prison. Patti, première femme du grand amour de Marilyn, Fred Karger, dit que Roselli était un familier de la maison Karger. La maîtresse de Roselli et la mère de celle-ci, en effet, venaient régulièrement jouer au poker chez les Karger, et Roselli passait, pour les ramener chez elles.

---

* Selon des rapports de police datés de 1961, qui se trouvent au Bureau of Investigation du District Attorney de Los Angeles, Peter Lawford réunit des fonds pour venir en aide à l'une des associées de Cohen, Candy Barr, alors emprisonnée pour infraction à la loi sur les stupéfiants. Lawford « cherchait désespérément » à entrer en possession de bandes magnétiques compromettantes, enregistrées lors de « séances » auxquelles il avait participé dans la loge de Candy Barr (NdA).

Deux autres personnes affirment qu'il connaissait Marilyn :

Joseph Shimon, ancien inspecteur de police de Washington, travailla avec un représentant de la CIA, Giancana et Roselli, aux divers projets visant à assassiner Fidel Castro. Shimon fut le confident de Roselli jusqu'à la mort de celui-ci. « Roselli connaissait Monroe, affirme-t-il. Il la fréquentait ; il connaissait beaucoup de ses amis et de ses relations de travail. »

En 1964, un ex-haut fonctionnaire du Trésor me conseilla d'interroger Harry Hall, qui fut pendant longtemps un informateur « très sûr » de la police. (Incidemment, c'était aussi un grand ami de DiMaggio.)

Peu après la mort de Marilyn, Hall rencontra par hasard Roselli dans la boutique du Beverly Wilshire Hotel. Les deux hommes en vinrent à parler de Marilyn. « Roselli n'a pas caché qu'il la connaissait personnellement, dit Hall. Il a même dit qu'il l'aimait bien. Mais j'ignore ce qu'il y avait exactement entre eux. »

En tant que représentant de Giancana en Californie, Roselli avait eu de nombreux contacts avec une autre femme, Judith Campbell, dont on sait maintenant qu'elle fut la maîtresse de Kennedy.

Comme l'a révélé il y a une dizaine d'années une commission du Sénat, Judith Campbell eut avec John Kennedy une liaison intermittente de début 1960 jusqu'au printemps 1962, au moins. Environ six semaines après le début de cette liaison, elle fit la connaissance de Sam Giancana, avec qui elle demeura en contact étroit tout le temps que dura sa relation avec Kennedy.

On relève de frappantes analogies entre l'histoire de Judith Campbell et celle de Marilyn.

Bien qu'elle n'eût pas l'envergure de Marilyn, Campbell, qui à l'époque avait vingt-six ans, était une créature de Hollywood. Starlette, elle avait des contrats avec la Warner, la MGM et Universal. Elle eut elle une liaison avec Sinatra, et c'est par lui qu'elle connut John Kennedy et de nombreuses autres personnes qui gravitaient autour de Marilyn.

Elle connut ainsi Gloria Lovell, secrétaire de Sinatra, qui fut une des rares voisines de Marilyn au 400 Doheny Road. Le Dr ''Red'' Krohn, ami de Sinatra, deviendrait le gynécologue de Campbell. Il fut également, pendant longtemps, celui de Marilyn (qui l'appela, complètement affolée, quelques jours avant sa mort).

On n'a jamais pu établir pour quelle raison Giancana entra en contact avec Judith Campbell. Il fut assassiné en 1975, juste avant que la commission du Sénat sus-mentionnée* pût l'entendre. Quant à Roselli, il fut abattu l'année suivante. Cette commission du Sénat n'interrogea pas Judith Campbell dans le détail, et n'appela pas Frank Sinatra à témoigner.

William Safire, du *New York Times*, a dressé la liste des questions qu'il aurait fallu poser à Sinatra : Est-ce que la Mafia le contacta au sujet de la liaison de Campbell avec le président ? Est-ce que l'on fit des enregistrements ou des photos des deux amants, susceptibles d'être utilisés par le milieu à des fins de chantage ? La Mafia demanda-t-elle à Sinatra de présenter Campbell ou toute autre femme aux Kennedy ?

On aurait également pu interroger Sinatra au sujet de Marilyn et d'au moins une autre femme**. De troublants indices tendent en effet à prouver que les chefs du milieu envisageaient de s'en prendre à la femme de Kennedy lui-même.

Au début de 1961, le comédien Jerry Lewis fut avisé qu'il allait être cité comme codéfendeur dans une demande en divorce déposée par le mari d'une starlette, Judy Meredith. Lewis demanda à Judith Campbell, qui travaillait pour lui à la Paramount, de faire intervenir Sam Giancana auprès du détective engagé par le mari de Judy Meredith. Selon Campbell, Giancana « fit la commission » et les preuves de l'adultère furent détruites.

Le détective en question était le célèbre privé d'Hollywood, Fred Otash. Il confirme cette anecdote, mais précise que plusieurs autres célébrités devaient être citées dans l'affaire Meredith. A savoir, selon un document du FBI étudié récemment, dans le cadre d'une tout autre affaire, par des enquêteurs du Congrès : « Dean Martin, Jerry Lewis, Frank Sinatra, et autres et autres et autres... »

---

* Le Senate Intelligence Committee.
** J'ai évidemment cherché à obtenir une interview de Frank Sinatra pour cet ouvrage. Il a refusé, comme à son habitude (*NdA*).

L'un de ces « autres », affirme Otash, était John Kennedy. Le détective assure que le nom du président fut retiré du dossier de ce divorce grâce aux bons soins de la Mafia.

Cela se passa au printemps 1961, précise Otash. Otash reçut un coup de fil de Johnny Roselli : il désirait le rencontrer au Brown Derby Restaurant, « à la demande de l'Attorney général ». Lors de cette entrevue, Roselli lui « conseilla » de retirer le nom du président du dossier. Otash s'exécuta.

Récemment interrogée, Judy Meredith nie avoir jamais couché avec John Kennedy. En revanche, Peter Fairchild, qui commandita l'enquête pour le compte du mari de Judy Meredith, maintient qu'il y eut des preuves d'adultère avec le président.

Dans cette intrigue de second ordre, le plus troublant reste cette allégation de Roselli, disant agir « à la demande de l'Attorney général ».

Il est évident que personne dans l'entourage du président, et surtout pas Robert Kennedy, ne demanda à un des principaux mafiosi d'étouffer une frasque galante. On sait que l'administration Kennedy, avec Robert à la Justice, s'attacha plus encore que les précédentes à la lutte contre le crime organisé. L'affaire Meredith illustre cependant bien les risques que courait John Kennedy en frayant avec Sinatra et son entourage.

Si John Kennedy était sur le point de se voir cité dans un procès de divorce en même temps que Sinatra et consorts, et si ceux-ci étaient au courant, il est possible que l'un d'entre eux ait parlé du problème à Roselli. Et pourquoi Roselli, chef de la Mafia à Hollywood, n'aurait-il pas fait pour John Kennedy ce qu'il avait fait pour Jerry Lewis ?

Sandy Smith, reporter à *Life* et au *Chicago Sun Times*, fait autorité sur les rapports entre la Justice et la pègre pendant l'ère Kennedy. Interrogé sur l'affaire Meredith, il a déclaré : « En ce temps-là, Sinatra et ses amis étaient très proches de John Kennedy. Il devait leur être très facile de lui rendre service en glissant un mot à l'oreille de Roselli. D'ailleurs celui-ci ne demandait sans doute qu'à être agréable au président. »

Catholique lui aussi, Sinatra était en effet très proche du président. Avec ses amis, il apporta un soutien non négligeable à la campagne présidentielle. (Il s'est depuis montré fervent partisan de Ronald Reagan.) Ses chansons «*All The Way*» et « *High Hopes* » furent adaptées à des fins électorales. Il aida à « catapulter » Kennedy à la présidence, régla tous les détails du gala d'investiture et se forgea aux yeux du public l'image d'un ami du président.

Quant à la Mafia, «cela lui ressemble tout à fait, estime Sandy Smith, de sauter sur l'occasion de faire quelque chose pour le gouvernement ou quelqu'un de bien placé dans l'Etat simplement pour disposer d'un obligé qu'on peut solliciter à l'avenir. Et cela ressemble tout à fait à Roselli. »

Roselli estimait pouvoir compter sur les dirigeants des Etats-Unis ; et ce, grâce à la CIA.

En effet, juste avant l'élection de Kennedy, dans ce même Brown Derby où il devait plus tard rencontrer Otash, Roselli fut recruté par la CIA pour œuvrer aux divers complots visant à éliminer Fidel Castro. La CIA ne devait rompre les contacts avec la Mafia, en particulier avec Roselli et Giancana, qu'en 1963.

Le 12 juillet 1961, en début de soirée, bien après le début de la liaison entre Marilyn et Kennedy, Giancana entra dans une salle d'attente de l'O'Hare Airport de Chicago, lors d'une escale technique sur un vol à destination de New York. Il était accompagné de Phyllis McGuire, la plus belle et la plus grande des trois sœurs McGuire, groupe de variétés alors très populaire aux États-Unis. Ce chef de la Mafia était amoureux fou de la chanteuse, et ils étaient constamment ensemble.

Agissant sur ordre du ministère de la Justice, une équipe d'agents du FBI attendait le couple à son arrivée à l'aéroport. Ces hommes travaillaient d'arrache-pied pour essayer de coincer Giancana, et c'était là une occasion de l'atteindre à travers sa maîtresse, Phyllis McGuire.

Deux des agents offrirent à celle-ci le choix entre recevoir une assignation à comparaître ou bien se soumettre de temps à autre à un interrogatoire. Elle choisit la seconde solution et fut aussitôt isolée de Giancana.

Plein d'une rage impuissante, Giancana regagna l'avion pour revenir bientôt avec le chapeau et le sac à main de sa maîtresse. Devant ce spectacle, les hommes du FBI éclatèrent de rire. Alors le mafioso laissa exploser sa colère.

Selon le rapport du FBI ; «Giancana a déclaré qu'il savait que les agents rapporteraient ses déclarations à leur "patron", qui à son tour les rapporterait au "grand patron", et ainsi jusqu'au "super grand patron", et il a ajouté : "Vous savez à qui je pense, aux Kennedy." Puis il a dit : "*Je sais tout sur les Kennedy, et Phyllis en sait encore plus sur leur compte, et un de ces jours on va tout déballer.* (Les italiques sont de l'auteur.) Vous venez d'allumer un incendie qui n'est pas près de s'éteindre. Vous vous en mordrez les doigts..."»

Que savait exactement Giancana sur les Kennedy? Lorsque les agents lui demandèrent de s'expliquer, il refusa d'en dire plus.

N'était-il au courant que de la seule liaison avec Judith Campbell? Savait-il pour Judy Meredith? Que savait enfin Phyllis McGuire?

Lorsqu'en 1983 je me suis entretenu avec elle, McGuire a refusé de parler de Giancana. Elle s'est toutefois montrée très diserte — au début — sur Marilyn Monroe. Il semble qu'elle l'a assez bien connue. Elles se rencontrèrent à New York à l'époque du mariage avec Miller ; McGuire n'habitait alors qu'à quatre immeubles de Marilyn dans la 57ᵉ Rue Est. Elles se rencontrèrent de nouveau au temps de la présidence de Kennedy, encore que McGuire ne se souvienne pas des circonstances.

A ma question sur les rapports entre Marilyn et les Kennedy, elle a répondu sans hésiter : «Cela a commencé avec John. Mais elle a bien eu une liaison avec Bob. On les a vus ensemble, même quand ils cherchaient à se cacher. Voyez-vous, c'était tout à fait dans la manière des Kennedy de se repasser leurs conquêtes — de Joe à John, de John à Bobby, puis de Bobby à Ted.»

McGuire se souvenait — c'est apparemment un souvenir de première main — qu'au sujet de Robert, «Marilyn se montrait très mystérieuse. Mais dès qu'elle avait un peu bu, surtout quand elle était déprimée, elle devenait loquace. Au début toute cette histoire resta vraiment un secret. Puis elle l'a poussé à prendre une décision, car elle voulait l'épouser...»

Parvenue à ce point, au cours d'une conversation téléphonique, McGuire s'est crispée. Comme je lui demandais ce que

Giancana disait de Marilyn, elle m'a répondu : «Je préfére-rais ne pas parler de ça...» Nous fixâmes un rendez-vous où elle ne vint pas, puis elle ne répondit plus ni au téléphone ni au courrier.

Ce que Phyllis McGuire a révélé est fort troublant, car ce qu'elle savait, Giancana devait le savoir également.

«Comme dans une tragédie grecque», écrit Robert Blakey, ancien premier rapporteur d'une commission parlementaire d'enquête sur le meurtre de John Kennedy, «il y avait chez le président un défaut, une *hamartia*, qui le rendait vulnérable aux atteintes de la pègre...»

Ce défaut était le faible de John Kennedy pour les femmes. En 1961 et 1962, les frères Kennedy — en particulier avec Marilyn — prêtèrent ouvertement le flanc aux pressions de la Mafia. Il semble qu'ils n'aient pas pris cette menace au sérieux.

Le sénateur Smathers, dont nous avons déjà parlé, qui était l'ami du président, ne pense pas qu'il se soit beaucoup soucié des risques que lui faisait encourir la virulence de ses appétits sexuels. «Pour ce qui était des femmes, il avait l'impression de marcher sur l'eau, me confia-t-il en 1983. Il ne se refrénait nullement.»

Au temps de la présidence, William Kane, aujourd'hui conseiller pour la sécurité à New York, travaillait au FBI sur les délits attribués à la Mafia. Il a gardé un souvenir admiratif de Robert Kennedy et conserve pieusement l'étui à cigarettes que celui-ci lui offrit. Il se souvient encore avec stupéfaction d'un épisode significatif qui eut lieu au début de septembre 1961.

Le FBI avait été averti que l'Attorney général venait de pas-ser un après-midi dans le désert près de Las Vegas, avec non pas une, mais deux filles sur une couverture. Quelqu'un — un gangster — avait pris des photos au téléobjectif...

«Nos informateurs nous rapportèrent la rumeur selon laquelle ces clichés allaient servir à faire chanter l'Attorney général des États-Unis. Cela nous fut confirmé de différentes sources...»

Toujours selon Kane, Courtney Evans, qui assurait la liai-son entre Hoover et le ministère de la Justice, fut chargé d'aller avertir Robert Kennedy.

L'Attorney général l'écouta jusqu'au bout, dans une de ses postures habituelles : en manches de chemise, les pieds posés sur son bureau. Puis il demanda à Evans : qu'est-ce que vous faites ce week-end ? Et il mit fin à l'entrevue.

« Il n'aurait pas pu s'en foutre plus, estime Kane. On avait à peu près autant de chances de le faire céder à un chantage ou de le mettre dans l'embarras que de s'envoler sur la lune ! »

Courtney Evans, lui, ne se souvient pas de cette anecdote. « Cela s'est probablement passé ainsi. Bien des fois j'ai dû aller le voir avec ce genre d'information. Oui, cette réaction est tout à fait typique de Bobby.

« Lorsque je lui rapportais des rumeurs circulant sur le compte du président, il ne disait jamais ni oui ni non. Il ne s'engageait pas. Si, en revanche, cela le concernait, lui, Bob, personnellement, il répondait en général : ''Je ne suis pas responsable de ce qu'on dit de moi.'' Pour ma part, j'étais là pour transmettre des informations, pas pour en recevoir. »

Evans, qui voyageait fréquemment avec Robert Kennedy, dit encore : « Il n'y avait qu'à Los Angeles qu'il sortait seul le soir. Je le soupçonnais d'aller retrouver Marilyn Monroe. Ce qui n'était chez moi qu'une supposition était peut-être une certitude pour d'autres. »

Les frères Kennedy faisaient preuve d'une grande légèreté, car bien peu de choses échappaient à l'attention de leurs ennemis. Leur liaison avec Marilyn était une pure folie. A la fin de 1961, on ne pouvait plus se fier à elle ; sa personnalité se désintégrait.

34

Pendant une semaine, en septembre 1961, une femme ne cessa d'appeler le standard de radio KDAY à Los Angeles. Tom Clay, disc-jockey bien connu, prenait les appels.

« Je lui ai demandé son nom, raconte-t-il. Si la personne ne se nomme pas, il n'est pas question de la passer à l'antenne. Elle m'a répondu qu'elle me le dirait si je promettais justement de ne pas le citer au micro. Elle semblait avoir peur, alors j'ai promis. Elle m'a dit : ''Je suis Marilyn Monroe'', alors j'ai fait : ''Ah ! Et moi, c'est Frank Sinatra'', et j'ai raccroché. Elle n'a pas arrêté de rappeler, vraiment furieuse. Trois ou quatre jours plus tard, elle m'a invité à venir prendre le café chez elle. »

Sans trop y croire, Tom Clay se rendit à l'adresse indiquée. Il ne se souvient plus de l'emplacement exact, mais sa description correspond à l'appartement du 400 Doheny Road.

Marilyn le reçut aux alentours de neuf heures trente du matin, en peignoir et buvant du champagne. Selon Tom Clay, ce n'était pas une mise en scène destinée à le séduire, mais bien plutôt le spectacle d'une créature solitaire et complètement désorientée.

« Pendant trois semaines environ, je suis allé y passer une heure de temps en temps. Ce qui l'intéressait le plus, c'était ma vie familiale, ma femme, mes enfants. Surtout les enfants, il fallait que je lui en parle en long et en large. Elle me posait des questions sur le petit dernier que j'appelais ''Rebelle'' parce que c'était un vrai démon. Une fois, je lui ai demandé ; ''Mais comment pouvez-vous être aussi seule ?'' Et elle m'a répondu : ''Vous êtes-vous jamais trouvé dans une maison de quarante pièces ? Eh bien, vous n'avez qu'à multiplier ma solitude par quarante.'' »

Marilyn menait désormais à Los Angeles une existence dangereusement vide. Gloria Romanoff, qui la vit assez souvent au cours de l'été 1961, rapporte qu'elle mélangea plusieurs fois alcool et somnifères en quantité telle qu'elle ne fut chaque fois ranimée que de justesse.

Après un accident de ce genre, dû à un abus de barbituriques, les responsables de la Twentieth Century Fox engagèrent des conseillers en sécurité qui eurent pour tâche d'étouffer ce genre d'affaires. Pour les studios, les tendances autodestructrices de Marilyn risquaient de fausser son image et de provoquer une hausse des assurances lorsqu'elle tournerait son prochain film.

Dans le même temps, il fallut également éviter que ne

s'ébruitent les allégations d'une femme qui prétendait avoir eu un rapport sexuel avec Marilyn et paraissait disposée à s'en vanter. On n'a jamais su le fin mot de l'affaire, mais on versa à cette femme le prix de son silence.

Cet été-là, il fut beaucoup question d'homosexualité dans la psychothérapie de Marilyn. Le Dr Greenson la voyait sept jours sur sept, «surtout parce qu'elle était très seule et qu'elle n'avait personne à qui parler». Il isola deux problèmes distincts : sa crainte obsessionnelle de l'homosexualité, et son incapacité à endurer la moindre blessure morale.

«Elle ne pouvait souffrir la moindre allusion à des faits homosexuels, a écrit Greenson. C'en était une véritable phobie; et pourtant elle se mettait involontairement dans des situations à connotations homosexuelles qu'ensuite elle identifiait, et imputait à l'autre qui, de ce fait, devenait une ennemie.»

Il cite un exemple : une de ses amies s'était fait des mèches à peu près de la même couleur que les cheveux de Marilyn; «Marilyn en a aussitôt conclu que cette femme voulait prendre possession d'elle, que cette identification était à caractère homosexuel. Et elle est entrée dans une violente colère contre son amie.»

Dans sa correspondance, Greenson nomme cette femme «Pat». Outre Pat Lawford, la seule «Pat» qui côtoyait Marilyn dans les dernières années de sa vie était son attachée de presse, Pat Newcomb. Celle-ci se souvient en effet d'incidents tels que cette scène pitoyable à propos de ces mèches, et de «fréquentes colères». Elle ne savait pas en revanche que l'homosexualité inspirait de telles angoisses à Marilyn.

Quant à l'attitude de sa patiente à l'égard des hommes, Greenson remarqua un goût croissant pour les rencontres de hasard. Dans les derniers mois, elle lui dit qu'elle faisait l'amour avec un des ouvriers qui refaisaient son intérieur. Un soir, elle invita un chauffeur de taxi qui la ramenait chez elle. Un inspecteur du District Attorney de Los Angeles, travaillant sur une tout autre affaire, rapporta que lors d'une soirée à Hollywood, il était tombé sur Marilyn en train de faire l'amour avec un homme dans l'ombre d'un couloir.

A la fin de 1961, comme on sait, Marilyn était à la fois la patiente de Greenson et une amie de sa famille. Le psychiatre

325

avait du mal à préserver la distance nécessaire à la relation patient-médecin. Marilyn s'offensait au moindre signe d'irritation de sa part, et ne pouvait admettre l'idée d'une quelconque imperfection chez «certaines personnes qu'elle idéalisait».

«Marilyn était dans tous ses états tant que la paix n'avait pas été rétablie», écrivit Greenson. Et il craignait qu'il n'y eût qu'une solution capable d'apporter à Marilyn l'apaisement qu'elle recherchait. Son inaptitude à supporter ce qu'elle percevait comme des offenses et cette crainte anormale de l'homosexualité furent, selon Greenson, «les facteurs décisifs qui devaient la conduire à la mort».

En décembre 1961, Greenson écrivit : «Elle a traversé une période de profonde dépression paranoïaque. Elle songeait à arrêter le cinéma, à se tuer, etc. J'ai dû placer des infirmières chez elle, nuit et jour, pour surveiller ce qu'elle prenait comme médicaments, car je la jugeais potentiellement suicidaire. Marilyn a fait une telle vie à ces infirmières qu'au bout de quelques semaines, elles ont toutes renoncé.»

Le dernier Noël de Marilyn fut une période de rémission. Sans doute à la demande de Greenson, Joe DiMaggio vint à la rescousse comme il l'avait fait l'année précédente. Marilyn acheta un petit sapin, des décorations, et essaya de mettre un peu de chaleur dans son appartement. Elle et DiMaggio allèrent passer l'après-midi du jour de Noël chez les Greenson. Au grand ravissement de Marilyn, le héros du base-ball charma et amusa tout le monde.

La nuit de la Saint-Sylvestre, après minuit, Joan Greenson et un de ses copains rendirent visite à Marilyn et DiMaggio. Ils burent du champagne et firent rôtir des châtaignes.

DiMaggio était «prévenant, attentionné, comme s'il faisait partie de la famille, se souvient Joan. Et Marilyn semblait prendre plaisir à faire des choses pour lui. On avait l'impression d'être chez un vieux couple.»

Longtemps après les fêtes et le départ de DiMaggio, Marilyn laissa les guirlandes allumées sur l'arbre de Noël, — jusqu'à ce que l'arbre mourût et que les décorations se missent à pendre jusqu'au sol.

Au début de 1962, sur les conseils de Greenson, Marilyn

chercha une autre maison. Jamais elle n'avait eu une vraie maison à elle, et Greenson espérait que cela la « sécuriserait », qu'elle cesserait de se considérer comme une orpheline sans feu ni lieu.

Elle fut aidée dans ses recherches par Eunice Murray. Cette femme d'une soixantaine d'années avait quelque expérience en psychiatrie ; Greenson l'avait engagée avant Noël après la défection des infirmières qualifiées. Eunice devint le factotum de Marilyn et sa compagne de tous les jours, même si, pour sa part, elle préfère l'étiquette « d'assistante dévouée ».

Trouver une maison ne fut pas chose facile. Une fois une propriétaire s'écria : « Hors de chez moi ! » en découvrant que l'acheteur était Marilyn Monroe. Fin janvier toutefois, elle trouva ce qu'elle cherchait, une maison de plain-pied, assez modeste, dans le quartier résidentiel de Brentwood. Comme celle du Dr Greenson, elle était de style mexicain, avec des poutres, une vaste salle de séjour et de petites chambres.

Cette maison était bien différente des demeures ostentatoires de Beverly Hills ; mais c'était ce que Marilyn voulait. Le Dr Greenson n'habitait qu'à quelques minutes de là, de même que les Lawford, chez qui elle rencontrait parfois les frères Kennedy.

Elle dut emprunter de l'argent pour l'acheter. Cela faisait un an qu'elle n'avait plus travaillé. Et elle ne percevait pas encore les droits sur ses films précédents (les 100 000 dollars qu'elle avait touchés par film étant considérés comme une avance sur ces droits). A sa mort, elle n'avait que 5 000 dollars sur son compte en banque.

En signant le contrat, elle fondit en larmes. « Cela me faisait de la peine d'acheter cette maison toute seule », expliqua-t-elle un peu plus tard.

Début 1962, Greenson put croire que Marilyn ne s'intoxiquait plus et que son état allait enfin s'améliorer. Personne, semble-t-il, ne remarqua le petit blason curieux qui figurait sur les dalles, devant la porte d'entrée. Il comportait une devise en latin, *Cursum Perficio*, ce qui peut être rendu par « Mon voyage se termine ».

Marilyn allait avoir trente-six ans. Il lui restait six mois à vivre.

35

« Bon Dieu ! s'exclame Marilyn, assise dans le salon des Greenson en compagnie de Danny, je dois aller dîner chez les Lawford, et Bobby sera là. Kim Novak va parler de sa nouvelle maison près de Big Sur ; moi, il faut que j'aie des choses sérieuses à dire à Bobby ! »

Cela se passait à la fin de janvier 1962. Ce dîner n'avait rien de secret. Marilyn était au nombre des personnalités conviées chez les Lawford, à l'occasion du passage à Los Angeles (le 1er février 1962) de l'Attorney général et son épouse, qui partaient pour un voyage autour du monde.

Marilyn recensait donc avec Danny Greenson les problèmes politiques susceptibles de fournir un sujet de conversation. « Elle s'est mise à prendre des notes. C'était des critiques d'un point de vue de gauche — à l'époque je m'inquiétais du soutien que nous apportions au régime vietnamien de Diem — elle voulait également parler de la commission des activités anti-américaines, des droits civils, etc. Elle tenait à l'impressionner. »

Robert Kennedy fut effectivement impressionné, dans un premier temps. Puis il vit Marilyn consulter sa liste, dissimulée dans son sac à main, et trouva cela très amusant. On s'est servi de cette anecdote pour se moquer des facultés intellectuelles de Marilyn, et aussi pour prouver que c'était sa première rencontre avec le frère du président. En fait, toujours soucieuse de paraître à son avantage, elle avait coutume depuis des années de préparer ainsi ses sujets de conversation. En l'occurrence, il semble qu'elle ait été payée de sa peine.

Quelques semaines plus tard, lors d'un séjour à Mexico, Marilyn parla de ce dîner à un Américain qui vivait au Mexique, Fred Vanderbilt Field. « A un moment, lors de cette soirée, rapporte Field, elle et Kennedy [Robert] sont allés dans ce qu'elle appelait le cabinet de travail. Elle m'a dit qu'ils avaient eu une longue discussion, très politique. Elle aurait demandé à Bobby si J. Edgard Hoover allait être viré — je

328

me souviens qu'elle ne mâchait pas ses mots au sujet de Hoover — et Bobby lui aurait répondu que, bien qu'ils en aient le désir, le président et lui ne se sentaient pas assez forts pour le faire. »

Egalement présente à cette soirée, Gloria Romanoff se souvient que Marilyn et Bob Kennedy dansèrent ensemble, en tout bien tout honneur. Elle ajoute un détail amusant : « Kennedy téléphona à son père à l'autre bout du pays pour lui dire qu'il venait de dîner à côté de Marilyn Monroe ; il lui demanda s'il voulait lui dire un petit bonjour. »

Six mois plus tard, à la mort de Marilyn, beaucoup de ses papiers personnels furent détruits. Son exécuteur testamentaire, Inez Melson, les jeta tout bonnement au panier lorsqu'elle fit l'inventaire de la maison. Elle conserva cependant une lettre manuscrite qui l'intriguait. Apparemment, elle avait été envoyée à Marilyn par Jean, une des sœurs Kennedy.

Sous l'en-tête à l'adresse du « North Ocean Boulevard, Palm Beach, Floride » — la maison de vacances des Kennedy — on peut lire (voir page suivante)

Chère Marilyn,
Maman me demande de t'écrire pour te remercier du gentil mot que tu as envoyé à Papa. Cela lui a fait très plaisir. C'était une attention adorable de ta part.
Il paraît qu'on ne parle plus que de toi et Bobby !
Tous nous pensons que tu devrais l'accompagner quand il reviendra dans l'Est !
Encore merci pour le petit mot.

Mille baisers,
Jean Smith.

A la bibliothèque John Kennedy, où se trouve une grande partie de la correspondance familiale, on se dit « incapable » de fournir un spécimen de l'écriture de Jean Kennedy pour la période concernée.

En 1984, j'ai montré cette lettre au mari de Jean, Stephen Smith (qui aujourd'hui gère les finances des Kennedy) afin de lui demander si elle lui paraissait authentique. « Cela se peut, disons que c'est une possibilité, m'a-t-il répondu. Cette écri-

329

NORTH OCEAN BOULEVARD
PALM BEACH, FLORIDA

Dear Marilyn—

Mother asked me to
write and thank you
for your sweet note
to Daddy— He really
enjoyed it and you
were very cute to send
it—

understand that you
and Bobby are the
new item! We all think
you should come with him
when he comes back
East.!
    Again thanks for
the note—
            Love,
            Jean Smith

Lettre attribuée à Jean Kennedy, retrouvée après la mort de
Marilyn. L'allusion à «Bobby» reste à élucider.

330

ture a certainement un air de ressemblance. Même si elle ne se rappelle pas avoir écrit cette lettre, Jean saura certainement reconnaître son écriture. Il faudra que je le lui demande. » Il prit un air irrité en relisant ce billet, mais il m'assura de nouveau qu'il allait en parler à sa femme.

Smith m'a écrit un peu plus tard que son épouse « n'avait pas souvenir d'avoir écrit cette lettre, et qu'elle ne voyait pas à quoi pouvait correspondre ce document... »

S'il est authentique, cependant quelle peut être sa signification ? Ce billet n'est pas daté, mais on possède un indice dans la mention : « gentil mot... envoyé à Papa. » « Papa », c'est-à-dire Joseph Kennedy, alors âgé de soixante-treize ans, avait eut une très sérieuse attaque à Palm Beach, le 19 décembre 1961.

Quant à l'allusion au retour de Bobby dans l'Est, il peut s'agir de la fin de son voyage autour du monde commencé le 1er février 1962.

La sœur de l'Attorney général répondait peut-être à un mot de sympathie adressé par Marilyn à Joseph Kennedy quelque temps après Noël, ou, si le témoignage de Gloria Romanoff est exact, après la soirée où Marilyn aurait échangé quelques paroles avec le vieux Kennedy au téléphone. Dans l'un et l'autre cas, cette lettre remonterait donc à janvier ou février 1962.

D'autre part, comment faut-il entendre : « Il paraît qu'on ne parle plus que de toi et Bobby » ? Est-ce une remarque ironique inspirée par des rumeurs associant Marilyn et Robert Kennedy ? Très peu probable : à l'époque de tels bruits ne s'étaient pas encore répandus. Jean Smith faisait-elle tout simplement allusion à une liaison, connue de la famille, entre Marilyn et son frère ? Liaison qui aurait alors débuté quelque temps auparavant, ce qui corroborerait les affirmations de la voisine de Marilyn, Jeanne Carmen (voir plus haut).

Jusqu'à présent, tout ce qui a été dit sur Marilyn et Robert Kennedy est des racontars fondés surtout sur la malignité. Tous deux, étant morts, ne peuvent se défendre. Cependant, Robert Kennedy est si intimement lié aux mystères qui entourent la mort de l'actrice que leurs relations requièrent un examen approfondi.

Angie Novello, secrétaire personnelle de Robert Kennedy, a répondu prudemment mais avec franchise à mes questions. Elle fit la connaissance de Marilyn chez les Lawford au printemps 1962, un jour que Robert Kennedy et Pat Newcomb étaient également présents. Elle se rappelle qu'à partir de ce moment, Marilyn appela souvent Robert au ministère de la Justice (ce que confirment des relevés téléphoniques).

Robert prenait toujours les appels de Marilyn, ou bien il la rappelait presque aussitôt. « Il était tellement attentif aux autres. Jamais il ne refusait d'écouter quelqu'un qui avait besoin d'aide, et je suis certaine qu'il était tout à fait conscient des problèmes de Marilyn. Il savait écouter, et je crois que c'est ce dont elle avait le plus besoin. » Angie Novello fait remarquer qu'il était également l'ami de la chanteuse Judy Garland et que personne n'a jamais insinué que celle-ci ait été sa maîtresse...

Ed Guthman, attaché de presse de Robert Kennedy, affirme que l'Attorney général « a dû rencontrer Marilyn tout au plus quatre ou cinq fois ». Tous les collaborateurs de Robert Kennedy n'ont pas les mêmes souvenirs. L'un d'eux, qui a préféré garder l'anonymat, a dit à W.J. Weatherby, du *Manchester Guardian*, qu'il tenait « pour certaine cette liaison avec Marilyn Monroe ; mais c'est la seule qu'a eue Bobby ».

Deborah Gould, troisième femme de Peter Lawford, dit avoir découvert dans les papiers de feu son mari une photographie représentant Lawford, Marilyn Monroe et Robert Kennedy. « Ils étaient bras dessus, bras dessous. Si mon souvenir est exact, Marilyn était en peignoir et tenait une bouteille de Dom Pérignon. Cela se passait sur la plage. Ils semblaient follement s'amuser. »

Selon Deborah Gould (elle tient ceci de Lawford), l'histoire d'amour entre Robert et Marilyn commença le jour où Robert, servant de « messager » à son frère John, alla trouver Marilyn pour lui dire que le président devait renoncer à elle. « Marilyn a pris cela très mal, et Bobby est reparti avec l'envie de la connaître mieux. Au début, il la revoyait pour l'aider, la consoler, mais peu à peu leurs rapports évoluèrent. D'après ce que m'a dit Peter, Bobby tomba follement amoureux d'elle. »

Les témoignages les plus sûrs concernant Marilyn et Robert

332

Kennedy sont ceux des personnes qui les fréquentaient à l'époque : Joan Greenson et Marilyn parlaient souvent d'amour, la plupart du temps de la vie amoureuse de Joan ; mais au début de 1962, Marilyn se mit à parler, très excitée, d'un «nouvel homme dans sa vie».

«Elle m'a dit, rapporte Joan Greenson, qu'elle fréquentait quelqu'un, mais qu'elle préférait ne pas me dire son nom parce qu'il était très connu. Alors, elle a décidé de l'appeler ''le général''. Cela nous faisait beaucoup rire.»

Joan Greenson supposa que derrière ce surnom se cachait John Kennedy. A cette même époque, pourtant, le magazine *Life* publia un «profil» de l'Attorney général ; on y apprenait qu'au ministère de la Justice, ses collaborateurs avaient coutume eux aussi de l'appeler «le Général».

Le Dr Greenson, pendant des années, ne dit rien de ce qu'il savait de la vie sentimentale de Marilyn — quoi qu'il lui en coutât, car la presse ne cessait de «découvrir» des épisodes scandaleux dans la vie de Marilyn. Toutefois, en 1973, révolté par une hypothèse malveillante et sans fondement rapportée par Norman Mailer dans son livre sur Marilyn*, Greenson déclara à Maurice Zolotow ; «Marilyn n'entretenait à l'époque aucune relation amoureuse avec Robert Kennedy, ni avec aucun autre homme.»

Ce disant, Greenson, qui était un libéral et avait sur son bureau un dollar d'argent à l'effigie de J.F. Kennedy, entendait avant tout couper court aux rumeurs. Juste après la mort de Marilyn, au cours d'entretiens confidentiels avec deux psychiatres du Centre de Prévention du Suicide de Los Angeles, il avait dit, en effet, des choses fort différentes.

En 1984, j'ai pu m'entretenir avec le Dr Litman, un de ces deux psychiatres qui demandèrent des informations à Greenson. Il se souvient que celui-ci était terriblement bouleversé. Litman avait été l'élève de Greenson, il le respectait infiniment, et il résolut de ne rien révéler de ce qu'il avait appris,

---

* Norman Mailer, *Marilyn*, Paris, 1974, p. 261. Mailer, cite, en le critiquant, le livre *The Strange Death of Marilyn Monroe*, de F.A. Capell (1964), selon lequel Marilyn aurait été assassinée par des agents communistes, avec la complicité, entre autres, de Greenson lui-même... (*NdT*).

jusqu'à la mort de Greenson. Celui-ci est mort en 1979 ; aussi j'ai pu avoir accès aux rapports et aux notes originales du Dr Litman. Voici ce qu'il écrivit, en ce qui concerne le début de 1962 :

Vers cette époque, Marilyn commença à se voir avec « des hommes très importants ». Greenson redoutait fort qu'elle ne fût un simple objet dans ce genre de relations. (...) Cependant, elle semblait en retirer une telle gratification qu'il [Greenson] ne pouvait pas s'opposer ouvertement à ces fréquentations. (...) Mais il lui dit : Entretenez-vous ces rapports parce qu'ils vous enrichissent, ou simplement parce que vous pensez que c'est une chose qu'il faut faire ?

Litman rapporte aujourd'hui que Greenson lui parla de « rapports intimes, sexuels, avec des hommes très haut placés dans l'État [fédéral] (...) au plus haut niveau ». Pour Litman, il est clair qu'il s'agissait des Kennedy. Il sentit, alors, que la sincérité de Greenson n'était « pas totale ».

Le psychiatre de Marilyn s'entretint également avec un autre membre du Centre de Prévention du Suicide, le Dr Norman Tabachnik, et devant lui fit allusion à « deux hommes très importants ». Tabachnick, lui aussi, ne douta pas qu'il s'agissait des frères Kennedy. C'est le coroner de Los Angeles, Theodore Curphey, qui ordonna à l'équipe du Centre de Prévention du Suicide de faire une enquête ; il déclara qu'il fallait interroger « toutes les personnes que Marilyn avait fréquentées dans la dernière période de sa vie ». Le Dr Norman Farberow, responsable de cette équipe, affirme aujourd'hui que ni Robert ni John Kennedy ne furent entendus.

Marilyn ne se confiait pas qu'à son psychiatre. Un de ses amis new-yorkais, Henry Rosenfeld, savait qu'elle était très liée avec Robert Kennedy ; mais il était convaincu que John comptait beaucoup plus pour elle. Ralph Roberts, son masseur, avait la même impression.

Il semble qu'à certaines époques ces deux liaisons se sont chevauchées. Pour étonnante qu'elle soit, cette thèse n'est pas incompatible avec la légende des Kennedy. Ce n'était pas la première fois, dans l'histoire de leur « dynastie », que deux Kennedy étaient en rivalité pour la même femme. Dans le cas de

Marilyn, il s'agissait peut-être moins d'une compétition entre les deux frères que de la tactique d'une femme déséquilibrée se figurant qu'elle pouvait jouer un Kennedy contre l'autre.

Dans les derniers mois de sa vie, Marilyn confia à Nana Karger qu'elle avait une liaison avec Robert Kennedy. Joe DiMaggio, comme on sait, ne parle pas de Marilyn ; mais il dit à son ami Harry Hall — avec qui il passa le premier jour après la mort de Marilyn — qu'il savait qu'elle avait été la maîtresse de Robert Kennedy. Et cela « le mettait hors de lui ».

A Santa Monica, les voisins étaient fascinés par les allées et venues qui avaient lieu chez les Lawford à l'époque de la présidence. Lynn Sherman, fille de Harry Sherman, célèbre metteur en scène de westerns, était leur voisine immédiate. C'est en regardant leurs parties de volley-ball sur la plage qu'elle s'aperçut que Marilyn était une habituée de la villa.

« Elle sortait pour venir jouer avec les autres mais, très vite, elle s'affalait sur le sable. C'est arrivé plus d'une fois. Elle ne pouvait pas tenir longtemps au soleil, bourrée de barbituriques comme elle l'était ; et ils étaient obligés de la transporter à l'intérieur. »

Lynn Sherman croit à une liaison avec Robert Kennedy. « C'était un lieu de rendez-vous. On voyait arriver une voiture officielle ; c'était Robert Kennedy. Puis arrivait Marilyn ; elle était parfois en pantalon, avec un foulard sur la tête. Quelquefois je les voyais traverser le patio pour aller se promener sur la plage. De chez moi, je les ai vus très souvent ensemble — aucun doute là-dessus. »

Lynn Sherman ajoute que cela lui fut confirmé peu après la mort de Marilyn par Pat Lawford. Celle-ci, s'étant plainte un jour de Peter, son mari, aurait dit : « Mais nous en passons toutes par là. Songez donc à ce qu'a subi Ethel*. »

Une autre voisine, Mrs. Sherry James, parla de la mort de Marilyn avec Peter Lawford : il disait que « c'était lui qui l'avait refilée à John, qui ensuite l'avait repassée à Bobby ». Lawford prenait son rêve pour la réalité ; on sait que Marilyn repoussa toujours ses avances.

De tous les gens du voisinage, c'est sans doute avec Mr. et

_____
* L'épouse de Robert Kennedy.

Mrs. Peter Dye que les Lawford étaient le plus liés. Marjorie Dye n'accorde pas d'interviews. J'ai pu en revanche m'entretenir avec son ex-mari.

Peter Dye connut Marilyn sur la plage. Il se rappelle son air pitoyable, « à demi droguée la plupart du temps ». Un jour, il remarqua une tache de sang qui s'étalait sur son pantalon blanc. Elle paraissait ne pas s'en soucier. Un soir, comme quelqu'un la taquinait pour une faute de grammaire, « elle sortit de table en larmes ».

Dye finit par bien connaître les Kennedy. Il se souvient d'avoir vu plusieurs fois Marilyn et Robert Kennedy ensemble chez les Lawford.

« Il y avait certainement quelque chose entre eux. Elle était en adoration devant lui ; elle le regardait sans arrêt en battant des paupières. J'ai horreur du mot ''macho'', mais Kennedy [Robert] avait une attitude de macho. Pas un sourire, pas une attention. Elle ne le quittait pas. Je crois que ce qui l'excitait, c'était l'idée du génie intellectuel : d'un type d'homme qui ne la traiterait pas en simple femelle. Elle voulait sortir de ce genre de rapports. »

Hazel Washington, employée à la Fox, attachée au service de Marilyn, se souvient que Robert Kennedy lui téléphonait fréquemment. Lena Pepitone aussi :

« Bobby appelait souvent. Mais ils étaient très secrets. Il demandait : ''Puis-je parler à Marilyn ?'' Alors, elle s'enfermait dans sa chambre et restait peut-être une heure au téléphone. Une fois, elle m'a dit que c'était lui ; après, je reconnaissais sa voix. »

A part la maison des Lawford, où le couple se rencontrait-il au cours des derniers mois ? Eunice Murray parle (en général) d'une seule visite de Robert Kennedy à la nouvelle maison de Brentwood, un après-midi, en coup de vent, pour « voir la cuisine [de Marilyn] ». En général, dis-je, car dans une interview, elle a parlé de « deux ou trois visites », en précisant qu'elles n'avaient rien de clandestin.

En 1962, Norman Jeffries, le gendre d'Eunice Murray, fut employé par Marilyn lorsqu'elle fit refaire son intérieur. Eunice s'est montrée singulièrement réticente quand je lui ai demandé de m'aider à joindre Jeffries ; finalement, c'est quelqu'un d'autre qui m'a permis de le trouver.

« Cela s'est passé d'une drôle de façon, raconte-t-il. Eunice et moi étions là avec Marilyn. Nous devions dégager le plancher avant qu'*il* arrive, et c'est ce que nous avons fait. »

Mais Jeffries se trouvait encore devant la maison quand Robert Kennedy est arrivé, seul, dans une décapotable.

Sur la côte ouest, Marilyn et Kennedy ont peut-être eu parfois la prudence de se retrouver en un lieu secret. Selon certaines sources*, Marilyn aurait utilisé un appartement à Culver City, dans le sud-ouest de Los Angeles. Trois policiers enquêtèrent dans ce quartier après la mort de Marilyn.

Pour ce qui est de la côte est, Lena Pepitone dit qu'il n'y eut aucune visite d'un Kennedy à l'appartement de Manhattan. Elle se rappelle en revanche que Marilyn fit en 1961 un saut à Washington, et qu'elle y rencontra les Kennedy.

Trop de gens étaient au courant de leurs rapports. Pourtant, en dépit du danger, ils continuaient de se voir. Entre-temps, peut-être pour combler ces périodes de solitude noire qui inquiétaient tant Ralph Greenson, Marilyn faisait beaucoup de choses.

36

En février 1962, Isadore Miller, père d'Arthur Miller, alors en vacances en Floride, reçut ce télégramme :

Arrive sur vol 605 Eastern Airlines 21 h 05 — Ai réservé au Fontainebleau — Baisers — Marilyn.

Ce soir-là, le vieil homme et l'actrice dînèrent au Club Gigi, assistèrent à un mauvais spectacle de cabaret, puis regagnèrent l'hôtel à pied. En chemin, Marilyn annonça à Isadore Miller la nouvelle du remariage d'Arthur avec Inge Morath. Après

---

* Des fonctionnaires de la police de Los Angeles, et des agents de sécurité de General Telephone.

qu'ils se furent quittés, le vieux Miller trouva deux cents dollars dans la poche de son manteau. Marilyn, qui s'était toujours efforcée de veiller sur lui, avait su dissimuler sa propre peine.

En janvier, elle avait été très secouée en apprenant les fiançailles de Sinatra avec Juliet Prowse. La nouvelle du remariage de Miller faillit l'achever. Elle se ferma au monde, refusant même de répondre au téléphone. Sept mois plus tard, la nouvelle Mrs. Miller mettrait un enfant au monde, bonheur auquel Marilyn n'avait pas eu droit. Peut-être était-elle au courant dès février de cette naissance à venir.

C'était l'époque des préparatifs de *Quelque chose doit craquer**, dernier film que prévoyait son contrat avec la Twentieth Century Fox (il ne fut jamais terminé). Henry Weinstein, producteur du film et ami des Greenson, eut un jour un aperçu effrayant de l'état dans lequel se trouvait Marilyn.

Un matin, elle ne se présenta pas à une réunion de travail prévue pour huit heures. Weinstein lui téléphona ; une voix traînante, pâteuse lui répondit. Il décida de se rendre aussitôt chez elle. Avant de raccrocher, elle lui demanda : « Mais vous, où dormirez-vous ? Il n'y a qu'un lit. » A son arrivée, il la trouva plongée dans un quasi-coma dû à un abus de barbituriques. Il appela un médecin, et on lui fit encore une fois un lavage d'estomac.

A la suite de cela, les responsables de la Twentieth Century Fox se réunirent en conférence. Certains voulaient annuler le projet car, de toute évidence Marilyn n'était pas en état de travailler. « C'est ce que nous ferions si elle avait une crise cardiaque. Alors, quelle différence, puisqu'elle peut se tuer à tout moment avec toutes ses pilules ? »

— C'est vrai, répondit quelqu'un, à ceci près que si elle avait une crise cardiaque, nous ne serions pas couverts par l'assurance. Le problème ne se pose pas : médicalement parlant, elle est en forme. »

Cet âpre raisonnement l'emporta. Le projet de *Quelque chose doit craquer* (... !) fut maintenu. Cependant, sur le conseil du Dr Greenson, on permit à Marilyn de prendre un peu de repos.

---

* *Something's Got to Give*

Elle alla en Floride, où elle rendit visite au père d'Arthur Miller et à DiMaggio, puis, le 20 février, elle partit pour le Mexique.

George Masters, son coiffeur, se retrouva assis sur la lunette des toilettes de l'avion, avec sur les genoux la plus célèbre star de l'époque. Marilyn avait tenu à venir s'enfermer là pour se faire coiffer et remaquiller avant l'arrivée à Mexico. Ce voyage devait être une visite privée, mais le secret en était éventé.

Au Hilton, où Sinatra avait réservé, cette paisible expédition se mua en état de siège. Des gardes armés occupaient les couloirs. Les journalistes étaient sur les dents. La conférence de presse qui eut lieu quelques jours plus tard frisa l'émeute. Les photographes se bousculaient pour trouver des angles à la mesure des fantasmes de leurs lecteurs. Une de ces photos, non divulguée à l'époque, fit une fois pour toutes la preuve que Marilyn préférait ne pas porter de petite culotte. L'air lugubre, elle but du champagne pendant toute la durée de la conférence de presse.

Ayant prélevé leur tribut, les journalistes accordèrent à Marilyn quelques jours de répit. En compagnie d'Eunice Murray, elle visita les alentours de Mexico, fit des emplettes pour sa nouvelle maison. Elle se fit également de nouveaux amis.

D'anciens voisins du Connecticut lui avaient recommandé un couple qui lui ferait visiter le Mexique, Fred Vanderbilt Field et son épouse mexicaine. Issu d'une famille immensément riche, Field avait été appelé le «communiste doré de l'Amérique». Il faisait partie d'une colonie d'Américains de gauche qui vivaient au Mexique dans un semi-exil. Marilyn séduisit immédiatement les Field. Ils la trouvèrent, «suprêmement belle, chaleureuse, intelligente et spirituelle, intéressée par les choses, les gens et les idées, mais aussi incroyablement compliquée». Politiquement, selon Fred Field, Marilyn était «très bien : elle nous a dit qu'elle était à fond pour les droits civils, l'égalité pour les Noirs ; elle admirait ce qui se faisait en Chine ; était indignée par les persécutions contre les "rouges", par le maccarthysme, et détestait J. Edgar Hoover».

Marilyn se confia beaucoup aux Field. Elle leur parla du bonheur qu'elle éprouvait à connaître Robert Kennedy, de la confiance qu'elle plaçait en Sinatra. Mais elle évoqua surtout ses échecs passés et ses espoirs pour l'avenir.

« Elle parlait beaucoup de son mariage avec Miller, raconte Field, et des grossesses qu'elle n'avait pas menées à terme. Elle disait vouloir quitter Hollywood et trouver un homme — une combinaison de Miller et de DiMaggio, si j'ai bien compris — quelqu'un qui la traiterait bien mais serait également un stimulant intellectuel. Elle voulait vivre à la campagne et changer complètement de vie. Elle revenait souvent sur ses lacunes intellectuelles, son incapacité d'être ''à la hauteur'' avec les personnes qu'elle admirait. Elle évoquait son âge, le fait qu'elle allait avoir trente-six ans et qu'il lui fallait ne plus perdre de temps. »

Field vit avec inquiétude Marilyn s'enticher de Jose Bolaños, scénariste mexicain de dix ans plus jeune qu'elle.

Ce jeune homme mince, à la beauté un peu ostentatoire (qui était assez connu dans le monde du cinéma et se disait ami de Luis Buñuel), se mit à lui faire une cour forcenée. Il commença par envoyer des fleurs sur un plateau d'argent (le plateau de sa famille, dit-il) à Pat Newcomb. Celle-ci, moyennement impressionnée, présenta néanmoins Bolaños à Marilyn pour qu'elle ait l'occasion de « sortir et s'amuser ».

Lorsqu'il arriva le lendemain matin, Field vit tout de suite que le Mexicain avait passé la nuit avec elle. Un peu plus tard, quand Marilyn poussa jusqu'à Taxco, Bolaños l'y suivit. Il arriva en pleine nuit, engagea non pas un mais plusieurs orchestres de mariachis et fit donner une formidable sérénade au pied de l'hôtel. En dépit des mises en garde de Field, Marilyn continua de le voir.

Interviewé en 1983, Bolaños était toujours dithyrambique au sujet de Marilyn. Il affirme que leur liaison dura jusqu'à sa mort, cinq mois après leur rencontre, et qu'il la satisfaisait sexuellement comme aucun autre homme avant lui. Son avocat et ami Jorge Barragan déclara la même chose en 1962, quelques jours après le décès de Marilyn. Les proches de l'actrice voient les choses de façon tout à fait différente.

Marilyn aurait confié à Lena Pepitone que Balaños voulait l'épouser. Des photos prises peu après le voyage au Mexique le montrent en train de danser avec elle. Elle offre un visage extatique, mais des témoins rapportent qu'elle était très ivre ce soir-là. D'autres témoins, dont Pat Newcomb, Eunice Mur-

340

ray et George Masters, confirment que Bolaños est bien venu à Los Angeles. Mais ils ajoutent que tout était terminé et qu'il fut accueilli en importun.

De toute évidence, cela n'avait été pour Marilyn qu'une aventure, un «chant du cygne sexuel». A cette époque, une foule de préoccupations bien différentes l'assaillaient.

Avant de quitter le Mexique, Marilyn visita l'Institut national pour la Protection de l'Enfance, qui s'occupait de milliers d'orphelins et d'enfants abandonnés. Elle avait projeté de faire un don de 1 000 dollars. Tout à coup, elle déchira son chèque pour en établir un second, de 10 000 dollars.

On a dit qu'au cours de cette visite elle fit une demande pour adopter un petit Mexicain. Il est certain qu'à l'époque elle souffrait plus que jamais de n'avoir pas d'enfant.

Vers le milieu de la matinée du 2 mars, jour du départ, elle ne s'était pas encore levée. «Il a fallu que je la porte, dit George Masters. Je l'ai soulevée de son lit et je l'ai emportée hors de la chambre. Je crois qu'elle avait encore pris trop de cachets pour dormir.» Elle arriva à l'aéroport, titubant, cheveux en désordre, lunettes noires. Un journaliste écrivit que son haleine sentait l'alcool et que son séjour au Mexique s'était terminé sur un marathon éthylique.

Avant de se diriger d'un pas incertain vers l'avion, Marilyn lança «Adios, muchachos» aux paparazzi.

Elle abordait maintenant la dernière ligne droite.

37

C'est en mars que Marilyn revint du Mexique, et c'est en mars également que le président fut confronté à de grands périls. Depuis des mois les nuages n'avaient cessé de s'amonceler.

Près d'une année s'était écoulée depuis que Giancana avait menacé de «tout révéler» sur les Kennedy. En tant qu'Attorney général, Robert Kennedy aurait dû être avisé de ces menaces. S'il ne le fut pas — terrible omission —, il était en revanche certainement au courant de la tournure inquiétante que prenait la situation en 1961.

Giancana n'était que l'un des ennemis des Kennedy. Jimmy Hoffa, président du syndicat des camionneurs, était maintenant à couteaux tirés avec Robert Kennedy. On avait désormais la certitude qu'il était lié au milieu, et plus précisément au milieu des milieux, celui de Chicago, dirigé par Giancana.

Les deux hommes étaient l'objet d'incessantes enquêtes. Pour éviter la prison, Hoffa était prêt à tout : subornation de jurés, intimidation de témoins, etc.

En 1961, la Twentieth Century Fox annonça son projet de tourner un film tiré de *L'ennemi intérieur**, ouvrage de Robert Kennedy traitant des liens entre Hoffa et la pègre. Le producteur était Jerry Wald, qui avait déjà produit deux des premiers films de Marilyn.

Wald et les studios reçurent aussitôt des coups de téléphone et des lettres de menaces ; et le projet serait abandonné, finalement, à cause des pressions des avocats de Hoffa.

Cependant, en 1962, on en préparait activement le tournage. Paul Newman avait accepté le premier rôle, et Robert Kennedy assistait aux séances de travail sur le scénario. Dans le même temps, la Warner préparait un film relatant les exploits de John Kennedy pendant la guerre. Comme Wald, Jack Warner reçut des coups de téléphone anonymes. On lui annonçait que le président était «un obsédé sexuel, qu'il avait d'innombrables maîtresses» ; et «la voix» dit à Warner : «Les scandales qui vont éclater vous feront crever, toi et ton film.»

En novembre 1961, on reçut au FBI une lettre donnant des preuves, «photos à l'appui», d'adultères commis par le président. Il ne devait pas être difficile de prendre des photos pour le moins embarrassantes. Quelques jours avant ou après l'envoi de cette lettre, John Kennedy s'était montré aux côtés de Marilyn, lors d'une réception au Hilton de Beverly Hills.

Robert Kennedy continuait de prendre lui aussi des risques. Jerry Wald le vit un jour à Malibu en compagnie de Marilyn.

---

* *The Enemy Within.*

Les signes annonciateurs de danger se multipliaient. Le 11 décembre 1961, J. Edgar Hoover fit savoir à Robert Kennedy que Giancana projetait de se servir de Sinatra pour intercéder en sa faveur auprès des Kennedy. Selon les informations fournies par le FBI, le chanteur avait déjà contacté à trois reprises le père du président.

Au ministère de la Justice, on se demandait comment l'Etat pouvait lutter contre la Mafia alors que les Kennedy continuaient de copiner avec quelqu'un comme Sinatra, connu pour ses fréquentations douteuses. A l'initiative d'un jeune magistrat, Dougald McMillan, les services du ministère préparèrent des rapports sur le chanteur.

A la veille de Noël 1961, les tables d'écoute du FBI enregistrèrent une conversation téléphonique entre Roselli et Giancana. Les deux hommes parlaient sans aménité de Sinatra qui s'était révélé un piètre ambassadeur auprès des Kennedy. Roselli suggéra à Giancana d'adopter la stratégie du désespoir : « Tu es dans le vrai. Change de tactique, montre-leur de quel bois tu te chauffes, et tu les alignes tous. »

En février 1962, on apprit en surveillant Roselli qu'une des maîtresses du président, Judith Campbell, était en contact avec Roselli et Giancana. Une des bombes à retardement sur lesquelles était assis John Kennedy venait d'être détectée. Le directeur du FBI entreprit de la désamorcer.

Dans les semaines qui suivirent, Hoover déjeuna avec le président, et l'on suppose qu'ils parlèrent de Judith Campbell. Selon les relevés téléphoniques de la Maison Blanche, tout contact avec elle fut interrompu. Judith Campbell, cependant, affirme qu'elle continua pendant plusieurs mois de voir le président. Il semble que John Kennedy n'ait pas pris au sérieux la mise en garde de Hoover. Selon Kenneth O'Donnell, conseiller du président, présent à ce lunch, Kennedy aurait dit à Hoover : « Débarrassez-moi de ce salaud. C'est le plus emmerdant de tous. »

Le 23 mars, lendemain de ce lunch, John et Robert Kennedy prirent l'avion pour la Californie. John, qui avait prévu de séjourner chez Sinatra à Palm Beach, préféra au dernier moment aller chez Bing Crosby. Peter Lawford, à qui il demanda de régler les détails de ce changement de programme, devait déclarer plus tard : « Pour le président, cela [aller chez Sinatra] revenait à coucher dans le lit que Giancana, un type que son frère essayait de coffrer, avait occupé quelques semaines avant. » Ulcéré, Sinatra rompit toute relation avec Lawford.

Marilyn raconta à Sydney Skolsky qu'elle se trouva un jour chez les Lawford en compagnie de Sinatra et de Robert Kennedy. Celui-ci se mit à exposer à la cantonade les raisons pour lesquelles son frère ne pouvait plus se permettre d'être vu avec Sinatra. Selon Marilyn, l'Attorney général s'exprimait avec force, et parla même de démissionner au cas où le président continuerait de fréquenter le chanteur.

On se quitta dans un silence glacé. Le danger ne dissuada pas John Kennedy de voir Marilyn. Ils se revirent en Californie, trois jours après le lunch avec Hoover.

Le samedi 24 mars, dans sa nouvelle maison, Marilyn se leva tôt. L'eau étant coupée pour cause de travaux, elle fonça chez les Greenson pour se laver les cheveux. Puis elle revint, se fit coiffer et passa plusieurs heures à s'habiller et se maquiller pour se retransformer en « Marilyn ».

Peter Lawford, qui était venu la chercher, faisait les cent pas dans le couloir. « Marilyn est sortie de sa chambre coiffée d'une perruque noire par-dessus sa mise en plis », dit Eunice Murray.

Ce week-end-là, le président reçut des célébrités du monde du spectacle ; les journaux de l'époque ne font cependant pas mention de la présence de Marilyn.

Deux personnes m'ont parlé plus en détail de ce week-end :

Philip Watson, l'ex-County Assessor de Los Angeles, qui avait rencontré quatre mois plus tôt, au Hilton, Marilyn et John Kennedy, s'étonna de les voir de nouveau ensemble. Si, alors, il n'avait remarqué entre eux aucune intimité particulière, il fut fixé cette fois sur la nature de leurs relations.

« J'ai été invité à une soirée donnée dans une propriété que l'on m'a dit être celle de Sinatra*, raconte Watson. Je me souviens que c'était par une de ces froides nuits du désert. Il y avait en fait deux fêtes en une. D'un côté, un groupe assez

_____

* Les détails descriptifs qui suivent indiquent clairement qu'il s'agissait bien du petit fief de Sinatra à Palm Springs.

important autour de la piscine, et de l'autre des gens qui entraient et sortaient d'une maison de style espagnol pleine de coins et de recoins. Je n'ai pas vu Sinatra, mais Marilyn était là ainsi que le président, et on voyait bien qu'ils étaient ensemble. Ils semblaient très à l'aise et contents de se trouver là. »

Plus tard, le président et Marilyn gagnèrent un «cottage» situé dans la propriété; ils y reçurent quelques invités. Comme cela avait été le cas au Hilton, Watson fut amené à ce «cottage» par un ami qui le soutenait dans sa campagne pour l'élection au poste de County Assessor. Il put s'entretenir brièvement avec John Kennedy qui se souvenait de lui.

«Il y avait deux ou trois autres personnes. Le président portait un pull à col roulé, et Marilyn quelque chose qui ressemblait à un peignoir. Elle avait bien bu apparemment et il était évident qu'ils allaient passer la nuit ensemble. »

Le second témoignage confirme celui de Watson. Dans les derniers mois de sa vie, Marilyn se confiait souvent à son masseur, Ralph Roberts. Tandis qu'il lui prodiguait de longs massages de relaxation pour essayer de vaincre son insomnie, Marilyn aimait à parler avec lui de l'anatomie humaine, sujet qu'elle connaissait bien.

Un jour, après lui avoir dit qu'elle allait bientôt voir le président, elle lui demanda de lui expliquer de quelle manière le fémur s'articulait sur l'os du bassin. Pendant le week-end à Palm Springs, Robert reçut un coup de téléphone de Marilyn. Elle semblait d'humeur espiègle.

«Mon ami et moi, nous ne sommes pas d'accord, dit-elle ne doutant pas que Roberts saurait de qui elle parlait. Il dit que je me trompe au sujet de ces muscles dont nous discutions l'autre jour. Je te le passe, tu vas lui expliquer. »

«Une seconde plus tard, dit Roberts, j'ai entendu une voix très connue avec l'accent de Boston. Je l'ai renseigné et il m'a remercié. Il ne s'est pas présenté, et je ne lui ai évidemment pas dit que je savais qui il était. »

Comme Marilyn le raconta plus tard à Roberts, cette discussion avait commencé tandis qu'elle massait le dos douloureux du président. «Je lui ai conseillé de se faire masser par toi, mais il a répondu que cela ne lui ferait pas le même effet. Je crois l'avoir bien soulagé. »

Marilyn parlait trop. Elle avait parlé de ses rapports avec les Kennedy à nombre de ses amis.

De leur côté, le président et l'Attorney général se comportaient comme s'ils étaient intouchables. Cependant rien n'échappait à leurs ennemis jurés dont les menées allaient mettre en péril la présidence même.

38

L'agent immobilier Arthur James était, nous l'avons vu, un vieil ami de Marilyn. Depuis qu'elle habitait de nouveau à Los Angeles, ils se voyaient souvent et leur amitié était connue de tous.

En mars 1962, peu après que Marilyn fut revenue du Mexique, James reçut un inquiétant coup de téléphone.

Son interlocuteur se disait l'intermédiaire de Carmine DeSapio, politicien véreux, lié à la Mafia et plus particulièrement à Jimmy Hoffa. «On me demandait, m'a dit James, d'éloigner pour quelque temps Marilyn de chez elle, de l'inviter, par exemple, à venir passer le week-end chez moi à Laguna Beach. Ils voulaient mettre des micros chez elle. J'étais au courant de ses relations avec Robert Kennedy — elle m'en avait parlé — et j'ai aussitôt pensé qu'il y avait un lien entre ces deux choses.

«J'ai répondu que c'était hors de question. A mon grand soulagement, je n'en ai plus jamais entendu parler. Cependant je n'ai pas averti Marilyn, estimant qu'elle avait assez de soucis comme cela. De toute façon, s'ils voulaient vraiment poser des micros chez elle, ils finiraient par y arriver.»

De fait, la nouvelle maison de Marilyn en Californie était très vulnérable. Depuis qu'avaient débuté les travaux de décoration, c'était un défilé permanent d'ouvriers et d'artisans. Quant à son appartement de New York, vide la plupart du temps, c'était une cible facile.

Les recherches menées dans le cadre de cet ouvrage ont fait apparaître que Marilyn et les frères Kennedy étaient effectivement l'objet d'espionnage électronique, et ce dès 1961. Selon une de nos sources, c'est Joe DiMaggio, et non pas la pègre, qui à l'origine aurait demandé d'effectuer cette surveillance.

A ce sujet, j'ai pu trouver John Danoff qui travailla jadis pour le célèbre détective privé Fred Otash. Pour le compte de celui-ci, Danoff participa à de nombreuses opérations de surveillance, dont plusieurs avaient Marilyn pour objet.

Il se souvient que DiMaggio appelait fréquemment Otash à son agence et y passait parfois. « J'ai eu l'impression que DiMaggio continuait de s'intéresser de très près à Marilyn, et qu'il tenait à être informé de ses moindres faits et gestes. »

Toujours selon Danoff, en 1961 l'équipe d'Otash posa des micros aussi bien chez Marilyn que chez les Lawford (dans toutes les pièces), et mit leurs téléphones sur écoute — y compris le service de réception des messages auquel était abonnée Marilyn.

Le rôle de Danoff était de surveiller les tables d'écoute à l'intérieur d'une camionnette. Il affirme que l'équipement posé chez les Lawford transmettait les conversations entre Marilyn et le président et même leurs ébats amoureux. Cela se passait aux alentours de la fin de novembre 1961. Comme nous l'avons vu, le président était à Los Angeles à cette époque, et y rencontra Marilyn.

Un inspecteur du département du Trésor, qui eut recours à Danoff dans les années 60, le tient pour un « informateur honnête ». Son ancien employeur, Fred Otash, nie avoir été personnellement impliqué dans la surveillance de Kennedy et de Marilyn. Mais il reconnaît qu'effectivement, on les espionnait. Et il ajoute, ce que confirme un de ses collègues, que vers le milieu du mandat présidentiel, des agents du gouvernement se présentèrent chez lui pour se faire remettre ses dossiers sur les frères Kennedy.

John Dolan, directeur d'une agence de détectives de la côte est, vint à Los Angeles peu de temps après la mort de Marilyn, pour assister à une réunion du Conseil international de la profession. Il y rencontra Otash, qui lui déclara « avoir mis sous écoute le téléphone de Marilyn Monroe, pour le compte de Joe

DiMaggio d'après ce qu'on lui avait dit ». Victor Piscitello, ancien président de l'Association mondiale des détectives privés, qui assistait également à ce congrès, se souvient lui aussi de cette conversation avec Otash.

Si DiMaggio faisait espionner Marilyn, fût-ce sans volonté de lui nuire, les risques de fuites étaient grands. Ainsi Danoff affirme avoir fréquenté les mafiosi Mickey Cohen et Johnny Roselli alors qu'il travaillait pour Otash. DiMaggio lui-même, qui ne s'intéressait à Marilyn que pour des raisons purement personnelles, se trouvait parfois en contact avec des gens aux relations douteuses.

L'ex-époux de Marilyn se rendait souvent à Lake Tahoe où il avait un vieil ami en la personne du gangster Skinny D'Amato, gérant du Cal-Neva Lodge.

Quelles que fussent ses sources, la Mafia était au courant de la liaison de Marilyn avec les Kennedy. Phyllis McGuire, maîtresse de Giancana, rapporte qu'elle en connaissait tous les épisodes. Peu avant sa mort, Skinny D'Amato me fit une déclaration semblable.

C'est à Jimmy Hoffa qu'on attribue avec le plus de certitude la possession de preuves compromettantes pour Marilyn et Robert Kennedy. Au centre de cette histoire figure un des employés de Hoffa, Bernard Spindel.

Spindel était un pionnier dans le domaine de l'espionnage électronique. Pendant la guerre, il avait servi dans les transmissions où ses talents lui valurent des missions auprès des services secrets. Vers le milieu des années 50, il fut engagé par Jimmy Hoffa qui désirait surveiller ses collègues du syndicat et se garder lui-même de l'espionnage électronique.

Spindel posait un véritable problème à Robert Kennedy. Il protégeait parfaitement Hoffa et savait demeurer tout à fait inattaquable au regard de la loi. R. Kennedy tenta une fois de le « retourner », afin de le faire témoigner contre son patron. Ce fut un échec, et dès lors les deux hommes se détestèrent.

Spindel est mort. J'ai pu cependant retrouver Earl Jaycox qui fut son assistant en 1962. Ce personnage tout d'une pièce, qui lors de nos entrevues n'a pas une fois témoigné de sentiments partisans, semble n'avoir tenu à l'époque qu'un rôle de technicien.

«Quelques mois avant la mort de Marilyn Monroe, m'a-t-il dit, Spindel m'a montré des bandes magnétiques. Cela se passait chez lui à Holmes dans l'Etat de New York. Il s'agissait de deux bobines, à peu près cinq cents mètres de bande, soit une douzaine d'heures d'enregistrement. (...) Il a déclaré qu'il allait m'en faire une copie que je garderais, qu'il s'agissait de conversations entre Marilyn et les Kennedy. Il m'a laissé entendre qu'elle avait eu une liaison avec John Kennedy et qu'elle fréquentait à présent son frère Robert. »

Spindel dit à Jaycox qu'une partie des informations que l'on possédait sur Marilyn et Robert Kennedy provenait d'un système installé au ministère de la Justice. Le microphone était dissimulé derrière les plinthes du bureau de l'Attorney général ; la transmission jusqu'au magnétophone était assurée par une peinture conductrice. Le « matériau » était collecté par le contact de Spindel au ministère.

Si incroyable que cela paraisse, des documents du FBI récemment mis au jour indiquent que, de l'été 1961 au printemps 1962, Hoffa eut « deux contacts dans la Section criminelle du ministère ». L'un d'eux a été identifié ; l'autre source de fuite n'a jamais été découverte. S'agissait-il du « mouchard électronique » de Spindel ?

D'après les déclarations de la secrétaire de Robert Kennedy et ce qu'il reste des relevés téléphoniques de Marilyn, nous savons qu'elle appelait fréquemment le ministère de la Justice. Les affirmations de Spindel sont corroborées par un homme qui fut longtemps un collaborateur de Robert Kennedy.

Ancien inspecteur de police, James Kelly participa à la commission d'enquête du sénateur McClellan, première initiative de Kennedy contre Hoffa. Il fut ensuite nommé rapporteur d'une autre commission du Congrès, puis directeur d'un programme de formation pour policiers au ministère de la Justice. Il était universellement respecté pour son intégrité et ses talents d'enquêteur — que Robert Kennedy lui-même loua dans *L'ennemi intérieur*.

Kelly fit la connaissance de Spindel en 1955, alors que celui-ci travaillait comme conseiller d'une commission « anticrime » de la ville de New York. Même s'ils n'étaient pas du même côté de la barricade, les deux hommes s'estimaient et se respectaient.

Spindel recevait même Kelly dans sa maison de campagne.

En 1979, peu avant sa mort, Kelly déjeuna à Washington avec Dan Moldea, auteur d'un livre qui fait autorité sur Jimmy Hoffa. Au cours de ce repas, Kelly dit à Moldea que Spindel lui avait non seulement parlé des «enregistrements de Monroe» qu'il possédait, mais qu'il lui en avait fait écouter un. Il s'agissait d'une conversation «sur l'oreiller» entre l'actrice et l'un des Kennedy. Le son était de mauvaise qualité comme souvent dans ce type d'enregistrement. Kelly, qui connaissait les deux frères, avait cependant jugé l'enregistrement authentique.

Joseph Shimon, ancien inspecteur de police de Washington, connaissait aussi bien Spindel que Hoffa. «Hoffa a recruté Spindel, dit-il. Il voulait avoir un moyen de pression sur Bobby. Le bruit courait que celui-ci tournait autour de Marilyn Monroe, et Spindel était chargé de poser des micros chez Marilyn — et je sais qu'il a passé une bonne partie de l'année sur la côte ouest.»

Dans les années 70, on a demandé directement à Jimmy Hoffa s'il avait fait espionner Marilyn. Après de violentes dénégations, il a ajouté : «Je possédais déjà un enregistrement de Robert et John Kennedy que m'avait donné une fille. Un truc tellement ordurier que, bien que mes amis m'y aient encouragé, je n'ai pas voulu en faire usage. Je l'ai mis en lieu sûr et je n'y ai plus pensé.» Lorsqu'on lui a demandé s'il aurait éventuellement utilisé cette bande magnétique contre Robert Kennedy, il a répondu : «Non. Je n'aurais jamais causé de tort à sa femme et sa famille.»

Deux intimes de Hoffa affirment qu'il se procura des matériaux compromettants pour Robert Kennedy :

Chuck O'Brien, fils adoptif de Hoffa, et qui fut un temps son bras droit, raconte : «Spindel m'a dit qu'il travaillait là-dessus en Californie, sur l'affaire avec Monroe, pour le compte du vieux et de certains hommes politiques. Et il a enregistré des bandes.»

Laurence Burns, alors avocat du syndicat des camionneurs, dit lui aussi que Hoffa détenait des choses compromettantes pour Robert Kennedy, mais il refuse de s'étendre sur le sujet..

Hoffa a disparu, assassiné, suppose-t-on, en 1975. Comme

on va le voir, il semble bien que ce soit lui qui fit espionner Marilyn afin d'avoir un moyen de pression sur Robert Kennedy.

En possession de ces éléments nouveaux, je suis retourné voir Fred Otash. Lors de cette entrevue, l'ancien détective privé a fait de nouvelles révélations :

« J'ai été contacté par Bernard Spindel pour le compte de Jimmy Hoffa. Je lui ai dit que je ne voulais pas être mêlé à ça. Effectivement, Spindel est bien venu en Californie pour faire des branchements sur les lignes de Marilyn. Il a aussi installé un micro dans la maison. Barney Ruditsky avait déjà enquêté sur Marilyn. Il travaillait avec moi, et nous avions déjà tout un dossier sur elle et les Kennedy. »

Ruditsky est mort. Quant à DiMaggio, allez l'interroger au sujet de Marilyn !

Cette somme de témoignages permet aujourd'hui d'affirmer que l'on a effectivement fait des enregistrements clandestins de Marilyn Monroe et des Kennedy. Cette opération, d'abord montée sans intention de nuire — si c'est bien DiMaggio qui la commanda — a donc fini par servir les projets de Jimmy Hoffa, un des pires ennemis des Kennedy.

Si Marilyn soupçonnait un tant soit peu ce qui se tramait en 1962, elle avait de bonnes raisons d'avoir peur. De fait, elle donnait des signes d'inquiétude. Selon Eunice Murray, elle « prit des renseignements sur ses nouveaux voisins », et fit porter son numéro de téléphone personnel sur la liste rouge.

A l'époque, Eunice Murray y vit le désir — normal chez une grande star — de préserver son intimité, ce qui était peut-être en partie vrai. Cependant, les choses allaient plus loin. Que ce soit à New York ou en Californie, Marilyn téléphonait très souvent depuis des cabines publiques. Deux de ses amis californiens en témoignent :

« Elle croyait ses lignes sur table d'écoute, dit Robert Slatzer. Elle avait toujours sur elle un porte-monnaie plein à craquer. Dès qu'elle avait un coup de fil important à passer, elle allait dans une cabine. Elle semblait très paranoïaque. »

« Marilyn m'appelait de temps à autre d'une cabine de Barrington Park, raconte Arthur James. Elle me demandait : "On peut se voir ?'' puis elle disait qu'elle était là, debout dans la cabine, à regarder jouer les enfants. C'était très triste. Si j'ai bien compris, elle se servait de téléphones publics parce qu'elle menait une vie secrète ; et elle voulait empêcher toute ''fuite''. Je ne lui jetais pas la pierre ; ne m'avait-on pas demandé quelques mois plus tôt de l'éloigner, le temps de poser des micros chez elle ? Mais ça, je ne lui en avais toujours pas parlé. »

Même si Marilyn avait été avertie du danger, il n'est pas certain qu'elle eût été en mesure d'en saisir toute la portée. Elle était plus versatile, plus irresponsable que jamais.

Au printemps 1962, un autre ami, de passage à Hollywood, le poète Norman Rosten, vint avec sa femme la voir dans sa nouvelle maison de Brentwood. Elle leur parla avec flamme de sa maison, et eux s'extasièrent devant les masques mexicains et le calendrier aztèque. Pourtant, dans ces pièces partiellement meublées aux fenêtres temporairement voilées de drap blanc, Rosten ressentit un profond malaise. Le babil de Marilyn lui sembla un « désespoir contenu ».

Rosten rencontra chez elle DiMaggio et Sinatra. « Disons que DiMaggio veille sur moi, lui confia Marilyn. Si jamais j'ai un problème, je lui fais signe. » Avec Sinatra, qui vint la prendre pour l'emmener dîner, elle paraissait « empruntée, vaguement nerveuse ». Elle appela Rosten le lendemain matin à sept heures trente pour parler de Sinatra. « Il est gentil, tu ne trouves pas ? » demanda-t-elle. Mais Rosten trouva que le ton de sa voix, qui se voulait joyeux, exprimait la terreur.

Un soir, Marilyn et Rosten écoutaient un enregistrement qu'il avait fait de ses poèmes. Elle lui dit qu'elle avait pris « une petite pilule » avant son arrivée, et elle se mit au lit. Il s'en fut bientôt, la laissant somnolente, tandis que le magnétophone tournait toujours.

Le dernier jour de son séjour en Californie, Rosten et Marilyn allèrent faire la tournée des galeries d'art. Elle tomba en arrêt devant un Rodin, comme elle l'avait fait sept ans plus tôt — également en compagnie de Rosten — au Metropolitan Museum de New York. Ce bronze (une copie) représen-

352

tait un couple enlacé, l'homme dominateur, la femme soumise. « Regarde-les, souffla Marilyn. Il lui fait mal, mais il veut l'aimer aussi. »

Elle acheta aussitôt cette statue — pour plus de mille dollars de l'époque — et insista pour aller la montrer au Dr Greenson.

Greenson dit qu'il trouvait la statue superbe. Mais Marilyn ne se satisfit pas de ce commentaire. Elle ne cessait de caresser le bronze. « Qu'est-ce que cela signifie ? Est-ce qu'il la baise, ou fait-il seulement semblant ? Et ça, qu'est-ce. que c'est ? On dirait un pénis », ne cessait-elle de demander d'une voix étrangement tendue. Après examen, on décida qu'il ne s'agissait pas d'un pénis, mais Marilyn continuait de demander : « Qu'est-ce que vous en pensez, docteur ? Qu'est-ce que cela peut bien *signifier* ? »

Rosten eut le sentiment que Marilyn cherchait des réponses à ce qui n'en avait pas. « Elle était en train de se désagréger. » Il ignorait pourtant tout de ses rapports compliqués avec les Kennedy, des écoutes électroniques et des forces maléfiques qui tourbillonnaient autour d'elle.

Marilyn venait en revanche de parler à son ami Sydney Skolsky de sa liaison avec le président. Elle l'appelait invariablement chaque week-end dans une atmosphère d'intrigue telle que le journaliste finit par demander à sa fille d'écouter aussi ce qu'elle disait.

Skolsky a écrit plus tard : « Plus elle montait haut, plus elle se perdait. Comme le léopard d'Hemingway sur le Kilimandjaro. »

39

Cependant Marilyn devait faire un film. Quelques mois plus tôt, dans un salon du Beverly Hills Hotel, elle avait vidé trois bouteilles de champagne, avec le concours paternel de Nunnally Johnson, scénariste de deux de ses précédents films. On discutait à présent de *Quelque chose doit craquer*, que la Twentieth Century Fox entendait lui faire tourner, et dont Greenson espérait qu'il la ferait sortir d'elle-même.

Marilyn ne plaçait pas de grands espoirs dans ce film, seconde mouture d'une comédie de 1939, *My Favorite Wife*, histoire d'une femme supposée morte depuis des années, qui revient chez elle le jour où son époux se remarie. En choisissant Henry Weinstein (un ami de Greenson) pour producteur et Nunnally Johnson comme scénariste, le studio espérait la convaincre d'accepter. C'était l'époque où Marilyn souffrait terriblement du remariage d'Arthur Miller ; cependant, Johnson — et le champagne — emportèrent la décision.

« Cela faisait deux ans qu'elle était en perte de vitesse, a expliqué Johnson quelque temps plus tard, et elle était convaincue que ce film la ramènerait au tout premier plan. »

Le jour où, ayant terminé son scénario, il quitta la Californie, Marilyn se leva exceptionnellement tôt pour aller le saluer. Elle franchit la réception de son hôtel en déclarant qu'elle était une prostituée, puis, « pleine d'allégresse », elle l'accompagna à l'aéroport. Après le départ de Johnson, tout se dégrada très vite.

Marilyn avait confiance en son metteur en scène, le grand George Cukor, qui l'avait dirigée dans *Le milliardaire*. Une suite de désaccords sur le scénario dissipa bientôt toute entente. Cukor jugeait que l'histoire n'était pas au point. Début avril, deux mois avant le début du tournage, on demanda à un nouveau scénariste de tout réécrire. Ces modifications angoissèrent Marilyn — d'autant plus que Nunnally Johnson, son ami, n'était pas là pour la soutenir.

Weinstein, le producteur, avait craint le pire quelques semaines plus tôt, le jour où il avait personnellement sauvé Marilyn qui avait encore une fois avalé trop de barbituriques. Il comprenait désormais qu'elle était « vraiment très malade, atteinte de paranoïa ».

On envoya à Marilyn les dialogues qui la concernaient, en lui suggérant d'annoter d'un X les répliques qu'elle ne « sentait » pas, et d'un double X celles qui ne lui convenaient pas du tout. Au grand dam de Weinstein, elle crut comprendre

354

qu'on voulait faire une croix sur elle — voire une double croix ! Il fallut l'intervention de Greenson pour la rasséréner.

Walter Bernstein, le nouveau scénariste, la trouvait, tout à la fois, « hésitante, soumise et intransigeante ».

« N'oubliez pas que vous avez Marilyn Monroe, lui dit-elle un jour où elle insistait pour porter un bikini dans une scène. Il faut en tirer parti. »

Elle se convainquit que sa partenaire Cyd Charisse voulait être blonde, comme elle. Lorsqu'on lui assura qu'elle serait châtain clair, elle répliqua d'un air entendu : « C'est dans son *inconscient* qu'elle veut être blonde. »

Soucieuse de ne prendre aucun risque, la production fit teindre aussi d'une couleur plus foncée les cheveux de l'actrice quinquagénaire qui devait tenir le rôle de la maîtresse de maison ! Et on demanda au scénariste de supprimer toutes les répliques pouvant laisser entendre que Dean Martin (à l'écran le mari de Marilyn) éprouvait de l'attirance pour d'autres femmes.

Si la Fox était prête à toutes les concessions, elle ne pouvait rien en revanche contre l'absentéisme de Marilyn. En trente-cinq jours de tournage, elle ne se montra que douze fois sur le plateau.

Elle prétextait une maladie. Elle avait rapporté du Mexique un virus qui lui causait des crises de sinusite et de subites poussées de fièvre. Sa température devint la préoccupation quotidienne de tous. Il fut convenu que la star travaillerait, sauf si le thermomètre indiquait plus de 37° 1. Et l'on voyait les dirigeants de la Fox arpenter les couloirs, attendant anxieusement la réponse des médecins du studio.

Un jour, apprenant que Dean Martin avait un rhume, elle quitta le plateau, alors que les médecins lui assuraient qu'il n'y avait aucun risque de contagion. Une autre fois, son ami Billy Travilla marchait vers la sortie des studios lorsqu'une limousine s'arrêta près de lui. La vitre s'abaissa et Marilyn le héla joyeusement : « Billy ! Billy ! » Puis, au bout d'une minute de conversation, elle se plaqua la main sur la bouche. « Mon Dieu ! fit-elle, j'avais oublié. Je n'ai pas de voix aujourd'hui. »

Lorsqu'elle arrivait le matin, on la voyait parfois debout près de l'entrée, secouée de haut-le-cœur. Weinstein, homme d'une grande bonté, attribuait cela à un terrible trac. «Peu de gens font l'expérience de la terreur, observe-t-il aujourd'hui. Tous nous connaissons l'angoisse, la tristesse, la déprime, mais là il s'agissait d'une terreur absolue, essentielle. »

Le point d'ancrage de Marilyn, si tant est qu'elle en eût un, était le Dr Greenson. Elle le voyait presque chaque jour ; les séances pouvaient durer maintenant quatre, cinq heures. «J'étais devenu prisonnier d'une forme de traitement que je jugeais convenable pour elle, mais invivable pour moi, devait-il écrire plus tard. Parfois, je me disais : non, ce n'est plus possible ! »

La femme de Greenson était souffrante ; et il avait dû plusieurs fois repousser ses vacances avec elle afin d'assister Marilyn jusqu'à la fin du tournage. Le 10 mai, l'ayant confiée à un collègue, il partit pour l'Europe avec son épouse.

Le jour même, le «virus» de Marilyn paralysa le tournage. Une semaine plus tard, elle se sauva sur la côte est où elle devait faire son ultime apparition mémorable en public.

Quelque temps avant, elle avait demandé, avec des airs de conspirateur, au couturier Jean-Louis de créer pour elle une robe extraordinaire. «Elle avait choisi un tissu très fin, transparent, et cousu de petits cristaux qui devaient scintiller sous les projecteurs. Cela lui a coûté dans les cinq mille dollars. Elle tenait à ne rien porter dessous. De dos, ce n'était pas très joli ; en revanche de face... »

Lors d'une séance d'essayage, on vint dire à Marilyn qu'il y avait un coup de téléphone pour elle, de Hyannisport. Jean-Louis savait qu'il s'agissait de la résidence des Kennedy dans le Massachusetts ; à voir la joie de Marilyn, il comprit à quoi était destinée cette robe. Elle prit le combiné et se mit à chanter : «*Joyeux anniversaire, monsieur le prési* — » Puis elle se reprit en riant : «Oh là là, qu'est-ce que j'ai failli dire ! »

Quinze mille démocrates se réunissaient le 19 mai au Madison Square Garden pour célébrer l'anniversaire de leur chef. Henry Fonda, Ella Fitzgerald, Peggy Lee et Maria Callas devaient se produire à cette occasion. «Ce serait amusant, non ? que Marilyn Monroe vienne chanter *Joyeux anniversaire* », avait suggéré Peter Lawford.

Ce projet arriva aux oreilles des producteurs de *Quelque chose doit craquer*. Ils protestèrent avec véhémence. Mais Weinstein se laissa berner par Marilyn qui prétexta des règles douloureuses pour ne pas aller travailler. Lorsqu'il se dit : « Mais enfin, le mois dernier elle n'a pas eu ce problème ? » il était déjà trop tard.

Cependant, Marilyn était de nouveau en proie à ses propres terreurs. Assistée de Joan Greenson, elle avait pendant des jours répété « *Joyeux anniversaire* », faisant de cette rengaine une sorte de chant d'amour. Souvent, sa voix s'étranglait, et elle disait alors que jamais elle n'arriverait à chanter devant le président.

Arrivée à Manhattan, elle se mit à répéter de plus belle. L'heure approchant, elle se rassurait à grandes rasades d'alcool. Lorsqu'elle arriva en coulisses au Madison Square Garden, elle était ivre. Littéralement cousue dans sa robe, elle pouvait à peine bouger.

Assis dans la loge présidentielle, les pieds sur la rambarde, John Kennedy fumait le cigare d'un air satisfait.

Le spectacle battait son plein quand Peter Lawford vint au micro pour annoncer :

« Monsieur le Président, à l'occasion de votre anniversaire, cette belle dame n'est pas seulement resplendissante, mais également ponctuelle. Monsieur le président... Marilyn Monroe ! »

Ce fut un tonnerre d'applaudissements, mais personne n'entra en scène. Quelques numéros plus tard, Lawford se racla la gorge, jeta un coup d'œil derrière lui et annonça une nouvelle fois :

« Et voici une dame dont on peut vraiment dire qu'on n'a pas besoin de la présenter ! »

Roulement de tambour. Toujours personne. En fait Marilyn réussit à clore le gala. Lawford vint faire sa dernière annonce :

« Monsieur le président, dans l'histoire du spectacle aucune femme peut-être n'a compté autant, autant fait — (de petits rires parcoururent l'assistance). Monsieur le président, voici Marilyn Monroe ! »

En coulisses, l'agent de Lawford, Milt Ebbins, dut pratiquement pousser Marilyn sur scène. Pendant une bonne trentaine de secondes elle reprit ses esprits, puis d'une petite voix

357

hésitante elle chanta le célèbre refrain qui fut repris en chœur par les spectateurs.

John Kennedy fit cette déclaration :

« Je vous remercie. Maintenant que l'on m'a souhaité mon anniversaire de façon aussi charmante, je peux me retirer de la politique. »

En dépit de ces circonstances exceptionnelles, la première dame du pays était absente. Elle faisait du cheval en Virginie.

Un peu plus tard, en coulisses, Marilyn présenta au président son ex-beau-père, Isadore Miller. Puis elle se rendit à une petite soirée donnée par Arthur Krim, président de United Artists. Arthur Schlesinger, alors conseiller spécial de la Maison Blanche, put l'y observer :

« J'ai été séduit par sa façon d'être, et par son esprit à la fois candide et pénétrant, a-t-il écrit. Elle baignait cependant dans une inquiétante atmosphère d'irréalité ; on avait l'impression de parler à quelqu'un qui se fût trouvé sous l'eau. »

Adlai Stevenson, représentant des Etats-Unis à l'ONU, se souvenait de n'être parvenu à l'approcher « qu'après avoir franchi l'espèce de barrage établi par Robert Kennedy, qui tournait autour d'elle comme un papillon de nuit autour d'une flamme ».

Considérant qu'il faisait partie de ces « papillons », Schlesinger nota dans son journal : « Bobby et moi avons affecté d'être en compétition pour elle ; elle s'est d'abord montrée charmante, avec l'un et l'autre, puis elle s'est retirée dans sa propre brume scintillante. »

Marilyn fut de retour à Hollywood le lundi matin. Le lendemain, un grand silence se fit sur le Plateau 14 de la Twentieth Century Fox. Marilyn, apparemment en grande forme après son voyage dans l'Est, devait jouer nue une scène de baignade nocturne. Elle entra d'abord dans l'eau vêtue d'un bikini couleur chair. Mais le cameraman se plaignit qu'il était évident qu'elle portait un maillot de bain. Marilyn s'entretint avec George Cukor, le metteur en scène, et disparut dans sa loge.

De retour quelques minutes plus tard, elle entendit un électricien crier à l'éclairagiste que l'un des projecteurs n'était pas assez fort. « Bobby, lança-t-il, tu veux pousser un peu le 10-K ? »

« J'espère que Bobby est une fille », fit Marilyn en riant. Puis elle laissa tomber son peignoir bleu et entra nue dans l'eau.

Cukor avait, sans fournir d'explications, fait sortir tous les badauds. Et c'est ainsi que trois photographes, venus faire un travail de routine pour les studios, prirent les premiers nus de l'actrice depuis le fameux calendrier.

L'un d'eux, William Woodfield, m'a dit : « Nous ne nous attendions pas du tout à ce qui allait arriver. Tant qu'elle était dans l'eau, on ne voyait pas grand-chose. Quand elle est sortie de la piscine, nous nous sommes tout de suite aperçus qu'elle n'avait rien sur elle. Nous l'avons ''mitraillée'' tant que nous pouvions ; l'instant d'après elle avait disparu. »

La nouvelle que Marilyn avait joué nue se répandit rapidement. La Fox bénéficia d'une publicité bienvenue ; on fit force commentaires sur le bon état de conservation de l'actrice, et le monde fut informé que ses mensurations étaient restées — ô miracle ! — 94-53-89. Le mois suivant, *Life* publia, sans toutefois outrepasser les règles de la bienséance, une série de photos révélant qu'elle s'était effectivement montrée nue.

Ce jour-là, Woodfield et ses collègues se précipitèrent au labo avec le sentiment très net d'être tombés sur une mine d'or.

« Certaines de ces photos révélaient le bout de ses seins et ses fesses, raconte Woodfield. Nous ne pouvions donc pas les rendre publiques sans son autorisation. Alors nous sommes allés la voir. En gros, elle nous a dit : « Ecoutez les gars, ce que je veux c'est virer Liz Taylor des couvertures des magazines du monde entier. Je vais regarder vos photos et retirer celles qui ne me plaisent pas, et vous me ferez paraître en couverture. »

Les trois photographes organisèrent bien leur opération. Après que Marilyn eut visé les clichés (elle en écarta fort peu), ils firent monter la sauce en plaçant les originaux dans un coffre à la banque. Puis ils envoyèrent quelques tirages à Hugh Hefner, directeur de *Playboy*, alors le seul marché possible aux Etats-Unis pour ce genre de photos. Hefner leur proposa le prix record de 25 000 dollars, et les ventes globales se chiffrèrent à plus de 150 000 dollars.

Lorsqu'en 1949 Norma Jeane avait posé pour le fameux calendrier, elle avait touché cinquante dollars, et le photographe deux cents. *Playboy* publia les photos avec un retard de plus d'un an, ce qui constitua un intervalle convenable après la mort de Marilyn.

Le 1er juin, Marilyn eut trente-six ans. Ce soir-là, coiffée d'un béret de vison, elle écouta, très émue, l'équipe du film lui chanter « *Joyeux anniversaire* ». Evelyn Moriartry, sa doublure, s'était occupée du gâteau, qui était décoré de deux figurines représentant Marilyn dans des scènes du film, l'une en désha-billé, l'autre en bikini.

Plus tard dans la soirée, au Dodger Stadium, Marilyn donna le coup d'envoi d'un match de base-ball organisé au profit de « l'Association contre la Dystrophie musculaire ». Les respon-sables de la production, craignant qu'elle ne retombe malade, l'avaient suppliée de ne pas s'y rendre. Elle avait tenu bon, en partie parce qu'elle avait promis d'y emmener le jeune fils de Dean Martin. Ensuite elle dîna avec un ami, puis elle ren-tra chez elle pour sabler le champagne en compagnie de Danny et Joan Greenson (tous trois assis sur des cartons parce qu'il n'y avait pas encore de chaises).

Ils lui offrirent une coupe sur laquelle ils avaient fait graver son nom. « Désormais, dit-elle, tout en buvant je pourrai me souvenir de qui je suis. »

Quarante-huit heures plus tard, Marilyn appela les enfants Greenson. D'une voix pâteuse, elle leur dit qu'elle avait le cafard. Ils vinrent en hâte la retrouver.

« Elle était au lit, toute nue, avec un drap ramené sur le corps (Danny Greenson). Sur les yeux, elle avait un de ces masques de feutrine noire. C'était la scène la moins érotique qui se puisse imaginer. Elle touchait le fond du désespoir. Elle n'arrivait pas à dormir — c'était le milieu de l'après-midi — et elle ne ces-sait de se déprécier. Elle disait n'être qu'une épave ; elle disait qu'elle était laide, que les gens n'étaient gentils avec elle que par intérêt ; elle répétait qu'elle n'avait personne. Elle parla aussi du fait qu'elle n'avait pas d'enfants. Ce n'était qu'une litanie d'idées noires. Et elle répétait qu'elle n'avait plus envie de vivre. »

Rien de ce que dirent Danny et Joan Greenson ne put lui remonter le moral. Leur père étant à l'étranger, ils appelèrent un de ses confrères dont la première initiative fut de confisquer les nombreuses fioles qui se trouvaient sur la table de nuit. Ayant fait leur possible, les jeunes Greenson s'en allèrent.

La crise se poursuivit durant tout le week-end. Paula Strasberg avertit les studios que Marilyn était souffrante. Le lendemain, incapable de téléphoner elle-même, Marilyn demanda à Eunice Murray d'appeler le Dr Greenson en Europe pour lui poser une série de questions. Eunice Murray ne se souvient plus du contenu de ces questions.

Le jeudi de la semaine suivante, coiffée de sa perruque noire, Marilyn alla passer une radiographie du nez. Elle consulta également le Dr Michael Gurdin, chirurgien esthéticien, au sujet d'une blessure au nez. Gurdin se souvient qu'elle lui dit « avoir glissé dans sa douche ». Mrs. Murray n'a pas souvenance ni de cette blessure ni de ces visites aux médecins.

Cependant, à la Twentieth Century Fox, le rideau était en train de retomber sur la carrière de Marilyn. Les producteurs venaient de visionner les rushes de *Quelque chose doit craquer* ; ils avaient trouvé le jeu de Marilyn « empreint d'une sorte de lenteur qui évoquait un état hypnotique ». On parlait de la remplacer.

Le Dr Greenson appela Henry Weinstein (le producteur) pour lui dire qu'il rentrait. Il promit que Marilyn serait sur le plateau dès le lundi suivant.

Son avion se posa à Los Angeles en fin de soirée. Il se rendit directement chez sa patiente. Mais il arrivait trop tard. Le contrat de Marilyn avait été dénoncé le vendredi. Peu de temps après, le film fut annulé.

« Nous ne sommes plus maîtres du *star system*, déclara Peter Levathes, vice-président de la Fox. On a laissé les pensionnaires diriger l'asile, et ils l'ont détruit. »

Le film s'effondrait dans une tempête de récriminations et de recours en justice. Les studios portèrent plainte contre Marilyn, demandant un demi-million de dollars de dommages et intérêts. Dean Martin, qui refusa de tourner avec une autre actrice, fut lui aussi poursuivi.

Les membres de l'équipe du tournage firent passer dans *Variety* un communiqué par lequel ils « remerciaient » Marilyn de les avoir mis au chômage. A tous, elle envoya un télégramme disant : «Je vous supplie de me croire. Ce n'est pas ma faute. J'avais tellement envie de travailler avec vous. »

Frank Sinatra demanda à Milton Rudin, son avocat, qui était aussi celui de Marilyn, d'intercéder auprès de la Fox.

Moins de deux mois plus tard, à l'occasion de sa mort, on allait dire qu'elle avait succombé à une dépression provoquée par un grave revers professionnel. En fait, elle n'en fut pas très longtemps chagrinée. Les producteurs comprirent très vite qu'elle était irremplaçable, et l'on commença bientôt à négocier en vue de sa réintégration.

Deux semaines après son renvoi, elle accorda une série d'interviews (assorties pour certaines de séances de prises de vues) à trois magazines de premier plan : *Life, Vogue* et *Cosmopolitan.*

Pour *Vogue*, elle sacrifia une dernière fois à ses tendances exhibitionnistes. Un soir au Bel-Air Hotel, elle s'enferma seule avec un photographe et quelques bouteilles de champagne. Elle posa allongée sur des fourrures, d'abord voilée d'un linge transparent, puis entièrement nue. Sa lassitude, sa cicatrice sur le ventre (souvenir de son opération de la vésicule) n'échappèrent pas à l'objectif; mais Bern Stern, le photographe, dit percevoir en elle une dimension immortelle.

«Marilyn avait le pouvoir, a-t-il écrit vingt ans plus tard. Elle était le vent, cette image de comète que Blake fait souffler autour des figures sacrées. Elle était la lumière, la déesse, la lune. L'espace et le rêve, le mystère et le danger. Mais aussi tout le reste, Hollywood y compris, y compris la fille de la porte à côté que chacun de nous a envie d'épouser. S'il n'avait tenu qu'à moi, j'aurais laissé tomber mon appareil, pour fuir avec elle et vivre heureux jusqu'à la fin de mes jours...»

Un autre journaliste se montra moins enthousiaste. *Life*, qui préparait une série d'articles ayant pour thème la gloire, envoya un reporter à Los Angeles. Richard Meryman venait de quitter la fonction de responsable de la rubrique «Convenances et Bonnes Mœurs» du magazine. Il loua un magnétophone (ne sachant même pas comment ça marchait) et se rendit à Brentwood. L'interview qu'il fit de Marilyn, et qu'elle put voir imprimée peu de jours avant sa mort, est considérée comme son «dernier» testament public.

« J'ai été frappé, dit aujourd'hui Meryman, par l'aspect ter-
reux de son visage, sans vie, inerte. Sa peau n'était ni blanche
ni grise ; on aurait dit qu'elle ne s'était pas démaquillée depuis
très, très longtemps. De loin, elle était superbe, mais dès que
l'on étudiait son visage de près, on lui trouvait l'apparence du
carton. Ses cheveux étaient sans vie, sans tonus, comme des
cheveux qui ont été oxygénés, mis en plis, séchés des milliers
de fois. »

Meryman et Marilyn s'entendirent parfaitement. Elle lui
avait demandé de lui faire connaître ses questions à l'avance,
et ses réponses, à elle, étaient toutes prêtes. Peu à peu, elle
se détendit. Meryman l'écouta bavarder avec une amie au téléphone ; son rire aigu se répercutait dans les pièces vides de la
maison, un rire prolongé qui paraissait un peu forcé et sonnait faux.

Pat Newcomb fut présente durant toute l'interview ; elle
n'intervint pas, mais demeura parfaitement attentive. Elle était
devenue la dernière amie de Marilyn. De temps à autre, elle
haussait discrètement les épaules, en regardant le journaliste,
comme pour dire : « Qu'y puis-je ? »

Marilyn dit à Meryman qu'elle ne voulait pas qu'on prenne
sa maison en photo. « Je ne tiens pas à ce que tout le monde
sache où je vis. » Elle lui parla de son enfance malheureuse.
Elle lui parla aussi de son métier, de sa soumission aux désirs
de son public plutôt qu'aux exigences des studios.

« J'ai toujours pensé, déclara-t-elle, que les gens doivent
en avoir pour leur argent ; cela, c'est une obligation. Je
m'émeus parfois de la responsabilité qui est la mienne lors du
tournage de certaines scènes discutables ; et je me dis alors :
mon Dieu, pourquoi n'es-tu pas devenue simple femme de
ménage ? Je crois que tous les acteurs connaissent cela. Non
seulement nous voulons être irréprochables, mais il faut que
nous le soyons... »

« La célébrité peut être un fardeau, dit encore Marilyn. Mais
si être belle et sexy constitue un fardeau, je le trouve bien léger
à porter. A l'origine nous sommes tous des créatures sexuées,
Dieu merci, mais il est regrettable que tant de gens méprisent
et répriment en eux ce don naturel. L'art, le vrai, vient de là.
Tout vient de là. »

Marilyn parla avec tristesse des enfants qu'elle avait trouvés puis perdus de vue lors de ses mariages, d'abord avec DiMaggio, puis avec Miller. Elle revenait toujours sur le sujet des «gosses, des vieux et des ouvriers», — ces gens qui ne représentaient aucune menace pour elle, qui la comprenaient.

En partant, tard ce soir-là, Meryman promit de revenir le lendemain avec une transcription de l'interview. Marilyn en fut heureuse. «Je ne dors pas très bien, lui dit-elle. Cela me fera quelque chose à lire la nuit.»

En regagnant son hôtel, Meryman avait le sentiment d'avoir rencontré quelqu'un de sympathique et de «très intelligent». «J'ai très vivement ressenti qu'à tout moment Marilyn savait ce qu'elle faisait. Elle modelait son image à mon intention et à l'intention des lecteurs de *Life*.»

Il retourna la voir plusieurs fois. Elle relut très attentivement la transcription de l'interview et n'y changea que peu de choses. Elle semblait se soucier tout particulièrement de ne rien dire qui pût blesser les enfants de ses deux ex-maris, et elle corrigea certains passages avec tact et honnêteté.

«Lors de ma dernière visite, dit Meryman, elle m'a raccompagné jusqu'à la porte et s'est mise à me parler des fleurs du jardin. Ensuite, elle est restée là, me regardant descendre l'allée. Au dernier moment, elle m'a rappelé pour me lancer : ''Merci, hein!'' J'avais de la pleine pour elle. Son côté petite fille était à vous briser le cœur.»

Ce n'était cependant pas le seul sentiment de Meryman :

«J'étais content d'en avoir terminé. Je n'aimais pas l'atmosphère de cette maison. Elle avait quelque chose de morbide qui me mettait mal à l'aise. C'était comme une île, une forteresse. On avait l'impression que Marilyn y était retranchée du monde.»

Marilyn donna à Meryman une réplique qui s'adaptait parfaitement au thème de *Life* : «La gloire passe. Mais jusqu'ici, je t'ai eue et t'ai, Gloire! Elle peut s'en aller : j'ai toujours su qu'elle était inconstante. Au moins, j'en aurai fait l'expérience, mais ce n'est pas là que se place ma vie.»

Cela ressemblait aux dernières paroles d'un mourant, et c'est ainsi qu'elles furent considérées par la suite.

«Aujourd'hui, avait ajouté Marilyn, ma vie est dans mon

travail et dans l'amitié que je porte aux quelques êtres sur qui je peux compter. »

Mais il n'y avait plus de travail ; et, pour les quelques amis, elle les recherchait désespérément.

40

Au cours de la séance de prises de vue pour *Vogue*, le photographe trouva Marilyn pensive et renfermée, alors qu'il la voulait joyeuse, vivante. Il demanda à Pat Newcomb de la dérider. « Et les deux amours de ta vie ? » demanda celle-ci. Cela fit rire Marilyn. Le photographe ne comprit pas, mais il put prendre la photo qu'il désirait.

Dans *Quelque chose doit craquer* Marilyn devait être la seule rescapée d'un naufrage, coupée du monde pendant des années. Elle devait demander à ses sauveteurs : « Qui est président ? » Puis, apprenant que c'était Kennedy, elle demandait : « Quel Kennedy ? » Ses amis auraient pu lui poser la même question.

A l'occasion du gala pour l'anniversaire du président, les rumeurs allèrent bon train à New York. Depuis, la légende a placé Marilyn tantôt dans le lit de Robert, tantôt dans celui de John. Susan Strasberg se souvient qu'après cette soirée le président et Marilyn prirent congé relativement tôt et s'en furent chacun de son côté.

Le *New York Times* rapporta que le président avait regagné son hôtel, le Carlyle, à deux heures du matin. Son récent biographe, Ralph Martin, cite un témoin anonyme qui affirme que Marilyn vint l'y rejoindre. Si ce fut le cas, ils ne passèrent toutefois que peu de temps ensemble.

Jim Haspiel attendait Marilyn cette nuit-là devant chez elle. Après avoir assisté au spectacle du Madison Square Garden, il espérait pouvoir bavarder avec elle lorsqu'elle rentrerait. Elle arriva peu après quatre heures en limousine, ses souliers à la main.

« Elle était complètement décoiffée, se souvient-il. Ses cheveux étaient comme crêpés, on aurait dit de la barbe à papa. »

Quoi qu'il se soit passé cette nuit-là, les extravagances présidentielles continuaient de plus belle. Selon certaines allégations, un facteur supplémentaire était venu aggraver le dangereux scénario dont Marilyn et John Kennedy étaient les acteurs : la consommation de drogue.

D'après plusieurs témoignages, du début de 1962 jusqu'à sa mort, le président aurait eu à Washington une liaison avec une certaine Mary Meyer. Celle-ci, plus âgée que la plupart de ses autres maîtresses, l'avait connu à l'université. Vers le milieu des années cinquante, au terme d'un mariage raté avec un haut responsable de la CIA, elle était venue s'établir en Virginie où elle eut pour voisins Robert Kennedy et sa famille. Au temps de la présidence, elle menait l'existence d'un peintre dilettante, ami des célébrités. Une de ses amies était Jackie Kennedy, à qui elle rendit plusieurs fois visite à la Maison Blanche.

Dans les années 70, au cours d'une controverse concernant la nature des relations entre Meyer et Kennedy, un ami intime de Meyer fit sensation en déclarant qu'elle avait fait connaître au président le cannabis. Selon cet homme, Mary Meyer aurait apporté six cigarettes de marijuana à la Maison Blanche. Elle les aurait fumées en compagnie du président, et celui-ci aurait plaisanté au sujet d'une conférence sur les stupéfiants qu'il devait faire prochainement.

En 1982, lors d'une nouvelle enquête sur les circonstances de la mort de Marilyn, Peter Lawford a déclaré qu'un soir de 1961, chez lui, Marilyn et Kennedy eurent une longue discussion sur les différents calmants et excitants.

Mary Meyer ne survécut pas longtemps à Marilyn. Elle fut abattue en 1964, dans des circonstances qui ne furent jamais totalement élucidées. Son nom apparaît dans l'autobiographie de Timothy Leary (publiée en 1984), psychologue connu pour ses expériences et ses prises de position en faveur des drogues psychédéliques, en particulier le LSD.

Leary rapporte que Mary Meyer vint le voir au printemps 1962, alors qu'il était directeur de recherches à l'université Harvard. Elle lui parla d'un de ses amis, « un homme très

366

important (...) un personnage public », qui, très impressionné par ce qu'il avait entendu dire sur le LSD, désirait en faire l'expérience.

Quelque peu intrigué, Leary accepta de lui fournir du LSD. Il revit plusieurs fois Mary Meyer dans les mois qui suivirent. Il rencontra également Marilyn Monroe.

Cette rencontre eut lieu en mai, probablement peu de temps avant qu'elle chante pour le président. C'était l'époque où Leary commençait à devenir le « pape » de la contre-culture des années soixante.

Sur la côte est, ses recherches avaient eu surtout un caractère académique. Et voici qu'arrivant en Californie, il avait la surprise de se voir fêté comme un gourou par des gens, appartenant pour la plupart au monde du spectacle, qui avaient goûté aux drogues psychédéliques. Certains se droguaient même avec l'aval de psychiatres de renom.

Leary rencontra Marilyn à Hollywood, vers la fin d'une soirée où se trouvaient nombre de scientifiques et de célébrités, dont Jennifer Jones et Dennis Hopper.

« J'étais fourbu, raconte Leary. On m'avait trimballé d'un bout à l'autre de la ville, j'avais visité un des grands studios, puis durant toute la soirée on m'avait bombardé de questions sur la drogue. Je suis allé m'allonger dans une chambre. Peu après, Marilyn est venue me réveiller. Je ne l'avais pas encore vue ; sans doute était-elle arrivée après que je me fus éclipsé. Elle voulait que je lui fasse essayer le LSD. »

Leary tenta de lui expliquer que ce n'était pas le genre de drogue qui se prend à la légère. Il ne lui en donna pas ce soir-là. D'ailleurs, ce fut Marilyn qui le pourvut en drogue : elle lui fit ingurgiter deux pilules de Mandrax. Ce sédatif était très apprécié à l'époque : combiné à l'alcool, il induit un état d'euphorie. Ces deux cachets plongèrent Leary dans un profond sommeil.

Le lendemain matin, Marilyn l'appela chez ses hôtes. Ils déjeunèrent ensemble dans un restaurant de Sunset Boulevard.

Leary, frais et dispos grâce au Mandrax, jugea Marilyn « pleine de contradictions. Drôle et espiègle, mais très fine ». Il la trouva cependant un peu « paumée » ; il ignorait toutefois qu'elle suivait une psychothérapie intensive, et il ne mesurait pas à quel point elle était perturbée.

367

Ce soir-là, il l'initia au LSD, «une très faible dose». Ils allèrent en voiture jusqu'à Venice, et se promenèrent sur la plage.

Grâce au témoignage de Leary, nous savons que deux des amies du président Kennedy, Meyer et Marilyn, s'intéressaient à la même époque au LSD. Que Marilyn, dans l'état mental où elle se trouvait, se soit adonnée à une telle drogue est proprement effarant.

Au tout début de la semaine qui suivit son renvoi de la Twentieth Century Fox, Marilyn prit l'avion pour New York. C'est vers cette époque qu'elle rencontra pour la dernière fois W.J. Weatherby.

«En l'approchant, j'ai tout de suite vu combien elle avait changé, raconte le journaliste anglais. Il se dégageait d'elle une impression d'usure, de grande fragilité. Incroyable qu'elle ait pu autant changer en une année.»

Comme ils s'entretenaient du remariage d'Arthur Miller, Marilyn déclara mystérieusement : «Je vais peut-être me remarier moi aussi. Le problème est qu'*il* est marié pour l'instant. Et il est célèbre; alors nous ne pouvons nous voir que dans le plus grand secret.» Elle ajouta que son amant était «dans la politique» à Washington.

Quelques minutes plus tard, elle se mit à chanter les louanges du président. Elle pensait que ce serait un «second Lincoln». Peu après, comme ils se promenaient dans Central Park, Weatherby osa lui demander si elle connaissait personnellement John Kennedy. Elle ne répondit pas et continua de jeter de la nourriture aux écureuils.

Henry Weinstein fait débuter le glissement fatal de Marilyn non pas au 8 juin, jour de son licenciement, mais au week-end précédent, au cours duquel elle toucha le fond du désespoir.

«Quelque chose s'est passé alors, estime Weinstein, quelque chose que nous ignorons. La seule personne qui est peut-être au courant est Pat Newcomb.»

Newcomb, attachée de presse de Marilyn, s'était pour ainsi dire installée à Brentwood. Selon Eunice Murray, elle fournissait à Marilyn des calmants en remplacement de ceux qu'avait confisqués le confrère de Greenson. Des jours durant,

368

elle dormit au pied du lit de Marilyn, tandis que celle-ci était plongée dans une sorte de coma.

Newcomb, qui était l'amie des Kennedy avant même de connaître Marilyn, ne nous apprend rien sur ce qui a provoqué cette crise subite. On remarque cependant que chaque dépression grave que connut Marilyn au cours de son existence fut causée par un événement bien précis : la perte d'un enfant ou l'échec d'une relation. Sa liaison avec les frères Kennedy avait-elle commencé de s'effondrer ?

Le 13 juin, elle expédia un étrange télégramme (voir page suivante) à Robert Kennedy, qui séjournait alors dans sa résidence de Virginie :

Chers Attorney général et Mrs. Robert Kennedy, j'aurais été ravie de me rendre à votre invitation en l'honneur de Pat et Peter Lawford. Malheureusement je suis engagée dans une action pour la défense des droits d'une minorité : les dernières Etoiles qui restent liées à la terre. Car enfin, tout ce que nous voulions, c'était notre droit à scintiller.

Marilyn Monroe.

Marilyn rencontra Robert Kennedy deux semaines plus tard. Il arriva à Los Angeles le soir du 26 juin ; il participait à une série de colloques sur le crime organisé.

Ils se virent d'abord chez les Lawford où elle arriva avec deux heures et demie de retard ; et, selon Eunice Murray, Kennedy se rendit le lendemain chez Marilyn.

Il vint seul, à bord d'une Cadillac décapotable. « Il avait l'air très jeune avec son pantalon de toile et sa chemisette. » Toujours selon Mrs. Murray, il ne resta qu'une heure, et Marilyn « ne semblait pas spécialement enthousiasmée de le voir ».

Au cours des cinq dernières semaines qui lui restaient à vivre, on ne vit pas Marilyn en compagnie de l'un ou l'autre des frères Kennedy. D'après la plupart des témoignages, elle sombrait dans un profond abattement dès qu'elle n'était plus en public.

Pat Lawford faisait son possible pour lui remonter le moral. Les Lawford l'invitèrent plusieurs fois à rester chez eux pour la nuit ; c'est en une telle occasion qu'ils purent mesurer l'étendue de son désespoir.

« J'ai le sommeil léger, m'a raconté Peter Lawford. Une nuit,

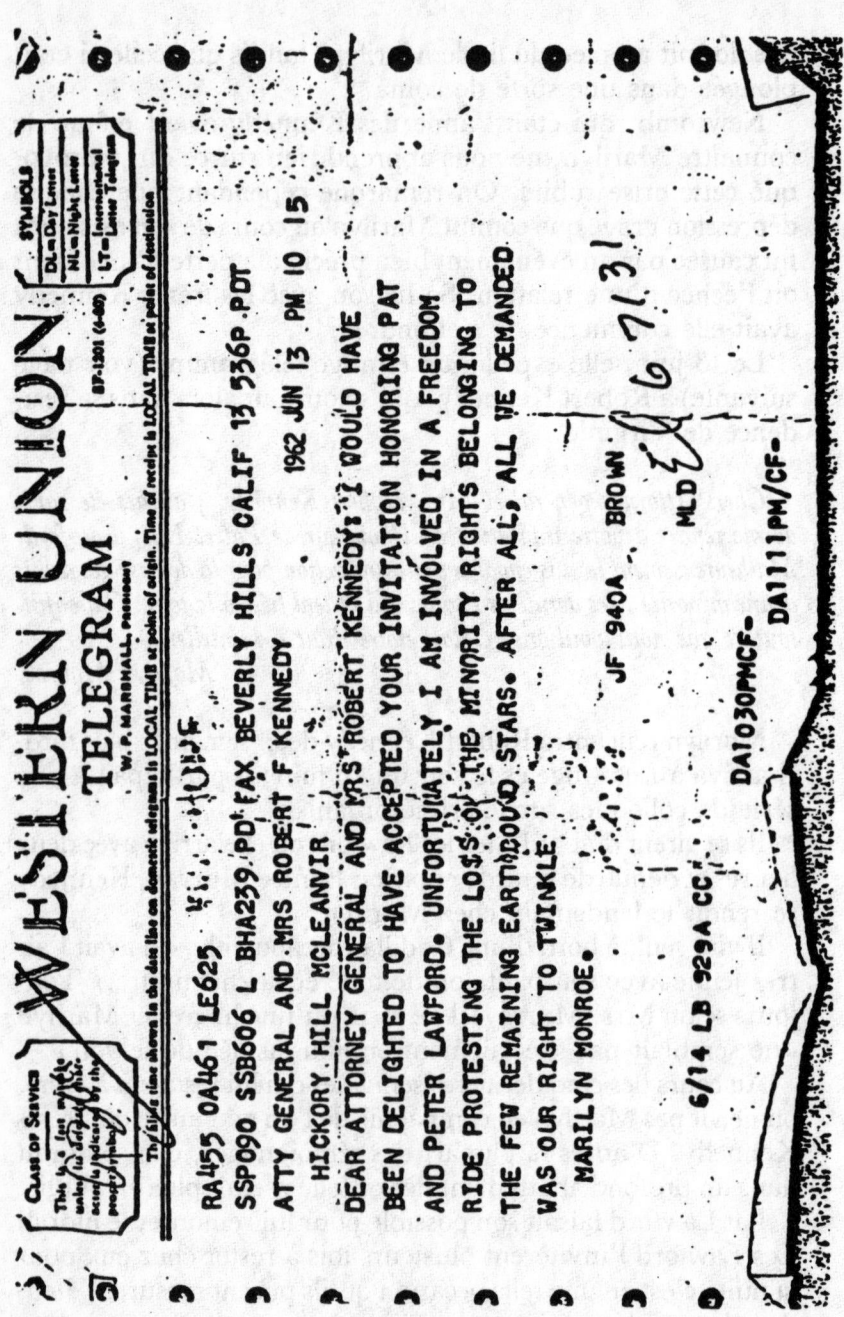

Divagations télégraphiques envoyées à Robert et Ethel Kennedy par Marilyn, moins de deux mois avant sa mort.

au point du jour, je me suis réveillé pour je ne sais quelle raison. Je regarde par la fenêtre, et je vois une silhouette debout sur la terrasse. C'était Marilyn. Elle était en peignoir et paraissait ivre. Alors je suis sorti et je lui ai demandé : Ça ne va pas ? Elle avait le visage inondé de larmes. Pat est arrivée, et nous l'avons ramenée à l'intérieur pour essayer de la consoler. »

Lawford affirmait tout ignorer de ce qui rendait Marilyn si malheureuse.

A partir du début de juillet, Marilyn vit vingt-sept fois le docteur Greenson et treize fois le docteur Engelberg, son médecin traitant, cela en trente-cinq jours. Il semblerait donc qu'elle demeura tout ce temps à Los Angeles. Nous savons cependant qu'elle s'en absenta au moins à trois reprises. Elle se rendit deux fois au Cal-Neva Lodge, le casino qui appartenait conjointement à Frank Sinatra et Sam Giancana.

Peter Lawford et son épouse l'y ont emmenée trois semaines avant sa mort, à l'occasion d'une représentation qu'y donnait Sinatra. Elle logea au Chalet 52, un des bungalows réservés aux invités. Le personnel se souvient d'une personne triste et effacée.

A l'époque, Mae Shoopman était caissière de l'établissement : « Marilyn Monroe n'allait pas bien du tout. Elle se dissimulait toujours sous un déguisement, la tête recouverte d'un foulard noir. Elle restait la plupart du temps enfermée dans sa chambre. On a d'ailleurs fini par s'inquiéter : elle s'endormait l'oreille collée à l'écouteur de son téléphone connecté au standard. A mon avis, elle avait peur de quelque chose, et c'était pour elle une façon de ne pas se sentir trop seule. »

Marilyn serait peut-être morte ce week-end sans l'intervention de la standardiste. Un soir, celle-ci entendit des bruits étranges, comme le son d'une respiration oppressée, sur la ligne du Chalet 52. Elle donna aussitôt l'alarme et Marilyn fut sauvée d'une nouvelle intoxication aux barbituriques.

Peter Lawford m'a affirmé qu'il n'avait appris ce qui était arrivé que le lendemain matin. A la police, il a déclaré que sa femme se trouvait dans la chambre de Marilyn ce soir-là et qu'elle comprit le danger quand celle-ci tomba de son lit.

S'il faut en croire Gloria Romanoff, également présente au

Cal-Neva Lodge : «Les souvenirs sont un peu brumeux, car tous buvaient beaucoup…

«Marilyn buvait du champagne et de la vodka, cela tout en prenant des somnifères. Je vois encore les Lawford la forcer à marcher, un soir après minuit, pour la maintenir éveillée. Je crois même qu'ils ont appelé Frank à la rescousse. Elle m'a dit un jour que son problème venait de ce qu'elle prenait des cachets depuis trop longtemps. Ils n'agissaient pas sur elle comme sur les autres. Ainsi, dès neuf heures du soir, elle commençait d'ingurgiter un dangereux mélange d'alcool et de somnifères.»

A peine tirée d'affaire, Marilyn fut conduite à l'aéroport de Reno, embarquée à bord de l'avion privé de Sinatra et remise entre les mains de ses médecins et d'Eunice Murray.

Aujourd'hui, Mrs. Murray ne se souvient pas de ce week-end au Cal-Neva Lodge. Elle n'a non plus aucun souvenir d'une circonstance essentielle, qui pourrait avoir été la cause première du désespoir de Marilyn : il est possible qu'elle ait été une nouvelle fois enceinte.

«Je voudrais être une femme à part entière et avoir un enfant», avait déclaré Marilyn lors de son voyage au Mexique. Elle n'avait pas perdu espoir en dépit de ses fausses couches et des avortements qu'elle avait subis. Au cours des derniers mois de sa vie, elle évoquait encore souvent son désir de maternité.

Fin juin, elle déclara au reporter-photographe George Barris : «Pour porter un enfant de lui, une femme doit aimer son compagnon de tout son cœur. Surtout s'ils ne sont pas mariés. Quand un homme quitte une femme parce qu'elle attend un enfant de lui, quand il ne l'épouse pas, elle doit en éprouver une grande douleur au plus profond d'elle-même.»

Plusieurs personnes interviewées pour ce livre pensent que Marilyn tomba enceinte vers le début de juin.

Arthur James rapporte qu'elle vint passer un week-end chez lui à Lugana Beach, «un mois, peut-être six semaines» avant sa mort. Etaient présents leurs amis communs, décédés dans les années soixante, Charlie Chaplin Jr. et Edward G. Robinson Jr.

372

« Il sautait aux yeux qu'elle avait des problèmes, dit James. Quelque temps avant, elle nous avait parlé de sa liaison avec Kennedy. Cette fois-ci, elle nous apprit qu'elle venait de perdre un enfant. J'en ai conclu qu'elle avait fait une fausse couche. »

Cependant le bruit courait que Marilyn s'était fait avorter. Un des photographes travaillant sur le plateau de *Quelque chose doit craquer*, Bill Woodfield, se souvient d'avoir appris — il croit que ce fut de la bouche de la coiffeuse Agnès Flanagan — que Marilyn avait « si triste mine » parce qu'elle venait de subir un avortement. Son interlocuteur précisa que l'opération avait été pratiquée au Mexique.

Ce témoignage est corroboré par Fred Otash. Un de ses « contacts » dans la police lui annonça que Marilyn avait avorté. « Un médecin d'ici est allé l'opérer à Tijuana ; cela lui permettait d'échapper aux lois américaines. »

En 1962, l'avortement était communément pratiqué dans les villes frontalières du Mexique. Le jour même de la mort de Marilyn, une Américaine ferait la une des journaux en allant se faire avorter en Suède, où cette pratique était légale !

Il n'existe pas de preuve objective de la grossesse de Marilyn. Son autopsie, effectuée le 5 août, n'a apporté aucun élément ni dans un sens ni dans l'autre ; il est vrai qu'un avortement correctement pratiqué, tout comme une fausse couche, ne laisse pas forcément de traces au bout de plusieurs semaines.

Les relevés téléphoniques de Marilyn montrent qu'elle appela plusieurs fois le Cedars-Sinai Hospital au cours du mois de juin, mais cela ne prouve rien.

Les sources citées jusqu'ici s'accordent pour attribuer la paternité à l'un des frères Kennedy, mais les avis diffèrent quant à savoir s'il s'agissait de John ou de Robert. Pour sa part, Arthur James crut comprendre que le « responsable » était Robert Kennedy.

En 1962, Michael Selsman travaillait pour Arthur Jacobs, ami proche de Marilyn qui s'occupait de ses relations avec la presse. Selsman était donc le collègue de Pat Newcomb. Il assista un jour à une discussion entre Jacobs et Newcomb au sujet de la liaison de Marilyn avec John, puis Robert Kennedy. Leur crainte était, rapporte Selsman, que cette liaison ne soit révélée au public, ce qui aurait fortement nui à leur image. Selsman ajoute qu'il entendit lui aussi dire que Marilyn avait subi un avortement au cours des derniers mois.

Arthur Jacobs est mort. Mais Natalie Jacobs, son épouse, est une importante source d'informations sur la dernière année de l'existence de Marilyn.

« Tous ceux qui la connaissaient bien, dit-elle, étaient au courant de ses relations avec les Kennedy. Elle était tellement malheureuse dans les derniers temps. Parfois Arthur et moi restions chez elle jusqu'à cinq ou six heures du matin à lui parler, pour essayer de l'empêcher de boire ou de prendre des somnifères.

« Arthur était absolument certain qu'elle avait une liaison avec le président. Il me racontait que John Kennedy venait la voir, la plupart du temps incognito. Ne me demandez pas comment il s'y prenait pour passer inaperçu — cela, Dieu seul le sait.

« Marilyn était follement éprise de lui. Pour lui, au contraire, il s'agissait plutôt d'une passade. Je ne sais pas exactement ce qu'il y avait entre elle et Bobby, mais je sais que Bobby allait la voir lui aussi. »

Natalie Jacobs entendit parler de la grossesse de Marilyn peu de temps avant sa mort. « Elle prétendait avoir fait une fausse couche. Mon mari ne savait pas s'il fallait la croire ou non. »

L'ami de Marilyn, Arthur James, est la seule personne qui dit avoir entendu parler de cette grossesse de la bouche même de l'actrice. Il n'est pas certain qu'elle lui ait dit la vérité. Il savait qu'elle avait de sérieux problèmes gynécologiques et qu'il lui arrivait ne pas avoir de règles pendant des mois.

Marilyn se livrait parfois à des accès de fabulation ; cette histoire de grossesse est donc sujette à caution.

Quoi qu'il en soit, le risque de scandale était grand, et il semble qu'enfin les Kennedy tentèrent de prendre leurs distances avec Marilyn.

Natalie Jacobs rapporte que dans les dernières semaines de sa vie, Marilyn essayait en vain de joindre les deux frères. « Je crois que c'est ce qui provoqua son ultime dépression, et mon mari pensait de même. »

Pendant le week-end qu'elle passa à Laguna Beach, Arthur James eut la même impression : « Elle parlait volontiers des

Kennedy, toujours avec affection et admiration. Mais elle était terriblement peinée qu'on lui ait dit de ne plus jamais chercher à les contacter. »

41

Selon Arthur Schlesinger, biographe de Robert Kennedy, Marilyn appelait Robert au ministère de la Justice en utilisant un nom d'emprunt. D'après Eunice Murray, Bobby lui avait communiqué un «numéro spécial» où l'appeler.

Les recherches menées dans le cadre de cet ouvrage ont permis de retrouver une bonne part des relevés téléphoniques de Marilyn Monroe, couvrant la période de juin à début juillet 1962. Il s'agit d'une liste d'appels établie par la police d'après les informations fournies par la General Telephone Company. Il en ressort qu'à partir du 25 juin Marilyn, pour appeler Bobby, n'utilisait plus un numéro spécial, mais celui du standard du ministère de la Justice (voir fac-similé page suivante).

L'appel porté au 25 juin ne dura qu'une minute. On répondit probablement à Marilyn que Robert Kennedy se trouvait déjà dans un avion à destination de la côte ouest via Chicago. Elle dînerait avec lui le lendemain soir chez les Lawford ; et le surlendemain, il viendrait la voir chez elle (voir les témoignages susmentionnés d'Eunice Murray et de son beau-fils).

Le 2 juillet, elle appelle deux fois très brièvement le ministère de la Justice ; Robert Kennedy venait de regagner Washington. Il y eut un appel le 16 juillet, alors que l'Attorney général s'apprêtait à partir pour Las Vegas ; puis encore deux autres appels le lendemain.

Pendant ce mois de juillet, Marilyn eut des contacts répétés avec Robert Slatzer. Comme on l'a vu plus haut*, j'ai pu retrouver plusieurs témoins qui attestent sa relation avec celui-

---

* Voir chapitre 11, page 104.

June 20	Brooklyn, N.Y.	675-1367
June 20	Brooklyn, N.Y.	Mrs. Rosten - Collect
June 25	Washington	RE 7-8200
July 2	Washington	RE 7-8200
July 2	Washington	RE 7-8200
July 6	San Diego	GR 6-1890
July 6	San Diego	DiMaggio - Collect
July 9	New York City	EL 5-2288
July 9	New York	MU 3-6522
July 16	Washington	RE 7-8200
July 16	New York City	OR 3-7792
July 17	Fullerton	TR 1-3190
July 17	Washington	RE 7-8200
July 17	Washington	RE 7-8200

LONG DISTANCE

MUNROE PHONE CALLS - PO BOX 6471
FROM TWO PHONES 6400 SUNSET:
4761890 & 472 4830 Hollywood 1

	7/18	NYC	BR 91195	3 "
	7/23	WASH (D.C)	RE. 78200	1 "
	7/28	NYC	PL. 92497	10 "
4830	7/30	NYC	LA. 41000	1 "
	7/30	WASH. (D.C)	RE. 78200	8 "
	7/30	BKLN	TR. 51367	13 "
	7/31	N.Y.C.	TR. 72212	11 "
	8/3	BKLN	TR. 51367	32 "
	8/4	ANAHE	GR. 61890	5 "

Kennedy?

Fragments de relevés téléphoniques de Marilyn retrouvés par l'auteur. Chacune de ces listes correspond à l'une des deux lignes téléphoniques de l'actrice. On remarque huit appels adressés au RE7-8200 qui était en 1962 le numéro du ministère de la Justice. L'annotation « Kennedy ? » (dans la marge de droite) a été portée par un enquêteur.

ci. En 1974, dans son ouvrage très controversé sur Marilyn, il affirme que, dans les dernières semaines de sa vie, elle lui fit part de la nature de ses relations avec les Kennedy et de la détérioration de ses rapports avec Robert*.

Ce livre a suscité beaucoup de scepticisme, ne serait-ce que parce que Slatzer recourt à une technique contestable : la reconstruction de longues conversations dont il est impossible de se souvenir mot pour mot. Cependant, à la lumière des informations que j'ai rassemblées, les affirmations de Slatzer semblent fondées.

Il rapporte cette confidence que lui fit Marilyn au sujet de Robert Kennedy : « Bobby m'ignore. J'ai essayé de l'appeler mais je n'arrive pas à le joindre. » Slatzer précise qu'elle lui dit cela dans la première quinzaine de juillet 1962, soit après que Kennedy eut fait changer le numéro de sa ligne privée.

Or les relevés téléphoniques montrent que c'est à cette époque que Marilyn se mit à utiliser le numéro de téléphone officiel du ministère de la Justice. Le fait que Slatzer ait émis ces affirmations avant la découverte desdits relevés plaide fortement en faveur de sa crédibilité.

Au cours de l'été 1962, préparant une série télévisée sur les animaux sauvages, Slatzer partageait son temps entre Hollywood et une salle de montage de Columbus. Vers la mi-juin, il rendit visite à Marilyn. Comme beaucoup d'autres, il avait entendu des bruits au sujet des Kennedy, et il lui demanda ce qu'il en était.

A son grand étonnement, Marilyn admit qu'elle avait une liaison avec Robert Kennedy. Elle pensait même pouvoir l'épouser un jour (ce qui rejoint les allusions qu'elle avait

---

* En 1972, lorsque ce livre qui traite en profondeur des relations de Marilyn avec les Kennedy fut terminé, Slatzer fut l'objet de menaces de mort visant à empêcher la publication dans une modeste maison d'édition californienne.
Deux individus se présentèrent au domicile de l'éditeur, Thom Montgomery et, faisant erreur sur la personne, molestèrent l'homme qui leur ouvrit la porte. Montgomery confirme cet incident et diverses autres menaces.
Presque au même moment cette maison d'édition fit faillite. Mais l'ouvrage fut publié deux ans plus tard, sans problème, par Pinacle House (*NdA*).

faites à Weatherby). Slatzer n'en croyait pas ses oreilles. Il lui dit qu'il était grotesque d'imaginer que l'Attorney général fût prêt à saborder sa carrière politique et, de plus, à mettre en péril celle du président. Mais Marilyn n'était pas femme à se ranger au « bon sens ».

Plusieurs semaines plus tard, elle appela Slatzer d'une cabine publique, pour le voir. Il croit se rappeler que c'était une dizaine de jours après la fête de l'Indépendance (4 juillet), et donc juste après la catastrophe évitée de justesse au Cal-Neva Lodge. Ce soir-là ils allèrent en voiture jusqu'au Cape Dume qu'ils avaient déjà visité dans le passé. Marilyn paraissait fatiguée et tendue. Lorsqu'elle dit que Robert Kennedy refusait de lui parler au téléphone, Slatzer lui conseilla de faire une croix sur l'Attorney général.

Marilyn était partagée entre tristesse et colère. Slatzer raconte qu'elle exhiba soudain un immense sac, capharnaüm de flacons de pilules et de produits de maquillage. Elle en sortit une liasse de papiers entourés d'un élastique. Il s'agissait de feuillets manuscrits à en-tête du ministère de la Justice. Marilyn dit que c'était les petits mots que lui avait envoyés Robert Kennedy. Slatzer ne put que les entrevoir. Marilyn lui montra ensuite « un petit livre rouge » qu'elle présenta comme son « journal ».

Slatzer put y jeter un coup d'œil. Il y lut le résumé de conversations entre Marilyn et Robert Kennedy, avec des allusions à Cuba, au débarquement de la baie des Cochons (opération remontant à l'année précédente), et à la détermination de l'Attorney général de mettre Jimmy Hoffa en prison.

Quelque peu interloqué, Slatzer demanda à Marilyn pour quelle raison elle avait pris ces notes. « Parce que Bobby aimait bien parler politique, répondit-elle. Et un jour, il s'est énervé après moi parce qu'il trouvait que j'oubliais tout ce qu'il disait. »

Beaucoup ont rejeté le récit de Slatzer à cause de cette simple anecdote : ils affirment que Marilyn n'était pas assez « organisée » pour tenir un journal de ce genre. Mais ils se trompent. C'est précisément parce qu'elle n'avait pas l'esprit d'organisation que Marilyn n'a cessé des années durant de prendre des notes. Il ne s'agissait pas, selon Slatzer, d'un journal tenu au jour le jour, mais plutôt de la consignation de faits marquants de sa vie.

Comme nombre de personnes l'avait déjà remarqué depuis 1951 (Ezra Goodman, James Bacon, Amy Greene, Susan Strasberg, Richard Gehman, et d'autres dont Slatzer, comme on vient de voir), Jeanne Carmen, sa voisine du 400 Doheny Road, m'a dit : « Elle tenait effectivement une sorte de journal ; souvent, elle disait : "Attendez, il faut que je note ça avant de l'oublier" ; et de sortir son carnet pour y consigner quelques lignes. Il pouvait s'agir de choses tout à fait banales. Une des fois où je l'ai vue en compagnie de Bobby, il raconta une histoire drôle sur la différence entre une épouse et une secrétaire. Aussitôt, elle a sorti son carnet. Bobby y a jeté un coup d'œil et a dit : "Tu ferais mieux de t'en débarrasser." Sur le moment j'ai pensé qu'il avait dit cela en l'air. Aujourd'hui, je me dis qu'il était peut-être plus sérieux qu'il n'y paraissait. »

Sans doute Kennedy n'échangeait pas que des facéties avec Marilyn. Sans dévoiler des secrets d'Etat, peut-être lui disait-il des choses qu'il eût été préférable de taire.

Deux personnes rapportent qu'à son arrivée au Mexique, Marilyn était encore toute pleine de la dernière conversation qu'elle avait eue avec Robert Kennedy chez les Lawford. A Fred Vanderbilt Field elle parla de ce que Bobby pensait de J. Edgar Hoover. Et à José Bolaños d'une discussion assez vive au sujet de Fidel Castro ; Bobby se serait emporté contre elle, la trouvant « trop molle » par rapport au communisme.

Moins d'un mois avant la mort de Marilyn, George Chasin, son dernier agent, vit à quel point elle était proche de Robert Kennedy. Le 13 juin, le gouvernement intenta un procès, en vertu de la loi antitrust, contre la Société de Chasin, la Music Corporation of America. Chasin, qui avait été au courant d'enquêtes gouvernementales sur sa société, ne s'attendait toutefois pas à ça. Or six mois plus tôt, lors d'un dîner Chez Romanoff, Marilyn l'avait prévenu. Comme il ne semblait pas la prendre au sérieux, elle avait laissé entendre qu'elle tenait ce tuyau de l'Attorney général lui-même.

Parlant dans son livre de Judith Campbell, de Sam Giancana et des complots de la CIA pour éliminer Castro, Harris Wofford, ancien conseiller spécial du président, écrit : « Les questions morales mises à part, ce chantage potentiel qui pesait sur la tête de l'Attorney général a dû l'horrifier. (...) Comment

John Kennedy et la CIA ont-ils pu être à ce point stupides ? (...) Que pouvaient-ils faire, et que pouvait faire l'Attorney général, pour se sortir de cette situation et réduire les risques au minimum ? »

Il semble qu'en juillet les frères Kennedy aient enfin compris le danger qu'il y avait à frayer avec Marilyn — sans parler des autres maîtresses du président. Il était grand temps.

En mai, après bien des atermoiements, la CIA avait fini par révéler à Robert Kennedy qu'elle collaborait avec des chefs de la Mafia — Giancana et Roselli — pour assassiner Fidel Castro. Or deux mois plus tôt à peine, Bobby avait appris par le FBI que son frère John fréquentait une certaine Judith Campbell, très liée à Sam Giancana.

C'est également en mai, à la veille de l'anniversaire du président, que Jimmy Hoffa avait été inculpé d'extortion de fonds, dernier épisode d'une guerre judiciaire qui occupait désormais tout son temps.

Pour résoudre ses problèmes, Hoffa alla jusqu'à envisager de faire assassiner Robert Kennedy (ce que les enquêteurs n'apprirent que plus tard). Il aurait déclaré dans son bureau de Washington : « Kennedy [Robert] doit disparaître. (...) Il faut que quelqu'un bute ce salopard. (...) Je pourrais me le payer sans problème. Il se balade en décapotable et il va se baigner tout seul. Avec mon rifle à lunette, ce serait facile. Mais je me méfie ; ce serait un peu trop évident. (...) » Cette tirade fut prononcée fin juin-début juillet. Or c'est le 27 juin que Robert était venu rendre visite à Marilyn, en décapotable, tout seul....

Pendant la même semaine, le FBI surprit une conversation téléphonique entre le gangster new-yorkais Eddie McGrath et une femme prénommée Jeanne : « Depuis quand les lois fédérales interdisent de *foutre* ? (...) Si les choses en sont à ce point, alors je veux qu'on inculpe le président des États-Unis, parce que je sais qu'il s'envoyait toutes les gonzesses que lui refilait Sinatra (...) »

A la mi-juillet, les magistrats mirent au propre leur premier rapport sur Frank Sinatra. Deux autres suivirent cet été-là. On y trouvait une étude approfondie sur le Cal-Neva Lodge et son gérant, Skinny D'Amato. On y évoquait sans détours « l'ami-

tié » de Sinatra pour Giancana, l'homme qui avait menacé de
« tout révéler » sur les Kennedy.

En mai, tenant compte du fait que Giancana aidait la CIA,
Robert Kennedy renonça à le poursuivre pour une affaire
d'écoutes clandestines. Deux jours plus tard, Bobby accorda
un entretien au directeur du FBI.

Hoover remarqua que l'Attorney général « savait qu'on disait
que Giancana n'avait pas été inquiété parce qu'il était ami de
Sinatra, et que Sinatra, de son côté, se targuait d'être un intime
de la famille Kennedy ».

Un rapport du FBI révèle que le 27 juin, jour où Robert
Kennedy rendit visite à Marilyn chez elle à Los Angeles, il
s'entretint avec Jerry Wald, producteur du film qu'on voulait
tirer de son livre *L'ennemi intérieur*. Selon ce rapport, « l'Attorney général semblait se demander s'il n'était pas préférable
d'attendre pour faire ce film que Jimmy Hoffa soit vraiment
coincé par la justice ».

Robert Kennedy se savait confronté, à l'époque, à d'extraordinaires périls. Il fallait que les Kennedy mettent fin à leurs
relations avec Marilyn Monroe.

Le 19 juillet, à l'occasion de l'anniversaire de Joan Greenson, Marilyn s'efforça de faire bonne figure. Elle contribua aux
préparatifs de la fête ; et elle tint à danser avec une jeune Noire
qui n'avait pas de partenaire. Au cours des quelques coups de
téléphone qu'elle échangea avec Joan dans les jours qui suivirent, Marilyn semblait avoir l'esprit « ailleurs ». Quatre jours
après l'anniversaire, elle tenta une nouvelle fois d'appeler le
ministère de la Justice, mais raccrocha presque aussitôt.

Jeanne Carmen, qui lui faisait de brèves visites, lui trouvait
« une figure de déterrée ». Lors de ces chaudes nuits d'été, elle
avait plus que jamais de la peine à trouver le sommeil. Alors,
elle appelait Ralph Roberts en pleine nuit pour qu'il vienne
la masser. Une fois, dans la même journée, elle fit venir deux
fois le Dr Greenson, puis Engelberg, son médecin traitant —
auquel elle retéléphona à deux heures du matin.

Marilyn laissait libre cours maintenant à son penchant pour
les intrigues et révélait (à qui la voyait de près) la facette la

moins belle de sa personnalité. Lorsque les responsables des studios vinrent la voir pour discuter d'une éventuelle reprise de *Quelque chose doit craquer*, elle demanda à Pat Newcomb de se cacher dans la pièce voisine, pour entendre ce qui se dirait. Paula Strasberg, rappelée d'Europe pour participer à ces pourparlers, fut renvoyée comme une malpropre. Marilyn lui dit qu'elle n'était bonne à rien, et Paula reprit l'avion de New York.

Eunice Murray n'était pas à l'abri des colères de Marilyn. Un jour, son gendre Norman Jeffries la trouva sur le point de partir avec tous ses bagages. Mais en définitive elle resta.

Les nuits se confondaient avec les jours. Auparavant, lorsqu'elle ne trouvait pas le sommeil, Marilyn revêtait perruque et lunettes noires et allait regarder tourner le manège de la jetée de Santa Monica. A présent, on la voyait errer seule dans la nuit à quelques centaines de mètres de la villa des Lawford.

A la fin de la semaine qui précéda sa mort, Marilyn remit les pieds dans le lieu le plus néfaste qui fût pour elle, le Cal-Neva Lodge. Eunice Murray affirme n'avoir gardé aucun souvenir de ce voyage. Quant à Peter Lawford, il n'en a jamais parlé.

Ce séjour fut enveloppé de mystère. A part Sydney Skolsky, aucun journaliste n'en parla. Certains membres du personnel du Cal-Neva Lodge ont conservé le souvenir d'un pitoyable épisode.

Joe Langford, alors chasseur de l'établissement, se rappelle qu'il alla prendre Marilyn à l'aéroport : «Cela devait être une semaine avant sa mort. Elle est arrivée à bord de l'avion de Sinatra, et je me souviens avoir entendu le pilote dire : ''Bon Dieu ! Qu'est-ce que je suis content d'en être débarrassé.'' Je crois qu'elle avait beaucoup bu durant le vol. D'ailleurs elle n'a pas arrêté de tout le week-end. »

Ray Langford, frère du précédent et maître d'hôtel, se souvient d'avoir entrevu Marilyn dans son bungalow. «Elle avait un fichu sur la tête et des verres fumés très, très opaques. Elle avait l'air terriblement triste. »

Selon Langford, Marilyn quitta le Cal-Neva «en catastrophe». Il pense qu'elle posait des problèmes à ses hôtes, Sinatra et Lawford.

Deux témoins, la veuve du pilote de Sinatra et le copilote, font un récit impressionnant de ce retour à Los Angeles*.

Mrs. Lieto raconte que son mari fut appelé à se rendre à Lake Tahoe à la dernière minute, et qu'il rentra au petit matin dans un état de fureur qui ne lui ressemblait pas.

Marilyn était déjà ivre lorsqu'elle monta à bord du bimoteur. Elle était accompagnée de Peter et Pat Lawford et de l'un de ses coiffeurs. L'avion fit escale à San Francisco. Pat Lawford prit un vol commercial pour la côte est. Les autres passagers se rendirent en ville.

Il était tard quand ils revinrent à bord. L'avion décolla pour Los Angeles. Selon Mrs. Lieto, Peter Lawford, à son tour pris de boisson, se disputa violemment avec le pilote. Celui-ci avait beau lui faire remarquer que l'aéroport de Santa Monica était fermé pendant les heures nocturnes, il insistait pour qu'on s'y pose.

A minuit passé, l'avion atterrit à Los Angeles. Marilyn était «complètement "partie", un désastre». Elle descendit de l'avion pieds nus, et le pilote dut l'aider à se rechausser. Elle prit une limousine pour rentrer chez elle.

Le pilote et le copilote raccompagnèrent Lawford à Santa Monica dans leur propre voiture. La colère du pilote augmenta encore quand l'acteur insista pour s'arrêter à quelques rues de chez lui afin de donner un coup de téléphone d'une cabine publique, qui dura une demi-heure. Ne pouvait-il attendre cinq minutes pour appeler de chez lui ? se disaient les deux hommes.

Visiblement, Lawford redoutait lui aussi d'être écouté, et n'avait pas que des choses anodines à dire au téléphone.

Il semble que l'atmosphère fut très tendue lors du séjour au Cal-Neva Lodge. Le docteur Sandy Firestone se souvient que dans les dernières semaines de sa vie, Marilyn l'appela au téléphone. «Elle se plaignait qu'"'on la poussait à se rendre à des

---

* Les différents témoignages sont assez flous quant à la date exacte de ce retour. Au moins deux d'entre eux croient se souvenir qu'elle repartit de Lake Tahoe la veille du jour de sa mort. Avec le temps, la chronologie des événements s'est sans doute «aplatie» dans leur esprit ; car toutes les données en notre possession indiquent que Marilyn était à Los Angeles durant ses derniers jours (NdA).

soirées : elle n'aimait pas particulièrement Peter Lawford parce qu'il organisait de grandes orgies." »

Un photographe qui souhaite garder l'anonymat raconte qu'il développa des photos de Marilyn prises par Frank Sinatra au cours de ce dernier week-end. «Je lui ai conseillé de les brûler, et c'est ce qu'il a fait, devant moi. » Selon cet homme, les clichés montraient Marilyn en proie à un désarroi extrême.

Toujours désireux d'aider Marilyn, Joe DiMaggio se rendit lui aussi à Lake Tahoe ce fameux week-end. Ray Langford se souvient de lui avoir retenu une chambre dans un établissement voisin du Cal-Neva, le Silver Crest Motel. DiMaggio voulut savoir où se trouvait Marilyn. Ignorant qu'elle venait d'arriver, Langford répondit qu'il n'en savait rien.

Joe Langford précise que, bien qu'il eût l'intention de voir Marilyn, DiMaggio ne se montra pas au Cal-Neva, à cause d'un différend qui l'opposait à Sinatra.

Une personne qui arriva au Cal-Neva Lodge une semaine après la mort de Marilyn nous rapporte l'étrange anecdote que lui conta un des employés. Un matin très tôt, cet homme avait aperçu Marilyn près de la piscine, en contrebas du casino. «Pieds nus, elle se balançait d'avant en arrière et regardait vers les hauteurs. » Inquiet, l'employé alla jusqu'à elle. Il suivit son regard et aperçut DiMaggio qui, debout sur la route la «regardait lui aussi fixement».

Avant de mourir, Marilyn parla de ce séjour au Cal-Neva à Ralph Roberts, son masseur. «Elle m'a dit que cela avait été un week-end atroce, un véritable cauchemar. Elle ne tenait pas particulièrement à y aller. En arrivant là-bas, elle trouva Joe. Elle ne pouvait pas quitter sa chambre sans s'opposer à Sinatra. Joe était terriblement jaloux de lui. »

Quelques mois plus tôt, à l'époque où elle venait d'emménager dans sa nouvelle maison, DiMaggio était venu voir Marilyn en compagnie d'un de ses vieux amis, Jerry Hall.

« Elle est venue nous ouvrir, rapporte Hall. Quand elle a vu Joe, elle nous a claqué la porte au nez. Et Joe a dit : "Bon. Eh bien, à une autre fois !" »

Ils revinrent un peu plus tard. Cette fois, Marilyn les reçut. Hall estime que DiMaggio n'avait pas perdu espoir de se remarier un jour avec elle. D'autres témoignages confirment qu'ils étaient alors en bon termes.

Cependant DiMaggio lui-même perdait parfois patience. A l'époque de *Quelque chose doit craquer*, le scénariste Nunnally Johnson voulut le faire venir en Californie, pour qu'il soutienne Marilyn.

« Il m'a promis de lui téléphoner, a dit Johnson ; mais rien de plus... Elle appartenait à son passé ; si quelqu'un devait la tirer d'affaire, ce ne serait pas lui. En un mot, il en avait soupé. »

Au cours des derniers mois, DiMaggio fut repris, cependant, par son obsession. Ce qui se passait à Lake Tahoe le rendait furieux. « Cela le mettait dans tous ses états, témoigne Jerry Hall. Marilyn allait là-bas ; on lui donnait des pilules ; et ils organisaient des partouzes. A l'époque, Joe était encore l'ami de Sinatra. Je ne pense pas qu'il lui ait jamais reparlé depuis. Il se disait que Sinatra aurait dû ne pas toucher à Marilyn, par égard pour lui. »

En 1962, DiMaggio avait un emploi lucratif (100 000 dollars par an) dans une compagnie de la côte est. Il confia un jour à son patron, V.H. Monette, qu'il « était toujours amoureux de Marilyn ».

Le premier août 1962, dans la semaine où Marilyn allait mourir, DiMaggio abandonna ce travail. « Il m'a dit qu'il avait parlé à Marilyn, rapporte Monette, et qu'elle semblait enfin décidée à renoncer au cinéma et à se remarier avec lui. »

Au cours des derniers mois de sa vie, Marilyn reconnut l'attachement que lui portait son ex-époux. Elle lui écrivit :

Mon cher Joe,
Si je parviens au moins à te rendre heureux, j'aurai réussi la chose la plus difficile et la plus importante qui soit : rendre quelqu'un parfaitement heureux. *Ton bonheur est le mien.*

Cette lettre ne fut jamais envoyée. On l'a retrouvée après sa mort dans ses papiers.

DiMaggio était également furieux contre les Kennedy. Au printemps, il rendit visite à Marilyn en compagnie de son fils, Joe Jr., et de la fiancée de celui-ci, Pamela Ries. Pamela se souvient que Marilyn se mit à parler de Robert Kennedy et qu'une dispute s'ensuivit.

Marilyn ruminait son amertume à propos des Kennedy. Fin juillet, lors d'une séance de massage, elle demanda à Ralph Roberts :

« Dis-moi, Ralph, as-tu entendu dire des choses sur moi et Bobby ?

— On ne parle que de ça à Hollywood ! répondit Roberts.

— Eh bien c'est faux. Ce n'est pas mon type. Il est trop fluet. »

Cette même semaine, juste avant son dernier séjour au Cal-Neva Lodge, Marilyn alla faire un tour en voiture avec Robert Slatzer, qui devait partir pour la côte est. Pendant cette promenade, elle ne cessait de passer de l'enthousiasme à l'abattement. Elle parlait de « refaire sa vie » ; puis elle se lamentait au sujet de Robert Kennedy. Elle se demandait s'il l'avait abandonnée parce qu'elle n'était pas assez cultivée. Pour finir, elle fondit en larmes, et dit en sanglotant que les hommes faisaient d'elle leur jouet, et que Kennedy « avait eu ce qu'il voulait ».

En montrant son journal intime à Slatzer, Marilyn aurait déclaré : « Sa femme serait peut-être intéressée par tout ce qu'il a pu me dire. Tout est là-dedans. J'ai bien fait de prendre des notes. »

L'ancien détective privé John Dolan, un de nos informateurs sur les écoutes clandestines dont elle était l'objet, affirme que Marilyn alla jusqu'à téléphoner à l'Attorney général chez lui en Virginie. Cela avait mis Bobby dans une colère noire.

Paul D'Amato, qui gérait le Cal-Neva Lodge, m'a confirmé en 1984, que Marilyn y avait bien séjourné dans les jours qui précédèrent sa mort. Assis en pyjama sur ce qui allait être son lit de mort, fumant Marlboro sur Marlboro, D'Amato m'a longuement parlé de ce fameux week-end et du départ précipité de Marilyn.

Puis, dans une moue, il a murmuré : « Bien sûr, je n'ai pas tout dit. » Et d'ajouter : « Il s'est passé des choses dont personne n'a jamais parlé. La chute aurait été rude pour Bobby Kennedy, vous ne croyez pas ? »

Marilyn pensait à la mort. Elle consulta Milton Rudin, son notaire, encore une fois pour faire un nouveau testament. Elle désirait retirer les Strasberg du nombre de ses légataires parce qu'ils avaient « profité d'elle ». Mais le testament ne fut jamais modifié. Jugeant Marilyn « profondément malade », Rudin fit traîner les choses.

Hormis la parenthèse du séjour à Lake Tahoe, le Dr Greenson avait vu Marilyn presque tous les jours. Quelque temps après sa mort, il écrivit à un ami : « J'aurais dû jouer la sécurité, la faire interner dans un sanatorium. Mais il est probable que cela n'aurait fait que me préserver, moi, et que cela lui aurait été pareillement fatal... »

Des semaines auparavant, dans une interview au magazine *Life*, Marilyn avait évoqué sa carrière en ces termes :

« Ça pourrait être un soulagement d'en finir. C'est un peu comme quand on court un sprint. Après avoir franchi la ligne d'arrivée, on souffle un bon coup et on se dit, ça y est, c'est fini ! Mais ce n'est jamais fini. A peine arrivé, il faut tout reprendre à zéro. »

Le 26 juillet, Robert Kennedy revint à Los Angeles pour faire un discours devant la National Insurance Association. A midi, comme il s'y rendait, on reçut au siège local du FBI un appel anonyme, annonçant que « des types du milieu » projetaient de l'assassiner.

Le 30 juillet 1962, Marilyn appela une dernière fois le ministère de la Justice. L'appel dura huit minutes. C'était le lundi de la dernière semaine de sa vie.

Cinquième Partie

Ultimes vacillements

« Qui a tué Marilyn Monroe ? C'est une
question... Ce fut une tragédie. »

Sean O'CASEY

42

« Savez-vous de qui j'ai toujours dépendu le plus ? » avait demandé Marilyn au journaliste W.J. Weatherby. « Non pas d'inconnus, ni de mes amis. Mais du téléphone ! C'est lui mon meilleur allié. J'adore appeler mes amis, surtout tard le soir, quand je n'arrive pas à dormir. J'ai souvent rêvé qu'on se donnait rendez-vous ainsi, dans un drugstore, au beau milieu de la nuit. »

Du téléphone, Marilyn fit amplement usage au cours des derniers jours de sa vie. Cloîtrée chez elle, elle passa une multitude de coups de fil à ses amis de la côte est. Elle annonça à Henry Rosenfeld, le magnat de la mode, sa prochaine visite à New York, lui demandant de l'accompagner à la première de *Mr. President* qui devait avoir lieu à Washington. Elle appela Lena Pepitone, sa femme de chambre à New York, et lui fit part de son intention de donner une soirée en septembre. Des projets, Marilyn n'en manquait pas. Avec Gene Kelly, elle parla d'une comédie musicale se déroulant pendant la première guerre mondiale ; avec Sydney Skolsky d'un film sur Jean Harlow, qu'elle devait elle-même incarner. A plusieurs reprises, elle se rendit dans une salle de projection pour visionner les films du metteur en scène Lee Thompson qui souhaitait lui confier la vedette d'un film qui serait tourné par la suite avec pour titre *What a way to go* (Madame Croque-maris). Elle s'entretint avec le compositeur Jule Styne de la possibilité de produire une comédie musicale à partir de *A tree grows in Brooklyn*, avec Frank Sinatra et elle dans les rôles principaux.

Des rendez-vous furent pris. Le dimanche 6 août, Marilyn devait rencontrer Skolsky et Kelly, puis dîner avec Sinatra et les Romanoff. Il était prévu aussi qu'elle verrait Lee Thompson le lundi, avant de s'envoler pour New York où l'attendait Styne.

De tous ceux qui l'eurent au téléphone la dernière semaine avant sa mort, personne ne remarqua qu'elle eût l'air particulièrement déprimé. Deux de ses vieux amis des studios, Whitey Snyder, maquilleur, et Marjorie Plecher, costumière-assistante, venus boire un verre chez elle, se souviennent aujourd'hui : « Elle était plus resplendissante que jamais. Très en train. »

Quelques indices laissent toutefois entrevoir qu'il a pu en être tout autrement. Marilyn téléphona en effet à Kenny Kingston, le médium californien qu'elle avait consulté par le passé. Il fut question d'amour. Kingston, bouleversé par ce souvenir, m'a rapporté ce propos de Marilyn : « L'amour est la seule chose immortelle que nous ayons ! Sans l'amour, la vie n'a pas de sens ! »

Le mercredi de cette même semaine, le Dr Leon Krohn, gynécologue, jouait au golf sur le Hillcrest Course. C'était son jour de congé, et lorsqu'on l'envoya chercher du pavillon pour un appel urgent, il fit la moue : c'était Marilyn qui l'appelait ; il l'avait soignée pour la dernière fois plusieurs années auparavant, peu de temps avant sa fausse couche à la fin du tournage de *Certains l'aiment chaud*.

A cette époque-là, Marilyn avait pris la mouche lorsqu'il l'avait mise en garde contre les ravages des médicaments et de l'alcool, et lui avait recommandé de mener une vie un peu plus calme si elle tenait à l'enfant. Et voilà que tout à coup, elle lui téléphonait à l'improviste pour lui demander : « Etes-vous toujours fâché contre moi, à propos du bébé ? » Ce à quoi le médecin, interloqué, répondit que non.

Marilyn voulait le voir le plus rapidement possible. Ils prirent rendez-vous pour dîner un soir, mais elle mourut avant le jour prévu de cette rencontre. Etait-ce la disparition des enfants qu'elle avait portés mais jamais mis au monde qui revenait la hanter ? Cette dernière semaine correspondait en l'occurrence au cinquième anniversaire de la perte du premier enfant qu'elle avait conçu d'Arthur Miller. Ou voulait-elle parler à Krohn d'une autre épreuve plus récente — l'avortement qu'elle avait subi, semble-t-il, quelques semaines plus tôt ?

Marilyn recherchait le contact de ses vieux amis. Un jour ou deux avant sa mort, alors que son masseur Ralph Roberts s'efforçait d'apaiser ses tensions, elle le pria de filtrer les appels qu'elle recevait. Elle accepta le coup de fil de Marlon Brando, avec lequel elle était très amie depuis sept ans. Elle lui avait laissé plusieurs messages et quand il la rappela, ils bavardèrent un long moment. A en croire Roberts, il la fit beaucoup rire. Brando pour sa part préfère ne faire aucun commentaire sur leurs dernières conversations téléphoniques.

A trois personnes au moins, Marilyn parla des Kennedy, d'une manière qui suggère la confusion la plus totale. De la cabine téléphonique de Barrington Park — d'où elle regarda des enfants pour la dernière fois —, elle se confia à Arthur James :

«Que puis-je faire à ''son'' sujet ?» demanda-t-elle faisant allusion apparemment au président. Après quoi, elle se plaignit, comme elle l'avait fait auprès de Slatzer, que Robert Kennedy «l'avait laissée tomber», bien que ce fût «Jack» [John K.] qu'elle ne parvenait pas à se sortir de la tête.

Elle appela James une dernière fois le mercredi, mais elle n'eut que son répondeur. Elle laissa un message, précisant qu'elle avait besoin de son aide. «J'ai essayé de lui retéléphoner, dit James, mais c'est une autre femme qui a répondu, puis raccroché. »

L'après-midi du vendredi 3 août, elle appela Norman Rosten à New York. Elle voulait, semble-t-il, savoir ce que sa femme et lui pensaient de l'interview parue dans *Life*; elle parla de nouvelles propositions de travail, de sa venue prochaine sur la côte est. «On va bien s'amuser. Mettons-nous tous à vivre avant de nous faire vieux...»

Rosten trouva qu'elle avait un ton un peu hystérique, et passait sans cesse du coq à l'âne. Il s'en inquiéta suffisamment pour lui écrire aussitôt une lettre qui n'arriva qu'après la mort de Marilyn.

Marilyn cherchait désespérément une main tendue. Ce

même vendredi, elle joignit aussi Nana Karger, la mère de son ancien amant Fred, qui était une de ses fidèles amies. « C'était le jour avant sa mort, relate Elizabeth Karger, la dernière femme de Fred. Elle expliqua qu'elle était très amoureuse et qu'elle allait épouser Bobby Kennedy. Mais elle avait l'air déprimé. » Selon Elizabeth Karger, Nana aurait alors affirmé à Marilyn qu'elle se faisait des illusions. Ce à quoi Marilyn se serait contentée de répondre : « S'il m'aime, il m'épousera. »

Toujours ce même vendredi, Marilyn retourna à la cabine publique pour appeler Robert Slatzer, qui se trouvait alors chez lui à Columbus en Ohio, en compagnie de quatre amis. De ces amis, les trois qui sont encore de ce monde ont confirmé que Slatzer avait effectivement reçu un coup de fil de l'actrice ce jour-là. De fait, deux d'entre eux lui parlèrent en personne : 1. Doral Chenoweth, auteur d'un script que Marilyn avait eu entre les mains et qu'elle avait aimé, comme elle le lui confia elle-même au téléphone. Il fut d'ailleurs étonné de l'attention extrême qu'elle avait de toute évidence portée au texte. La pièce, intitulée *This God Bu$ine$$*, fut produite par la suite avec beaucoup de succès ; 2. Lee Henri, ami restaurateur de Slatzer, eut également le loisir de s'entretenir quelques instants avec Marilyn au téléphone. Il se souvient d'avoir reconnu la célèbre voix et ajoute : « On sentait bien qu'elle avait dû boire ou absorber une drogue quelconque. »

Slatzer lui-même parla un bon moment avec elle. Ce n'était d'ailleurs pas la première fois de la semaine. La veille encore, raconte-t-il, il l'avait appelée pour lui annoncer que Robert Kennedy devait se rendre en Californie ce week-end-là et que — si elle y tenait vraiment — ce serait une bonne occasion de lui parler.

Il se trouve que Marilyn avait essayé d'atteindre Robert Kennedy à Washington toute la journée. En vain. Etait-il sûr que Bobby venait en Californie ? Regarde dans les journaux ! lui dit Slatzer. Ce à quoi Marilyn répondit qu'elle appellerait son amie Pat Lawford, la sœur de Kennedy, pour en avoir le cœur net. Pat séjournait dans la résidence familiale des Kennedy dans le Massachusetts ; Marilyn dit qu'elle téléphonerait à Peter Lawford pour avoir le numéro. Et Pat, à son tour, lui expliquerait bien comment joindre Robert Kennedy.

Peter Lawford confirma par la suite que Marilyn l'avait appelé pour lui demander le numéro de Pat. Qu'il lui communiqua. Nous ignorons toutefois si elle réussit à obtenir un numéro pour Robert Kennedy, si elle put l'atteindre. En revanche, nous savons que ce dernier se rendit effectivement en Californie ce week-end-là.

La presse et les documents du FBI indiquent que R. Kennedy atterrit à San Francisco le vendredi après-midi, en compagnie de sa femme et de quatre de ses enfants. L'Attorney général devait cette fois-ci associer les affaires et le plaisir : après une allocution devant l'American Bar Association, il irait se reposer dans les montagnes de l'Etat de Washington. Le *San Francisco Chronicle* rapporta qu'il arriva « sans son habituel sourire » et serra « sans chaleur » les mains de ceux qui étaient venus l'accueillir.

Un rapport spécial du FBI, soumis à la direction de Washington deux semaines plus tard, établit que Kennedy et sa famille « passèrent le week-end au ranch de Bates, situé à une centaine de kilomètres au sud de San Francisco. Une visite strictement personnelle », y précise-t-on. Le ranch en question appartenait à John Bates, un riche avocat californien qui recevait Kennedy au nom de la Bar Association.

Selon Bates, il n'y eut pas un seul appel de Marilyn au ranch, ce week-end-là. L'un des rares journalistes de l'époque à avoir mené une enquête sérieuse retrouva toutefois des traces du désespoir de Marilyn. Florabel Muir, alors responsable de la chronique hollywoodienne du *New York Daily News*, a en effet passé plusieurs semaines à essayer de reconstituer les derniers jours de la vie de l'actrice. Si R. Kennedy choisit de passer le week-end dans ce ranch, en dehors de San Francisco, la Bar Association lui avait également réservé une suite en ville, à l'hôtel St. Francis. Et c'était là que Marilyn s'était attendue à le trouver.

Florabel Muir (selon son ancienne assistante, Elizabeth Fancher) aurait soudoyé une des standardistes de l'hôtel afin d'obtenir des renseignements sur les coups de téléphone reçus pendant le week-end : « Elle découvrit ainsi que Marilyn avait appelé plusieurs fois, en laissant des messages qui restèrent sans réponse. »

Tandis que Robert Kennedy volait vers l'Ouest ce jour-là, les journaux publièrent une déclaration de la Maison Blanche annonçant que son frère se rendrait à son tour en Californie deux semaines plus tard. Or Marilyn avait déjà averti le journaliste Sydney Skolsky, à qui elle avait parlé uniquement de sa relation avec John Kennedy, de la venue du président, précisant qu'elle pensait «être à ses côtés» pendant sa visite.

Si l'un ou l'autre des frères Kennedy lut le *New York Journal American* ce même vendredi, il y trouva de nouveaux motifs d'éviter Marilyn. Dans sa chronique, Dorothy Kilgallen y écrivait en effet que Marilyn venait «de conquérir le cœur d'un gentleman plus célèbre encore que Joe DiMaggio à son apogée. Alors n'allez pas vous imaginez qu'il en est fini de Marilyn!»

Ce vendredi 3 août, c'est-à-dire la veille de sa mort, Marilyn passa l'essentiel de sa journée on ne peut plus normalement : elle se rendit dans une pépinière à Santa Monica (la Frank's Nursery) et y acheta des fleurs pour son jardin. Après quoi, elle vit son médecin et son psychiatre, ce qui pour elle était pure routine. Ce qu'elle fit ce soir-là, toutefois, après avoir vraisemblablement tenté en vain de joindre Robert Kennedy à San Francisco, demeure mystérieux.

Certaines informations, au demeurant assez vagues, tendraient à indiquer qu'elle aurait fait, sur un coup de tête, une visite éclair à San Francisco pour essayer de retrouver elle-même Kennedy. Pat Newcomb, attachée de presse de Marilyn et amie des Kennedy, affirme qu'elles dînèrent ensemble ce soir-là dans un restaurant de Santa Monica. Un de leurs restaurants préférés, précise-t-elle, bien qu'elle ne se souvienne ni du nom de l'établissement ni de son emplacement !

Les enquêteurs de l'Attorney général, qui s'entretinrent avec Pat Newcomb au cours de la révision de l'affaire en 1982 trouvèrent sa version des faits insatisfaisante. D'autres indices, bien que non concluants eux non plus, permettent en effet de la mettre en doute. Dans la journée, Marilyn se fit livrer par la Briggs Delicatessen de la nourriture et des alcools pour une valeur de quarante-neuf dollars, ce qui, converti en prix actuels, constitue une belle somme. De surcroît, ce soir-là, à en croire Jean Léon, du restaurant à la mode La Scala, elle passa également une commande chez lui.

Jean Léon (un Français) s'était élevé du rang de serveur du Villa Capri à celui de propriétaire du La Scala. Il connaissait Marilyn depuis des années. Dans une récente interview, il alla jusqu'à affirmer qu'il s'était lui-même chargé de porter la commande chez elle, la veille de sa mort, mais se refusa à en dire davantage. Il indiqua en outre qu'il y avait quelqu'un d'autre dans la maison ce soir-là, quelqu'un qu'il ne veut pas nommer. « Je me souviens très bien, dit-il, mais il me faudrait parler de trop de choses, de personnalités importantes, qui ne sont plus ici aujourd'hui. »

Pour des raisons qui demeurent mystérieuses, les événements de ce vendredi soir exigent le secret. Pour Marilyn ce devait être une nuit blanche.

43

Le samedi 4 août, Jeanne Carmen, qui dormait dans son appartement de Doheny, fut réveillée dès l'aube par un coup de téléphone. A demi somnolente, elle écouta Marilyn déverser son histoire d'une nuit hantée par autre chose que les habituels démons de ses cauchemars.

« Elle me raconta qu'une femme l'avait appelée toute la nuit, rapporte Jeanne Carmen, la harcelant, la traitant de tous les noms, avant de raccrocher. Puis elle rappelait et restait un long moment sans rien dire. Marilyn m'assura que la voix lui était familière, mais qu'elle n'arrivait pas à mettre un nom dessus. »

Toujours selon Carmen, la femme anonyme aurait commencé par lui dire des choses du style : « Laisse Bobby tranquille, espèce de traînée, laisse-le tranquille. » Les appels se seraient poursuivis jusqu'à cinq heures trente du matin. Marilyn n'en pouvait plus : « Elle voulait que je la rejoigne. [Je cite toujours Carmen.] ''Apporte des cachets, me dit-elle (nous prenions toutes les deux des somnifères et nous parlions toujours simplement entre nous de 'cachets') et on va boire un peu de vin.'' »

397

Carmen, qui avait des rendez-vous ce jour-là, lui répondit que c'était impossible. Elles décidèrent de se rappeler plus tard. C'était l'anniversaire de Jeanne, et en dépouillant son courrier, elle vit que Marilyn avait pensé à lui envoyer une carte. Comme d'autres le confirment, Marilyn n'oubliait jamais l'anniversaire de ses amis.

A trois heures du matin, vraisemblablement entre deux appels anonymes, elle avait aussi essayé de joindre Arthur James. Il n'était pas en ville et ne reçut le message qu'après sa mort.

La journée s'annonçait encore chaude, la température se situant dans les trente degrés. Eunice Murray, qui avait passé la nuit chez elle, se rendit à Brentwood aux environs de huit heures. Elle raconte que Marilyn apparut dans la cuisine environ une heure plus tard et bavarda un peu avec elle en prenant un frugal petit déjeuner constitué exclusivement de jus de pamplemousse. Elle lui expliqua que Pat Newcomb avait passé la nuit là et qu'elle dormait encore. Pat ne se leva pas avant midi, ce qui agaçait Marilyn au plus haut point car elle aurait donné cher pour en faire autant.

Isadore Miller, le père d'Arthur, téléphona ce matin-là. On lui fit savoir que l'actrice s'habillait et qu'elle le rappellerait. Elle ne le fit pas, ce qu'il trouva curieux. Marilyn, en effet, lui était toute dévouée et suspendait d'ordinaire toute affaire courante, aussi pressante fût-elle, pour lui parler.

Au cours de la matinée, Norman Jeffries, qui refaisait le carrelage de la cuisine, se trouva tout à coup face à deux pieds de femme nus. En levant les yeux, il découvrit Marilyn enveloppée dans une immense serviette de bain, et ce qu'il lut sur son visage l'épouvanta.

«Je n'oublierai jamais cette vision, raconte-t-il. Elle avait l'air mal, terriblement mal, pas seulement physiquement, et je pensai qu'il avait dû se passer quelque chose d'effroyable. Elle avait dû absorber une quantité astronomique de drogue ou alors elle était terrifiée. Je ne l'avais jamais vue comme ça auparavant.»

Marilyn avait deux téléphones : un rose, dont le numéro était communiqué aux interlocuteurs ordinaires, et un blanc dont le numéro n'était connu que de quelques privilégiés. L'un et l'autre disposaient d'un fil très long qui lui permettait de déambuler dans la maison tout en parlant.

Pour d'obscures raisons qui seront éclaircies par la suite, les archives de la compagnie de téléphone qui ont été conservées ne jettent aucune lumière sur les communications de Marilyn au cours de ses dernières vingt-quatre heures. Pourtant, enfermée dans sa chambre — probablement avec le téléphone blanc —, elle eut de nombreuses conversations téléphoniques pendant cette matinée.

Ralph Roberts, le masseur, affirme que Marilyn l'appela pour lui demander une faveur : elle voulait qu'il lui déniche le disque, encore non diffusé, d'un chanteur qu'elle espérait aider. Elle lui proposa d'autre part de dîner avec elle ce soir-là (une grillade dans le «patio») et ils convinrent d'en reparler un peu plus tard dans la journée. Elle saurait en fin d'après-midi si elle était libre ou non.

De sa maison à l'autre bout de la ville, le journaliste Sydney Skolsky lui passa le coup de fil habituel du week-end. Les confidences de Marilyn à propos de la famille Kennedy l'avaient alarmé ; comme cela avait été souvent le cas ces derniers temps, il pria sa fille Steffi d'écouter la conversation sur un autre poste, sentant qu'il avait besoin d'un témoin.

«Que fais-tu ce soir ?» demanda-t-il d'un ton enjoué. Il semble qu'à ce moment-là de la matinée, Marilyn avait déjà organisé sa soirée. «Je descendrai peut-être jusqu'à la plage, répondit-elle. Tout le monde y sera.» Selon les souvenirs de la fille de Skolsky, elle aurait ajouté qu'elle devait voir l'un des Kennedy chez les Lawford.

Ce même samedi, probablement en fin de matinée, Marilyn reçut la visite d'Agnès Flanagan, l'une de ses coiffeuses et amie de longue date. Quelque chose de très étrange se produisit pendant qu'elle était en compagnie d'Agnès, l'un des incidents les plus bizarres de ce mystérieux week-end.

Peu après son arrivée, relate Agnès Flanagan, un coursier apporta un paquet. Marilyn l'ouvrit puis se rendit au bord de la piscine avec son contenu — un petit tigre en peluche. Elle s'assit près de l'eau, en le serrant contre elle sans rien dire. Agnès songea qu'elle devait être «terriblement, terriblement déprimée», bien qu'elle n'eût pas jugé bon de lui expliquer

399

pourquoi. Totalement désemparée, A. Flanagan se leva et partit.

Des photographies du jardin de Marilyn, prises le lendemain, montrent deux animaux en peluche gisant aux abords de la piscine. L'un d'eux pourrait bien ressembler à un tigre. Une lettre accablante accompagnait-elle le colis ou, bien que cela puisse paraître curieux, le tigre constituait-il un message en lui-même? Quoi qu'il en soit, à ce moment, Marilyn perdit le contrôle d'elle-même.

Notre connaissance des événements des heures qui restent dépend largement des témoignages de Peter Lawford, Pat Newcomb, Eunice Murray, et du Dr Greenson. Les deux premiers se contredisent, probablement pour une bonne part en raison de leurs relations étroites avec les frères Kennedy. La déposition de Mrs. Murray relative à la soirée est également contestable, comme nous le verrons.

Les recherches entreprises dans le cadre de cet ouvrage, notamment des interviews de la famille du Dr Greenson et de ses collègues, ainsi que sa correspondance à l'époque du drame, m'ont conduit à ajouter foi aux déclarations du psychiatre de Marilyn concernant ce week-end. C'est de lui que nous tenons le récit de ce samedi après-midi.

«Je reçus un coup de fil de Marilyn vers seize heures trente, devait-il écrire. Elle semblait assez déprimée et sous l'emprise d'une drogue. Je me rendis chez elle. Elle en voulait encore à son amie d'avoir dormi quinze heures cette nuit-là. Elle enrageait parce qu'elle-même avait passé une nuit épouvantable. (...) Après que j'eus passé quelque deux heures et demie en sa compagnie, elle parut calmée.»

Les lettres du Dr Greenson, ainsi que ses déclarations à ses collègues psychiatres du Centre de Prévention du Suicide de Los Angeles, nous fournissent des éclaircissements sur deux facteurs clés en relation avec les dernières heures que vécut Marilyn.

Primo, elles montrent que le vendredi, déjà, quand il lui avait rendu visite, Marilyn «avait fait preuve de *ressentiment à l'encontre* de son amie *Pat*» [c'est moi qui souligne], qui, dans ce contexte, ne pouvait être autre que Pat Newcomb. Le vendredi soir, toujours selon le Dr Greenson, elles continuèrent à se chamailler et le samedi après-midi Marilyn était encore très fâchée contre elle.

Pourquoi une telle rage contre Pat Newcomb ? L'attachée de presse reconnaît elle-même que « Marilyn était furieuse de ne pas pouvoir dormir. Elle était excédée, c'est vrai. Mais je pense que quelque chose d'autre motivait sa colère, de beaucoup plus grave, qui n'avait rien à voir avec moi, j'ignore totalement de quoi il pourrait s'agir. »

Susan Strasberg se souvient que — dès l'époque des *Misfits*, Marilyn avait surnommé Pat Newcomb Sybil, tiré de « *sibling rivalry* » (« les sœurs ennemies », en l'occurrence). Steffi Skolsky le confirme. L'actrice avait été jalouse de son attachée de presse de par le passé, notamment à l'époque du tournage de *Bus Stop* lorsqu'elle avait eu l'impression que la jeune femme — de douze ans sa cadette — faisait des avances à un homme qu'elle trouvait elle-même à son goût.

Voilà qu'en écoutant une des dernières conversations entre Marilyn et Sydney Skolsky, Steffi apprit, de la bouche même de l'actrice, qu'il y avait eu inversion des rôles. « Pat est jalouse de moi », dit-elle. De sorte qu'il y a tout à parier que Robert Kennedy était à l'origine de la querelle entre les deux femmes.

Jeanne Martin, l'ancienne femme de Dean Martin, aujourd'hui encore très proche de Pat Newcomb, souligne que cette dernière s'investissait toujours beaucoup dans son travail avec ses clients, qui devenaient « littéralement toute sa vie. Elle s'impliquait toujours trop ». Autre engagement apparemment très puissant : celui qui la liait à Robert Kennedy…

De ces chamailleries avec Marilyn en ce jour tragique, Pat Newcomb ne dira qu'une chose : « Elle avait reçu des coups de fil ce matin-là, et lorsque nous nous vîmes, elle était dans une colère folle. »

Secundo, le Dr Greenson, lors de ses conversations avec l'équipe de Prévention du Suicide après la mort de Marilyn, n'hésita pas à faire de lourdes insinuations quant aux motifs de cet emportement.

Non content de révéler que Marilyn avait eu récemment des relations sexuelles avec « des personnages extrêmement importants du gouvernement », le Dr Greenson précisa qu'en ce samedi après-midi, elle « se montra extrêmement contrariée par le fait qu'*elle n'avait même pas de rendez-vous galant pour le soir* [c'est encore moi qui souligne], elle, la femme la plus belle du monde ! »

Selon le Dr Norman Tabachnick, membre de l'équipe de Prévention, Greenson précisa que Marilyn s'était attendue à voir un de ces « personnages très importants » ce soir-là. Et c'était après avoir appris que cette rencontre n'aurait pas lieu qu'elle avait téléphoné à son psychiatre. D'après ce dernier, Marilyn était morte se sentant « rejetée par certains de ceux qui avaient été ses proches ».

Un peu avant d'appeler Greenson, on lui avait donc fait savoir — au téléphone ou éventuellement par le biais d'un message accompagnant le mystérieux tigre — qu'elle ne verrait pas Robert Kennedy dans la soirée. Ce qui déclencha, de toute évidence, l'ultime crise de désespoir qui précipita sa perte.

Après avoir vu Marilyn pour ainsi dire chaque jour pendant des semaines, le Dr Greenson avait espéré avoir son week-end libre. Il avait un dîner le samedi soir et sa visite chez Marilyn dans l'après-midi lui avait paru une visite de simple routine.

L'actrice voulait que Pat Newcomb s'en aille et Greenson pria effectivement cette dernière de quitter les lieux. Pat Newcomb affirme aujourd'hui qu'elle est partie de son propre gré. Quant à Eunice Murray, elle déclare que Pat est sortie comme une furie sans dire au revoir.

A dix-huit heures trente, Ralph Roberts téléphona comme prévu, pour demander s'il devait venir dîner. Le Dr Greenson, qui lui répondit, lui dit que Marilyn était sortie. Après quoi, se souvenant de son rendez-vous, le psychiatre se prépara à s'en aller.

« Elle voulait aller se promener sur la jetée à Santa Monica, raconta par la suite le Dr Greenson. Je lui assurai qu'elle était trop ''groggy'' pour oser s'y aventurer et lui recommandai de boire beaucoup de liquide, lui promettant que si elle se pliait à mes instructions, j'autorisais Mrs. Murray à la conduire à la plage. Elle semblait très déprimée, mais je l'avais déjà vue souvent dans de bien pires états. » En guise de précaution, il pria Eunice Murray de passer la nuit sur place. Après quoi, il partit chez lui en trombe, pour se changer avant le dîner. Il était 19 heures 15.

L'un des « enfants adoptifs » de Marilyn, Joe DiMaggio Jr., avait essayé de la joindre dans l'après-midi. Le jeune DiMaggio téléphona en effet à deux reprises en PCV, du camp de Pendleton en Californie (où il servait dans les marines) ; les deux fois, Eunice Murray lui répondit que Marilyn était sortie. Peu de temps après le départ de Greenson, toutefois, il réussit enfin à la toucher.

A 19 heures 40, Marilyn rappelait son psychiatre, déjà occupé à se raser. Il se réjouit de son ton plus enjoué : Joe junior venait de lui dire qu'il avait pris la décision de rompre ses fiançailles ; la nouvelle lui avait fait plaisir. Le Dr Greenson lui suggéra de s'offrir une bonne nuit de sommeil et de le rappeler le lendemain matin.

Selon Eunice Murray, Marilyn lui annonça alors qu'elle préférait en définitive ne pas aller se promener. Puis elle retourna dans sa chambre où elle s'enferma. Mrs. Murray entendit de la musique, des chansons de Frank Sinatra.

Elle affirme qu'après cet épisode, Marilyn ne réapparut pas. Elle venait de la voir vivante pour la dernière fois. Il était environ huit heures du soir et la nuit commençait à tomber sur la Côte Pacifique. Dans la chambre de Marilyn, il y avait encore de la musique.

La dernière fois qu'elle avait appelé le Dr Greenson, Marilyn lui avait demandé : « Est-ce vous qui m'avez pris mon flacon de Nembutal ? » Il lui avait répondu par la négative, s'étonnant de sa question car il pensait qu'elle avait réduit sa consommation de barbituriques ces derniers temps. Mais puisqu'elle n'avait pas de somnifères à sa disposition, il ne vit aucune raison de s'inquiéter outre mesure.

Il se serait fait beaucoup plus de soucis s'il avait su alors ce qu'il devait apprendre par la suite : parmi les divers médicaments que l'on retrouva dans la chambre de Marilyn après sa mort, figurait en effet : 1. un flacon vide portant une étiquette indiquant qu'il avait contenu vingt-cinq cachets de Nembutal, et précisant la date de la prescription, le vendredi 3, c'est-à-dire la veille du décès ; et 2. un autre flacon presque vide, ayant renfermé cinquante capsules d'hydrate de chloral, variété de soporifique beaucoup moins puissant, prescrit le 31 juillet.

Le Dr Hyman Engelberg, le généraliste de Marilyn, se refuse

à toute interview. Son carnet de rendez-vous prouve toutefois qu'il lui rendit visite chez elle, le vendredi, jour où l'ordonnance de Nembutal fut établie, et un document provenant du dossier du coroner confirme qu'il lui prescrivit ce médicament ce jour-là.

L'équipe de Prévention du Suicide devait conclure que Marilyn avait donc reçu le même jour des ordonnances identiques de deux médecins, le Dr Engelberg et le Dr Lou Siegel, à l'insu de l'un et l'autre. Le Dr Lou Siegel, gynécologue, décédé depuis, nia avec véhémence en 1982 avoir jamais eu Marilyn pour patiente. Quant au Dr Lee Siegel, médecin des studios qui avait fréquemment soigné l'actrice, il affirma pour sa part que lorsqu'elle est morte, il ne l'avait plus vue depuis plusieurs semaines.

Le Dr Greenson devait déclarer par la suite qu'il avait lui-même fait appel à son collègue, le Dr Engelberg, afin qu'il tente de l'amener à se passer des somnifères. Les deux médecins convinrent de se tenir au courant l'un l'autre des médicaments qu'ils lui prescriraient, mais il se peut que le système n'ait pas fonctionné.

Plus tôt ce jour-là, Marilyn aurait posé une étrange question à Mrs. Murray (à en croire cette dernière). «Mrs. Murray, aurait-elle demandé, est-ce que nous avons de l'oxygène?» Sur quoi, Marilyn se serait désintéressée de la chose; mais la femme de chambre déclare s'en être inquiétée suffisamment pour estimer devoir en faire part au Dr Greenson à qui elle aurait donc téléphoné. Or ce dernier ne fit jamais mention de cet appel. (L'oxygène est évidemment utilisé en réanimation*.)

Il est certain que Greenson ne sut rien du coup de téléphone que Marilyn passa à Jeanne Carmen avant le lever du jour pour la prier de venir avec «des cachets». Elle l'aurait d'ailleurs rappelée un peu plus tard pour insister et aurait essuyé un nouveau refus de son amie, invoquant toujours ses rendez-vous de la journée.

Henry Rosenfeld, le riche ami new-yorkais de Marilyn, lui téléphona, entre huit et neuf heures (heure californienne),

_____
* Il peut être aussi un moyen de se suicider dans l'euphorie (NdT).

estime-t-il ; elle répondit elle-même. Il confirme qu'elle semblait groggy mais que cela n'avait rien d'inhabituel.

A neuf heures trente, elle appela Sidney Guilaroff, coiffeur hollywoodien de grande renommée qu'elle connaissait bien (il n'a pas été question de lui dans ces pages car il se refuse à toute déclaration sur ses clients). Marilyn lui aurait dit : « Je suis très déprimée » et elle aurait raccroché sans lui dire au revoir. Habitué à ses manières insolites, Guilaroff ne se serait pas affolé. Il ne veut rien préciser sur ce qu'elle a pu lui dire d'autre.

Jose Bolaños, l'amant de Marilyn qui l'avait suivie depuis le Mexique, lui téléphona du Ships Restaurant, non loin de chez elle, entre neuf heures trente et dix heures. Il reconnaît qu'elle lui dit « quelque chose de choquant » mais en reste là. Il précise toutefois qu'elle coupa court à la conversation en posant simplement le combiné sans raccrocher tant qu'il demeura en ligne. Comme Guilaroff, Bolaños pensa que c'était « bien d'elle ». Et rien de plus.

Vers dix heures, Marilyn rappela Jeanne Carmen. « Es-tu sûre que tu ne peux pas venir ? » Elle semblait nerveuse, avoua qu'elle craignait que les appels anonymes de la nuit précédente, lui intimant de laisser Robert tranquille, ne se reproduisent. En dehors de cela, elle n'avait pas l'air d'aller trop mal, et Jeanne « se défila » une dernière fois. Un peu plus tard, le téléphone sonna à nouveau. Carmen ne répondit pas.

A peu près à la même heure (Ralph Roberts ne devait l'apprendre que le lendemain), une voix bredouillante appela son service de répondeur. Avisée de son absence, la personne raccrocha.

Roberts, qui ne disposait pour le moment que d'une adresse temporaire, n'avait communiqué son numéro qu'à deux personnes, mis à part Marilyn, et il s'agissait, dans un cas comme dans l'autre, de relations d'affaires. Il pense que c'est Marilyn qui a appelé.

Elle ne fit plus d'autres appels, que l'on sache. Vers trois heures trente du matin, Joan, la fille du Dr Greenson, entendit le téléphone sonner dans la chambre de ses parents. Des bruits de voix étouffées, des pas descendant l'escalier, le moteur de la voiture que l'on mettait en marche. Sentant une petite faim, Joan alla à la cuisine faire une razzia dans le frigidaire.

« J'ai demandé à maman ce qui se passait, raconte-t-elle. Elle m'a répondu qu'il y avait un problème chez Marilyn. Je me suis contentée de faire "Oh !" — puis je suis retournée me coucher. »

Deux ou trois kilomètres à peine séparaient la maison des Greenson de celle de Marilyn. Au volant de sa voiture, le psychiatre craignait déjà le pire. C'était Eunice Murray qui l'avait appelé : vers minuit, elle avait remarqué que la lumière était encore allumée dans la chambre de l'actrice, et à trois heures du matin, elle s'était réveillée pour s'apercevoir qu'elle n'était toujours pas éteinte. Il y avait là quelque chose de tout à fait anormal. De peur de fâcher Marilyn en la réveillant inutilement, avait-elle expliqué au téléphone, elle avait préféré l'appeler, lui.

« Je lui ordonnai [en lui parlant au téléphone] de donner de grands coups sur la porte, écrivit Greenson à un ami au cours du mois qui suivit le drame. Ce qu'elle fit. Il n'y eut pas de réponse. Elle sortit alors devant la maison et regarda par la fenêtre. De là elle put distinguer Marilyn immobile sur son lit. Je lui dis que je venais sur-le-champ et lui demandai de joindre le Dr Engelberg. »

En cinq minutes, Greenson arriva sur les lieux. Lui aussi vérifia que la porte de la chambre était bien fermée à clé, et ressortit pour regarder par la fenêtre. D'aucuns ont mis en doute ce témoignage : les fenêtres de Marilyn étant toujours masquées par d'épais rideaux opaques rapportés de son ancien appartement.

En réalité, selon Mrs. Murray et le Dr Greenson, une fenêtre munie de barreaux était restée entrouverte en cette chaude nuit d'été. Un examen des photographies prises à l'époque et de la fenêtre en question prouve qu'il était possible de passer la main par les barreaux, d'écarter les rideaux et de découvrir ainsi Marilyn sur son lit.

En revanche, il n'y avait pas moyen de pénétrer dans la pièce, à cause de ces mêmes barreaux. Greenson explique qu'il réussit à casser la vitre d'une fenêtre sans barreaux située sur le côté de la maison à l'aide d'un tisonnier — ce carreau cassé apparaît distinctement sur les photographies de presse. Après quoi il n'eut aucun mal à tourner la poignée, puis à se hisser sur le rebord relativement bas.

« Je voyais déjà de loin, à quelques mètres d'elle, que Marilyn ne vivait plus, devait-il écrire. Elle gisait là, à plat ventre sur son lit, les épaules découvertes. En m'approchant, j'aperçus le téléphone qu'elle tenait encore serré dans sa main droite. Je présume qu'elle essayait de téléphoner quand la mort la terrassa. C'était tout simplement incroyable, si banal. Fini à jamais. »

Les photographies de la police, prises quelques heures plus tard, montrent Marilyn, couverte à la hâte de couvertures en désordre, la tête, tournée du côté droit, posée sur un oreiller, les yeux fermés, les traits détendus comme si elle dormait paisiblement.

Le Dr Greenson ouvrit la porte et annonça la tragédie à Eunice Murray. « Nous l'avons perdue. » Le Dr Engelberg, arrivé sur les lieux un quart d'heure plus tard, confirma, selon les termes de Greenson, qu'« elle nous a quittés pour toujours ».

A 4 heures 25 du matin, moins d'une heure après qu'Eunice Murray eut donné l'alarme, le standard du Commissariat central de Los Angeles enregistrait un appel du Dr Engelberg, qui fut transféré au bureau du secteur ouest, couvrant le quartier où demeurait Marilyn. Le brigadier Jack Clemmons, de garde cette nuit-là, décrocha lui-même l'appareil. Quand le médecin lui annonça : « Je vous appelle de chez Marilyn Monroe. Elle est morte. » Clemmons crut à une mauvaise plaisanterie. Il décida d'aller voir par lui-même.

A peine entré dans la maison, éclairée de haut en bas maintenant, le brigadier se fit conduire dans la chambre de Marilyn, où les deux médecins veillaient le corps.

Le Dr Greenson, qui se chargea presque à lui seul de lui résumer la situation, lui désigna un flacon en particulier, parmi les multiples médicaments qui jonchaient la table de nuit. Il lui parut que les faits parlaient d'eux-mêmes. Le flacon, rebouché, était vide ; sur l'étiquette, il lut : Nembutal. La morte n'avait pas pris la peine de laisser de mot avant de se supprimer. Le Dr Greenson avait replacé le combiné sur son support.

Tout semblait en ordre ; de fait, Mrs. Murray était en train de ranger la cuisine ; elle avait même entrepris de faire une lessive. Pourtant, quelque chose continuait à tracasser Clemmons. « Il n'y avait aucun indice particulier, dit-il, mais je partis avec le sentiment désagréable qu'il y avait quelque chose qui ne collait pas. »

44

Vers cinq heures du matin, le dimanche 5 août, un jeune journaliste, Joe Ramirez, mit la main sur un *scoop* qui allait avoir un retentissement mondial. Le grand acteur Charles Laughton était en train de mourir, et Ramirez avait chargé un de ses « contacts » au bureau du coroner de le mettre au courant dès que Laughton aurait rendu son dernier soupir. Lorsque ce « contact » l'appela, ce fut en réalité pour lui apprendre le décès de Marilyn Monroe. Ramirez, qui travaillait pour une petite agence, la *City News*, se précipita à son bureau, décrocha son téléphone et transmit la nouvelle par télégramme.

L'information arriva trop tard pour paraître dans les journaux du dimanche, mais elle ne s'en répandit pas moins dans le monde entier dès les premières heures du jour, bouleversant les auditeurs de radio lève-tôt et forçant les rédacteurs en chef de la presse internationale à rester suspendus toute la journée au téléphone.

A Studio City, le photographe Bill Woodfield fut tiré du lit de bon matin par le journaliste Joe Hyams. Les deux hommes connaissaient Marilyn — Woodfield était toujours en pleine négociation à propos des photographies de Marilyn nue dans la piscine. Quant à Hyams, l'estimable correspondant du *New York Herald Tribune*, il venait d'écrire un article sur elle, quelques semaines plus tôt, à la suite d'une rencontre fortuite dans un magasin. Peu avant l'aube, ils filèrent ensemble dans la Mercedes noire de Hyams qui avait appartenu autrefois à Humphrey Bogart.

Le chroniqueur de l'*Associated Press* James Bacon, qui avait été amant de Marilyn au temps de ses débuts, apprit la nouvelle grâce à un ami dont la radio était branchée sur la fré-

Une brève liaison. Avec Marlon Brando, 1955

A droite : Une dernière toquade. Le scénariste mexicain José Bolaños avec Marilyn ivre, en 1962

Compagnons de table. Avec une autre célébrité d'Hollywood, Ronald Reagan, en 1953

L'homme qui dura le plus.
Avec le dramaturge Arthur
Miller en 1959. Ils furent
mariés plus de quatre ans

L'amant français. En 1960, la
liaison avec Yves Montand
coïncida avec la désagrégation
du ménage Miller, mais elle
n'en fut pas la cause. La santé
mentale de Marilyn se détério-
rait rapidement

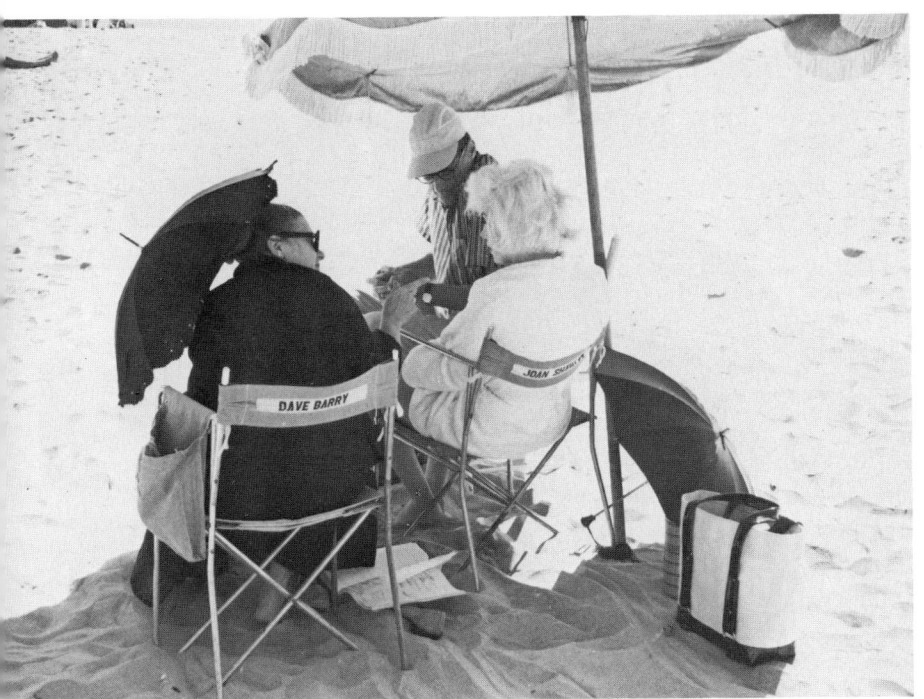

Paula Strasberg *(à gauche)*,
excentrique épouse du fondateur de l'Actors Studio, fut la
conseillère dramatique de
Marilyn à partir de 1956.
Arthur Miller, assis *(à droite)*,
pendant le tournage de *Certains
l'aiment chaud*, n'était pas sûr
que l'influence des Strasberg
fût bonne

Plus jolie sans maquillage, 1955

Vodka au casino. Faisant la bombe avec Frank Sinatra — qui fut un temps son amant par la suite — au Cal-Neva Lodge, sur le lac Tahoe. Marilyn prenait de graves risques en allant au Lodge — c'était un lieu de rendez-vous de la Mafia

L'Attorney général et le chanteur. Robert Kennedy — le dernier amant de Marilyn probablement — avec Sinatra en 1961. Kennedy est le personnage central des mystères qui entourent la mort de Marilyn

Un lieu d'intrigues amoureuses. Marilyn rencontrait les deux frères Kennedy dans la villa de Peter Lawford, au bord de la mer, en Californie. Cette photo exceptionnelle, qui montre le président *(assis au centre)*, fut prise par un voisin en 1962

Le président à minuit — de retour à sa base new-yorkaise, le Carlyle Hotel. Marilyn, dit-on, était une des rares femmes à lui rendre visite dans sa suite

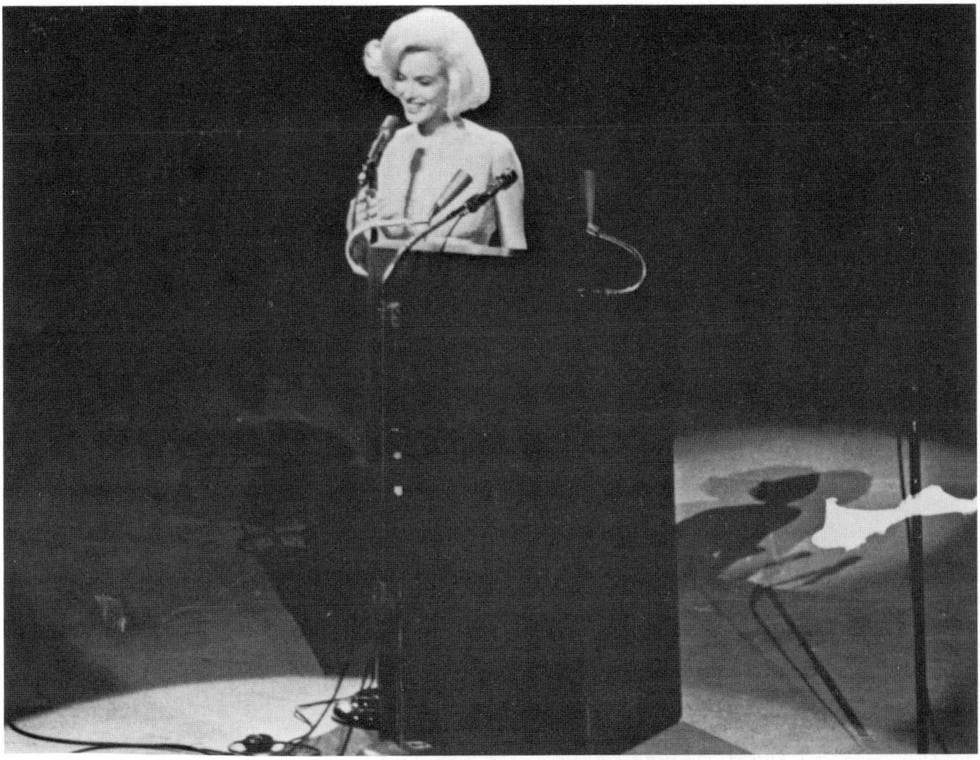

« Bon anniversaire, monsieur le président… » Madison Square Garden, mai 1962

Le Dr Ralph Greenson, psychiatre, à qui Marilyn révéla ses rapports avec les Kennedy. Sa famille et lui la traitèrent en amie durant ses derniers mois de détresse

Lunettes de soleil : Giancana, parrain de la Mafia. « Je sais tout sur les Kennedy... Un de ces jours, nous allons tout déballer. » *Ci-dessous :* Jimmy Hoffa, le chef des camionneurs. « J'avais déjà un enregistrement de Bobby Kennedy et de Jack Kennedy... »

Le dernier anniversaire et la fin d'une carrière. Marilyn, trente-six ans ce jour-là, sort pour la dernière fois des locaux de la Twentieth Century Fox, le 1er juin 1962. Son compagnon est l'acteur Wally Cox

L'apéritif avec le beau-frère du président. Marilyn avec Peter Lawford au Cal-Neva Lodge, où elle faillit, déjà, mourir pour avoir absorbé trop de somnifères. Lawford servait d'intermédiaire aux Kennedy. Selon une de ses femmes, il détruisit une pièce à conviction, chez Marilyn, la nuit de sa mort

Trois mois avant la fin. Marilyn avait dit une fois : « La gravité finit
toujours par nous rattraper. »

Un endroit pour mourir. La maison de Brentwood, le matin du 5 août 1962. Sur la gauche, derrière l'arbre, la chambre où Marilyn est morte. Vingt-quatre heures auparavant, elle avait sombré dans une profonde dépression, après qu'un messager lui eut remis un tigre en peluche — peut-être l'animal que l'on voit ici, abandonné sur l'herbe

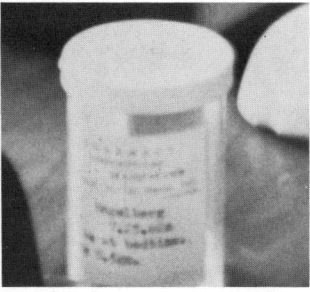

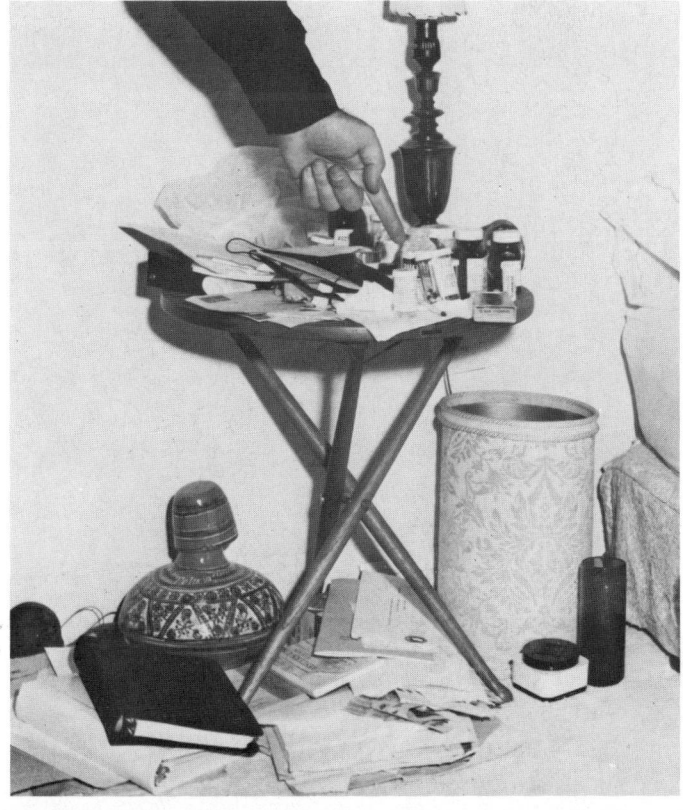

La mort dans un flacon. Le flacon ci-dessus porte le nom d'un de ses médecins, le Dr Hyman Engelberg, et est daté du 25.7.62 — onze jours avant la fin. Il contenait probablement le chloral hydraté qui, entre autres causes, provoqua la mort de Marilyn. Sur le sol : des scripts et un télégramme de la Western Union, proposant un nouvel engagement. L'objet de verre à côté du lit est peut-être un vase : l'enquête ayant été incomplète, on ne sait pas quelle est sa nature exacte

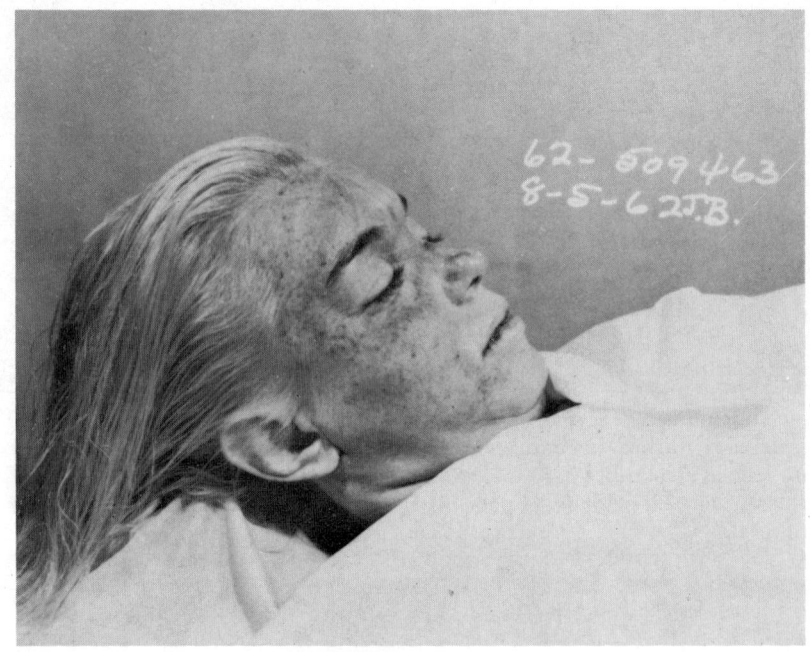

Marilyn morte

Cette photographie, prise après l'autopsie, porte le numéro d'un dossier de police. La décoloration faciale s'est produite après la mort, et c'est l'intervention du chirurgien qui lui a donné ces chairs flasques. Avant l'autopsie, selon les témoins, Marilyn avait encore toute sa beauté quence de la police. Il fonça chez elle aussitôt. Il y avait déjà plusieurs voitures de police devant la maison ainsi qu'un petit groupe de voisins en robe de chambre agglutinés sur le trottoir. «Je recourus à une vieille ruse, raconte Bacon ; je me suis présenté devant un flic en prétendant que le bureau du coroner m'avait dépêché sur place. J'entrai ainsi dans la maison sans difficultés. Je ne restai pas très longtemps, juste assez, toutefois, pour la voir gisant sur son lit. Je remarquai que ses ongles étaient négligés. Le représentant du coroner arriva effectivement sur les lieux quelques instants plus tard, et je me hâtai de déguerpir. »

L'envoyé du coroner, Guy Hocknett, vit tout de suite, comme le Dr Greenson l'avait lui-même constaté, que le décès remontait déjà à «plusieurs heures». Elle était déjà raide, et «il fallut près de cinq minutes pour la redresser. (...) Elle gisait, assez droite, dans une position semi-fœtale. Ses cheveux, tout desséchés, étaient en très mauvais état, à cause de tous ces traitements, vous savez. Elle n'était pas très belle à voir, au point qu'on avait du mal à croire que c'était bien elle. On aurait dit une pauvre femme ordinaire qui venait de mourir. Pas de maquillage, les cheveux négligés, sans mise en plis, un corps fatigué. Nous eûmes tous la même impression, à des degrés divers. »

Les hommes du coroner emportèrent le corps de Marilyn, dissimulé sous une couverture bleue, sur un chariot et le chargèrent à bord d'un vieux break. Ils conduisirent leur triste fardeau au dépôt mortuaire de Westwood Village, près du cimetière où la grand-mère maternelle de Marilyn était enterrée. La dépouille mortelle de la plus célèbre star du monde y demeura quelques heures dans un réduit encombré de brosses, de manteaux et de bocaux.

Puis on la transporta dans la case 33 du County Morgue, au palais de justice de Los Angeles. Marilyn n'était plus qu'un numéro — le 81128 (numéro du dossier du coroner la concernant).

Deux photographes réussirent à s'introduire dans la morgue ce jour-là. L'un d'entre eux, Bud Gray, du *Herald Examiner*, fit un cliché du cadavre enveloppé dans son linceul, pendant que son collègue couvrait le déclic de l'obturateur en allumant

409

son briquet. Leigh Wiener, photographe qui envoya par la suite ses photos au magazine *Life*, arriva sur les lieux avec son appareil-photo dans une main et des bouteilles de whisky dans l'autre. Contre un verre d'alcool, un des préposés de la morgue lui ouvrit la porte en acier inoxydable et tira l'étagère coulissante où reposait la dépouille de Marilyn. Wiener la mitrailla, couverte et découverte. L'une des photographies publiées montre un orteil émergeant de la case, auquel est attaché une fiche d'identification. La presse publia ainsi les derniers clichés de la célèbre actrice.

De part et d'autre du pays, on recueillait les réactions des vivants. Les ex-maris firent peu de commentaires. Atteint au pied levé par la radio de la police, James Dougherty ne réussit qu'à bredouiller : «Je suis atterré. » En dépit de ses talents de beau parleur, Arthur Miller ne put articuler un seul mot. Quelqu'un de sa famille rapporta pourtant ces paroles qu'il aurait prononcées : «Il fallait bien que ça arrive. Je ne savais ni quand ni comment, mais c'était inévitable. » Miller précisa toutefois qu'il n'irait pas à l'enterrement car « elle n'est plus vraiment là».

La veille, Joe DiMaggio participa à un match-gala à San Francisco avant de rejoindre des amis au Bimbo's club. Il apprit la nouvelle très tôt le matin, probablement par l'intermédiaire d'amis de Frank Sinatra. Il sauta dans le premier avion pour Los Angeles, contacta son fils Joe, au camp de Pendleton, et prit refuge avec deux de ses intimes derrière la porte verrouillée de la Suite 1035 du Miramar Hotel, non loin de chez Marilyn.

DiMaggio fit sans tapage ce qui devait être fait. Dans un premier temps, personne n'avait réclamé la dépouille de la défunte. Ni sa mère, incapable d'une pareille démarche, qui vivait dans une maison de retraite, ni sa demi-sœur, qui accepta que DiMaggio se charge de tout. Il tenait à ce que la cérémonie se fît dans l'intimité. Il refusa de faire la moindre déclaration à la presse. Selon son ami Harry Hall, il resta dans sa chambre d'hôtel à pleurer, sans même prendre la peine d'ouvrir les télégrammes qui s'amoncelaient sur la table près de lui. Quand finalement il sortit de son mutisme, ce fut pour fulminer contre Sinatra, son entourage, les Kennedy. «Il considé-

410

rait Bobby Kennedy comme responsable de sa mort, nous rapporte Hall. Il le dit comme je vous le dis, lorsqu'il était au Miramar. »

Entre deux sanglots, Paula Strasberg déclara que Marilyn « était une actrice comme il n'en existe aucune autre ». Elle ajouta — ce qui est incroyable — que « Marilyn n'avait aucun souci ». Sa fille Susan fit par la suite observer, avec compassion : « C'était bien un papillon de fer, comme certains l'appelaient. Les papillons sont magnifiques, nous donnent beaucoup de plaisir, mais ils ont la vie courte. »

Milton et Amy Greene apprirent la nouvelle par téléphone dans leur chambre d'hôtel, à Paris. Ils en furent tout particulièrement bouleversés, car Amy, ayant eu le pressentiment que Marilyn était dans une très mauvaise passe, avait incité son époux à l'appeler avant leur départ de New York. Marilyn leur avait assuré que tout allait bien et tout le monde avait beaucoup ri.

Metteurs en scène, patrons et stars se virent bombarder de questions. Billy Wilder, descendant de l'avion qui le ramenait de Paris, dut donner son avis sur Marilyn sans même être au courant du drame. « Je ne sais plus très bien ce que j'ai répondu, probablement pas quelque chose de si gentil que ça, raconte-t-il tristement. Et puis, tout à coup dans le taxi, sur le chemin de l'hôtel, j'ai vu les manchettes des journaux par la fenêtre. Ils ne me l'avaient même pas dit, ces salauds... »

Par la suite, Billy Wilder rendit hommage aux talents d'actrice de Marilyn, de même que John Huston. Pendant le tournage des *Misfits*, reconnut ce dernier, « j'avais craint qu'il ne lui restât plus que quelques années avant de mourir ou d'entrer dans un asile ». Joshua Logan déclara pour sa part : « Marilyn était l'une des personnes les plus sous-estimées de la terre. »

Darryl Zanuck, président de la Twentieth Century Fox, auquel il avait fallu du temps pour apprécier les qualités de la jeune starlette, fit preuve de noblesse, en affirmant : « Personne ne l'a découverte. Elle a fait toute seule le chemin qui l'a conduite au succès. »

De l'avis de Sir Laurence Olivier : « L'opinion publique est un véhicule atrocement déstabilisant dans la vie de quelqu'un. Elle fut exploitée plus que quiconque pourrait le supporter. »

« J'ai entendu la nouvelle au flash d'information de sept heures, raconte Kay Gable, la veuve de Clark Gable, décédé juste après le tournage des *Misfits*, et je suis allée à la messe, j'ai prié pour elle. »

La famille Greenson était accablée de chagrin. Le psychiatre avait téléphoné de la maison de Marilyn chez lui pendant la nuit pour annoncer la nouvelle ; il était rentré harassé. Il ne cessait de répéter qu'à son avis, ce ne pouvait être qu'un accident. Longtemps après, il se blâmait encore : « C'était une pauvre créature que j'ai voulu aider et que j'ai fini par desservir. » Juste après le drame, il rencontra Joe DiMaggio. Les deux hommes s'efforcèrent de se consoler l'un l'autre.

Frank Sinatra s'avoua « profondément affligé. (…) Elle va beaucoup me manquer », ajouta-t-il. Et George Jacobs, domestique de Frank, de préciser : « Ce mois d'août fut une mauvaise période. Il s'était passé de drôles de choses. Frank demeura dans une sorte d'état de choc pendant des semaines après la mort de Marilyn, profondément angoissé. ''Partons d'ici'', me dit-il un jour, n'en pouvant plus, et nous descendîmes à Palm Springs. »

Pat Newcomb, arrivée sur les lieux de la tragédie le matin, provoqua une scène en repartant. « Allez-y, mitraillez, vautours ! » hurla-t-elle, à l'adresse des photographes. Puis, en larmes, elle demanda à un journaliste : « Si votre meilleur ami se tuait, qu'éprouveriez-vous ? Que feriez-vous ? » En contradiction totale avec tout ce que nous savons à présent, Pat Newcomb affirma cependant que Marilyn « était en grande forme », de très bonne humeur, la veille au soir.

Peter Lawford déclara publiquement : « Pat et moi l'aimions profondément. C'est probablement l'un des êtres humains les plus merveilleux et les plus chaleureux que j'ai connus. Tout ce que je pourrais dire d'autre serait superflu. »

Au téléphone, ce matin-là, avec un ami, Lawford s'était montré incohérent. Il avait trouvé une paire de sandales appartenant à Marilyn dans la cabine de plage et prié son valet de chambre de trouver quelqu'un pour les faire couler en bronze. Il entra chez sa voisine, Sherry Houser, d'un air hagard, « dans un état de choc, terrassé, en larmes. Il ne cessait de répéter qu'il était la dernière personne à lui avoir parlé ». Ce détail, loin d'être superflu, est au cœur du mystère entourant la mort de Marilyn.

A New York, ce jour-là, Maurice Zolotow, le biographe de M. Monroe, alla à une soirée où il vit nombre d'hommes politiques dont certains faisaient partie de l'entourage des Kennedy. A l'en croire, le nom de Robert Kennedy était déjà intimement lié à la tragédie de Marilyn, dans les conversations.

Le samedi après-midi, toujours sur la côte est, dans la propriété des Kennedy à Hyannis Port, Joseph, le patriarche de la famille, qui se remettait d'une attaque, faisait ses exercices dans la piscine. Plusieurs parents et membres de leur entourage se trouvaient aux alentours. Son chauffeur et homme à tout faire, Frank Saunders, était dans l'eau avec lui. « Sa nièce, Ann Gargan, apparut tout à coup et nous annonça que Marilyn Monroe était morte, se souvient Saunders. Un étrange silence s'instaura parmi tous ceux qui étaient présents. Je trouvai que c'était une curieuse manière de réagir, et cette impression me resta. Des années plus tard, lorsque l'on commença à parler de Marilyn et de John Kennedy, et puis d'elle et Robert Kennedy, j'ai repensé à ce silence. On se serait cru à une veillée funéraire, sauf que ce n'était pas une veillée... »

En Californie, au ranch de Bates, au sud de San Francisco, Robert Kennedy se rendit à l'église ce matin-là. Après quoi il se détendit en compagnie de ses hôtes, monta à cheval, joua au football, John Bates affirme que le nom de Marilyn avait surgi plusieurs fois dans les conversations depuis l'arrivée de l'Attorney général, le vendredi, mais seulement à propos des problèmes de Marilyn en général. « Nous savions tous qu'elle était en relation avec Jack », ajoute-t-il.

Bates pense qu'ils ne se mirent à parler de sa mort que le dimanche soir, lorsque toute l'équipe regagna la ville. Interrogé sur les réactions de R. Kennedy, Bates déclare : « Apparemment aucune. La chose fut prise très à la légère...
— Comme s'il s'agissait simplement d'une nouvelle tragédie hollywoodienne ? — Exactement. Nous en parlâmes d'une manière plutôt... amusante. »

Le lundi, Robert Kennedy présida une réunion de l'American Bar Association. Puis il dîna en privé avec le directeur de la CIA, avant de partir en vacances avec sa famille.

A Washington, le président Kennedy donna, comme prévu, une conférence de presse, au cours de laquelle il engagea notamment le Congrès à mettre en vigueur des lois plus strictes contre l'usage des médicaments dangereux.

Le dimanche matin, de bonne heure, le Dr Thomas Noguchi, jeune médecin légiste, assistant du coroner Theodore Curphey, trouva sur son bureau un mot de son patron, le priant de procéder à l'autopsie du cadavre de Marilyn Monroe. Un adjoint du District Attorney, expert légiste, devait assister à l'opération.

Le chef de la police judiciaire de Los Angeles, Thad Brown, était une figure légendaire, connu pour se consacrer à son travail vingt-quatre heures sur vingt-quatre. Quand il lui arrivait, toutefois, de se détendre, il prenait refuge à Malibu, dans une caravane sans téléphone. C'est là que ce dimanche matin un motard lui apporta un message urgent. Marilyn Monroe était morte ; il y avait un problème, et on avait besoin de lui.

L'enquête fut finalement confiée au Chief Police William Parker, réputé sur tout le territoire national. Il partageait beaucoup de ses soucis avec son épouse Hélène. Aussi peut-elle témoigner : « Il tenait à ce que les enquêteurs accordent à cette affaire une attention toute particulière, et s'efforça de déléguer, pour ce faire, les hommes les plus compétents dont il pouvait disposer, y compris des inspecteurs du bureau central de Los Angeles ; ceci à cause des relations étroites que Marilyn avait entretenues avec les frères Kennedy, dont on parlait tant. Et puis mon mari aimait beaucoup Robert Kennedy, le trouvait très intelligent, et pensait même qu'il ferait un meilleur président que John. »

« Robert et John Kennedy passaient pour être catholiques, je crois, ajoute-t-elle ; mon mari l'était aussi. Il craignait peut-être des pressions exagérées ; que les républicains profitent, par exemple, de l'occasion pour les discréditer. Alors il s'est dit : "Il faut absolument rectifier la situation à tous les égards." Mon mari était un homme très, très rigoureux et il était prêt à remuer ciel et terre pour faire la lumière sur cette affaire. "Pas de pitié", disait-il. »

On se souvient en effet de l'inspecteur Parker comme de quelqu'un d'une grande intégrité. Pourtant lorsque quelques semaines plus tard, sa femme lui demanda où en était l'affaire Monroe, il fit preuve d'une rare imprécision. « Il semblait qu'il y eût un énorme point d'interrogation, explique Hélène Parker. Je me rappelle qu'il s'est contenté de faire ça », et en parlant, elle dessina un grand point d'interrogation dans l'air.

Il y eut une enquête du coroner ; on la jugea truquée. Il y eut une enquête de la police ; et il y eut une volonté d'étouffer l'affaire.

45

Le 5 août, à dix heures trente du matin, six heures après l'annonce officielle de la mort de Marilyn, le corps le plus désiré, le plus célébré de la terre gisait sous un drap en plastique dans une longue salle sans fenêtres des sous-sols du palais de justice de Los Angeles. Eddy Day, assistant du Dr Noguchi, chargé de l'autopsie, avait préparé Marilyn sur la table 1, une plaque d'acier inoxydable équipée d'un système d'arrivée d'eau et d'évacuation ainsi que d'une balance destinée à peser les organes.

Depuis ce jour, le Dr Noguchi est l'objet de multiples controverses. Récemment, des années après sa promotion au rang de chef médecin légiste, il a été dégradé sous l'accusation de fautes professionnelles, et parce qu'il aurait fait du sensationnalisme autour de la mort de célébrités — accusations contre lesquelles il continue de se battre.

Dans la tempête d'indignation qui suivit, ses collègues l'ont élu président du conseil de l'Association nationale des médecins légistes.

Parmi les sujets dont Noguchi a eu la charge : Sharon Tate, William Holden, Nathalie Wood et John Belushi. En 1968, c'est lui qui examina le crâne du sénateur Robert Kennedy.

Noguchi et John Miner, envoyé du District Attorney, venu en observateur, furent profondément bouleversés quand on eut écarté le drap qui recouvrait la dépouille de Marilyn. « Tom et moi avions pourtant déjà vus des milliers de cadavres, commente Miner, mais nous fûmes malgré tout très impressionnés, l'un et l'autre. On aurait dit qu'à tout moment cette jeune femme allait se redresser et descendre de la table. Nous en fûmes profondément bouleversés. »

Noguchi travailla sur Marilyn pendant des heures, son scalpel dépeçant ce corps qui avait fait rêver tant d'hommes, sa scie de chirurgien décalottant le crâne pour en extraire ce cerveau qui avait fait rire et vibrer des millions de gens. Ses notes nous révèlent que Marilyn était « une femme de race blanche, âgée de 36 ans, bien développée, bien nourrie, pesant 53 kg et mesurant 1 mètre 66. Le crâne est recouvert de cheveux blonds décolorés. Yeux bleus. » Nous apprenons aussi que « la pilosité pubienne est normale ainsi que la taille de l'utérus ». Nous est d'autre part confirmée la présence de cicatrices (si parfaitement effacées sur les photographies), dues à une appendicectomie et à l'ablation de la vésicule biliaire. Pour finir, le Dr Noguchi nous dévoile qu'en dépit de tant d'excès, qui firent tellement jaser, Marilyn était plutôt en bonne santé lorsqu'elle se donna la mort.

Quand la dépouille quitta la salle après l'autopsie, la beauté de Marilyn n'était plus. Une photographie retrouvée dans les dossiers de la police — la seule photo *post-mortem* que nous connaissions d'elle, montre un visage flasque, enflé, des cheveux plats, tombant raides sur le bord de la table. On avait sectionné les muscles de la face pendant l'ablation du cerveau. Quand le médecin en eut fini, la dépouille fut lavée à grande eau.

Le Dr Noguchi savait maintenant que la partie chirurgicale de l'autopsie ne fournirait pas la clé du mystère de la mort de Marilyn. En dehors de quelques bleus, probablement dus simplement au fait de s'être cognée contre des meubles, il n'y avait aucun signe de violence physique. Sachant que l'on avait trouvé des flacons de médicaments sur sa table de nuit, expliqua Noguchi, il avait déjà deviné que les réponses essentielles viendraient du toxicologue.

416

Le lundi matin, de bonne heure, alors que les banlieusards de Los Angeles se rendaient encore sur leur lieu de travail, Ralph Abernethy, toxicologue, était déjà dans son laboratoire en train de passer en revue une série de spécimens à analyser d'urgence : huit flacons de médicaments — parmi lesquels celui qui avait contenu du Nembutal, des prélèvements du sang, de l'urine ainsi que de l'estomac, des intestins, du foie et des reins de Marilyn Monroe. Le docteur Noguchi souhaitait une analyse du taux d'alcool et de barbituriques.

Quelques heures plus tard, il apprenait que le sang de Marilyn contenait 4,5 milligrammes p. 100 de barbituriques, mais aucune trace d'alcool. Elle n'avait donc pas bu de champagne, sa boisson favorite, plusieurs heures avant d'expirer. Contrairement à ce que l'on prétend encore souvent depuis tant d'années, Marilyn n'a pas succombé à la combinaison classique alcool-barbituriques.

Toutefois, ces derniers, à eux seuls, sont la clé du mystère. Des analyses complémentaires permirent de déterminer la présence de 13 milligrammes p. 100 de pentobarbital dans le foie, et de 8 milligrammes p. 100 d'hydrate de chloral dans le sang. Le pentobarbital entre pour une large part dans la composition du Nembutal ; quant à l'hydrate de chloral, c'était l'un des sédatifs les moins nocifs que l'on avait trouvés chez elle.

Un pathologiste du St. Bartholomew's Hospital de Londres, le docteur Christopher Foster, a attiré mon attention sur le fait — et tous les médecins sont d'accord pour le reconnaître, — qu'il est extrêmement difficile de déterminer avec exactitude la quantité d'une drogue absorbée. Il estime, toutefois, que la jeune actrice aurait ingéré [environ] dix fois plus de Nembutal que la dose thérapeutique normale. Le taux d'hydrate de chloral en lui-même prouve qu'elle en a avalé une quantité « tout à fait invraisemblable », jusqu'à vingt fois plus que celle recommandée pour vaincre l'insomnie. L'une ou l'autre substance, prise dans de pareilles proportions, pouvait être fatale, même sans les associer.

L'examen interne de Noguchi avait dévoilé une congestion de la paroi gastrique avec hémorragie, résultat caractéristique de l'irritation provoquée par des barbituriques absorbés en trop fortes doses. Cette donnée, ainsi que l'analyse toxicologique et les flacons trouvés dans la chambre de Marilyn, composait un scénario que ces hommes avaient trop souvent vu pour ne pas savoir que Marilyn avait été victime d'un surdosage.

Le 10 août, cinq jours après sa mort, le Dr Noguchi soumettait son rapport final d'autopsie, définissant la cause du décès en ces termes : « Forte intoxication aux barbituriques due à l'ingestion d'une surdose. » Dans la rubrique « Type de mort », il entoura « Suicide », ajoutant le mot « probable », de sa propre main. Tel serait le verdict annoncé à la presse par le coroner une semaine plus tard.

La thèse du suicide laisse pourtant sceptiques certains observateurs ; en particulier, la conclusion de Noguchi selon laquelle Marilyn avala cette surdose, ou — selon la formule du coroner — que cette dernière « fut auto-administrée », ne les satisfait pas du tout.

Ces incrédules soulèvent plusieurs objections. Notamment le fait que l'on retrouve en général des traces de cachets dans l'estomac des victimes d'intoxication par surdosage : des fragments de capsules de gélatine, quelquefois même des gélules intactes non digérées. Ils affirment par ailleurs que les capsules de barbituriques laissent une traînée colorée révélatrice dans l'organisme et que dans ce type d'intoxication, on vomit en général avant d'expirer.

Ils rappellent de plus le fait que l'on n'a trouvé ni verre ni eau dans la chambre de Marilyn — il a bien dû lui en falloir pour ingurgiter toutes ces pilules ! En bref, ils suspectent que quelqu'un d'autre lui administra la dose fatale — qu'on l'aurait assassinée.

Cette absence de verre est effectivement surprenante. Lorsque l'enquête fut rouverte en 1982, le District Attorney tenta de résoudre ce mystère en s'appuyant sur une photographie de la chambre prise peu après le décès, où « l'on distingue apparemment un récipient ». Le document visuel en question montre en effet près de la table de nuit un objet qui pourrait être une carafe.

Dans la salle de bain qui donnait directement sur la chambre à coucher, la plomberie ne fonctionnait pas ce soir-là, à cause des travaux. Si elle est allée chercher de l'eau dans une autre pièce de la maison, Mrs. Murray ne s'en est pas aperçue.

Si la police avait fait convenablement son travail tout de suite, elle aurait vérifié s'il y avait ou non un verre sur les lieux. Or aucun des trois rapports de police ne mentionne la chose. La pauvreté des données enregistrées ne fait qu'ajouter à la confusion. Le rapport de décès précise qu'il y avait quinze flacons de médicaments sur la table de nuit ; ceux de toxicologie n'en énumèrent que huit.

Les comptes rendus de presse établissent que la demeure de Marilyn fut officiellement mise sous scellés à huit heures trente, le matin de sa mort. On autorisa cependant Inez Melson, en tant que gouvernante de sa mère, à trier les effets de Marilyn. Elle put pénétrer dans les lieux, dès le lendemain, en compagnie de son époux, et se souvient que la table de nuit était toujours encombrée de flacons divers. « Nous en trouvions sans arrêt des nouveaux, raconte-t-elle. Il y avait des somnifères, du Nembutal et du Seconal notamment. Ceux qui étaient passés là avant nous n'avaient pas pris la peine de les emporter avec eux. »

Soucieuse de la réputation de Marilyn, Mrs. Melson détruisit ces pièces à conviction. « Nous jetâmes les cachets dans les toilettes, et je crois que j'ai emporté les flacons avec moi et que je les ai mis dans la poubelle. Depuis lors, j'ai souvent regretté de ne pas les avoir gardés. » On ne saurait en vouloir à Mrs. Melson de ce geste inconsidéré. Le fait que tous ces flacons n'aient pas été remis au coroner bien plus tôt est la marque d'une incompétence généralisée*.

Incompétence mise à part, les autres objections soulevées sont dans l'ensemble rapidement écartées par d'éminents pathologistes et experts légistes. Des médecins légistes exerçant dans six villes américaines différentes, deux pathologistes britanniques, deux toxicologues et un gastroentérologue ont été consultés dans le cadre des recherches entreprises pour cet

---

* Les informations diffusées par la presse indiquent qu'inexplicablement, des photographes purent circuler librement dans la maison avant qu'elle soit mise sous scellés. Une photographie non publiée, retrouvée par l'auteur, montre un flacon où l'on peut distinctement lire : « Engelberg... 25.7.62... 0.5 grammes... au coucher. » Impossible, en revanche de déchiffrer le nom du médicament, mais il s'agissait probablement de l'hydrate de chloral qui parvint effectivement au bureau du coroner.

ouvrage, dans certains cas sans savoir que Marilyn Monroe en était l'objet.

Sur les questions mineures, ces spécialistes ne remettent aucunement en cause les opinions présentées au District Attorney de Los Angeles, à l'occasion de la réouverture de l'enquête en 1982, par le Dr Boyd Stephens, médecin légiste en chef de San Francisco.

En l'occurrence, les pathologistes rejettent unanimement l'hypothèse selon laquelle la plupart des victimes d'une intoxication aux barbituriques vomissent avant de mourir. C'est quelquefois le cas ; mais le plus souvent, surtout lorsqu'il s'agit de Nembutal absorbé sur un laps de temps de plusieurs heures, elles s'endorment simplement, paisiblement.

Les capsules de Nembutal contiennent effectivement un agent colorant qui laisse toutefois rarement des traces, à la différence du Seconal par exemple. Si coloration il y a, elle provient de la capsule elle-même et non pas de la substance. Dans le cas où l'on prend la peine de briser cette capsule et qu'on en avale le contenu comme un liquide, il ne reste aucune trace ; c'est un geste que Marilyn faisait souvent.

Cela dit, il n'en demeure pas moins que sur la question qui provoqua le plus d'incrédulité et de protestations, les avis sont toujours aussi partagés : — à savoir le fait que l'on ne retrouva aucun vestige de capsules dans l'estomac de Marilyn. Ce qui indiquerait, toujours selon les sceptiques, qu'elle n'avala pas la dose fatale, qu'elle lui fut en réalité administrée d'une autre manière, par injection peut-être. D'où l'hypothèse d'un meurtre.

Le Dr Stephens, qui fit son rapport au District Attorney en 1982, ne trouva rien de curieux à cela. C'est ici encore une question de «quelquefois oui, quelquefois non». De fait, on trouve souvent des traces de capsules dans l'estomac des victimes mais plusieurs facteurs doivent pour ce faire être réunis. Cela dépend en effet : du temps écoulé depuis le dernier repas de la victime ou la dernière absorption de liquide, et dans quelle quantité ; de son métabolisme ; si, consommatrice de longue date, elle a atteint un haut niveau de tolérance ; de savoir, enfin, si la substance a été absorbée en une seule fois ou sur une période de plusieurs heures.

Dans le cas de Marilyn, les témoignages diffèrent. Eunice Murray affirme qu'elle ne mangea rien de la journée, tandis que Pat Newcomb se souvient d'avoir déjeuné avec elle, d'un hamburger. Dans un cas comme dans l'autre, elle aurait eu le soir venu l'estomac vide et donc en état d'absorber rapidement les barbituriques ingurgités. Après des années d'abus de médicaments, il ne fait aucun doute que Marilyn les tolérait extrêmement bien. Des amis se souviennent de l'avoir vue en avaler des doses étonnamment fortes sans conséquence grave.

Aucun des médecins consultés n'a voulu s'engager sur le nombre de capsules ingérées. Le Dr Noguchi s'est risqué à avancer un chiffre approximatif — entre trente et quarante ; les estimations des autres spécialistes oscillent entre quinze et quarante.

En 1962, au cours d'une conférence de presse, le coroner de Los Angeles, Curphey, déclara qu'à son avis, Marilyn avait absorbé une quantité importante de cachets « dans un laps de temps très court ». Il estimait, dit-on, qu'elle les avait avalés « d'un coup, en l'espace de quelques secondes, disons ».

Aucun des médecins disposés à se prononcer aujourd'hui, y compris le Dr Noguchi, ne partage cette opinion. L'absorption d'une drogue par le foie, comme dans le cas de Marilyn, signifie que la digestion était en cours depuis un moment déjà. La preuve fournie par le foie indique donc que l'actrice avait ingéré certains médicaments plusieurs heures avant de mourir.

Et c'est là que les avis des spécialistes commencent à diverger. Le Dr Stephens, de San Francisco, dans son rapport adressé au District Attorney de Los Angeles en 1982, établit, sur la base du compte rendu d'autopsie, qu'il aurait conclu lui aussi à une mort due à « une forte intoxication aux barbituriques consécutive à l'ingestion d'une dose excessive ». D'autres médecins éminents trouvent cette explication trop générale et la question de l'estomac vide les gêne.

Le Dr Keith Simpson est professeur émérite de médecine légale à l'université de Londres ; il est depuis longtemps le principal pathologiste attaché au ministère de l'Intérieur, en d'autres termes le plus grand médecin légiste auprès du gouvernement britannique. Il déclare pour sa part : « Aurais-je été chargé de cette autopsie, je m'en serais voulu de conclure à

421

la hâte à un suicide par "overdose". Les taux de barbituriques dans le sang et dans le foie sont assez élevés, à mon sens, pour que l'on s'attende à trouver des résidus de capsules dans l'estomac. Or ce ne fut pas le cas. »

A en croire le professeur Simpson : « La logique la plus simple — c'est de la routine, d'ailleurs — aurait dû inciter le médecin responsable de l'autopsie à pousser plus avant son analyse du processus digestif en examinant le duodénum et le reste de l'intestin grêle. L'inspection de ces organes aurait en effet permis de localiser au moins quelques petits résidus, probablement, si l'"overdose" résultait effectivement de l'absorption de capsules de Nembutal. »

A Los Angeles, le Dr Noguchi reconnaît à contrecœur que ces examens n'eurent jamais lieu. Il envoya bien des spécimens des organes en question au laboratoire, mais on ne prit pas la peine de les analyser. Ceci, selon le Dr Noguchi, parce que le toxicologue estima suffisantes les preuves fournies par le sang et le foie.

Noguchi affirme qu'en réalité, il tenta par la suite d'obtenir que l'on examine ces autres spécimens. « Pour je ne sais quelle raison, dit-il, je n'étais pas vraiment convaincu, et peu de temps après la clôture officielle de l'affaire, je téléphonai au service de toxicologie pour demander que l'on procède à ces vérifications. (...) Abernethy me répondit que ces spécimens avaient été détruits. »

Le toxicologue Abernethy se refuse à tout commentaire sur la destruction de ces preuves médicales. L'ancien adjoint du District Attorney, John Miner, présent à l'autopsie, estime que les diapositives faites de ces spécimens, mentionnées dans le rapport officiel, auraient dû être conservées jusqu'à ce jour. En 1984, pourtant, on les chercha en vain. Il ne reste pas une seule photographie médicale. Pourtant on en prit un grand nombre à l'époque.

Le Dr Noguchi ajoute qu'il regrette de ne pas avoir exigé tout de suite qu'on examine les intestins. « J'aurais dû insister pour que l'on analyse tous les organes, dit-il. Mais je n'ai pas suivi le processus comme j'aurais dû le faire. Nouvellement intégré à l'équipe, je ne m'estimais pas en droit de remettre en cause les procédures engagées par les chefs de notre département... »

Un examen plus complet de l'intestin grêle aurait peut-être révélé la présence de résidus de capsules absents en revanche de l'estomac, et l'on aurait pu éviter ainsi bien des controverses.

Marilyn reçut-elle la dose fatale de barbituriques par injection ? Tous les médecins interrogés affirment que cette méthode — qui consiste à introduire la substance directement dans le sang par l'intermédiaire d'une veine, d'un muscle ou par voie sous-cutanée, garantit une mort très rapide ; cela contredit le fait qu'une quantité importante de barbituriques se trouvait déjà dans l'organisme depuis un temps suffisant pour pouvoir être absorbée par le foie. Les trois personnes présentes à l'autopsie ont spécifié que le Dr Noguchi avait utilisé une loupe pour rechercher d'éventuelles traces de piqûres, au cas où il y aurait eu injection, sans omettre d'examiner le vagin et la région sublinguale. Il n'a rien trouvé.

On peut encore imaginer une autre technique pour administrer une telle dose : par voie rectale ; c'est une éventualité qui n'a jamais été évoquée jusqu'à présent.

John Miner, adjoint du District Attorney, présent à l'autopsie — et qui a enseigné en tant que professeur assistant à l'école de médecine de l'université de Southern California, estime que cette possibilité ne peut pas être totalement écartée.

Une amie de Marilyn à New York, Amy Greene, affirme que Marilyn recourait souvent à des lavements dès le milieu des années cinquante. Jeanne Carmen, l'ancienne voisine de l'actrice à Los Angeles, confirme que cette dernière se plaignait régulièrement de constipation. Un mal que l'on peut soulager effectivement par ce remède. Dans certains milieux, en particulier dans le monde du « show-biz », on recourait à cette technique assez couramment, à cette époque-là, pour maigrir aisément.

L'ancienne femme de Peter Lawford, Deborah Gould, qui assure qu'il lui faisait beaucoup de confidences à propos de Marilyn, attribue à son mari une formule curieuse. Lorsqu'elle lui demanda s'il savait quelque chose au sujet de la mort de Marilyn, il lui aurait simplement répondu : « Ça a été son dernier grand lavement. » Et cela, Deborah Gould me l'a dit, alors que personne (moi non plus) n'avait encore parlé de la possibilité d'un empoisonnement par voie rectale...

Curieuse remarque, c'est le moins que l'on puisse dire ! Seulement, Peter Lawford est mort en 1984. On ne peut plus lui demander de s'expliquer.

« Le côlon montre des signes de congestion marquée et de décolorations violacées », précise l'autopsie. Cela aurait pu être un indice... si l'emplacement de ces symptômes avait été spécifié. Miner, l'ancien adjoint du District Attorney, se souvient d'avoir remarqué le mauvais état dans lequel se trouvait cet organe et d'avoir suggéré au docteur Noguchi de faire effectuer un frottis anal. Ce dont on s'abstint. Miner précise que par la suite, au cours de l'enquête, il entendit dire que Marilyn avait effectivement eu des lavements dans les jours qui précédèrent sa mort. S'agissant d'un secret professionnel, il refuse de s'étendre davantage sur cette question.

Le professeur Simpson (de l'université de Londres) résume ainsi les choses : « L'absence de résidus de capsules, quelque peu surprenante en regard du taux de barbituriques contenu dans le sang et dans le foie, permet, à mon sens, d'envisager trois éventualités.

1. « Marilyn Monroe aurait pris des doses progressives de sédatifs tout au long de la journée [le docteur Greenson la trouva effectivement un peu groggy quand il lui rendit visite l'après-midi]. La première dose de Nembutal ingérée serait aisément restée dans le sang entre huit et douze heures. Elle aurait peut-être absorbé une autre dose massive d'une quinzaine de pilules — pas nécessairement davantage, d'un seul coup, et cela, associé aux ingestions précédentes aurait été fatal. Monroe était connue pour abuser des somnifères ; peut-être survécut-elle même à des doses aussi fortes par le passé. Elle aura sans doute pensé qu'elle pouvait recommencer, sans songer à l'effet cumulatif des quantités absorbées précédemment. Auquel cas sa mort serait non pas un suicide, mais une tragique erreur. »

Avant de prendre connaissance de la deuxième éventualité envisagée par le professeur Simpson, il importe de passer de nouveau en revue, rapidement, la série de coups de téléphone qu'elle donna à son amie Jeanne Carmen le samedi de sa mort. Elle l'avait appelée tôt le matin pour la prier de lui apporter des somnifères. Elle avait réitéré sa demande un peu plus tard, et retéléphoné vers 22 heures — bien que Carmen ne se souvienne pas si elle était revenue, cette fois encore, sur la question des médicaments.

Marilyn suppliait qu'on lui apporte d'autres sédatifs : que faut-il en conclure ? Voulait-elle s'assurer qu'elle en avait suffisamment pour ne pas « se rater » ? Avait-elle déjà consommé les vingt-cinq capsules qui lui avaient été prescrites la veille ? Etait-ce la raison pour laquelle, comme le remarqua le beau-fils d'Eunice Murray, elle avait l'air tellement ravagée ce samedi matin ? Questions qui demeurent toutes sans réponse, même si elles concourent au deuxième scénario imaginé par le professeur Simpson. Tout aussi atterrant que le premier.

2. « Je serais également curieux de savoir, poursuit-il, si, en plus des médicaments qu'elle prit ce jour-là, il n'y eut pas une autre dose administrée, à part, par une autre voie. De toute évidence, il s'agit là d'un facteur potentiel que l'on ne peut totalement écarter. La dose fatale — celle qui l'a envoyée *ad patres* — aurait par exemple pu être administrée par voie rectale. Elle aurait aisément pu être associée à un lavement. »

Un telle dose, dit le professeur Simpson, aurait pu lui être administrée par quelqu'un qui ignorait le dangereux niveau de substances puissantes déjà accumulées dans son organisme au cours des heures précédentes. Ici encore, on aurait affaire à une mort accidentelle, provoquée involontairement par une tierce personne.

3. La troisième éventualité — et ce n'est que cela : une hypothèse — est que la dose fatale lui aurait été administrée par « une autre voie » et avec préméditation. Auquel cas il s'agirait, bien évidemment, d'un meurtre.

Quels motifs pouvait-on avoir de tuer Marilyn ? Quelqu'un avait-il des raisons particulières ? Trois thèses principales ont été avancées.

1. D'aucuns auraient suggéré obscurément que Marilyn en savait trop, qu'elle, et son journal intime, devenaient trop « explosifs », que les Kennedy — ou quelque organisation mal définie agissant en leur nom — auraient préféré se débarrasser d'elle.

2. D'autres ont imaginé que déjà trop liée à la famille Ken-

425

nedy, par la voie des commérages, Marilyn aurait été supprimée par les ennemis de ces derniers, afin de provoquer un scandale susceptible de mettre la présidence en péril. Mais quels ennemis?

3. Un pamphlet d'extrême-droite se fondant sur le fait que l'entourage de Marilyn se composait plutôt dans l'ensemble de gens de gauche, suggère même que les communistes auraient comploté cet assassinat, pour protéger Robert Kennedy (représenté par la droite comme un invétéré de gauche) du scandale.

Dans son livre sur Marilyn, datant de 1973, Norman Mailer prend très au sérieux la thèse du meurtre. Il estime que «l'aile droite du FBI ou de la CIA avait des tas de raisons de chercher à impliquer Bobby Kennedy dans un scandale».

Hank Messick, ancien expert-conseil de la Commission législative mixte sur le crime à New York, et auteur réputé d'ouvrages sur le crime organisé qui lui valurent des prix littéraires, estime pour sa part que la Mafia — au courant des liaisons des Kennedy et sous l'inspiration du récent incident du Lac Tahoe où la jeune actrice avait frôlé la mort de près — manipula Marilyn, droguée, pour qu'elle appelle à l'aide, afin d'attirer Robert Kennedy dans un piège.

Messick fait remarquer qu'en 1961, des gangsters eurent recours à de l'hydrate de chloral, une des drogues détectées dans l'organisme de Marilyn, pour discréditer un homme qui se présentait aux élections locales : on le drogua, on le coucha auprès d'une ravissante jeune femme et l'on prit des photos. Dans le cas de Marilyn, suggère Messick, leur intention était de faire venir Robert Kennedy au secours de Marilyn. Pris sur le fait, chez elle, au beau milieu de la nuit, il aurait été contraint de leur laisser les coudées franches dans leurs activités, à défaut de quoi le scandale aurait totalement anéanti son image de marque.

Leur projet échoua pourtant, toujours selon Messick, parce que le «poisson», plus insensible qu'ils ne se l'étaient imaginé, n'aurait pas mordu à l'hameçon. Kennedy refusa en effet de céder aux supplications de Marilyn et c'est ainsi qu'elle mourut. Messick assure que sa thèse repose sur des interviews qu'il ne peut spécifier, ses sources allant du département de la Justice à la Mafia elle-même.

Ceux qui rejettent l'hypothèse du meurtre observent pour leur part que Marilyn n'en était pas à sa première tentative de suicide, qu'elle était de toute façon appelée à se supprimer à plus ou moins longue échéance. L'histoire de sa vie le démontre sans aucun doute. Certes, rétorquent les partisans de la thèse du meurtre ; mais saboter l'appareil d'un pilote d'essai, n'est-ce pas la meilleure manière de l'assassiner ? Pour tuer Marilyn, la méthode la plus sûre ne consistait-elle pas à simuler un suicide ?

Norman Mailer écrit : «Pour quiconque souhaitait mettre les Kennedy profondément dans l'embarras et entamer, qui sait, une campagne discrète pouvant leur faire perdre tout crédit d'ici 64*, on ne pouvait imaginer un coup plus habile que de tuer Marilyn de manière à ce que cela ressemble de prime abord à un suicide. Suicide si maladroitement mis en scène que dès la semaine suivante, tous les journaux parleraient, au conditionnel, d'assassinat. D'où grave préjudice pour les Kennedy — vu les commérages qui allaient déjà bon train... qui oserait prétendre qu'ils n'avaient rien à voir dans cette histoire ? Même les démocrates les plus loyaux commenceraient à se poser des questions. »

Mailer admet avec regret que ce qu'il a écrit ne se fondait pour ainsi dire sur aucune recherche. C'était risqué de la part d'un grand écrivain comme lui ; et on l'attaqua, à juste titre. Mais aujourd'hui que ces recherches ont été effectuées, Mailer fait presque figure de devin.

Du point de vue de la réalité, abstraction faite de la justice et de ses exigences, l'important n'est pas de savoir si Marilyn a été assassinée ou pas, ou si elle est morte de sa propre volonté ou si elle a surestimé ses capacités d'endurance au Nembutal : la clé des événements qui ont entouré sa mort réside dans le mot «scandale».

Le professeur Robert Blakey, ex-rapporteur de la commission parlementaire qui a enquêté récemment sur l'assassinat du président, voit le défaut de la cuirasse dans la personnalité de Kennedy : son côté coureur de jupons «qui a pu en faire la cible d'assassins appartenant au crime organisé».

* Début des élections présidentielles suivantes (NdT).

En août 1962, ce trait de leur caractère — et le fait d'aimer Marilyn et de la quitter aussi vite — rendait les frères Kennedy vulnérables à un autre type d'assassinat. Quand les preuves manquent, disent les juristes, il faut quelquefois rassembler tous les faits, dresser la pile des faits « pour », celle des faits « contre », etc., puis comparer leurs hauteurs respectives. Pratique tout à fait légitime, en tout cas, de la part de l'historien.

Les « piles » d'information contenues dans cet ouvrage démontrent sans l'ombre d'un doute que les Kennedy avaient, en matière sexuelle, une attitude qui les exposait dangereusement dans la mesure où — les preuves ne manquent pas — leurs ennemis, au courant de tout, attentifs à tout, attendaient patiemment l'occasion de provoquer le scandale tant attendu. Meurtre ou pas, la mort de Marilyn fut une occasion de ce genre.

Chance incroyable pour les Kennedy : en 1962, la presse n'a pas vraiment enquêté sur le décès de Marilyn, laissant cette tâche à une poignée de mauvaises langues d'extrême-droite presque sans auditoire. Bien que le mot « chance » soit sans doute mal choisi : les circonstances de sa mort, dans laquelle les Kennedy étaient de toute façon largement impliqués, furent *délibérément* passées sous silence.

46

Dans les semaines qui suivirent la mort de Marilyn, Thomas Noguchi, le chirurgien chargé de l'autopsie, se heurta à des difficultés qui n'avaient rien à voir avec le pouvoir judiciaire. De sa chaire au Hall of Justice, il déclara qu'il « était convaincu que l'affaire avait été retardée, et que l'on avait altéré les circonstances du décès ».

En 1962, avant que les coroners ne se voient octroyer l'assistance d'enquêteurs attachés en permanence à leur service, un médecin légiste devait s'en remettre aux services de police pour obtenir des informations autres que celles fournies par l'autopsie elle-même. Noguchi estime que « compte tenu de tout ce que j'ai pu observer, il y a de fortes chances que le *Police Department* ait effectivement étouffé l'affaire. J'ai souvent constaté cela dans les cas de décès de personnalités importantes. (...) » Les faits confirment cette hypothèse.

Le matin où Marilyn trouva la mort, avant que la maison ne soit mise sous scellés, des journalistes compétents assistèrent aux préliminaires habituels de l'enquête de police qui se met systématiquement en place à la suite d'un décès non « naturel ». « Cela se passa ce jour-là comme les autres fois, rapporte James Bacon de l'*Associated Press*, les flics vérifiant tout, faisant des marques à la craie, prenant des mesures, etc. » De nombreuses photographies furent prises, comme le détermina le District Attorney de Los Angeles au cours de la révision de l'enquête en 1982. A en croire un policier à la retraite, qui souhaite garder l'anonymat, on releva même des empreintes. Joe Hyams, du *New York Herald Tribune*, vit des détectives couvrir la chambre de Marilyn « d'une immense toile destinée à préserver d'éventuels indices ».

A ce stade, il semble que l'enquête ait été confiée à des détectives de la Division Ouest de Los Angeles — puisque le décès avait eu lieu dans leur périmètre d'action.

Pendant ce temps-là, la direction de la Police entamait toutefois ses propres investigations, le Police Chief Parker ayant du reste confié à son épouse que telle était son intention. Investigations qui se prolongèrent des semaines, mais dont les résultats ne furent jamais révélés publiquement.

Thad Brown, chef des détectives, que l'on avait envoyé chercher d'urgence dans sa retraite du week-end au moment de la mort de Marilyn, était de ceux qui suivent de très près leurs hommes, et les affaires dont ils s'occupent. « Thad s'impliqua personnellement dans l'affaire Monroe », rapporte l'un de ses principaux assistants, l'ancien inspecteur Kenneth McCauley. « Il s'y intéressait tout particulièrement. Les hommes, eux, faisaient leur boulot, sans plus. » Le frère et le fils de Brown, eux aussi ex-policiers, confirment cette affirmation.

L'adjoint de Brown, « Pete » Stenderup, se chargea de tout le côté paperasseries. « Thad suivit cette affaire avec une attention toute spéciale, se souvient-il. Si l'un de ses hommes souhaitait le voir, j'étais prié de l'en avertir au plus tôt. Si une note me parvenait, je devais la lui remettre en personne. De trois à huit feuillets par jour, pendant des semaines et des semaines, je me rappelle. Des notes, ce que nous appelions des ''quinze/sept'', des circulaires confidentielles que les hommes se passaient de main en main et qui ne faisaient pas partie de la masse de documents que le tribunal pouvait réclamer, opinions informelles sur ce qui avait pu se passer. Le nom de Robert Kennedy y revenait fréquemment... »

Thad Brown ne fut pas chargé personnellement de l'enquête sur Marilyn Monroe. L'homicide étant sa spécialité, et peut-être sur la base des premières investigations légales, l'affaire fut confiée à une autre équipe, dirigée par un autre personnage légendaire, l'inspecteur James Hamilton, chef des Renseignements. Il prit les choses en main dans un tel climat de mystère que même ses assistants les plus proches furent tenus en dehors du coup.

Le lieutenant Marion Phillips, son bras droit, raconte : « Nous étions au courant de l'enquête, mais on nous mit sur la touche. Toute cette affaire était beaucoup trop ''brûlante''. Hamilton et l'inspecteur Parker en discutaient beaucoup seul à seul. Cela dura des semaines, puis un beau jour, le dossier fut passé à Parker. » Aujourd'hui, il ne reste pratiquement rien de l'avalanche de paperasseries qui débaula sur les bureaux de la police à cette occasion. En 1974, l'affaire ayant connu un regain d'intérêt au sein du public, Kenneth McCauley, qui alors avait été promu *Commander*, ordonna que l'on se mît en quête de tous les rapports sur le cas Monroe. La Section Spéciale Homicides l'informa que :

La RHD (Robbery and Homicide Division) [Division des hold-up et des homicides] *ne détient aucun rapport sur cette question. Les enquêteurs ont contacté le commissariat [Division] de Los Angeles Ouest, pour apprendre qu'eux non plus n'avaient pas de dossiers criminels dans leurs archives touchant à la mort de Miss Monroe (...).*

Ce rapport attribuait, pour conclure, cette lacune, jugée innocente, au « nettoyage » routinier des archives tous les dix ans. Une année plus tard, quand la presse prétendit que **Parker** avait bloqué l'enquête Monroe afin de s'insinuer dans **les** bonnes grâces des Kennedy, ce dernier, devenu commissaire principal, demanda aux Services de Renseignements sur **le** crime organisé d'effectuer de nouvelles recherches. On découvrit ainsi que le rapport de décès lui-même, le principal document établi en cas de mort non naturelle, avait disparu des archives. Après quoi, la police se lança dans une recherche quelque peu humiliante de papiers à travers toute la ville.

On finit par retrouver le fameux rapport de décès, ainsi qu'une poignée d'autres documents, dans un garage de banlieue. Thad Brown, que les premières conclusions de l'enquête avaient laissé sur sa faim, avait mis de côté quelques documents dès les premiers stades des investigations. Son fils les remit à l'équipe des Renseignements, qui les transmit au Bureau des Opérations.

En 1979, au cours de ce qui fut apparemment une suite de l'enquête rouverte en 1975, le captain Finck de l'OCID (*Oraganized Crime Intelligence Division* — Division des renseignements sur le crime organisé) reçut la note suivante : « Le dossier de l'affaire préparé à l'intention de l'Inspecteur Gates se trouve dans les archives de l'OSS ; il contient tous les rapports, ainsi que des photographies et des informations supplémentaires. »

L'OSS (*Office of Special Service* — Bureau des Services Spéciaux) prenait en charge tous les cas hors norme qui ne pouvaient s'intégrer dans aucune autre catégorie. La police ayant eu tant de peine à tout retrouver, il paraît logique de chercher à savoir qui a eu en main ce qu'il restait du dossier Monroe. Il serait bien évidemment intéressant d'examiner ce dossier, ainsi que les « photographies et informations complémentaires », mais la police reste sur la réserve.

L'homme qui supervisa la révision de l'affaire en 1975, Daryl Gates, alors responsable du Bureau des Opérations, aujourd'hui Police Chief, se refuse à rendre public ce qui a survécu du dossier original de la police sur la mort de Marilyn. « Les informations que vous cherchez, écrivit-il en 1984 en réponse à une requête formelle, ne font pas partie des archives publiques et sont conservées dans un dossier confidentiel. »

Le lieutenant Marion Phillips, ancien secrétaire principal des

431

Renseignements de la Police, ignore ce qu'il est advenu de ce dossier. En 1962, il se serait laissé dire que Parker «aurait emmené le dossier à Washington pour le montrer à quelqu'un. Ce fut la dernière fois que nous en entendîmes parler».

Après la mort de Parker en 1966, le maire républicain de Los Angeles, Sam Yorty, pria la police de lui communiquer le dossier Monroe ; les rumeurs relatives aux Kennedy étaient parvenues jusqu'à lui, il était curieux d'en savoir plus. On lui répondit simplement : «Il n'est pas ici...»

On aurait tort d'en déduire que Parker rompit avec la tradition d'intégrité absolue qui était la sienne, à l'occasion de l'affaire Monroe. De toute évidence, il semble plus raisonnable de penser que — vraisemblablement convaincu qu'il ne s'agissait pas d'un meurtre —, il transmit le dossier à une autorité supérieure, se lavant ainsi les mains de toute cette histoire. Ce qui expliquerait en outre le geste prudent qu'il eut, des semaines plus tard, en réponse à la question de sa femme, quand il se contenta de dessiner un point d'interrogation en l'air.

La police ne fut pas le seul organe à enquêter sur la mort de Marilyn. En 1982, à la suite de nouvelles controverses publiques, le Conseil du comté de Los Angeles demanda au District Attorney de revoir l'affaire.

Cette décision fut prise suite aux déclarations faites par un ancien adjoint du coroner, Lionel Grandison. Ce dernier avait en effet affirmé publiquement que des pressions avaient été exercées sur lui en 1962 pour le forcer à signer le certificat de décès de Marilyn, à l'époque où il travaillait dans l'équipe du coroner. Dans la mesure où il était alors employé du comté, l'administration locale estima que ses allégations devaient être vérifiées.

Ronald Carroll, adjoint du District Attorney, fut donc chargé d'étudier ses déclarations et de revoir par la même occasion certains éléments de l'affaire. Il décréta Grandison non crédible et élimina quelques fausses pistes qui avaient surgi au cours des années. Puis il conclut — et il s'est donné depuis beaucoup de peine pour justifier son jugement prudent — que «sur la base des informations disponibles, la mort de Miss Monroe ne semble plus nécessiter de supplément d'enquête».

432

Sa propre enquête permit toutefois de découvrir que le bureau du District Attorney avait effectivement participé aux investigations qui suivirent la mort de Marilyn. L'adjoint du District Attorney affecté alors à cette affaire, John Dickey, refuse aujourd'hui fermement de revenir sur cette question. Il refuse en particulier de dire s'il essaya ou non d'interviewer Peter Lawford ou Robert Kennedy. On ne retrouve en tout cas aucune trace de ses investigations dans les dossiers existants.

Des recherches menées récemment ont cependant révélé que l'enquêteur attaché au District Attorney, Frank Hronek (qui, comme nous l'avons mentionné plus tôt, avait pris note des contacts de Marilyn avec des gangsters et de sa présence aux insolites réunions nocturnes chez les Lawford), procéda, en 1962, à un certain nombre d'enquêtes qui donnèrent lieu à des rapports. Aujourd'hui, plus aucune trace de ces rapports dans les dossiers du District Attorney...

Selon sa famille, Hronek mourut persuadé que la Mafia était impliquée dans les événements qui entourèrent la mort de Marilyn, et que cela n'était pas étranger à sa liaison avec les Kennedy. Il citait notamment deux gangsters — Sam Giancana et Johnny Roselli — et assurait que la CIA était intervenue à un moment donné. Bref, il supposait que Marilyn avait été assassinée.

Un autre ancien adjoint du District Attorney, John Miner (qui avait assisté à l'autopsie en tant que représentant du District Attorney — voir plus haut), assure qu'il devrait y avoir au moins un document dans le dossier : le Dr Curphey (le coroner) lui aurait en effet demandé en 1962 d'interviewer le Dr Greenson; pourquoi à lui, John Miner? Sans doute, suppose-t-il, parce que lui-même avait enseigné à l'Institut de Psychiatrie et connaissait personnellement Greenson.

Selon Miner, Greenson et lui s'entretinrent quatre heures durant dans le bureau du psychiatre, quelques jours après la mort de Marilyn. Le Dr Greenson était encore bouleversé. Il parla librement et avec franchise à cet interrogateur en qui il savait pouvoir avoir confiance, sans crainte d'être trahi publiquement. Effectivement, Miner, avocat d'une éthique admirable bien qu'un peu dépassée et quelquefois contraignante, ne devait pas révéler le moindre détail personnel. Ce qu'il a divulgué, toutefois, est capital.

433

Non content d'exposer les confidences que lui avait faites Marilyn, le Dr Greenson lui passa une cassette de quarante minutes, où l'on entendait parler Marilyn, et uniquement elle. De toute évidence, il ne s'agissait pas d'une séance de thérapie (Greenson n'enregistrait pas ses patients). Il se peut toutefois que Marilyn, qui avait acheté un magnétophone quelques semaines avant sa mort, ait jugé bon de transmettre ses épanchements privés à son psychiatre. Miner affirme que par la suite Greenson détruisit cet enregistrement.

L'adjoint du District Attorney quitta le bureau du Dr Greenson dans un état de confusion total. Ce qu'il avait appris, déclare-t-il, le persuada qu'il « était très improbable » que Marilyn se fût suicidée. « Entre autres choses, dit-il, il était clair qu'elle avait des projets d'avenir et l'espoir que des choses se réalisent à court terme. » Il se refuse toutefois à confirmer ou à démentir que l'un des Kennedy eût quelque chose à y voir.

Le Dr Greenson penchait-il ou non pour la thèse du meurtre ? Miner répond : « C'est un aspect sur lequel je ne peux me prononcer. »

En août 1962, en sa qualité d'adjoint du District Attorney, Miner fut chargé de faire son rapport sur l'interview de Greenson. Il rédigea un mémorandum, dont il se souvient approximativement en ces termes ·

Suite à votre requête, je me suis entretenu avec le Dr Greenson du décès de son ancienne patiente, Marilyn Monroe. Nous avons examiné cette question pendant plusieurs heures, et en conclusion de ce que m'a confié le docteur Greenson, et de ce que révèlent les enregistrements qu'il m'a fait écouter, je pense pouvoir affirmer qu'il ne s'agissait pas d'un suicide.

Cette note fut envoyée au coroner Curphey ; son bras droit, Manley Bowler, en reçut une copie. Puis Miner attendit la réaction non sans émoi, persuadé que, compte tenu de tous les témoignages dont on disposait sur cette affaire, le coroner convoquerait un grand jury, et qu'on lui demanderait de témoigner. « J'aurais été obligé de refuser, pour des raisons éthiques, dit-il aujourd'hui, et cela s'appelle bel et bien refus de comparaître. »

En réalité, Miner n'aurait pas dû s'inquiéter. Son rapport

ne provoqua pas la moindre réaction, et aujourd'hui on ne peut même pas mettre la main dessus. Quand on lui demande pourquoi ce silence, Miner se contente de hausser les épaules. Maintenant qu'il travaille à son compte, dans le privé, il précise toutefois : «Ecoutez : Bowler, mon patron, était un bureaucrate. Il vit le rapport du coroner — pourquoi secouer la barque ? Ça fonctionnait toujours comme ça. »

Au tout début, les responsables de l'affaire firent de fort belles déclarations. Dans les trente-six heures qui suivirent la mort de Marilyn, le coroner Curphey demanda que «toutes les informations disponibles » fussent transmises au Centre de Prévention du Suicide de Los Angeles. Le lendemain le fondateur de ce Centre, le Dr Norman Farberow, déclarait : «Nous avons des entretiens avec tout le monde sans exception. Nous irons aussi loin qu'il le faudra. » Deux jours plus tard, au moment où il affirmait que ses investigations ne s'arrêteraient devant rien ni personne, le *Los Angeles Times* annonçait : VA-T-ON OUVRIR UNE INFORMATION JUDICIAIRE ? Le lendemain, le *New York Herald Tribune* titrait :QU'EST-CE QUI A TUÉ MARILYN ? L'ENQUÊTE S'ÉLARGIT.

Puis, brusquement, plus d'enquête ! Le 12 août, c'est-à-dire une semaine exactement après la mort de Marilyn, la presse de San Francisco et de New York — mais pas de Los Angeles — annonçait : DE MYSTÉRIEUSES «PRESSIONS» S'EXERCENT DANS L'AFFAIRE MONROE. Et Florabel Muir écrivait : «D'étranges pressions s'exercent sur la police de Los Angeles (...), affirmaient ce soir des sources proches des enquêteurs. (...) On en ignore la cause. Elles émanent apparemment de personnes qui étaient en contact étroit avec Marilyn au cours des dernières semaines. »

Cinq jours plus tard, le coroner Curphey classait l'affaire. Soixante-dix reporters furent convoqués pour l'entendre ; l'équipe de Prévention du Suicide prononça son verdict : «suicide probable. » Les antécédents, la quantité de comprimés, l'heure approximative de sa mort, il y avait bien assez à dire : la presse repartit satisfaite. Fin de l'épisode.

En proie à des problèmes de conscience, le Dr Greenson avait essayé de dire la vérité. Il avait apporté son appui aux autorités quand elles étaient venues à lui ; et il ne s'était rien passé.

A présent, il allait être la cible de ragots malveillants. Deux années plus tard, saisi au vol par un journaliste, Greenson déclarera : « Je ne peux m'expliquer ou me défendre sans évoquer des choses que je ne veux pas révéler. C'est une position extrêmement inconfortable, de dire que je ne peux pas en parler. Mais il ne m'est absolument pas possible de raconter toute l'histoire. »

47

La clé de « toute l'histoire » se trouvait peut-être dans ce témoin muet que le Dr Greenson arracha des mains raidies de Marilyn lorsqu'il pénétra dans sa chambre pour la trouver morte : le téléphone. C'était l'angle tragique de l'affaire, et la presse ne manqua pas de se jeter dessus — de même que l'équipe de Prévention du Suicide, avant qu'elle n'interrompe brusquement ses investigations.

Le responsable de l'équipe, le Dr Farberow, voulut savoir si, avant de raccrocher, le Dr Greenson avait entendu la tonalité ou pas, afin de déterminer s'il y avait eu interruption de la communication. Marilyn était-elle morte en parlant à quelqu'un. A qui ? Dès le lendemain, les manchettes des journaux faisaient allusion au « mystérieux coup de téléphone » et la vedette fut temporairement accordée à Eunice Murray.

Au cours de sa conférence de presse personnelle, Eunice Murray déclara en effet qu'elle « avait pensé que Marilyn était en train de téléphoner, quand elle avait vu la lumière allumée dans sa chambre en allant se coucher ».

Dès huit heures le lendemain matin, les flashes d'information annonçaient que Mrs. Murray « avait vu de la lumière sous la porte de Miss Monroe ». Comment était-ce possible, puisqu'elle reconnaît elle-même que la moquette, posée récemment, était trop épaisse pour permettre le passage du moindre filet de lumière ? Son témoignage constituera dès lors une véritable pomme de discorde. Pour voir si c'était allumé chez Marilyn, il aurait fallu qu'elle sorte dans le jardin pour regarder par la fenêtre.

Aujourd'hui, Mrs. Murray a changé de discours. Elle affirme que c'est non pas la lumière mais la vue du fil du téléphone zigzaguant dans le couloir et se faufilant sous la porte qui attira ce soir-là son attention. Quoi qu'elle ait vu, le « mystère du téléphone » fit la une de tous les journaux.

Mrs. Murray aurait par ailleurs déclaré selon la presse : « Je ne sais plus quelle heure il était et j'ignore qui l'avait appelée, mais Marilyn me parut très troublée par ce coup de fil... » Comment Mrs. Murray a-t-elle pu se rendre compte que cet appel avait mis Marilyn dans tous ses états, alors qu'elle affirme l'avoir vue pour la dernière fois aux environs de huit heures ?... Et aujourd'hui, elle prétend ne pas se souvenir du tout de cette communication. Au moment où les manchettes des journaux commençaient à annoncer la « CHASSE AU MYSTÉRIEUX AMI », l'un des amis de Marilyn refit brusquement surface. Le beau-frère des Kennedy, Peter Lawford, fit en effet une déclaration par l'intermédiaire de son agent, Milt Ebbins. « A sept heures approximativement, annonça Ebbins, Lawford téléphona pour l'inviter elle et son amie, Pat Newcomb, à dîner chez lui en petit comité. Miss Monroe lui répondit qu'elle aurait beaucoup aimé se joindre à eux mais qu'elle était fatiguée et qu'elle voulait se coucher tôt ». Au cours d'une interview Lawford précisa : « Je n'ai rien perçu d'anormal ou d'inquiétant. Elle avait l'air d'aller très bien au contraire. »

Quel que soit l'élément de vérité dans ce récit fabriqué par Lawford — qu'il devait d'ailleurs modifier avec le temps — ce n'était certainement pas, comme le prétendit à l'époque un journal, « la fin du mystère ». S'il appela à sept heures, qui fut l'auteur du coup de fil plus tardif qui « perturba » tellement Marilyn ?

En 1962, les autorités réussirent à étouffer rapidement les bruits qui couraient au sujet de ce fameux coup de téléphone. « Il n'y eut aucun appel », affirma un membre de l'équipe de Prévention du Suicide lors de l'ultime conférence de presse du coroner Curphey. La police, pour sa part, avait sournoisement déclaré que Marilyn « n'avait reçu aucun appel à ce moment-là, qui pût être lié à sa mort». Le sergent Byron, qui procéda aux premières investigations chez Marilyn, affirma froidement que le coup de téléphone de Lawford fut le dernier que Marilyn reçut.

Cette conclusion, fruit, soi-disant, «d'une enquête approfondie», suppose des capacités de limier quasi surnaturelles. Il n'y a aucun moyen de déterminer quels appels ont été *reçus* à tel ou tel numéro ; seuls les coups de téléphone que l'on *donne* sont enregistrés par la compagnie de téléphone, afin d'être facturés, bien évidemment. Les numéros de téléphone composés par Marilyn constituaient une information potentiellement vitale. La police les passa effectivement en revue, le matin même de sa mort, mais on constate à cet égard une nouvelle absurdité.

L'un des fragments du dossier de la police qui ont été sauvés comporte un rapport du sergent Byron datant de la fin de l'après-midi du lendemain de la mort de Marilyn. Il dit : « Le numéro de téléphone de Miss Monroe GR6-1890 a été contrôlé et aucune communication interurbaine n'a été enregistrée pendant les heures concernées. Le numéro 472-4830 est actuellement à l'étude. »

Des interviews en règle des employés de la GTE (General Telephone), à laquelle Marilyn était abonnée, laissent supposer que ce rapport est une absurdité. En 1962, en effet, les communications interurbaines étaient enregistrées à la main, sur des fiches, par l'opérateur qui transmettait l'appel au central téléphonique local. On rangeait ensuite ces fiches dans des boîtes que l'on collectait sept jours sur sept, vers minuit, pour les porter à la direction. Les numéros que l'on pouvait obtenir directement, sans l'intermédiaire d'un opérateur, étaient enregistrés sur une bande de couleur jaune qui se retrouvait également, en fin de parcours, à la direction de la compagnie de téléphone. Dès la première heure le lendemain, on procédait au tri des communications interurbaines, après quoi ces données disparaissaient dans le système de comptabilité, pour une semaine au moins, généralement davantage.

« Il y avait juste ce court laps de temps, très tôt le matin, où l'on pouvait théoriquement accéder à cette information, explique un ancien agent de sécurité de la compagnie. Après quoi les fiches étaient irrécupérables pendant des jours, J. Edgar Hoover en personne eût-il voulu les consulter. Compte tenu des formalités nécessaires à l'époque, un simple flic n'aurait jamais pu avoir accès à celles qui concernaient Miss Monroe, ou à n'importe quelles autres, pendant quinze jours au moins après sa mort. »

Le sergent Byron lui-même se refusa à tout commentaire sur l'affaire Monroe, mais les responsables de la GTE estiment pour leur part que la « vérification » qu'il prétendit avoir effectuée sur l'une des lignes de Marilyn se résuma en réalité à... s'entendre dire par le service de sécurité de la compagnie que les seules archives immédiatement consultables se rapportaient à la note de téléphone précédente de Marilyn, probablement établie à la fin de juillet, soit quatre jours avant sa mort.

La méthode habituelle, si contrôle de la police il y avait, exigeait du Police Chief qu'il adressât à la compagnie du téléphone une requête signée de sa main. Après quoi, une fois les fiches de nouveau disponibles, on dépêchait sur place, à la General Telephone, un policier autorisé à prendre des notes à la main. Le dossier concernant les communications téléphoniques de Marilyn indique qu'une telle procédure fut enclenchée quelque deux semaines après sa mort. On y trouve d'ailleurs des informations remarquables en elles-mêmes.

Les fiches relatives aux deux téléphones de Marilyn, regroupées par la facturation établie fin juillet, font état d'une kyrielle de communications interurbaines, y compris celles adressées au département de la Justice. En revanche, la liste des appels, détenue par la police pour la période du 1er au 4 août, ne comporte que trois communications. La première effectuée, le vendredi, mentionne le nom de Norman Rosten à New York ; les deux autres se rapportent à des endroits situés non loin de Los Angeles. C'est on ne peut plus curieux puisque l'on sait que Marilyn passa le plus clair de son temps les deux derniers jours de sa vie à parler au téléphone avec des amis résidant à l'autre bout du pays. Qu'advint-il des communications « manquantes », dans le laps de temps de dix jours qui s'écoula avant que la police ne se déplaçât pour prendre les notes ?

Le 12 août, dans son article faisant état « d'étranges pressions » s'exerçant sur les enquêteurs de la police, la journaliste

Florabel Muir déclara carrément, à propos des archives de la compagnie concernant les communications de Marilyn : « La police a saisi les relevés de la compagnie pour tous les appels interurbains par l'automatique. » Or Muir était une grande spécialiste du monde de la police, où elle avait d'excellents contacts.

Pendant ce temps-là, Joe Hyams, du *Herald Tribune*, qui fut, avec Florabel Muir, l'un des rares journalistes à se lancer dans de sérieuses recherches, faisait marcher lui aussi ses relations. Il fit ainsi une découverte tout à fait sensationnelle.

« Le matin de sa mort, dit Hyams, je contactai un employé de la compagnie du téléphone pour lui demander de me recopier la liste des numéros figurant sur la bande concernant Marilyn — un service qu'il consentit à me rendre contre une certaine somme. Dans l'heure qui suivit, il me rappela d'une cabine publique. "C'est la panique ici, me confia-t-il. Vous n'êtes apparemment pas le seul à vous intéresser aux communications téléphoniques de Marilyn. Mais la bande a disparu. On m'a dit que le Service secret l'a saisie — c'est la première fois, que je sache, que l'Etat fait une chose pareille. Il faut que ce soit quelqu'un de très haut placé qui l'ait ordonné." »

Vérifications faites des sources d'information d'Hyams et de Muir, tout porte à croire qu'ils sont l'un et l'autre de bonne foi et que les archives téléphoniques avaient déjà été confisquées dès le milieu de la matinée du dimanche, quelques heures après l'annonce du décès de Marilyn Monroe. Il semble, d'autre part, que ce soit le FBI, et non pas le Service secret, qui les ait « embarquées ».

Il est significatif que ces documents avaient déjà disparu tôt le dimanche matin, puisque c'était le seul moment où cela pouvait se faire avant qu'ils ne se perdent pendant des semaines à la comptabilité. Un acte aussi prompt et radical requérait de toute évidence l'intervention d'un personnage très puissant, ayant de plus assez d'autorité pour tirer du lit un des responsables de General Telephone, un dimanche matin, à point d'heure, et le convaincre d'agir sur-le-champ.

Bob Warner était un agent du service de sécurité de la compagnie en 1962 ; il en fait toujours partie aujourd'hui. Il affirme « ne pas se souvenir » de la disparition de ces documents.

Quelqu'un d'autre, toutefois, en a un souvenir très précis : Dean Funk, ancien éditeur de l'*Evening Outlook*, journal de Santa Monica, et ami intime du Division Manager de la General Telephone, à l'époque, Robert Tiarks, aujourd'hui décédé.

Funk se rappelle clairement de sa discussion avec Tiarks à propos de l'affaire Monroe, pendant un conseil d'administration, peu de temps après la mort de Marilyn. «Il me confia que le FBI était venu chercher les documents dès le lendemain.»

Dans un rapport partiellement censuré du FBI, rédigé en 1973, un ancien agent haut placé de la section de Los Angeles du FBI rappelait qu'il avait répondu à la presse, le questionnant à ce sujet, qu'il n'avait «aucun souvenir non plus d'un tel épisode». «Aucun souvenir» étant, comme chacun le sait, la formule consacrée pour fournir une réponse négative, tout en se réservant la possibilité de «se resouvenir» si nécessaire.

Ce qui s'est produit précisément au moment où cet ouvrage était sous presse. J'ai retrouvé en effet un ancien agent du FBI, qui a demandé à garder l'anonymat. Il était en 1962 un champion de la lutte contre le crime organisé dans une ville importante de la côte ouest.

«Je suis convaincu, dit-il, que le FBI fit effectivement disparaître certaines archives téléphoniques concernant Marilyn Monroe. J'étais en déplacement en Californie au moment de sa mort ; mes collègues de Los Angeles me mirent au courant de ce qui s'était passé à cet égard. Je savais que se trouvaient là, au Bureau du personnel, plusieurs personnes qui n'y étaient pas en temps normal, des agents venus d'ailleurs. Ils arrivèrent sur les lieux tout de suite après sa mort, avant que personne ait le temps de réaliser ce qui s'était produit. Il fallait que ce soit quelqu'un de très haut placé qui leur en ait donné l'ordre, plus haut placé que Hoover lui-même.»

Plus haut placé que Hoover ? L'ancien agent du FBI crut comprendre à l'époque que les ordres en question venaient «soit de l'Attorney général, soit du président. Connaissant la structure du FBI, la façon dont les choses fonctionnaient alors au sein de notre organisation, je sus tout de suite à quoi m'en tenir. Je compris que le message avait été transmis par téléphone et non pas par quelque autre moyen de communication repérable ». De manière à ce que cela n'apparaisse pas dans les rapports ? « C'est cela même », répond-il.

Dean Funk, l'éditeur du journal de Santa Monica, se souvient d'un autre détail de ses conversations avec son ami, ancien « cadre » de la compagnie de téléphone, Robert Tiarks. « Il hésita à m'en parler, raconte Funk, mais il finit par me confier qu'il y avait eu un appel de Washington la nuit du décès de Marilyn. »

Avant que son enquête ne s'achève brusquement, le Dr Litman, de l'équipe de Prévention du Suicide de Los Angeles, eut le temps d'apprendre par ailleurs que Marilyn avait appelé la côte est vers 21 heures, alors que s'écoulaient les dernières minutes de sa vie.

Le témoignage le plus accablant sur la disparition de ces fameux documents de cette compagnie téléphonique est sans aucun doute celui de cet ex-agent du FBI sur la côte ouest, aujourd'hui à la retraite. Sa conviction que les ordres « venaient de plus haut encore qu'Hoover » — de Robert Kennedy ou du président lui-même — témoigne certes des risques considérables qu'ils étaient conscients d'encourir si ces registres étaient rendus publics. Mais cela prouve aussi que pour écarter une telle éventualité, ils furent contraints de se tourner vers celui qui, de toutes les personnalités en place, détestait le plus Robert Kennedy : Hoover en personne. C'était plus qu'humiliant — cela voulait dire que désormais, les deux frères seraient à jamais des obligés du directeur du FBI. Car il leur avait fallu s'en remettre entièrement à lui pour garder secrets leurs liens avec Marilyn : à lui et à personne d'autre.

En attendant, Robert Kennedy était encore menacé par les relevés téléphoniques relatifs aux coups de fil antérieurs qui, au moment où Marilyn se supprimait, étaient déjà engagés trop loin dans la filière de la comptabilité pour qu'une intervention du FBI auprès de la General Telephone suffise à en éliminer toute trace. Le détail des nombreux appels que Marilyn passa au département de la Justice en juin et juillet — dont j'ai retrouvé personnellement un compte rendu dans les archives de la police de Los Angeles — ne pouvait être obtenu que par la voie légale, à savoir grâce à une visite de la police dans les bureaux de la General Telephone une quinzaine de jours après le décès de l'actrice. Là encore, quelqu'un sut s'arranger pour que l'on passât outre au règlement.

En 1962, Shirley Brough, secrétaire à la police, avait pour tâche spécifique de dactylographier toutes les demandes de renseignements adressées aux compagnies de téléphone. Elle se souvient combien elle s'était étonnée que, dans le cas précis de Marilyn, le travail eût été confié à quelqu'un d'autre. Tout à fait exeptionnellement Brough, qui faisait alors partie de la Division des Renseignements, raconte en effet qu'en l'occurrence, «la secrétaire personnelle du captain se chargea de tout. Ceci pour que tout se fasse sous le sceau du secret. Il s'agissait en effet d'un cas totalement extraordinaire, vu les personnalités avec lesquels Marilyn Monroe était notoirement liée. Ils préférèrent donc ne prendre absolument aucun risque».

Ce captain, James Hamilton, chef de la Division des Renseignements, dirigea personnellement l'affaire Monroe pour l'inspecteur Parker. Quelque temps plus tard, il déjeuna avec Jack Tobin, journaliste du *Los Angeles Times*, spécialisé dans les affaires criminelles, qu'avec le temps il avait appris à connaître et qui avait toute sa confiance. Tobin témoigne : «Hamilton me raconta qu'il avait en sa possession le relevé de toutes les communications téléphoniques de Marilyn couvrant les deux jours qui précédèrent sa mort. Voyant que cela m'avait mis la puce à l'oreille, il s'empressa d'ajouter : ''Je ne vous en dirai pas plus.'' Il en savait manifestement beaucoup plus. »

Robert Kennedy connaissait très bien le captain Hamilton. Il le mentionne du reste plusieurs fois dans son livre, *The Enemy Within* ; dans la préface, il le cite comme l'un de «ses amis». Kennedy avait beaucoup d'admiration pour le système de collecte d'informations secrètes mis au point par Hamilton et lui demandait souvent conseil pour son travail, que ce soit au Sénat ou au département de la Justice.

Un an après la mort de Marilyn, Hamilton se retira de la police et devint le responsable de la sécurité de la *National Football League*. Tâche qui lui fut confiée, notamment, sur recommandation de Robert Kennedy. «Il avait des liens personnels avec les Kennedy, indépendamment de ses activités professionnelles», affirme son fils.

Le matin du drame, Thad Brown, Chief of detectives, avant

443

d'être convoqué par la direction de la police à propos d'un «problème», s'attendait — ainsi qu'il l'avait prévu — à passer ce dimanche-là en compagnie de Virgil Crabtree, directeur-adjoint du Service régional des Renseignements du ministère du Trésor. Le «problème» en question, dit Brown par la suite à ce dernier, c'était que l'on avait trouvé dans les draps de lit de Marilyn un bout de papier tout froissé sur lequel figurait un numéro de téléphone de la Maison Blanche.

Tom Reddin, qui succéda à Parker au poste de Police Chief de Los Angeles, était à l'époque un de ses adjoints. «Quand Hamilton et les gens de son service étaient concernés par une affaire, dit-il, personne n'était au courant de rien. Hamilton ne se confiait qu'à deux personnes : Dieu et Parker. Je savais qu'Hamilton menait une enquête sur l'affaire Monroe, mais je ne découvris jamais de quoi il s'agissait précisément. J'appris aussi qu'il devait y avoir un document interne qui ne fut jamais dévoilé au public.»

Reddin ajoute : «Tout le monde savait pertinemment que les Kennedy étaient impliqués dans l'affaire, au niveau où je me trouvais au sein de la police. La relation de Kennedy — des Kennedy, devrais-je dire — avec Marilyn Monroe était en général un fait admis. On entendit dire que Bobby fut une des dernières personnes auxquelles elle parla au téléphone.»

Lawrence Schiller, qui avait été l'un des photographes à couvrir le reportage de Marilyn, nue dans la piscine, pour *Quelque chose doit craquer*, était en déplacement quand il apprit la nouvelle. Il se hâta de rentrer à Los Angeles, et le soir même se trouvait dans le bureau d'Arthur Jacobs, le conseiller en relations publiques de Marilyn.

Tandis que Schiller attendait dans le bureau, il surprit, dit-il, une conversation entre Jacobs et Pat Newcomb. Leur plus grand souci à ce moment-là, affirme-t-il, était «de savoir ce que révéleraient les relevés de la compagnie de téléphone».

Ils avaient bien tort de s'en inquiéter...

444

Que se passa-t-il en réalité la nuit où mourut Marilyn ? Qui fit quoi en ces heures décisives ? Les réponses sont là, mais elles demeurent vagues. Les témoins parlent à contrecœur ; certains ne parleront plus.

En 1983, dans un restaurant à la mode de Los Angeles, j'ai rendez-vous avec un petit vieillard fragile : Peter Lawford. Il n'a pourtant qu'une soixantaine d'années mais une existence faite d'excès a épuisé presque toutes ses forces. Dès que la conversation s'oriente sur cette nuit fatale, son corps affaissé se raidit, sa main tremblante rampe sur la table jusqu'au cendrier. Puis d'une voix traînante, il commence à me raconter l'histoire. « Jusqu'à ce jour, je n'ai jamais cessé de me le reprocher. Je n'avais aucune excuse de ne pas y aller... » avoue-t-il. La voix lui manque. Il éclate en sanglots. Nous sommes contraints de changer de sujet. Lawford a rendu son dernier soupir alors que cet ouvrage était en cours d'impression.

Toujours en 1983 : Eunice Murray, maligne comme un singe, a quatre-vingt-deux ans. Décor : une maison délabrée de Santa Monica. Elle écoute attentivement les questions, y répond avec précision. Sa mémoire, qui semble encore très bonne tant qu'il s'agit de détails infimes qui n'ont pas grand-chose à voir avec ce qui nous occupe, se brouille tout à coup dès que l'on aborde les questions clés touchant la tragédie de cette nuit d'août 1962. Le journaliste qui l'interroge finit par s'en aller avec le sentiment qu'avec beaucoup de courtoisie, Eunice Murray s'est bel et bien jouée de lui.

Lawford et Murray sont depuis le début les deux principaux témoins de cette affaire. Ils n'ont pourtant jamais été appelés à déposer sous serment. La police interrogea Eunice Murray quelques heures après la mort de Marilyn, puis à nouveau quelques jours plus tard. La seconde fois, en présence du lieutenant Armstrong, directeur de la Division Detectives du secteur ouest de Los Angeles. Le rapport de cet interrogatoire, révélé ici pour la première fois, établit que « c'est notre impression que Mrs. Murray s'est montrée vague, voire évasive dans sa manière de répondre aux questions concernant les activités de

Los Angeles Police Department
EMPLOYEE'S REPORT   DR 62-509 463

RE: INTERVIEW OF PERSONS KNOWN TO MARILYN MONROE

August 6, 1962 — Location of Occurrence: Various

Lt. G. H. ALDRICH, COMMANDER, WEST L. A. DETECTIVE DIVISION   8-10-62 8:30A

The following is a resume of the interview conducted in an effort to obtain the times of various phone calls received by Miss Monroe on the evening of her death. All of the below times are estimations of the persons interviewed. None are able to state definite times as none checked the time of these calls.

MRS. EUNICE MURRAY - 933 Ocean Avenue, Apt #11, Santa Monica

Mrs. Murray stated that she had worked for Marilyn Monroe since November, 1961, that on the evening of 8-4-62 Miss Monroe had received a collect call from Joe DiMaggio, Jr. at about 7:30P. Mrs. Murray said that at the time of this call coming in, Miss Monroe was in bed and possibly had been asleep. She took the call and after talking to Joe DiMaggio, Jr., she then made a call to Dr. Greenson and Mrs. Murray overheard her say, "Joe Jr. is not getting married, I'm so happy about this." Mrs. Murray stated that from the tone of Miss Monroe's voice, she seemed to her to be in very good spirits. At about 9P, Mrs. Murray received a call from Mr. Rudin who inquired about Miss Monroe. Mr. Rudin did not talk to Miss Monroe. Mrs. Murray states that these are the only phone calls that she recalls receiving on this date. […]

* Extrait du dossier jamais publié, de la police sur le décès de Marilyn Monroe, que l'auteur de cet ouvrage a pu obtenir récemment. Les informations fournies par Mrs. Murray, femme de chambre, et témoin-clé de cette affaire, ne satisfirent manifestement pas le moins du monde les policiers. Dans le bas de la page, difficile à déchiffrer, il faut lire :

Note : C'est notre impression que Mrs. Murray s'est montrée vague, voire évasive dans sa manière de répondre aux questions concernant les activités de Miss Monroe ce jour-là. Nous ignorons si cela était intentionnel ou pas. Au cours de l'interrogatoire de Joe DiMaggio junior, ce dernier indiqua qu'il avait téléphoné à trois reprises chez Miss Monroe. Or, Mrs. Murray ne mentionne qu'un seul de ces appels.

Traduction de la partie « lisible » de l'extrait du rapport de police :

« Ce qui suit est le résumé des entretiens que nous avons eus afin de déterminer les coordonnées temporelles des divers appels téléphoniques reçus par Miss Monroe le soir de sa mort. Toutes les heures et minutes citées ci-après sont des estimations faites par les personnes avec qui nous avons parlé. Aucune de ces personnes ne se prononce avec certitude, parce qu'aucune n'a regardé l'heure qu'il était au moment de ces appels.

MRS. EUNICE MURRAY - 933 Ocean Avenue, Apt 11, Santa Monica

Mrs. Murray a déclaré qu'elle était au service de Marilyn Monroe depuis novembre 1961 ; que le soir du 4/8/1962 Miss Monroe reçut un appel en PCV d'un Joe DiMaggio junior, vers 19 heures 30. Mrs. Murray a dit qu'au moment de cet appel, Miss Monroe était au lit et, peut-être, dormait jusqu'à cet appel. Elle a pris la communication et après avoir parlé à Joe DiMaggio junior, elle a téléphoné au Dr Greenson. Mrs. Murray l'a entendue dire : « Joe junior ne veut plus se marier, j'en suis très heureuse. » Mrs. Murray déclare que le ton de la voix de Miss Monroe lui a fait penser qu'elle était de très bonne humeur. Vers 21 heures Mrs. Murray a reçu un appel de Mr. Rudin qui a demandé des nouvelles de Miss Monroe. Mr. Rudin n'a pas parlé à Miss Monroe. Mrs. Murray déclare que ce sont les seuls appels téléphoniques qu'elle se rappelle avoir reçus pendant la période de temps considérée. »

446

Miss Monroe ce jour-là. Nous ignorons si cela était intentionnel, ou pas... »

Si Mrs. Murray devait laisser la police dans le vague, Peter Lawford pour sa part lui échappa totalement. Selon un rapport de police datant de 1962 : « Une tentative a été faite pour contacter Mr. Lawford, mais sa secrétaire informa nos agents que ce dernier avait pris un avion à 13 heures. » On était le 8 août, trois jours après la mort de Marilyn ; Lawford était allé chercher refuge chez Robert Kennedy, son beau-frère, à Hyannis Port.

Hyannis Port, où Pat Newcomb devait le rejoindre, à l'invitation de Robert Kennedy. Selon le docteur Farberow, qui dirigeait l'équipe de Prévention du Suicide, Newcomb aurait refusé de s'entretenir avec lui avant de partir. « Elle joue la carte du mutisme », dit-il.

Il faudra attendre pas moins de treize ans avant que Peter Lawford soit finalement interrogé par la police, quand l'instruction fut rouverte en 1975. Il parla aussi au District Attorney en 1982. Les enquêteurs ont eu de la peine à évaluer ses déclarations. « Il paraissait très tendu, rapporte l'un d'entre eux. Mais pas du tout indécis. Au contraire, il était très sûr de ce qu'il disait. »

Le récit de Lawford se modifia pourtant avec les années, et du premier au second de ses entretiens avec la police. Fort heureusement, en superposant aux dépositions des principaux acteurs du drame celles d'autres personnages jamais interviewés auparavant, on peut tout de même essayer de reconstituer les dernières heures de la vie de Marilyn.

Plusieurs personnes étaient invitées chez Lawford ce samedi soir-là. Notamment Joe Naar, producteur de télévision, et son épouse, Dolores. Les Naar vivaient à trois ou quatre kilomètres de la villa des Lawford par la plage, et à quelques centaines de mètres de chez Marilyn. Ils fréquentaient les Lawford et avaient eu l'occasion de rencontrer chez eux Marilyn ainsi que Robert Kennedy. Selon leur témoignage, Peter Lawford téléphona samedi dans la journée pour les inviter à dîner. Marilyn étant conviée elle aussi, Lawford leur demanda de bien vouloir la prendre en passant.

447

Joe Naar raconte qu'un peu plus tard, alors qu'ils se préparaient à partir, «Peter [Lawford] rappela pour dire qu'en définitive, Marilyn ne viendrait pas. Elle était fatiguée et préférait rester chez elle».

Il se peut, toutefois, que Marilyn ait fait une brève apparition chez les Lawford au début de la soirée — peut-être sur le chemin de la plage, puisqu'elle avait eu l'intention d'aller s'y promener, comme nous l'a rapporté le Dr Greenson.

En 1979, au cours d'une conversation qui se déroula après les funérailles de Darryl Zanuck, l'actrice Natalie Wood, qui avait été l'amie de Marilyn pendant des années, me révéla que l'acteur Warren Beatty et elle-même s'étaient trouvés chez les Lawford quelques heures avant la mort de Marilyn.

Suivant cette nouvelle piste, je contactai Beatty en 1983. Il confirma cette information, non sans hésitation : «Je, euh, je l'ai effectivement entrevue le soir qui précéda sa mort. Mais, euh, je ne pense pas que l'on puisse tirer quoi que ce soit d'intéressant de ce que je pourrais vous en dire... Je ne tiens pas particulièrement à être mentionné. Je ne crois pas que j'accepterais d'en parler... »

Quand il dit «le soir qui précéda sa mort», Beatty se réfère-t-il à la soirée du vendredi ou du samedi ? L'emploi du temps de Marilyn baigne dans une atmosphère de mystère dans un cas comme dans l'autre. Et Beatty refuse d'en dire plus.

Si Marilyn alla effectivement chez les Lawford le samedi soir en question — et que Beatty et Natalie Wood y furent eux aussi — ce fut en tout cas une visite extrêmement brève, qui se produisit avant l'arrivée des autres convives. Aucun d'entre eux n'était plus là quand Joe et Dolores Naar arrivèrent, aux environs de huit heures et demie.

Avec les Naar, Lawford avait également invité à dîner le producteur George «Bullets» Durgom. Ce dernier raconte qu'il avait déjà vu Marilyn plusieurs fois auparavant chez les Lawford : «Elle passait en coup de vent avec Bobby.» Ce soir-là, poursuit-il, Lawford avait commandé un repas chinois chez un traiteur. On fit allusion au fait que Marilyn avait été invitée. C'est là que les témoignages commencent à diverger.

A l'occasion de sa première déclaration, à la presse, Lawford ne parla que d'un seul coup de téléphone à Marilyn, à

448

dix-neuf heures, au cours duquel elle aurait décliné son invitation, prétextant la fatigue. Cette version des faits concorde avec celle des Naar, qui affirment qu'elle se serait effectivement décommandée au moment où ils partaient. Or lorsqu'il fut finalement interrogé par la police en 1975, Lawford parla d'une série de coups de fil qu'il passa à Marilyn ce jour-là, et dit qu'ils se conclurent de façon tragique.

Lawford déclara à la police qu'il avait d'abord téléphoné à Marilyn vers dix-sept heures, c'est-à-dire à peu près au moment où, se sentant dans la détresse, elle avait prié le Dr Greenson de venir la voir. Il confirma qu'elle « semblait abattue », à cause de l'abandon de *Quelque chose doit craquer* et « de divers autres problèmes personnels ». Il l'exhorta à venir dîner chez lui le soir même et elle répondit qu'elle allait réfléchir.

A sept heures et demie, peut-être un peu plus tard, toujours selon les dires de Lawford, il l'aurait rappelée, voyant qu'elle ne venait pas. Elle lui parut tout aussi déprimée que plus tôt et « bredouillait ». « Elle m'affirma qu'elle se sentait fatiguée et qu'elle préférait ne pas venir. » Sa voix se fit de moins en moins audible et Lawford se mit à hurler pour essayer de la secouer un peu. (Il choisit le terme de « gifle verbale ».) Après quoi, elle aurait encore ajouté : « Dis adieu à Jack (John Kennedy), et adieu aussi à toi, parce que tu es un chic type. »

Puis la communication fut coupée, selon ce que rapporta Lawford à la police en 1975. Il en conclut que Marilyn avait raccroché, et tenta à plusieurs reprises de la rappeler. En vain. Ça sonnait sans cesse occupé.

En 1982, Lawford fit à peu près le même récit lorsqu'il fut interrogé par les enquêteurs du District Attorney. *A peu près*, car il y avait quelques variantes. Il affirma cette fois-ci qu'il n'y eut pas de second appel, que la ligne était occupée quand il essaya de rappeler. Elle resta occupée plus d'une demi-heure, de sorte qu'il finit par appeler l'opératrice. Apprenant que le combiné était décroché, il commença à s'inquiéter sérieusement. A ce point, selon l'un de ses domestiques, Lawford était déjà dans un état d'ébriété avancé.

Un des membres de l'équipe de Prévention du Suicide, le Dr Litman, déclare s'être laissé dire qu'après sa dernière communication téléphonique avec Marilyn, Lawford appela Washington.

Lawford prétend qu'il voulut aller voir sur place, chez Marilyn, ce qu'il en était, mais qu'il préféra s'adresser d'abord à son agent, Milton Ebbins, pour lui demander conseil. Ebbins confirme qu'ils eurent effectivement une conversation à ce sujet, bien qu'une fois encore, les témoignages diffèrent quant à la question de savoir si Ebbins était présent au dîner ou si Lawford l'appela chez lui. Ebbins reconnaît avoir dissuadé Lawford de se rendre chez Marilyn, lui promettant de joindre, à sa place, Milton Rudin, notaire de Marilyn (et aussi de Frank Sinatra) et qui se trouvait être le beau-frère du Dr Greenson.

Ebbins raconte qu'il parvint finalement à joindre Rudin chez des personnes qui donnaient aussi une soirée. Maître Rudin, interviewé par la police en 1962, reconnut avoir reçu le coup de fil d'Ebbins aux environs de vingt heures quarante-cinq. Mis au courant de la situation, il consentit à téléphoner chez Marilyn. Ce qu'il fit, un quart d'heure plus tard ; et c'est Mrs. Murray qui lui répondit.

En 1983, Rudin a refusé de m'accorder un entretien. Il faut donc se satisfaire des déclarations qu'il fit à la police trois jours après la mort de Marilyn. Selon le rapport de la police, comme il s'enquérait auprès de Mrs. Murray «de la santé de Miss Monroe, Mrs. Murray lui aurait assuré que Marilyn allait très bien. Convaincu que Marilyn souffrait simplement d'une de ses habituelles crises d'abattement, Mr. Rudin estima qu'il était inutile de s'inquiéter davantage. »

Eunice Murray confirme l'appel de maître Rudin, mais elle soutient qu'il ne fit aucune allusion aux paroles tragiques par lesquelles Marilyn aurait conclu sa dernière conversation téléphonique avec Lawford. Eunice s'imagina qu'il téléphonait tout bêtement pour prendre des nouvelles, et répondit — sans aller dans la chambre de Marilyn — que tout allait bien. Ce qui était le cas, selon cette version : Mrs. Murray dormit ensuite jusque vers trois heures trente du matin, heure à laquelle elle se serait réveillée, aurait trouvé la porte close et téléphoné au Dr Greenson de toute urgence.

Le reste irait de soi… si le scénario ainsi constitué ne posait pas quelques problèmes de taille. Commençons par soulever deux questions correspondant à deux points faibles dans le

450

compte rendu public de l'affaire. Il s'agit en l'occurrence de « motivations ».

Vingt-trois ans plus tard, en effet, nous ne savons toujours pas pourquoi Mrs. Murray s'est tout à coup préoccupée du sort de Marilyn au beau milieu de la nuit. Etant donné que, selon le témoignage de Mrs. Murray, maître Rudin n'avait absolument rien dit qui pût éveiller ses craintes, il paraît assez peu probable que la simple vision du fil du téléphone passant sous la porte de Marilyn ait suffi à l'inciter à se ruer sur l'appareil pour réveiller le Dr Greenson à trois heures du matin.

Plus récemment, dans des mémoires écrits par une de ses parentes, Rose Shade, nous apprenons tout bonnement qu'« un sixième sens avertit Eunice du danger »...

Dans le cas de Mrs. Murray, la question que l'on se pose est : « Pourquoi ? » Dans celui de Peter Lawford, c'est, au contraire : « Pourquoi pas ? » Pourquoi, après cette troublante conversation téléphonique avec Marilyn, Lawford ne prit-il pas sa voiture pour aller la voir chez elle ? D'autant qu'il en avait pour quelques minutes à peine.

A cela, Lawford répond qu'il a appelé son agent, Ebbins, et que celui-ci l'aurait dissuadé d'agir en ce sens : « Vous ne pouvez pas y aller ! Vous êtes le beau-frère du président des Etats-Unis. Votre femme n'est pas là. C'est impossible. Laissez-moi joindre son avocat ou son médecin. C'est à eux qu'il incombe d'aller voir ce qu'il en est. »

Le témoignage d'Ebbins corrobore cette version des faits, mais tout cela est-il crédible ? Si, comme Lawford le maintient depuis toujours, les Kennedy n'avaient véritablement rien à voir avec Marilyn, pour quelle raison s'est-il senti obligé de prendre tellement de précautions, de donner tous ces coups de téléphone ? Pourquoi Ebbins jugea-t-il la situation si délicate ? Il n'y avait vraiment pas de raisons de ne pas réagir naturellement, en allant voir Marilyn, tout simplement.

Autre hic : la question de la chronologie, en ce qui concerne les activités de Mrs. Murray autant que le déroulement des événements chez les Lawford. Ici, les versions s'entrechoquent en un méli-mélo de contradictions qui, une fois débrouillées, aident à résoudre les questions capitales.

Mr. et Mrs. Naar, qui offrent le compte rendu le plus

convaincant de cette soirée, déclarent qu'ils prirent congé relativement tôt chez les Lawford, «bien avant onze heures», précisent-ils. De retour chez eux, ils reçurent un coup de fil tout à fait inattendu de Lawford. Celui-ci leur expliqua qu'il était inquiet parce que «Marilyn avait téléphoné pour dire qu'elle avait pris des médicaments, peut-être trop. Elle a admis elle-même qu'elle craignait d'en avoir trop pris».

Sur ce, Lawford pria Joe Naar de se tenir prêt à faire un saut chez Marilyn. Naar y consentit volontiers. Selon ce dernier, Lawford rappela quelques instants plus tard pour dire qu'en définitive, il n'y avait pas de raison de se faire du souci. Après quoi, les Naar allèrent se coucher.

Le témoignage des Naar est essentiel, dans la mesure où il déplace tout le drame à un moment beaucoup plus avancé de la soirée. Ils affirment l'un et l'autre qu'au cours du dîner, entre huit heures et un peu après dix heures, il ne fut pas un seul instant question de Marilyn. Pas un mot à propos de ses «adieux», pas la moindre allusion à son sujet ! Si le drame avait débuté plus tôt, insistent-ils, il est bien évident qu'ils en auraient entendu parler à l'occasion de cette petite réunion, somme toute intime. Ils connaissaient très bien et Lawford et Marilyn. Pourtant, jusqu'au moment où ils prirent congé de Lawford, il leur sembla que tout était en ordre.

La déposition de Bullets Durgom, autre convive à ce dîner, coïncide avec celle des Naar pour ce qui est de la chronologie. Il rapporte que ce fut tard dans la soirée, alors qu'il buvait encore quelques verres en compagnie de Lawford, que ce dernier lui avoua son anxiété à propos de Marilyn. Ce fut à ce moment-là, assure-t-il, qu'on commença à essayer de savoir ce qu'il en était.

Il nous faut ici revenir à Mrs. Murray. Tout de suite après la mort de Marilyn, le docteur Greenson écrivit à des amis en disant que Mrs. Murray avait pour la première fois remarqué de la lumière sous la porte à *minuit*. Après quoi, si Greenson avait bien compris, elle s'était endormie jusqu'à ce que son «sixième sens» la tirât de son sommeil vers trois heures et demie du matin.

Lors de sa première déclaration citée par la presse, Mrs. Murray répéta qu'elle avait vu la lumière pour la première fois sous la porte « à minuit ». De même, le premier policier à arriver sur les lieux, le sergent Clemmons, affirme qu'elle aurait réitéré ce détail.

Au cours d'un long entretien qu'elle m'accorda au tout début de mon enquête, elle m'assura — à trois reprises — qu'elle s'était réveillée vers minuit... pour découvrir le corps inanimé de Marilyn. Comme j'insistai sur ce point, Mrs. Murray fit marche arrière, reconnaissant que les événements de cette triste nuit se brouillaient peut-être un peu dans son esprit. Depuis le temps...

Elle admet qu'un laps de temps assez long s'était écoulé quand on finit par avertir la police ; mais elle rejette cette responsabilité sur le dos des médecins. « Ils ont longtemps discuté, dit-elle, sur la façon dont cela avait pu arriver ; vraisemblablement du nombre de cachets qu'ils lui avaient prescrits. » Or les premières déclarations du Dr Greenson à la police, ainsi que sa correspondance, établissent nettement que la première fois qu'il entendit parler du drame, ce fut à trois heures trente du matin lorsque Mrs. Murray lui téléphona pour lui dire de venir.

Il y a une grande différence, dans les faits, et dans l'interprétation que l'on peut en faire, entre minuit et trois heures et demie du matin. Si Mrs. Murray s'est rendu compte que Marilyn était morte ou très mal en point à minuit, et à considérer qu'elle n'ait pas joint le Dr Greenson à ce moment-là, que s'est-il passé entre-temps ?

On peut aujourd'hui percer ce mystère, grâce à l'audition d'autres témoins porteurs d'informations retentissantes.

Arthur Jacobs, directeur de la société de relations publiques qui comptait Marilyn parmi ses clients, n'avait jamais été interrogé jusqu'ici sur les événements de cette nuit. Il est décédé depuis, mais sa veuve, Natalie Jacobs, apporte un témoignage de première main qui modifie tout.

Comme nous l'avons déjà précisé, les Jacobs étaient très proches de Marilyn. Au cours des quelques mois qui précédèrent sa mort, ils passèrent beaucoup de temps en sa compagnie, l'aidant à se remettre de ses ennuis et prêtant une oreille attentive au récit de son aventure malheureuse avec le président ainsi qu'aux comptes rendus de ses rencontres avec Bobby Kennedy.

Natalie Jacobs n'oubliera jamais le 4 août 1962. C'était la veille de son anniversaire, et Arthur et elle étaient allés à un concert en plein air au Hollywood Bowl ce samedi soir. Ils passèrent une soirée délicieuse en compagnie de l'orchestre d'Henry Mancini, agrémentée de duos de piano de Ferrante et de Teicher.

C'était une nuit magnifique et Natalie était amoureuse. Arthur et elle n'étaient pas encore mariés. Elle se rappelle cette soirée comme un de ces rares moments de paix que les exigences des clients hollywoodiens ne devaient pas troubler. Et puis, brusquement, vers la fin du concert, le charme fut rompu. Quelqu'un (un membre du personnel du Hollywood Bowl, pense-t-elle) apporta un message à Jacobs. Il venait de Pat Newcomb, croit Natalie, et leur annonçait la mort de Marilyn.

« Nous fûmes mis au courant bien avant que la nouvelle ne fût connue de tous, raconte-t-elle. Nous partîmes aussitôt et Arthur me déposa à la maison. Puis il se rendit chez Marilyn et je crois que je ne l'ai plus vu pendant deux jours. Il fallait qu'il donne une version pour la presse. »

Natalie Jacobs certifie que la nouvelle de la mort de Marilyn leur fut révélée avant la fin du concert. Un coup d'œil sur le programme des spectacles de ce jour-là, dans le *Los Angeles Times*, nous apprend que la représentation commença à vingt heures trente ; elle dut se terminer par conséquent avant minuit. Natalie Jacobs pense qu'il devait être onze heures environ quand on leur apporta le message.

Je rappelai alors à Mrs. Jacobs que, selon la version officielle des faits (celle que la police et la presse ont retenue), le cadavre de Marilyn n'aurait pas été découvert avant trois heures quarante du matin. Ce à quoi elle me répondit : « Laissez-moi vous dire pourquoi. Mon mari a tout monté — je ne peux pas vous dire pour quelle raison. Je n'y étais pas. J'étais à la maison. C'était son affaire. »

A partir de cette révélation, bien des choses se mettent en place. On comprend, par exemple, pourquoi les convives des Lawford n'entendirent absolument pas parler des coups de téléphone alarmants de Marilyn au cours de la première partie de la soirée. De même que l'on imagine maintenant très bien pourquoi Lawford appela deux de ses invités, les Naar, une fois qu'ils furent rentrés chez eux, pour leur demander de se tenir prêts à se rendre chez Marilyn le cas échéant. Et puisqu'il fallait à présent «fabriquer» la vérité on voit très bien aussi pourquoi il les rappela pour leur dire de ne pas s'inquiéter.

Il est temps, maintenant, de repasser en revue les données médicales qui nous ont été fournies. Le professeur Keith Simpson, souvenons-nous-en, fut très intéressé d'apprendre que le cadavre de Marilyn était déjà raide, en état de *rigor mortis*, lorsque le Dr Greenson pénétra dans sa chambre vers trois heures quarante du matin. Il déclara du reste : « La rigidité cadavérique n'apparaît qu'après quatre à six heures, ce qui situe la mort bien avant minuit. »

Marilyn parut droguée à plusieurs de ses amis avec lesquels elle s'entretint par téléphone entre huit heures et dix heures ce soir-là. Il semble plus probable que ce soit vers dix heures du soir, et non pas plus tard, qu'elle ait raccroché au milieu d'une conversation avec Peter Lawford — ou quelqu'un de chez lui. Après quoi, elle aurait peu à peu sombré dans l'inconscience.

Un autre témoignage confirme cette hypothèse, qui prouverait donc que le drame se serait produit bien avant que le Dr Greenson ne soit alerté. Cette nouvelle piste prouve que d'autres personnes étaient présentes dans la maison avant l'arrivée du psychiatre de Marilyn, et que, quelques instants tout au moins, on crut que l'actrice allait pouvoir s'en sortir.

En 1982, à l'occasion de la réouverture de l'enquête par le District Attorney, une information tout à fait étonnante se fit jour, dont il n'avait absolument jamais été question auparavant : le soir du 4 août 1962, on appela une ambulance chez Marilyn.

L'état-major du District Attorney eut en effet un entretien avec un ancien conducteur d'ambulance, Ken Hunter, qui en 1962 travaillait pour Schaefer Ambulance, la principale compagnie de transports de ce genre dans la région de Los Angeles. Hunter déclara s'être rendu sur les lieux, avec un autre ambulancier, «dans les premières heures du matin». Sur place, ni journalistes ni police. Il ne se souvient pas d'y avoir vu davantage de médecins.

Quand je téléphonai moi-même à Hunter, il se montra évasif et, dès mon premier appel, refusa de me rencontrer. Il avait toutefois donné au District Attorney le nom de son co-équipier, un certain Murray Leibowitz dont je parvins à retrouver la trace, bien qu'il ait changé de nom (il se fait appeler Leib).

Mon entretien téléphonique avec Leib débuta par une série de silences de sa part ; il ne voulut même pas me dire s'il avait bel et bien travaillé pour Schaefer Ambulance. Quand je lui révélai le motif de mon enquête, il me répliqua : «Je ne veux pas être mêlé à cette histoire... Je n'étais pas de garde cette nuit-là. On m'en a parlé le lendemain matin quand je suis arrivé au travail... Je n'ai pas peur de quoi que ce soit. Il n'y a aucune raison. Inutile d'essayer de me rappeler.»

Au moment où cet ouvrage allait être mis sous presse je parvins à joindre Walt Schaefer, qui est encore aujourd'hui à la tête de la compagnie d'ambulances concernée. Il me confirma sans hésitation qu'un véhicule avait été envoyé chez Marilyn Monroe la nuit du drame. Murray Leibowitz faisait-il partie de l'équipe dépêchée sur les lieux ? «Oui, je le sais», m'a répondu Schaefer.

Schaefer précise qu'il fut mis au courant le lendemain matin et que la note fut payée par la suite, avec l'argent de l'actrice. «Ce n'était pas la première fois qu'on nous contactait, avec tous les barbituriques qu'elle prenait. Nous l'avions déjà transportée auparavant, dans des états comateux.»

A cela, Schaefer ajoute le détail le plus saisissant de tous les rebondissements de cette triste affaire. Il affirme en effet : l'ambulance «l'emmena à l'hôpital de Santa Monica. Elle est morte à l'hôpital, et non pas chez elle».

Il ne se souvient pourtant pas avec certitude qui appela l'ambulance ou si quelqu'un accompagna Marilyn à l'hôpital. Sa compagnie ne conserve les archives que sur cinq ans ; il n'y a donc pas moyen d'étayer, pièces à l'appui, cette hypothèse. Les premières recherches effectuées à l'hôpital de Santa Monica ne donnèrent aucun résultat. Le personnel s'est renouvelé depuis 1962. Il se peut que l'équipe du service d'urgence ait soigné Marilyn sans savoir de qui il s'agissait — s'il est vrai que l'ambulance l'ait conduite jusqu'à l'hôpital.

Bien des questions restent sans réponse. Qui appela l'ambulance ? Qui fut en mesure d'accomplir cet acte tout à fait irrégulier qui consistait à ramener tranquillement chez elle une Marilyn qui avait expiré — avant qu'Eunice Murray ne donne l'alarme à trois heures et demie du matin ?

Divers témoignages laissent supposer que plusieurs personnes s'étaient réunies chez Marilyn avant cette heure-là. Natalie Jacobs affirme qu'Arthur, son futur mari, s'y rendit dans l'heure qui suivit leur départ du Hollywood Bowl, probablement vers onze heures trente. Plusieurs autres témoins assurent que l'avocat Milton Rudin se serait également trouvé chez Marilyn au milieu de la nuit.

Ebbins, l'agent de Lawford, qui certifie avoir téléphoné à Rudin plus tôt dans la soirée pour lancer la première alarme, soutient que l'avocat l'appela à son tour à quatre heures du matin — avant que la police soit informée des événements.

« "Je suis chez Marilyn, lui aurait dit Rudin. Elle est morte." Vous vous rendez compte, ajoute Ebbins, personne n'a jamais dit que Rudin était là. Pourtant cela ne fait aucun doute. »

Interviewée en 1973, Pat Newcomb déclara elle aussi avoir appris la nouvelle de la mort de Marilyn « vers quatre heures du matin », de la bouche de Rudin, qui l'appela — croit-elle — de chez Marilyn.

En 1982, dans une déclaration aux inspecteurs du District Attorney, Peter Lawford introduisit pour la première fois dans son récit l'heure précise à laquelle il fut mis au courant du décès de Marilyn, précisant même comment cela se produisit. Il raconta qu'il fut réveillé à une heure trente du matin par un coup de téléphone d'Ebbins, qui venait lui-même d'apprendre la nouvelle par Rudin. Lawford précisa qu'il était « sûr de l'heure parce qu'il avait regardé le réveil posé sur la table de nuit au moment de l'appel d'Ebbins ».

Ebbins reconnaît pour sa part avoir essayé de prévenir Lawford — mais pas avant quatre heures du matin — et il certifie qu'il n'eut pas de réponse. « J'ai bien essayé de téléphoner mais il n'y avait personne. Pas de réponse en tout cas... » Peter Lawford était-il sorti ? Si c'était le cas, pour aller où ?

L'ex-épouse de Lawford, Deborah Gould, qui affirme avoir reçu ses confidences à propos de Marilyn, apporte des précisions troublantes : « Marilyn téléphona à Peter, au désespoir, pour lui dire qu'elle n'en pouvait plus, que mieux valait qu'elle

457

meure et qu'elle avait décidé de se supprimer. Peter avait beaucoup bu ce soir-là, et il avait un sens de l'humour plutôt retors. En tout cas, je crois bien qu'il ne la prit pas au sérieux. »

Il se peut donc que Lawford ait fini par donner suite aux appels alarmants de Marilyn, même si de toute évidence, il arriva trop tard. Il semble en effet qu'il ait été l'une des premières personnes à se trouver sur les lieux.

« C'est idiot, Marilyn, reprends-toi. Mais, mon Dieu, je t'en conjure, quoi que tu fasses, ne laisse rien d'écrit. » Telles furent les dernières paroles qu'il lui adressa au téléphone (si l'on en croit Deborah Gould), après que Marilyn eut parlé de suicide.

L'actrice laissa-t-elle un mot ou pas ? Deborah Gould répond par l'affirmative. Que disait Marilyn ? « Je ne sais pas. Le papier fut détruit. » Par qui ? « Par Peter, j'en suis sûre. Il me l'a dit. »

Elle affirme aussi que Lawford se rendit chez Marilyn ce soir-là : « Il y alla pour ranger un peu, faire ce qu'il pouvait avant que la presse et la police arrivent... » Et ce mot qu'il aurait supprimé ? « Il l'a fait pour empêcher des gens qu'il aimait d'être impliqués. »

Selon D. Gould, ces « personnes aimées » étaient les frères Kennedy. « C'est là que Peter est intervenu, déclare-t-elle ; pour couvrir tout ce qui était louche, prendre soin de tout. » Peter Lawford lui aurait même assuré que les Kennedy s'étaient arrangés pour empêcher toute enquête...

49

Avant l'aube de ce dimanche 5 août, vers cinq heures, un appel-radio se mit à crépiter dans un appartement d'Hollywood, qu'habitait alors un conseiller en sécurité parmi les plus discrets et les plus habiles de toute la côte ouest. Il accepte à présent de parler, non sans m'avoir fait promettre, par écrit, que son nom ne serait pas mentionné. Toutefois, cinq entretiens prolongés et toutes sortes de contre-vérifications ont confirmé et ses antécédents et ses capacités, et ont de surcroît démontré qu'il disait la vérité. Pour éviter les périphrases, appelons-le « X ».

L'appel-radio, aux dires de X, venait de Fred Otash, le détective privé d'Hollywood dont le nom est lié à des opérations de surveillance concernant Marilyn et les frères Kennedy. Otash, X l'admet du reste sans détours, était de ceux qui louent leurs services au plus offrant. A cette occasion, ironiquement, il s'agissait d'étouffer une affaire pour le compte des Kennedy.

Vingt minutes plus tard, X rejoignait Otash dans son bureau. Celui-ci se trouvait déjà en compagnie d'un autre homme, Peter Lawford, « agité comme un ver dans une poêle à frire ».

Le *briefing* fut de courte durée... mais riche en informations. X apprit que Marilyn Monroe était morte, qu'elle avait essayé la nuit précédente de joindre le président à la Maison Blanche (en réalité, il avait passé le week-end à Hyannis Port), et qu'elle nourrissait ces derniers temps une haine sans nom à l'encontre de Robert Kennedy.

Selon X, « Lawford nous expliqua que Marilyn était folle de rage parce qu'elle en avait assez d'être utilisée puis rejetée. Elle n'en pouvait plus qu'on la traite comme un ''morceau de viande'' ». X comprit que l'actrice avait dû laisser un mot que l'on avait déjà fait disparaître. Sa mission, lui fit-on savoir, consisterait donc à éplucher tous les papiers, toutes les lettres de Marilyn, afin d'éliminer tout ce qui pourrait compromettre les Kennedy d'une manière ou d'une autre. Il faudrait fouiller toute la maison. Il faudrait aussi essayer de découvrir d'éventuelles sources de « fuite », et faire en sorte que ceux qui pourraient en être à l'origine se taisent.

Confronté aux déclarations de X, Fred Otash répond : « J'ai su qu'[il] a dit que je l'avais appelé au milieu de la nuit et que nous nous sommes vus, Peter Lawford, lui et moi, pour discuter de la conduite à tenir après la mort de Marilyn. Eh bien, à cela, ma réaction est la suivante : ''Je ne veux ni confirmer ni nier.'' Il me suffirait de dire ''c'est vrai'', pour me retrouver devant un grand jury ! »

X jugea cette mission quasiment impossible mais l'appât du gain fut plus fort que lui : des milliers de dollars étaient en jeu.

Il avait d'excellents contacts dans la police (comme je pus aisément le vérifier), de sorte que dès neuf heures, il pénétrait dans la maison de Marilyn en compagnie d'un officier de police.

Ce dernier venait d'un autre secteur de la ville et n'avait rien à faire là. Il était un peu nerveux et les deux hommes ne restèrent qu'une vingtaine de minutes sur place. X n'eut donc pas le temps d'accomplir sa mission et repartit bredouille. Avant de s'en aller, toutefois, il nota un détail important — un classeur, dans le « jardin d'hiver », avait été forcé.

Or, des factures envoyées au domicile de Marilyn par A-1 Lock and Safe Company prouvent qu'au cours de l'été, elle avait fait remplacer la serrure d'un classeur. Et Harry Hall, qui accompagna son ami, Joe DiMaggio, chez Marilyn le dimanche en fin de journée, raconte que ce dernier « se mit en quête de ce qu'il appelait un livre, qu'il ne put trouver. Il avait disparu. Toutes les notes personnelles de Marilyn avaient disparu ».

X, que Lawford voulut revoir dès ce dimanche matin, apprit à cette occasion que « Bobby Kennedy s'était lui-même rendu chez Marilyn à un moment donné du samedi, et qu'il était passé chez Lawford dans la soirée. Ils avaient essayé de la convaincre de venir chez Lawford. J'en conclus que Bobby était de passage en ville et qu'il était reparti en avion, dans un appareil de l'Air Force, d'après ce que m'en avait dit Lawford. Je crus comprendre qu'il était parti juste après le dernier appel de Marilyn. »

D'après Deborah Gould (citant des confidences de son mari, Lawford), l'Attorney général chercha à obtenir de Lawford qu'il persuade Marilyn, « quelques jours avant sa mort », que leur amour était terminé. Alors, « elle tenta désespérément de joindre Bobby. Peter me précisa qu'elle avait appelé Pat plusieurs fois, pour savoir où était Bobby, et pour finir par apprendre qu'il était sur la côte ouest, à San Francisco ».

Mais Peter Lawford n'a-t-il pas soutenu mordicus jusqu'en 1973 que Robert Kennedy se trouvait en réalité dans l'est du pays ce week-end-là ? — « Peter est un excellent acteur, mais il ment très mal », dit Deborah Gould.

Citant encore Lawford, Deborah Gould affirme que ce week-end-là Robert Kennedy vint à Los Angeles (en provenance de San Francisco).

Il séjourna effectivement sur la côte ouest du 3 au 5 août, les preuves ne manquent pas. Mais resta-t-il dans la région de San Francisco, ou alla-t-il voir Marilyn à Los Angeles ?

« Peter Pan lui-même n'aurait pas réussi à faire ça ! » déclare John Bates, chez qui Robert Kennedy passa ce week-end. « Cela confond l'imagination. » Au cours de ces deux jours chez les Bates, Robert, Ethel Kennedy et leurs enfants passèrent le plus clair de leur temps en compagnie de la famille Bates. Même si les Kennedy Robert disposaient d'un « cottage » pour les hôtes, tout le monde prit la plupart des repas en commun.

Bates croit se rappeler qu'à un moment donné dans la journée du samedi, ils allèrent tous ensemble faire une randonnée à cheval. Si Robert était allé à Los Angeles, même en revenant le dimanche matin à la première heure, Bates dit qu'il n'aurait pas pu faire autrement que de le savoir.

Le ranch de Bates se trouve à Gilroy, à quelque cinq cents kilomètres au nord-ouest de Los Angeles. Le dimanche matin, à neuf heures trente (le curé de la paroisse le confirme lui-même), Robert Kennedy assistait à la messe en l'église St. Mary.

En dehors du témoignage des Bates, il s'avère difficile de contrôler l'horaire des Kennedy pendant leur séjour au ranch. L'organisation du week-end fut tenue secrète. A diverses occasions, le bureau du FBI de San Francisco fut mis à contribution par les Kennedy, mais l'Agent spécial, responsable du bureau de San Francisco à l'époque, Frank Price, n'est pas très « coopératif » et refuse de faire des commentaires sur les allées et venues de l'Attorney général.

Si Robert Kennedy fit effectivement le voyage jusqu'à Los Angeles au cours de la journée du samedi, ce ne pouvait être que par avion. Il existe plusieurs pistes dans les environs, susceptibles de desservir un appareil privé. Selon plusieurs témoins, Kennedy aurait été vu à Los Angeles ce jour-là.

Paradoxalement, les informations dont nous disposons à cet égard semblent toutes venir de Peter Lawford lui-même — lui qui affirmait obstinément en public que Robert Kennedy était à des lieues de Los Angeles ce week-end-là.

461

Milton Greene, l'ancien associé de Marilyn, déclare que la question fut abordée au cours d'un déjeuner avec Lawford, à New York, après la mort de Marilyn. Lawford lui aurait dit que Bobby « était là. Il a vu Marilyn. Puis il est parti, du côté de la plage, et c'est à ce moment-là qu'elle a téléphoné à Lawford ».

Deux policiers ayant derrière eux de longues années de service confirment la présence de Robert Kennedy à Los Angeles ce jour-là. Selon l'ancien maire, M. Yorty, l'inspecteur Parker lui aurait assuré que le frère du président « avait été vu au Beverly Hilton Hotel la nuit où elle est morte ».

Thad Brown, le chef de la brigade de détectives, confia à plusieurs personnes qu'il pensait que Robert Kennedy était à Los Angeles. Finis, le frère de Brown, ancien détective lui-même, fit son enquête à ce sujet. Il affirme avoir parlé à des « contacts » qui lui ont juré avoir vu Kennedy et Lawford dans un hôtel la nuit où elle mit fin à ses jours. J'en avertis Thad qui me répondit qu'il était déjà au courant. Il était convaincu que Kennedy avait passé cette nuit-là à Los Angeles.

Hugh McDonald, qui était responsable du service Homicides auprès du shérif en 1962, atteste que Thad Brown savait à quoi s'en tenir. « Bobby passa effectivement chez les Lawford ce soir-là, lui aurait-il confié, mais en réalité, il avait prévu un dîner avec elle, qu'il décommanda. »

Au cours de la récente enquête ordonnée par le District Attorney, l'ancien adjoint de ce dernier, John Dickey, assura aux enquêteurs qu'en 1962, on lui avait transmis des informations selon lesquelles Kennedy se trouvait à Los Angeles, ce dont il n'avait pas douté un seul instant.

Deux rapports fragmentaires, un de la police, l'autre d'un ancien membre du personnel de la Twentieth Century Fox, Frank Neill, indiquent que Kennedy serait arrivé par hélicoptère, en se posant à côté de la scène 18 du studio, dans un espace découvert, utilisé alors par les hélicoptères desservant la région proche du Beverly Hilton. Selon ces sources, le frère du président était arrivé en début d'après-midi (du samedi).

En 1982, le District Attorney eut entre les mains un rapport selon lequel on aurait vu Bobby Kennedy arriver chez Marilyn dans le courant de l'après-midi. J'ai réussi à remonter récemment cette filière jusqu'à sa source : une femme, Betty Pollard. Elle raconte que sa mère jouait au bridge chez des voisins ce jour-là quand leur hôtesse attira leur attention sur une voiture qui se garait devant chez eux. Kennedy, facilement reconnaissable, sortit du véhicule et entra chez Marilyn. Leur hôtesse précisa que ce n'était pas la première fois qu'elle le voyait.

Si les choses se déroulèrent effectivement ainsi, ce devait être avant dix-sept heures, heure à laquelle le Dr Greenson arriva à son tour. Si Eunice Murray nie avoir vu Kennedy ce jour-là, elle reconnaît toutefois qu'elle est sortie entre deux et quatre heures faire des courses, laissant Pat Newcomb en compagnie de Marilyn*. »

Selon Deborah Gould, Lawford lui aurait dit que Kennedy avait rendu visite à Marilyn cet après-midi-là. Il aurait essayé auparavant de rompre avec elle par téléphone, ajoute Gould, « parce qu'il ne voulait pas que les choses aillent trop loin. Entre autres parce qu'il se sentait menacé, craignant que ses ennemis ne se saisissent de cette information qui pouvait ruiner sa carrière. Peter parla de ''gangsters'' ».

Marilyn, précise Gould, avait refusé les messages de Kennedy transmis par l'intermédiaire de Lawford. Bobby avait donc fini par décider de l'affronter une dernière fois. « Il alla la voir directement, raconte Gould. Marilyn comprit alors que tout était fini. Elle en fut profondément bouleversée. Anéantie. »

Vers seize heures trente, le Dr Greenson, qui la veille encore avait trouvé Marilyn plutôt en forme, reçut donc un coup de téléphone d'elle, tout à fait inattendu. Elle avait l'air droguée, complètement déprimée.

L'un des motifs de son désespoir, à en croire un médecin de l'équipe de Prévention du Suicide qui interviewa Greenson, tenait au fait que « Marilyn avait espéré voir ''une personnalité très importante'' ce soir-là ; le rendez-vous avait été annulé par la suite ; il s'était passé quelque chose ».

Quelqu'un affirme avoir vu de ses propres yeux Bobby Ken-

---

* Peu de temps avant qu'Eunice Murray sorte faire ses courses, un mécanicien, Henry D'Antonio, lui rapporta sa voiture d'un garage. Interrogé sur la question de savoir s'il pénétra ou non dans la maison, il s'est contredit plusieurs fois, et est devenu très réticent quand on lui a demandé ce qu'il observa ce jour-là. Pour toutes ces questions, il a renvoyé à Mrs. Murray.

463

nedy à Los Angeles ce jour-là. Il s'agit de Ward Wood, voisin des Lawford, à l'époque, qui fut interrogé au même titre que la plupart des anciens occupants des maisons situées alentour le long de la plage. Wood raconte qu'il se trouvait par hasard devant chez lui « en fin d'après-midi ou en début de soirée » quand il vit arriver Robert Kennedy. Il précise que l'Attorney général n'était pas à bord d'un véhicule officiel ; il ne croit pas se tromper en disant qu'il le vit descendre d'une Mercedes (à noter que Wood vendait des automobiles).

L'ancienne épouse de Lawford, Deborah Gould, affirme que si l'on attendit si longtemps pour prévenir les médecins ou la police — entre minuit et trois heures trente du matin — c'était pour permettre à « Bobby de quitter la ville ». D'après ce que lui dit Lawford, « il prit un hélicoptère pour aller à l'aéroport ».

L'ancien responsable du bureau de Los Angeles du *Herald Tribune*, Joe Hyams, et le photographe William Woodfield firent équipe, pendant plusieurs jours après la mort de Marilyn, pour étudier à fond les événements de la nuit du 4 au 5 août ; et ils engagèrent un ancien policier pour les aider dans leurs recherches (je l'ai lui aussi interviewé). Hyams et l'ancien policier soutiennent l'un et l'autre qu'un hélicoptère atterrit sur la plage, près de chez Lawford, tard dans la nuit — révélation qui leur fut faite lors d'entrevues, distinctes, avec des voisins des Lawford.

Il n'y a fondamentalement rien d'improbable au fait qu'un hélicoptère ait servi à déposer des gens chez Lawford, même si cela remonte à 1962. Des vérifications faites auprès des voisins ainsi que des articles de journaux datant de l'époque révèlent que Peter Lawford avait une véritable prédilection pour ce mode de transport relativement nouveau, réservé en ce temps-là à l'armée et à une tranche extrêmement privilégiée de la population.

Lawford lui-même, au cours de l'entrevue qu'il m'a accordée, a reconnu qu'il faisait volontiers usage de ce genre d'appareil. Ses voisins se plaignaient d'ailleurs régulièrement que des hélicoptères, autorisés à atterrir sur les plages sous la présidence de Kennedy, projetaient des nuées de sable dans leurs piscines.

Joe Hyams, du *Herald Tribune*, essaya de retrouver la trace de cet hélicoptère qui aurait atterri sur la plage la nuit du drame. Auprès d'une compagnie de location de ce genre d'appareils, il parvint à établir qu'«un petit hélicoptère avait effectivement été loué dans la nuit où mourut Marilyn. On refusa toutefois de me laisser accéder aux archives de ladite compagnie et surtout de me communiquer le nom du passager. De fait, on me chassa des lieux sans ménagement».

Le photographe William Woodfield, associé de Hyams en la circonstance, eut pour sa part plus de chance. Quelque temps auparavant, il avait loué un hélicoptère pour prendre des photos aériennes, parce qu'il préparait un article sur l'avion privé de luxe de Frank Sinatra. L'hélicoptère en question était affrété régulièrement et par Sinatra et par Lawford. Dans les trois jours qui suivirent la mort de Marilyn, dit Woodfield, il retourna voir le pilote qui l'avait transporté, à Culver Field, près de Santa Monica — le terrain d'aviation le plus proche de chez Lawford.

Prétextant un autre article sur l'usage d'hélicoptères par des célébrités, idée dont il avait déjà été question lors de sa première rencontre avec le pilote, Woodfield fit sa petite enquête. Il promit de faire de la publicité pour le pilote et sa compagnie ; l'autre lui en sut gré. Il accepta très aimablement de laisser Woodfield feuilleter le carnet de vol de l'appareil, pour y retrouver, soi-disant, les noms des clients célèbres ayant fait récemment appel à ses services.

Épluchant tout à son aise le carnet en question, Woodfield, revenu quelques pages en arrière, à la nuit du 4 août, découvrit ce qu'il n'osait même pas espérer découvrir. Une note, correspondant à la nuit où mourut Marilyn, lui prouva qu'un hélicoptère avait été loué pour prendre un passager chez Lawford et le déposer ensuite sur le principal aéroport de Los Angeles.

« L'heure indiquée se situait après minuit — entre minuit et deux heures du matin, je crois, se souvient Woodfield. Le nom inscrit m'échappe aujourd'hui, mais je suis certain que c'était soit ''Lawford'', soit ''Kennedy''. »

Quatre jours après le décès de Marilyn, Hyams et Woodfield, sachant qu'ils ont entre les mains tous les éléments d'un formidable scoop, retirés dans un petit bureau derrière chez Hyams, joignent par téléphone les bureaux de Robert Kennedy à Washington. Révélant à un de ses assistants ce qu'ils ont découvert, ils souhaitent savoir si Kennedy est prêt à faire des commentaires « afin que l'affaire puisse être classée ». La réponse ne se fait pas attendre. « L'Attorney général vous serait reconnaissant de ne rien révéler de cette histoire. »

Ce qui ne devait pas empêcher Hyams d'en informer le bureau du *Herald Tribune* à New York. Une heure plus tard, il recevait un appel d'un rédacteur en chef, le félicitant de son travail. « Cependant, bien que nous soyons un journal républicain et que ce soit une année d'élections, ce scoop serait une gifle gratuite au président. Il serait rendu responsable, par association. On enterre donc l'affaire. »

Depuis le début de sa carrière, les journaux s'étaient fait l'écho des moindres faits et gestes de Marilyn. Voilà qu'on sabordait la seule tentative authentique de rendre compte de sa mort. Les prémisses de deux décennies de cachotteries et de faux-semblants étaient désormais posées.

Aujourd'hui, pour la première fois, en prenant en compte toutes les données disponibles, nous sommes en mesure de reconstituer un « scénario » correspondant aux derniers jours et aux dernières heures de la vie de Marilyn.

Il semble que pendant des mois, elle eut des relations sexuelles occasionnelles avec le président des États-Unis ainsi qu'avec son frère, Robert Kennedy. Pour les deux frères ainsi que pour Marilyn, il y avait eu initialement une attirance, disons, de star à star, chacun représentant un butin brillant de mille feux, dans ces galaxies entrecroisées de la politique et du show business. Les frères Kennedy, élevés dans l'idée qu'aucune femme ne pouvait leur résister, ne comprirent pas tout de suite que dans le cas de Marilyn, ils avaient à faire à une femme dangereuse pour deux séries de raisons.

En effet, Marilyn était dangereuse, comme des maîtresses moins illustres, telle Judith Campbell, ne risquaient pas de l'être. A moins d'être pris littéralement sur le fait peut-être par le biais d'un téléobjectif indiscret, ils n'auraient eu aucun mal à plaider l'innocence, eussent-ils été accusés d'une liaison pernicieuse. En ces temps-là (bien avant le Watergate), où l'on

466

accordait aisément aux figures publiques une confiance sans mélange, de telles accusations, quelle que soit la femme impliquée, ne tenaient pas la route face à la « bonne foi » de ces personnalités politiques. Marilyn Monroe constituait cependant un cas à part — dans le sens où son nom avait indiscutablement autant de poids que celui des Kennedy eux-mêmes.

Autre danger : Marilyn était une femme très instable. Il y a peu de chances que l'un ou l'autre des Kennedy ait su discerner, au-delà de sa beauté et de son intelligence, la nature véritablement détraquée de sa personnalité — qui, comme son psychiatre le reconnut lui-même par la suite, l'aurait conduite tout droit à l'asile, si son nom n'avait pas été Marilyn Monroe.

Marilyn pour sa part — son rapport à la réalité s'étiolant toujours plus — rêva sans doute d'établir avec un des Kennedy une relation permanente. En filigrane dans les remarques faites par elle à ses amis, on devine qu'elle alla même jusqu'à s'imaginer qu'après avoir épousé les plus grandes vedettes américaines du sport et de la culture, elle finirait, en apothéose, par remporter l'ultime trophée, à savoir un mariage avec un des membres de l'illustre famille Kennedy.

A certains moments de lucidité, l'improbabilité totale d'une telle éventualité devait bien se révéler à elle. Le président et elle ne se voyaient que de manière tout à fait sporadique ; dès le début de l'été 1962, elle avait dû comprendre que l'intérêt qu'il lui portait se limitait au plaisir qu'elle lui procurait, même s'il la voyait encore régulièrement et se montrait affectueux à son égard. Sa désinvolture en témoignait. En attendant, il y avait encore Robert.

L'Attorney général, beaucoup moins coureur de jupons que son frère, avait entamé une liaison avec Marilyn pour la secourir en quelque sorte, dans l'espoir de l'aider à retrouver une certaine stabilité émotionnelle. Peut-être tenté initialement de suivre « l'exemple » de son frère en se contentant de profiter des charmes de Marilyn, Robert finit pourtant par s'éprendre de cette lueur vacillante qu'était l'âme fragile de Marilyn. Leur liaison dura des mois. Puis, alarmé par les innombrables rumeurs selon lesquelles des gangsters avaient dans l'idée d'exploiter les errances amoureuses des Kennedy, il décida de rompre avec elle.

Ce n'était pas facile. Piquant du nez dans une nouvelle vague de désespoir, qui devait être la dernière, Marilyn s'avéra difficile à écarter. Elle se changea en un véritable fléau, exigeant une attention de tous les instants et le menaça peut-être (comme le suggère Robert Slatzer) de tout dévoiler à la presse dans une ultime tentative pour garder « son homme ».

C'est ici qu'intervient le beau-frère des Kennedy, Peter Lawford, à qui l'on confia la tâche ardue de dissuader Marilyn de mettre ses menaces à exécution. Faible de nature, Lawford frayait aussi bien avec les gens de la Maison Blanche qu'avec des gangsters du gabarit de Sam Giancana ; il n'était pas difficile à soudoyer. Pour tenter d'apaiser Marilyn, il choisit de l'emmener à plusieurs reprises dans un endroit infesté par les ennemis de Kennedy, le Cal-Neva Lodge. C'est là qu'elle passa son dernier week-end, dans l'alcool et les drogues jusqu'au cou, hors de portée de celui qui était peut-être le seul à pouvoir l'éloigner une fois encore du précipice, Joe DiMaggio.

Le dernier vendredi, quand Robert Kennedy débarque à San Francisco, il semble que les supplications de Marilyn ont atteint leur paroxysme. Imaginant sans doute qu'il peut encore la raisonner, Bobby fait un aller-retour à Los Angeles, où il arrive peu après midi le samedi. Il la voit probablement brièvement chez elle à Brentwood, lui répète que leur liaison ne peut continuer ; après quoi il la quitte pour aller passer la soirée soit chez Lawford, soit quelque part dans les environs.

Incapable de contenir son angoisse, malgré une absorption continue de sédatifs, Marilyn téléphone alors à son psychiatre, le Dr Greenson. Elle lui explique qu'elle espérait voir Robert Kennedy ce soir-là, mais qu'il l'a finalement envoyée promener. Greenson essaie de la calmer, comme on fait en présence d'une personne chancelant sur un toit en pente. Il la quitte, convaincu d'avoir réussi dans son entreprise.

Seule avec son téléphone et ses cachets, Marilyn lance plusieurs appels à l'aide. Certains, n'étant pas chez eux, ne purent lui répondre ; d'autres ne comprirent pas que cette fois-ci, son désespoir était total. Les coups de téléphone répétés à R. Kennedy pas plus que les messages frénétiques qu'elle lui fait transmettre par l'intermédiaire de Peter Lawford, ne lui ramènent son amant. Comme bien d'autres hommes et femmes désireux

468

de rompre une liaison, Bobby pensait sans doute que le moins cruel était de ne pas céder, d'être dur, de garder ses distances, quoi qu'il en coûtât à lui-même. Il était préférable aussi de ne pas risquer une autre visite chez Marilyn, compte tenu du danger qu'il encourait chaque fois en s'exposant ainsi.

Il est impossible aujourd'hui de déterminer avec précision, si les ennemis de Kennedy — les agents de Sam Giancana et de Jimmy Hoffa — sont intervenus dans les quelques heures qui précédèrent la mort de Marilyn. Les données médicales, comme nous l'avons vu, n'excluent pas la possibilité que quelqu'un d'autre que Marilyn elle-même lui ait administré la dose fatale. Il est plus probable toutefois qu'elle ait simplement sous-estimé les effets d'une absorption massive de barbituriques ajoutée à des prises régulières tout au long de la journée. Je ne pense pas personnellement qu'elle ait eu véritablement l'intention de se supprimer.

Le samedi soir, probablement un peu après dix heures, Marilyn téléphone une dernière fois chez Lawford. Elle bredouille, divague, et il devient tout à coup évident qu'elle est en train de sombrer dans l'inconscience. On est en droit d'imaginer — on voudrait bien le croire aussi — qu'en apprenant ce qu'il en était, Robert Kennedy réagit avec décence et humanité. Il y a des chances que ce soit lui, peut-être accompagné de Peter Lawford ou suivi de peu par lui, qui se porta au secours de Marilyn. Très vite, il arriva sur place ; il n'était sans doute qu'à quelques kilomètres.

Il la trouva dans le coma ; mais elle respirait encore.

Ici, l'épisode de l'ambulance, quoique mal documenté, devient crucial. Si le directeur de la compagnie d'ambulance dit vrai, Marilyn était encore en vie quand elle quitta son domicile. Elle est peut-être morte à son arrivée à l'hôpital de Santa Monica, où, sans maquillage et emmaillotée dans des couvertures, elle passa sans doute incognito. Je pense qu'il y a de fortes chances qu'elle expira pendant son transport à l'hôpital, auquel cas celui qui l'accompagnait, peut-être Robert Kennedy lui-même, se trouva confronté à un terrible dilemme.

Marilyn Monroe était morte, dans des circonstances qui risquaient de signifier la ruine absolue de l'Attorney général. Même s'il n'avait jamais eu de liaison avec elle (et tout porte à croire le contraire), le fait qu'un Kennedy soit trouvé en présence du cadavre de l'actrice — qu'il se soit agi d'une mission de sauvetage n'y changeait rien — ne pouvait qu'avoir les pires conséquences, politiquement parlant.

La seule solution était donc de ramener sa dépouille chez elle, à Brentwood, dans le lit où elle avait passé ses derniers coups de fil désespérés. A présent, il s'agissait de gagner du temps, pour que Robert Kennedy ait le loisir de filer en douce surtout, mais aussi pour faire disparaître de chez Marilyn tout indice compromettant. Une fois ces deux conditions satisfaites, « on » téléphona alors au Dr Greenson qui vint constater en temps voulu le décès de Marilyn, entre trois heures trente et quatre heures du matin.

Comme l'indique la piste suivie par Hyams et Woodfield (et comme le confirme Lawford par l'intermédiaire de sa troisième épouse, Deborah Gould), l'Attorney général partit pour la Californie du nord par avion. Au même moment Lawford (selon ce qu'il dit à Deborah Gould) détruisait un document compromettant, probablement une lettre interrompue plutôt qu'une simple note, et demandait au détective privé Fred Otash de faire disparaître tout autre éventuel indice révélateur de chez Marilyn. En définitive, Otash et ses associés ne purent pas faire grand-chose. Au moment où ils intervinrent, de bonne heure le dimanche matin, des rouages plus puissants que les leurs étaient déjà en mouvement.

Averti du drame alors qu'il assistait à un concert au Hollywood Bowl, le conseiller en relations publiques de Marilyn, Arthur Jacobs, personnage très influent à Los Angeles, rentra chez lui au plus vite. Il se peut qu'on ne le mît jamais au courant de toute l'histoire, qu'il ait ignoré jusqu'au bout l'expédition inutile en ambulance, les allées et venues nocturnes de Robert Kennedy ; mais c'était l'homme qu'il fallait pour « masquer l'affaire », comme le dit très justement sa veuve aujourd'hui encore. Ce qui n'empêcha pas quelqu'un de très puissant, probablement Robert Kennedy lui-même, de réveiller le chef du FBI, J. Edgar Hoover. De Washington, on somma quelqu'un de faire disparaître les relevés téléphoniques couvrant les dernières heures de la vie de Marilyn, tout de suite, tant qu'il était encore possible de les trouver à la société du téléphone.

470

Ce scénario comporte peut-être quelques détails inexacts, mais cela paraît une reconstitution honnête à partir des données dont nous disposons aujourd'hui. Selon toute vraisemblance, aucun crime ne fut commis ce soir-là, bien que le retour de la dépouille de Marilyn à Brentwood constitue un grave forfait et que la destruction de pièces à conviction par Lawford soit un acte on ne peut plus irrégulier. Pour Robert Kennedy, cette nuit-là et les jours qui suivirent furent sans doute un véritable cauchemar, les moments les plus déchirants de son existence. Si notre reconstitution approche de la vérité, la mort de Marilyn Monroe fut le Chappaquiddick de Robert ! A la différence de son frère Edward, il évita le scandale, mais de justesse.

En 1983, le jour de sa propre mort, George Cukor, qui mit en scène deux des films où elle joue, commenta le trépas de Marilyn. On ignore dans quelle mesure Cukor était au courant de ce qui se produisit dans la nuit du 4 août 1962, mais ses remarques semblent on ne peut plus appropriées. « Ce fut une sale affaire, dit-il à un ami, le pire rejet qu'elle eut à essuyer. Pouvoir et argent. En définitive, elle était trop innocente. »

Sixième Partie
Après la fauche

> Classe ça et oublie. On a toujours de bon-
> nes raisons de ne rien faire. Dehors, le monde
> dormait à poings fermés.
>
> *Smiley*, de John Le Carré,
> dans *The honourable schoolboy*.

50

« S'il m'arrive quelque chose, avait dit neuf ans auparavant Marilyn à Whitey Snyder, promets-moi que c'est toi qui m'apprêteras. » Elle n'avait que vingt-sept ans ; c'était l'époque de *Les hommes préfèrent les blondes* ; elle pensait déjà à la mort. Pour être certaine qu'il se souviendrait, elle avait donné à son maquilleur une agrafe d'or, pour tenir des billets de banque, avec l'inscription : « Tant que je suis Encore Chaude, Marilyn. »

Snyder ne cessait d'égarer cette agrafe, mais il l'avait dans sa poche le surlendemain de la mort de Marilyn quand il se rendit au funerarium du Memorial Park de Westwood. Il s'était pourvu aussi d'une bouteille de gin.

C'est à lui qu'il incomba, ainsi qu'à sa future femme, Marjorie Plecher, de restaurer la ruine embaumée qui avait été le corps de Marilyn.

Sur les cheveux, qui pendaient raides et plats, ils mirent la perruque qu'elle avait portée dans les *Misfits* ; et, autour du cou une écharpe de mousseline de soie. Mais, au-dessous, les célèbres formes n'étaient plus. Le médecin légiste était passé par là...

« Oh, mon Dieu, songea Marjorie Plecher, Marilyn sans poitrine ! Elle en mourrait. » Snyder et elle déchirèrent un coussin pour en prendre la bourre, se procurèrent des sacs en plastique, et recréèrent son buste… Puis ils l'habillèrent d'une robe, très simple, de chez Pucci, que Marilyn affectionnait pendant les derniers temps. «Elle était très belle à voir, dit quelqu'un après la cérémonie. Comme une belle poupée.»

C'étaient Joe DiMaggio et Inez Melson, qui, avec la permission de la demi-sœur de Marilyn, avaient décidé de tous les détails des obsèques. Ils savaient que l'idée d'être enterrée ne lui plaisait pas ; ils choisirent donc de la faire incinérer. Joe DiMaggio acheta une case 800 dollars et un cercueil de bronze. Et l'on dit au public que les dons seraient versés à des œuvres pour l'enfance malheureuse.

DiMaggio et Inez Melson firent savoir, dans l'avis nécrologique, que les funérailles se dérouleraient dans l'intimité, «afin qu'elle aille à sa dernière demeure dans la paix qu'elle a toujours cherchée». Vingt-quatre personnes seulement furent invitées, dont les Greenson, les Karger, Lee et Paula Strasberg, les fidèles artistes de sa loge d'actrice, le masseur Ralph Roberts, maître Milton Rudin et Pat Newcomb.

Parmi les non-invités, Frank Sinatra. «Sinatra, Ella Fitzgerald et Sammy Davis junior étaient décidés à venir, dit Mrs. Melson. Ils eurent l'audace d'amener avec eux des policiers privés et d'essayer de pénétrer dans la chapelle, en disant qu'ils en avaient l'autorisation.» Sinatra ne fut pas admis — mais il hébergea un temps dans son chenil Maf, le caniche qu'il avait offert à Marilyn.

Peter et Pat Lawford furent également exclus de la cérémonie. Lawford, qui avait utilisé un hélicoptère pour prévenir certains de ses voisins et les faire venir, n'apprécia pas du tout. Il déclara publiquement, sur un ton indigné, que sa femme, qui se trouvait alors dans l'Est, avait pris l'avion de Los Angeles pour rien. «Il semble que l'on ait tout fait, dit-il, pour empêcher certains vieux amis de Marilyn d'être présents.»

Dans le funerarium, on entendit Joe DiMaggio dire à l'un des organisateurs des funérailles : «Veillez à ce qu'aucun de *ces* Kennedy n'assiste à la cérémonie.»

DiMaggio passa toute la dernière nuit à veiller Marilyn — presque tout le temps à genoux.

Toute cette nuit-là aussi, des admirateurs et des amis montèrent la garde à l'extérieur. Et le lendemain matin, une petite foule, environ un millier de personnes, se rassembla pour suivre, des yeux, la cérémonie.

« Il y avait des centaines de reporters et de photographes, dit Joan Greenson. Le clic-clac des obturateurs et le ronronnement des caméras couvraient toutes les conversations. Au début, on ne nous permit pas d'entrer dans la chapelle, parce que, dit l'employé des pompes funèbres, la ''famille'' était avec la défunte. Quelle famille ? me suis-je dit. Si elle avait eu vraiment une famille, nous n'aurions sans doute pas eu besoin d'être là. »

Les élus se rassemblèrent enfin dans la chapelle, devant un cercueil qui semblait bien trop grand ; et ils écoutèrent une oraison prononcée par le maître de Marilyn, Lee Strasberg, qui n'avait pas trouvé le temps de lui rendre visite la dernière fois qu'il était venu sur la côte ouest.

Strasberg dit de Marilyn : « Il y avait en elle une qualité lumineuse, une association de nostalgie, d'éclat, d'aspiration, qui la plaçait à part et qui pourtant donnait à tous l'envie d'y participer. »

Un pasteur n'appartenant à aucune secte fit une petite homélie, inspirée d'un verset du livre des Psaumes : « Le Créateur l'a faite effrayante et splendide. »

La musique enregistrée de *Over the Rainbow* retentit dans la chapelle — Marilyn avait follement admiré Judy Garland... Et ce fut presque terminé.

Les employés apportèrent une montagne de fleurs au pied du cercueil et soulevèrent le couvercle : « Ce fut un jaillissement de cheveux blonds, dit Joan Greenson. Pour moi, c'était insupportable à regarder. »

De ceux qui regardèrent, DiMaggio fut le dernier. Marilyn reposait sur un capitonnage de velours « couleur champagne » (comme le dit la presse), un petit bouquet de roses, choisies par DiMaggio, dans les mains.

DiMaggio, qui n'avait cessé de pleurer pendant toute la cérémonie, dit plusieurs fois : « Je t'aime » et se pencha pour un dernier baiser.

On transporta Marilyn au Mausoleum of Memories, sous les regards d'une foule contenue par bien plus de policiers qu'il n'était nécessaire. Le corbillard avançait lentement, flanqué

477

d'une escorte surprenante de gardes de l'agence Pinkerton, uniforme pastel et gants blancs.

Le pasteur récita « Tu es cendres et tu redeviendras cendres », et l'on roula le cercueil jusqu'à une cavité dans le mur du columbarium, couverte d'un rideau brun. Peinant et suant à cause de la grande chaleur, quatre hommes en noir hissèrent le cercueil dans un caveau à hauteur de la taille.

Parmi les quelques couronnes envoyées par des célébrités : celles de Sinatra, Jack Benny et Spyros Skouras. Et des fleurs de « Arthur », et d'autres des enfants de Miller.

Sur une couronne anonyme, le texte entier d'un sonnet de la poétesse anglaise Élizabeth Barrett Browning :

Laisse-moi compter toutes les façons dont je t'aime
... Je t'aime par le souffle
Les sourires, les pleurs, de toute ma vie ! Et Dieu veuille
Que je t'aime plus encore après la mort.

Vingt ans durant, trois fois par semaine, Joe DiMaggio a fait fleurir la case de Marilyn de deux roses rouges. En 1982, cet ordre a été annulé, sans explications.

Robert Slatzer a tenu à combler ce vide : les roses blanches qu'on voit devant la dernière « demeure » de Marilyn sont envoyées par lui, et, aux termes du contrat qu'il a passé avec le fleuriste, on continuera de les voir longtemps après sa mort à lui.

« Vous savez où notre pauvre idole est enterrée ? a dit Cukor. Pour aller dans ce cimetière, on passe devant un concessionnaire d'automobiles et le building d'une banque ; c'est là qu'elle repose, entre Wilshire Boulevard et Westwood Boulevard, avec toute la circulation qui passe autour. »

Au Parc du Souvenir [Memorial Park] de Westwood, Marilyn a été rejointe par beaucoup d'autres célébrités : les cendres de Peter Lawford, le dernier à être arrivé en ce lieu, sont à cinquante pieds de la case de Marilyn. Quelquefois, quand les dernières roses mises dans le vase de Marilyn sont encore fraîches, le livreur va les mettre sur la tombe de Natalie Wood, à quelques pas de là.

Un étage au-dessus de Marilyn repose la dépouille d'une adolescente ignorée, qui s'appelait Darbi Winters : elle fut assassinée en 1962, juste après la mort de Marilyn. Très peu de temps auparavant, elle avait dit à sa mère qu'un jour, dans un lointain futur, elle voudrait qu'on l'enterre à côté de Marilyn Monroe.

Il n'y a pas longtemps, les propriétaires du caveau vacant à côté de celui de Marilyn l'ont mis en vente, pour 25 000 dollars. L'a-t-on acheté ? Je l'ai demandé aux administrateurs du cimetière : ils n'ont pas voulu me répondre.

Tous les jours on voit des amoureux de Marilyn ou de simples curieux, défiler devant la « crypte ». La pierre qui ferme le caveau n'est plus celle de 1962 : tant de maniaques de « souvenirs » l'avaient abîmée pour en ramener chez eux un éclat, tant de lèvres féminines y avaient laissé leur rouge indélébile, qu'il a fallu en mettre une nouvelle à la place.

Vêtue de vert, la déesse gît derrière une plaque de marbre, portant cette simple inscription : « Marilyn Monroe 1926-1962. » Elle repose dans le lieu de la paix absolue, où il n'y a pas d'étreintes — ni réelles, ni imaginées par les gens.

L'ombre de Marilyn poursuivit Robert Kennedy jusqu'à sa propre mort, advenue aussi à Los Angeles, six ans plus tard. Quinze jours après la mort de Marilyn, le vice-directeur du FBI, Courtney Evans, dut, une nouvelle fois, avertir l'Attorney général que la Mafia l'accusait d'avoir une liaison avec une autre femme.

Rapportant la réaction de Robert Kennedy, Evans écrivait (voir page 481) : « Il a dit qu'il nous savait gré du fait que nous l'informions, et que lorsqu'on a une vie publique, on alimente forcément les ragots. Il a dit qu'il savait fort bien que de plusieurs côtés on avait prétendu qu'il avait une relation sentimentale avec Marilyn Monroe. Il a dit que, certes, il avait connu Marilyn Monroe, puisque c'était une bonne amie de sa sœur, Pat Lawford ; mais que toutes les insinuations à ce propos défiaient tous les critères de la vraisemblance. »

Le jour même où Courtney Evans rédigeait ce memorandum (20 août), les systèmes d'écoute du FBI captèrent une amène conversation entre trois hommes du *syndicate* (c'est-à-dire du milieu, voire de la Mafia) : ils devisaient de ce que l'un d'eux appelait une « situation dangereuse », dans laquelle lui-même et ses associés risquaient d'être traînés devant la justice. Ce risque semblait même une certitude ; cependant, le « *gentiluomo* » le plus menacé proposa un stratagème qui pouvait inciter l'État fédéral à ne rien précipiter, et qui consistait à exercer certaines pressions sur les frères Kennedy — surtout sur Robert, l'Attorney général — ce, simplement en rendant publics des faits concernant la feue Marilyn Monroe.

« Ils sont capables de s'attaquer à n'importe qui, dit ce personnage du « syndicat ». Sauf que le frangin (...) pour eux ce serait une bombe. Vous le voyez, si on sort un titre grand comme ça sur Marilyn Monroe ? Et sur lui ? (...) Il a été là-bas plein de fois. Et entre eux, c'était sérieux — et cette --- ------- [prénom et nom d'une associée de Marilyn à la fin de sa vie] était toujours fourrée avec eux — tu parles d'un secret ! »

Les documents révélés jusqu'ici n'indiquent pas si l'on essaya vraiment de faire chanter l'Attorney général à propos de Marilyn. Celui-ci poursuivit sa guerre frontale contre la Mafia tant qu'il resta en fonctions, c'est-à-dire jusqu'en 1964. Deux ans après la mort de Marilyn, cependant, les mystères relatifs aux activités de Bobby dans les derniers jours de Marilyn furent évoqués publiquement.

Le 8 juillet 1964, J. Edgar Hoover informe Kennedy par lettre de la publication d'un opuscule, dont l'auteur est un homme d'extrême-droite, Frank Capell. « Ce livre, écrit Hoover, fera allusion à l'amitié que vous auriez eue avec feue Miss Marilyn Monroe. Mr. Capell a déclaré qu'il démontre, dans son ouvrage, que Miss Monroe et vous fûtes intimes, et que vous vous trouviez chez Miss Monroe au moment de sa mort. »

A s'en tenir aux documents officiels dont on dispose, on ne sait pas si l'Attorney général exprima une réaction (ni à fortiori quelle elle fut) à cette information. Le livre se diffusa en dehors des circuits normaux — c'est-à-dire essentiellement par correspondance — et les journaux sérieux ne prirent pas en considération ses hypothèses. Robert Kennedy échappa une nouvelle fois au scandale ; mais il dut avoir froid dans le dos

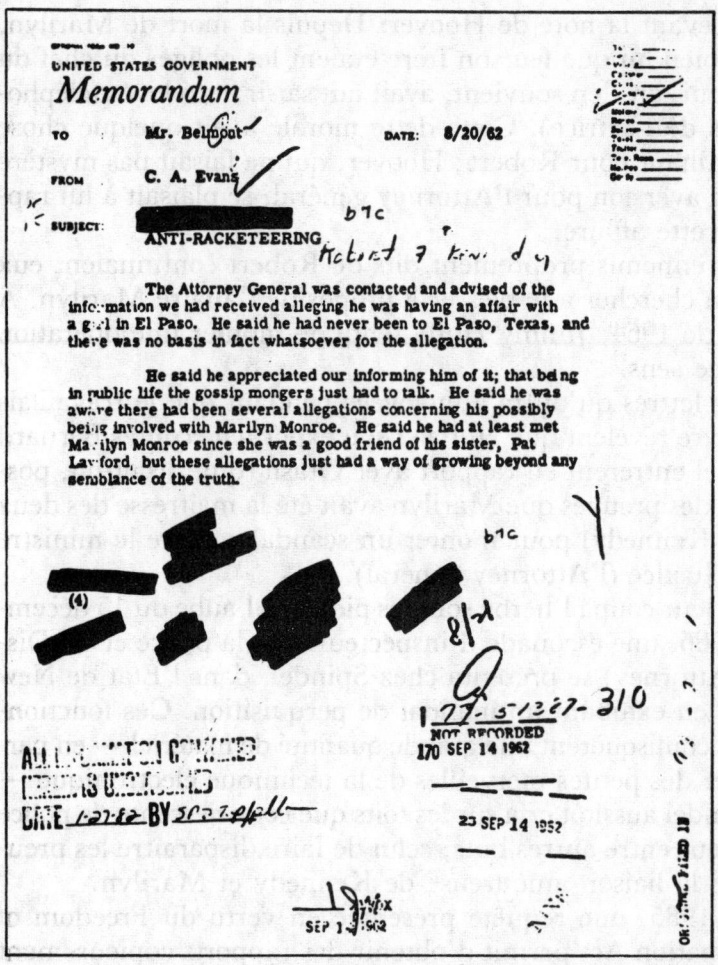

UNITED STATES GOVERNMENT

Memorandum

TO : Mr. Belmont   DATE: 8/20/62

FROM : C. A. Evans

SUBJECT: ▮▮▮▮▮▮▮▮▮▮▮   b7c
ANTI-RACKETEERING   Robert F Kennedy

The Attorney General was contacted and advised of the information we had received alleging he was having an affair with a girl in El Paso. He said he had never been to El Paso, Texas, and there was no basis in fact whatsoever for the allegation.

He said he appreciated our informing him of it; that being in public life the gossip mongers just had to talk. He said he was aware there had been several allegations concerning his possibly being involved with Marilyn Monroe. He said he had at least met Marilyn Monroe since she was a good friend of his sister, Pat Lawford, but these allegations just had a way of growing beyond any semblance of the truth.

Quinze jours après la mort de Marilyn : rapport rédigé par le vice-directeur du FBI, Courtney Evans, après qu'il a informé Robert Kennedy de l'intérêt que porte la Mafia au donjuanisme des Kennedy. Ces informations — obtenues bien « entendu », grâce aux systèmes d'écoute du FBI — émanaient du « ministre des finances » du *milieu*, Meyer Lansky : le FBI les avait recueillies juste quelques jours avant la mort de Marilyn.

Traduction du fac-similé du document reproduit ci-dessus : objet : LUTTE CONTRE LE RACKETT

Nous avons joint l'Attorney général pour lui communiquer une information que nous avons reçue, selon laquelle il a eu une liaison avec une femme de El Paso. Il a dit qu'il n'a jamais été à El Paso (Texas) et que cette affirmation ne s'appuie absolument sur aucun fait.

Il a dit qu'il nous savait gré du fait que nous l'informions...

481

en recevant la note de Hoover. Depuis la mort de Marilyn, aussi bien lui que feu son frère étaient les obligés du chef du FBI (qui, on s'en souvient, avait fait saisir les relevés téléphoniques de l'actrice). Cette dette morale avait quelque chose d'humiliant pour Robert ; Hoover, qui ne faisait pas mystère de son aversion pour l'Attorney général, se plaisait à lui rappeler cette affaire.

Les ennemis proprement dits de Robert continuaient eux aussi à chercher à le blesser à propos de l'affaire Marilyn. A la fin de 1964, Jimmy Hoffa tenta de monter une opération dans ce sens.

Des lettres qu'on m'a envoyées pendant que je travaillais à ce livre révèlent que Hoffa et son expert en écoutes Bernard Spindel entrèrent en rapport avec Otash (qui, disait-on, possédait des preuves que Marilyn avait été la maîtresse des deux frères Kennedy) pour monter un scandale contre le ministre de la Justice (l'Attorney général).

On leur coupa l'herbe sous les pieds : à l'aube du 15 décembre 1966, une escouade d'inspecteurs (de la police et du District Attorney) se présenta chez Spindel, dans l'État de New York, en exhibant un mandat de perquisition. Ces fonctionnaires confisquèrent une grande quantité de matériel — en particulier des petites merveilles de la technique électronique — et Spindel aussitôt cria sur les toits que cette descente de police avait eu, entre autres buts, celui de faire disparaître les preuves de la liaison amoureuse de Kennedy et Marilyn.

En 1985, une requête présentée en vertu du Freedom of Information Act permit d'obtenir des rapports copieusement caviardés — aussi bien de la CIA que du FBI — datant de quelques jours après la perquisition chez Spindel. Ces rapports indiquent que la CIA et le FBI recueillaient à l'époque des informations sur Spindel et sur ce qu'il prétendait savoir des rapports entre Marilyn et Robert Kennedy (voir page 484).

Les avocats de Spindel s'empressèrent d'exiger la restitution du matériel saisi ; en particulier ils remirent au pouvoir judiciaire un acte notarié par lequel Spindel exigeait qu'on lui rende « un dossier confidentiel contenant des bandes magnétiques et autres pièces relatives aux circonstances et causes de la mort de Marilyn Monroe — dossier qui tend fortement à prouver que les rapports officiels concernant le décès de l'actrice sont faux ». La tournure des phrases de ce document peut laisser entendre — comme Spindel le disait en privé — que des micros cachés permirent d'enregistrer les conversations qui se tinrent chez Marilyn le soir même de sa mort.

Spindel déclara à John Neary, reporter de *Life* : « Hogan [le District Attorney de New York] a rendu un grand service à Kennedy en rendant possible cette descente de police. Ils m'ont raflé mes bandes magnétiques sur Marilyn Monroe et tout mon dossier. »

Les archives du tribunal indiquent que lors de la perquisition, Spindel s'opposa à la saisie de certains dossiers. Ils furent scellés avant d'être transmis, et figurent sur un inventaire signé : « 2 dossiers scellés - Communications Confidentielles. »

Malgré les recherches entreprises, on ne sait pas ce que les fonctionnaires ont fait du « matériel » qui manque. Une action intentée par la veuve de Spindel pour obtenir la restitution de ce matériel n'a toujours pas abouti. Au FBI on dit simplement que le dossier Spindel a été détruit, comme c'est le cas, au bout d'un certain temps, de tous les dossiers d'information.

Pour Robert Kennedy, les rapports qu'il avait eus avec

Traduction des passages non censurés du document p. 484
Ministère de la Justice des États-Unis
Bureau fédéral d'enquêtes
13 mars 1967

Objet : Bernard B. Spindel
... fourni téléphoniquement informations suivantes :
... reçu coup de téléphone d'un individu...
... [a] soutenu qu'à cause d'oppositions entre le FBI et Spindel, le FBI n'autoriserait probablement pas Spindel...
... [a] dit que Hogan, le District Attorney de New York, et le FBI ont mis sur écoute le téléphone de Spindel.

Il a dit aussi que le Sénateur Bobby Kennedy était présent au moment de la mort de Marilyn Monroe et...
... [qu'il] voulait « ne plus avoir sur le dos » Bobby Kennedy
... [qu'il] pouvait le faire par l'écoute des divers enregistrements et éléments d'information... concernant la présence de Bobby Kennedy en ce lieu à ce moment-là.

Pièce jointe

483

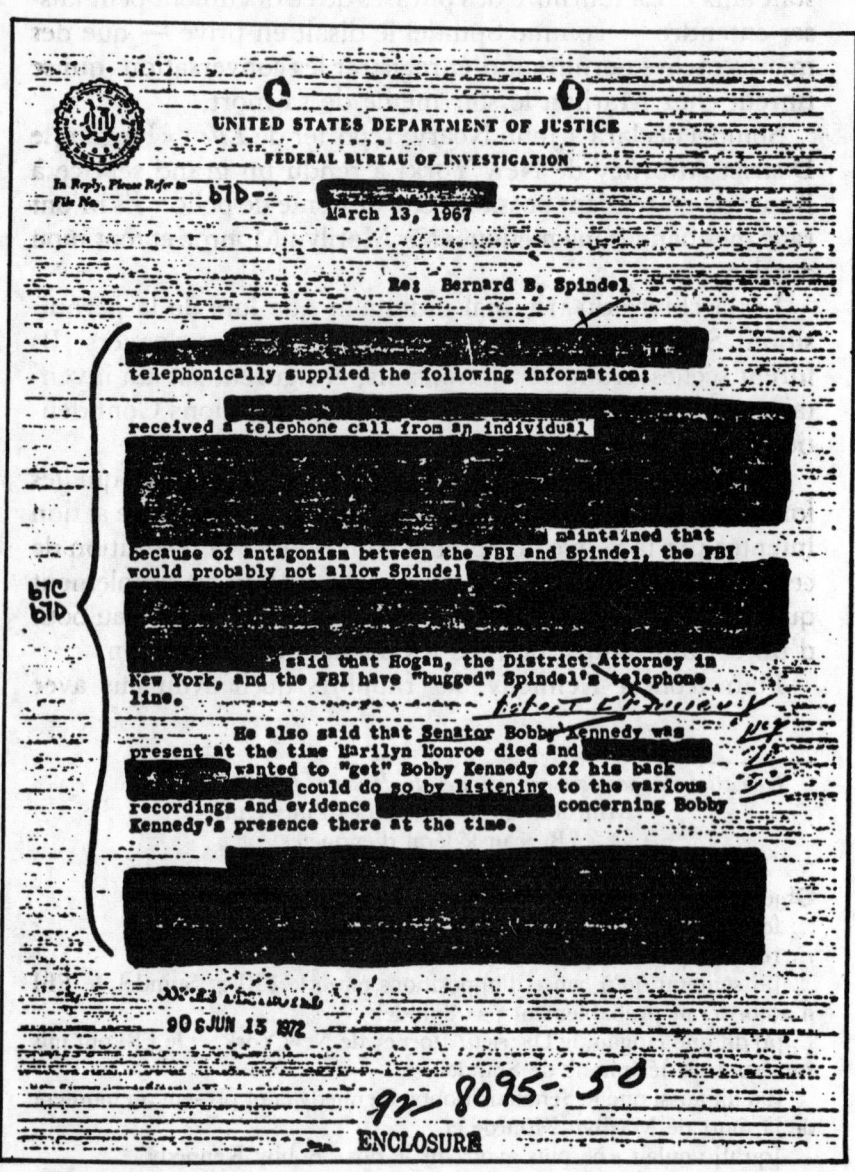

UNITED STATES DEPARTMENT OF JUSTICE

FEDERAL BUREAU OF INVESTIGATION

In Reply, Please Refer to
File No.

March 13, 1967

Re: Bernard B. Spindel

telephonically supplied the following information:

received a telephone call from an individual

maintained that
because of antagonism between the FBI and Spindel, the FBI
would probably not allow Spindel

said that Hogan, the District Attorney in
New York, and the FBI have "bugged" Spindel's telephone
line.

He also said that Senator Bobby Kennedy was
present at the time Marilyn Monroe died and
wanted to "get" Bobby Kennedy off his back
could do so by listening to the various
recordings and evidence concerning Bobby
Kennedy's presence there at the time.

90 6 JUN 13 1972

92 8095-50

ENCLOSURE

Document du FBI sur le spécialiste de mises sur écoute Bernard Spindel. C'est la première fois que le FBI et la CIA autorisent la consultation de certains de leurs dossiers, en grande partie censurés, concernant Spindel et ce qu'il disait savoir des rapports entre Marilyn et Robert Kennedy.

Marilyn sont restés jusqu'à la fin une épée de Damoclès. Ralph de Toledano, journaliste de Washington et adversaire de Kennedy, affirme qu'au printemps 1968, il fut « contacté » par un dirigeant de l'industrie automobile américaine désirant des informations à utiliser contre Kennedy pendant la campagne pour les élections présidentielles.

Ce grand patron — que de Toledano ne veut pas nommer — voulait acheter les bandes magnétiques relatives à Monroe, au cas où il en subsistât des copies. On engagea pour les retrouver un colonel à la retraite, Dennis Harris ; celui-ci rapporta qu'elles existaient bel et bien, qu'elles étaient authentiques et qu'il était possible de les acquérir en y mettant le prix. Des pourparlers étaient en train, quand Robert Kennedy fut assassiné (juin 1968).

Trois ans après la mort de Marilyn, en 1965, Joe DiMaggio assista à une cérémonie en l'honneur de Mickey Mantle (champion de base-ball), au Yankee Stadium de New York. Robert Kennedy arriva, souriant, serrant la main des personnalités. L'apercevant, DiMaggio s'éclipsa aussitôt.

Pour avoir connu Marilyn, le cours de sa vie, comme celui de tous ses autres maris et de certains de ses amants, a été complètement modifié. Comme le dit Sammy Davis, le chanteur, « elle hante les hommes qui l'ont connue, comme une araignée qui revient sans cesse sur votre plafond ».

Par une sombre nuit de 1963, quelques mois à peine après la mort de sa fille, Gladys Monroe s'évada du sanatorium de Rock Haven (Californie), en se faisant une corde à nœuds de ses draps de lit. Une bible et un manuel de la « Science chrétienne » sous son aisselle, elle arriva dans la banlieue de Los Angeles.

Un prêtre baptiste la trouva dans son église et lui parla avant qu'elle soit ramenée au sanatorium. C'est grâce à ce clergyman que nous connaissons l'unique commentaire de Gladys sur sa célèbre fille :

« Marilyn [sa mère n'a pas dit « Norma Jeane »], elle est partie. On me l'a dit après que ça s'est passé. Il faut que les gens sachent que je n'ai jamais voulu qu'elle soit actrice. Sa carrière ne lui a fait que du mal. »

485

Un mois avant sa mort, Marilyn elle-même avait dit, à Peter Levathes, responsable de son studio à la Fox :

«Comme femme, j'ai raté ma vie. Les hommes avec qui je suis attendent trop de moi, à cause de l'image de sex-symbol qu'on a faite de moi, que moi-même j'ai faite de moi. Je ne peux pas répondre à ces attentes. Ils s'imaginent je ne sais quels miracles ; mais mon anatomie est la même que celle de n'importe quelle autre femme. Je ne peux pas être à cette hauteur. »

A quelques jours de là, elle dit à Richard Meryman, journaliste de *Life* : « Vous avez lu *Everyman**? — Certes, réplique Meryman. — Eh bien, dit Marilyn, je veux être dans l'imagination d'Everyman. » (De l'homme qui est «rien», qui est comme tout le monde.)

L'ex-femme de Dean Martin, Jeanne, dit de Marilyn et d'autres idoles de notre temps : « Je les appelle des *Poster People* : des gens qui n'existent que sur l'affiche. Il semble qu'ils vont rester éternellement célèbres, mais dans bien des cas, dans leur vie réelle, ils sont *rien*. Je ne suis pas quelqu'un de ''dur'', mais regardez ce qu'ils étaient, les Montgomery Clift et les Marilyn Monroe ; ou encore Élizabeth Taylor et David Bowie. Dans la vie, ils s'attirent les uns les autres. Ils se voient, ils se fréquentent, ils se ruent presque les uns sur les autres ; mais pour les simples mortels, ils n'ont rien, ils ne sont rien. L'histoire les jette par-dessus bord, dans le futur ; je retrouve leurs portraits sur les murs de la chambre de mon fils, pâles, beaux, mais perdus pour la réalité. »

Mais Marilyn Monroe était plus qu'une affiche : qu'elle n'ait été que ça, vers 1955, sur le mur de la chambre d'hôpital de John Kennedy n'y change rien. Certes elle était un magma de paradoxes — sex-symbol qui ne trouvait pas le bonheur dans

---

* Œuvre anonyme anglaise du XVIe siècle, qui s'inspire, comme *Le Miroir de l'éternel salut d'Elckerlyc* (1495) du Flamand Pieter van Diest, ou le *Jedermann* allemand, de la parabole évangélique (*Luc*, 16. — 19-33) du pauvre Lazare et du mauvais riche. Entre autres œuvres inspirées par ce thème, citons le drame en vers de Hugo von Hofmannsthal : *Jedermann* (1911). Jedermann-Everyman est l'homme bon, bon vivant, insouciant, qui soudain se trouve devant la mort et en est angoissé ; il est «comme tout le monde» (*NdT*).

l'amour, actrice qui perdait tous ses moyens chaque fois qu'elle arrivait devant la caméra sonore. Qui avait la soif de savoir et jamais ne sut vivre, et vers la fin fut à deux doigts de la folie.

Mais ce qu'elle nous a légué n'est pas qu'imaginaire. « Everyman », le commun des mortels auquel elle offrit sa dernière volonté publique, reste envoûté par l'étonnante perfection qu'elle atteignit. Et pourtant ce n'est pas que par ses charmes que cette réfugiée d'une enfance qui n'en avait pas été une arriva tout en haut ; c'est par la lutte, par le travail — et grâce à cette *brillance* innée qui transfigure jusqu'aux films les plus ineptes par lesquels Hollywood, la fabrique des rêves, choisit de la « lancer ». Pendant douze-treize ans sa présence sur les écrans, ou ailleurs, a fait rire et pleurer des millions de gens, qui ne l'ont pas oubliée depuis et ne l'oublieront pas.

En ce siècle volage qui a inventé les « étoiles », seul Charlot est plus chanté que Marilyn Monroe : elle en serait très probablement ébahie et amusée. Il est juste, il est *normal* que son rire grêle, trop long, nous ait suivi durant ces deux décennies qui, dit-on, sont les prémices de l'Age de l'Angoisse. Dans son télégramme singulier à Robert Kennedy, quelques semaines avant qu'elle meure, elle s'intitulait « étoile liée à la terre » — « une des dernières » qui restât. « Tout ce que nous voulions, télégraphiait-elle, était notre droit à scintiller. » Elle avait plus que mérité ce droit ; et les simples mortels l'ont faite déesse.

Septième Partie

Postface 1986

Personne n'a jamais témoigné sous serment. Il reste beaucoup de questions sans réponses. Il faudrait réexaminer les faits, expliquer certaines choses, ou prouver la fausseté de certaines allégations.

Mike ANTONOVITCH,
Board of Supervisors
de Los Angeles,
octobre 1985.

En tant que procureurs, nous ne pouvons admettre que l'on maquille une affaire d'Etat en enquête criminelle.

Ira REINER,
District Attorney de Los Angeles,
novembre 1985.

« Elle s'est suicidée en avalant des barbituriques. Telle est la réalité des faits, et cela n'aurait rien d'exceptionnel si elle ne s'appelait pas Marilyn Monroe. » Telles furent les paroles du chef de la police de Los Angeles* en annonçant que les documents relatifs à la mort de Marilyn allaient être rendus publics, le 23 septembre 1985. Le District Attorney de Californie* rétorqua en ces termes : « Permettez-moi d'exprimer l'espoir que l'on laissera Marilyn Monroe reposer en paix. »

La mise à disposition de ces documents n'était pas un geste spontané. Gates me les avait précédemment refusés. Comme il savait que je les avais obtenus d'une autre source, il cédait enfin à la pression exercée par l'émission 20/20 de la chaîne de télévision ABC.

Le dossier en question contenait moins d'informations que celles qui se trouvaient déjà dans mon livre. (Preuve hilarante de la futilité bureaucratique, les documents ne reproduisaient pas des numéros de téléphone que l'on trouve pourtant en clair dans ce livre). Gates espérait que ces dossiers mettraient « fin à toute spéculation* » tendant à laisser entendre que Marilyn avait été assassinée, ce que d'ailleurs ne tente pas ce livre. Mais ses espoirs étaient vains.

Durant des mois, le destin de Marilyn fit la une des journaux. Pour mon éditeur et pour moi, c'était une publicité gratuite, plus efficace que toutes celles que nous aurions pu nous offrir. Le livre est devenu un best-seller. S'ensuivirent

491

également un spectacle honteux, donné par le Grand Jury de Los Angeles, et le scandale provoqué par l'annulation d'une émission de télévision. Tristement symptomatique de notre époque, ce fut l'annulation de l'émission de télévision qui causa le plus de fureur. On laissa entendre que la famille Kennedy était intervenue. Pour des millions d'Américains, le Monroe Show de 1985 devint « le Show qui n'exista jamais ».

La censure

Vers le milieu de l'été dernier, un producteur de télévision, Ene Rijsna, déjeuna dans un restaurant de Manhattan avec un représentant de Mac Millan, mon éditeur américain. Rijsna et un autre producteur, Stanhope Gould, avaient lu mon livre et souhaitaient transformer mon approche de la relation Monroe/Kennedy en un grand documentaire de télévision.

C'était deux producteurs renommés. Gould avait remporté quatre Academy Awards pour différentes enquêtes. Durant les années soixante-dix, son émission sur le Watergate avait fait sensation. Gould et Rijsna ne s'intéressaient pas aux histoires d'amour entre Marilyn et les frères Kennedy. Les Américains savaient tout cela.

Selon les propres paroles de Gould, ce qui rendait l'histoire intéressante, c'était l'aspect « Mafia » (qu'on appelle ici la « Bande ») et le fait que le président et l'Attorney général des États-Unis s'étaient mis en position de faiblesse en autorisant les plus grands criminels du pays à exercer sur eux un véritable chantage. Ça, c'était de l'info !

Gould et Rijsna savaient qu'ils tenaient quelque chose de fantastique à condition que leur contre-enquête apporte des réponses affirmatives à trois questions : Les liaisons amoureuses avaient-elles vraiment existé ? La « Bande » possédait-elle vraiment des enregistrements compromettants ? Robert Kennedy s'était-il véritablement rendu chez Marilyn quelques heures avant sa mort ?

Le responsable des programmes, Av Westin, voulait une

émission sensationnelle pour ouvrir sa saison. Il donna son feu vert aux producteurs.

L'équipe d'ABC se mit au boulot. De juin à septembre, elle sillonna les États-Unis et l'Europe. L'enquête fut placée sous la responsabilité de Sylvia Chase, une journaliste chevronnée dont Weston affirme : si Sylvia avance un fait, c'est qu'elle l'a personnellement vérifié trois ou quatre fois, à des sources différentes.

Quatre mois et un quart de million de dollars plus tard, les journalistes de 20/20 triomphaient. Ils avaient confirmé les informations du livre et ils étaient même allés plus loin en ce qui concerne les bandes magnétiques. L'émission était montée. Elle durait une demi-heure, deux fois plus long-temps que d'habitude.

Vers la mi-septembre, les producteurs visionnèrent l'émis-sion avec Westin. Impressionné mais mal à l'aise, ce dernier demanda des coupes importantes, notamment sur les diffé-rents épisodes où John Kennedy avait donné prise au chantage : sa liaison avec Judith Campbell, une starlette de Hollywood liée au chef mafieux Giancana, et les relations qu'il entretint pendant la guerre avec la Danoise Inga Arvad, soupçonnée d'espionnage au profit des Allemands. Les producteurs acceptèrent les coupes, mais Westin semblait toujours gêné. Une émission aussi explosive, déclara-t-il, devait être visionnée par les patrons de la chaîne. On recula donc sa programmation d'une semaine.

Le premier des patrons à voir l'émission fut l'un des vice-présidents, Robert Siegenthaler, un ancien producteur. Il se contenta de suggérer quelques modifications dans le com-mentaire. Une queue d'ouragan balayait les rues alentour, mais les producteurs de l'émission respiraient mieux. Ils ignoraient encore que l'orage n'allait pas tarder à éclater sur leurs têtes.

Un peu plus tard, et à huis clos, le président d'ABC, Roone Arledge, visionna l'émission en compagnie de David Burke, son plus proche collaborateur, et du vice-président Richard Wald. Les producteurs et la journaliste Sylvia Chase ne furent pas conviés à la séance.

Quelques heures plus tard, Westin, le producteur de

20/20, leur annonça : « Ils ne veulent pas la diffuser du tout. Jusqu'où iriez-vous dans les coupes ? »

En quatre nuits de travail acharné, l'équipe ramena le sujet à treize minutes. Pendant les heures de bureau, alors que les enquêteurs recherchaient des sources supplémentaires, Westin et les producteurs dansaient un ridicule pas de l'oie diplomatique avec leurs patrons.

Lors d'une réunion, le vice-président Wald annonça que pour sa part il avait changé d'avis. Il était pour la diffusion. Roone Arledge refusa de parler aux journalistes. Et les deux responsables émirent des commentaires qu'aucun journaliste ne pouvait pardonner.

Selon Wald, il aurait suffi de citer le contenu de ce livre. L'enquête exhaustive des journalistes était de trop, affirma-t-il.

Arledge, président d'ABC News, déclara en public que si on lui apportait davantage d'éléments*, il accepterait peut-être de diffuser le sujet. Mais en privé, il avait interdit sa porte à Sylvia Chase et aux autres journalistes.

Ce combat interne fit la une des journaux. Le jour prévu pour la diffusion, le 3 octobre, Liz Smith, éditorialiste du *Daily News,* pouvait écrire : « J'espère simplement qu'ABC ne se laissera pas entraîner dans le complot du silence autour des événements de 1962. Tel n'est pas, à mon avis, le rôle d'une chaîne de télévision axée sur l'information. »

Westin était bien décidé à ce que l'on sache que la décision finale serait prise par le président.

L'équipe de 20/20 se prépara comme d'habitude. A six heures, Sylvia Chase était au maquillage lorsque la nouvelle tomba : Arledge annulait tout. Le sujet Monroe était remplacé par un documentaire sur les chiens policiers renifleurs de drogue.

La presse entière en parla. Arledge prétendit alors que le sujet n'était qu'un ramassis de ragots*, du journalisme de bazar... Les plus célèbres des journalistes de 20/20 prirent publiquement fait et cause pour leurs collègues, en signe de protestation. Downs*, l'une des figures les plus respectées du monde de la télévision, fit une réponse fracassante. Selon lui, les « ragots » dont parlait Arledge étaient « certainement plus soigneusement documentés que tout ce que la chaîne avait programmé sur le Watergate ». « Le pire, déclara Downs, c'est que des professionnels que je respecte aient pris cette décision tout en sachant que les informations contenues dans le sujet Monroe étaient exactes. Un président mort appartient à l'histoire, et il appartient à l'histoire exacte. »

Grâce à cette controverse interne, une autre chaîne tourna et programma un sujet qui fut diffusé dans tout le pays et fut nommé trois fois pour les British Academy of Film and Television Art Awards.

Sylvia Chase et Geraldo Rivera ont quitté ABC. D'autres envisagèrent de démissionner, puis reprirent le travail. Au milieu de l'amertume, l'humour le plus corrosif se déchaîna : dans les bureaux de l'émission de CBS « Sixty Minutes », concurrente de 20/20, on afficha le panneau suivant : « Premier Prix du patron le plus loyal envers son équipe : Roone Arledge ».

Roone Arledge est un ami de toujours de la veuve de Robert Kennedy, Ethel. Son collaborateur David Burke a travaillé pour Kennedy. Jeff Ruhe, un des assistants d'Arledge, est marié à une fille de Robert Kennedy [*].

Au vu de ces relations, on dit tout d'abord à l'équipe de 20/20 que les deux hommes n'interviendraient pas dans la décision. Mais lorsque ces derniers s'aperçurent que les autres responsables n'agissaient pas, ils revinrent sur leur engagement.

Arledge nia l'influence sur sa décision de ses relations avec les Kennedy. « Je ne censurerais jamais rien de crainte de blesser un ami, déclara-t-il. D'ailleurs j'ai déjà blessé la moitié de mes amis [*]. »

C'est le producteur de 20/20, Stanhope Gould, qui donna l'explication la plus généreuse : « Le sujet aurait été regardé à la loupe, déclara-t-il, même sans les relations personnelles d'Arledge. Il en irait de même en Angleterre si la BBC levait un lièvre sur la reine. Le nom de Kennedy est sacré, dans ce pays, et la télévision, qui a un énorme pouvoir, n'a jamais dit la vérité à son sujet. » D'autres commentaires furent plus cyniques : ABC aurait cédé à la pression exercée par la vieille garde des Kennedy. Sylvia Chase se souvient qu'on l'accusa d'être de parti pris contre les Kennedy. Pourquoi, lui demanda-t-on, n'avait-elle pas interrogé les porte-parole des Kennedy, qui défendaient une tout autre version ? Pourtant, Sylvia Chase avait fait d'innombrables démarches pour approcher le sénateur Edward Kennedy, défenseur de la version officielle de la famille, ou le beau-frère de Kennedy, Stephen Smith. Ni l'un ni l'autre n'avait accepté de lui parler, et le porte-parole du sénateur lui avait manifesté une évidente hostilité.

Il est très éclairant de connaître les dates auxquelles l'équipe de l'émission tenta d'entrer en contact avec les Kennedy. Dès le premier appel de Sylvia Chase au bureau du sénateur, les patrons d'ABC commencèrent à manifester de l'inquiétude.

Pendant que la presse se déchaînait, Dick Tuck, un militant démocrate qui entretenait des relations amicales avec la presse, téléphona à Sylvia Chase pour lui dire que ce livre était un tissu d'aberrations grotesques, puis tenta de la persuader que le récit du fameux témoin était faussement rapporté. Mais elle avait elle-même interviewé le témoin en question deux fois, et elle le dit à Tuck.

Peu après, lors d'une réception diplomatique, Rijsna rencontra l'écrivain William Haddad, un ancien collaborateur de Kennedy, qui semblait ignorer qu'il était un des producteurs de l'émission. « Il m'a dit, raconte Rijsna, qu'on lui avait demandé d'examiner le livre pour voir ce que l'on pouvait réfuter. » Interrogé sur l'identité de ceux qui l'avaient chargé de cette tâche, il répondit évasivement : « Des amis *. »

Haddad a confirmé que du temps où il travaillait pour Kennedy il avait essayé de prouver l'inanité des allégations de Marilyn. Je lui dis immédiatement que je serais heureux de posséder toute information qui irait à l'encontre de ce que j'avais écrit dans mon livre. Il promit de m'en fournir, mais je n'ai plus jamais entendu parler de lui.

Chez ABC, Westin soutient toujours ses journalistes. « Les informations étaient de première qualité, nous aurions dû diffuser le sujet », m'a-t-il dit. Par la faute d'Arledge, vingt millions de citoyens furent privés de l'occasion de profiter d'un travail de grande qualité. A tort ou à raison, nous sommes peu nombreux à croire que les connexions d'Arledge n'ont pas influencé sa décision.

Pendant l'enquête, de l'autre côté du continent américain, dans les hautes sphères, on s'inquiétait : et si de nouvelles informations venaient résoudre le mystère qui entoure toujours la mort de Marilyn ?

La forfaiture du Grand Jury

Voici un autre point d'information, et il est triste. En septembre 1985, Robert Slatzer, un ami de Marilyn, écrivit à Mike Antonovitch au tribunal de Los Angeles*, pour lui parler des éléments nouveaux apportés par mon livre. Slatzer faisait remarquer que Marilyn avait été emmenée de chez elle en ambulance, vivante, et que des gens savaient qu'elle était morte, ou en tout cas mourante, environ cinq heures avant que le Dr Greenson ne soit « prié » de la découvrir morte dans son lit.

Slatzer avait l'impression que certains des témoins n'avaient pas dit toute la vérité. Il en appelait au Board of Supervisors pour que ces témoins soient entendus à nouveau, et pour la première fois, sous serment.

Le Board of Supervisors est une curieuse création du gouvernement local. Théoriquement, il gouverne la ville. Il avait déjà essayé une fois de poursuivre l'enquête sur la mort de Marilyn. C'est à sa demande que le District Attorney John Van de Kamp ordonna un supplément d'enquête en 1982. La conclusion fut alors que, « malgré quelques contradictions factuelles et des questions sans réponse..., on ne trouvait aucune preuve d'une quelconque action criminelle ».

En 1985, mon livre apportait quelques faits nouveaux. Le Board demanda alors au Grand Jury de se pencher sur la question. Le Grand Jury est un corps chargé de déterminer s'il y a ou non raison de poursuivre ou d'inculper. La tâche fut confiée au Grand Jury du comité du tribunal criminel.

Deux semaines plus tard, le porte-parole du Grand Jury,

497

Sam Cordova, déclara qu'une décision d'enquête supplémentaire avait été prise par le comité. Le District Attorney Ira Reiner dénonça la déclaration de Cordova comme étant « irresponsable et fausse ».

Cela se passait un vendredi. Le lundi suivant, le porte-parole Cordova était remplacé. Son successeur déclara, au sujet de l'enquête sur le cas Monroe : « Je ne tiens pas à ce qu'on la poursuive. » On ne la poursuivit pas. Le Grand Jury se prononça contre la réouverture de l'enquête.

Selon Cordova, le Grand Jury avait suivi les ordres du District Attorney. D'autres membres du jury déclarèrent que Reiner avait « préempté le problème ». Presque toutes les informations dont disposa le Grand Jury venaient du bureau du District Attorney, celui-là même qui, en 1982, avait recommandé que l'enquête ne fût pas réouverte*.

En 1985, le cas Marilyn fut faussé par des aspects politiques et des conflits personnels. En tant que porte-parole, Sam Cordova était critiqué. Reiner, un démocrate libéral, étonnait souvent par ses décisions ; mais cette fois, il agit comme on s'y attendait, et s'opposa à l'ouverture d'une nouvelle enquête.

Le Board of Supervisors, qui envoya l'affaire devant un Grand Jury, est composé de républicains, dans la proportion de trois sur deux. Antonovitch, le moteur dans le cas Monroe, est un républicain engagé, qui s'est présenté aux élections sénatoriales.

Personne, durant cette tourmente, ne montra grand intérêt pour les faits. J'ai découvert par la suite, quand tout était terminé, que ni le porte-parole du Grand Jury ni les membres du Board of Supervisors n'avaient lu mon livre, alors que sa publication avait entraîné la réouverture de l'enquête.

En un an, les journalistes de la chaîne ABC, la BBC et moi-même, nous en avons appris long sur le cas : faits nouveaux sur les relations entre les Kennedy et Marilyn, sur la malveillance de leurs ennemis, et sur les faits et gestes de Robert Kennedy le jour de sa mort. Voici ce que nous avons appris.

Pete Summers, conseiller de Kennedy en 1960, et l'un des artisans de la convention de Los Angeles, est l'une des sources les plus fiables au sujet de la liaison de Marilyn avec le président.

Aujourd'hui, il avoue que cette liaison inquiéta énormément toute l'équipe, dès l'époque de la convention.

« Il y avait de très nombreuses soirées organisées, dit Summers. Marilyn est venue à l'une d'entre elles, au Beverly Hilton. C'était une soirée privée, il y avait un orchestre. J'ai vu Jack danser avec elle quelques instants après avoir téléphoné à sa femme, sur la côte Est*. »

Il ajoute : « Nous ne savions pas si ça allait devenir sérieux, si ça resterait platonique ou pas. » La réponse, il l'obtint en se rendant un jour à la maison de Peter Lawford, sur la plage.

« Je devais aller voir Jack, raconte Summers. Il est sorti de la douche, en nouant sa cravate, et a commencé à parler. Quelques minutes plus tard, Marilyn est sortie de la douche à son tour, enveloppée dans une serviette. Elle avait manifestement pris sa douche avec lui, et ni l'un ni l'autre ne semblaient trouver ça gênant. »

Ce sont Summers et les autres conseillers de Kennedy qui trouvèrent cela gênant. « J'avais des copains dans les médias, raconte-t-il, et ils ont commencé à me poser des questions. J'ai prévenu le président et Bobby que cette histoire risquait de nous exploser au nez. Bobby a fait de sérieux reproches à son frère. Il ne jouait pas le jeu. Il n'était plus un simple sénateur, les caméras étaient braquées sur lui, et tout cela pouvait briser sa carrière. »

Durant son mandat, la liaison du président avec Marilyn se poursuivit de façon sporadique. La maison de son beau-frère se révéla bien utile. La dernière femme de Peter Lawford, Pat Seaton, refusa toute interview avant la mort de son mari, en 1984. Dès lors, elle confirma l'utilisation plus que fantaisiste de la salle de bain de la maison de la plage. « Peter m'a dit que J.F.K. avait une liaison, déclara-t-elle.

Un jour, il m'a montré la baignoire en onyx, et il a dit : c'est là que Jack et Marilyn baisent*. »

On en sait plus, aujourd'hui, sur le rendez-vous de Marilyn avec John Kennedy à Palm Springs, en 1962. Le producteur « Bullets » Durgom, un ami intime de Lawford, se rappelle s'être rendu à la soirée en avion privé. « Sur la route de l'aéroport, on m'a dit qu'il y aurait quelqu'un d'autre dans l'avion, mais que je n'étais pas censé reconnaître. Elle portait une perruque, mais je n'ai pas eu le moindre doute, c'était Marilyn. Dès notre arrivée, une voiture l'a emmenée*. »

Ralph Roberts, l'ami et le masseur de Marilyn, donne plus de détails. Marilyn voyageait souvent sous un faux nom. Ce jour-là, elle avait choisi de s'appeler Tony Roberts, un mélange du nom de son masseur et de celui d'un autre ami.

L'actrice Terry Moore, ex-femme de Howard Hughes, raconte que Marilyn lui avait parlé de sa liaison avec les deux frères Kennedy. « Elle nourrissait les espoirs les plus fous, elle s'imaginait même en présidente, avec l'un ou avec l'autre. »

Durant son mandat, il arriva à John Kennedy d'emprunter la maison en Floride d'une de ses amies, Josephine Paul, une célèbre femme d'affaires, veuve de l'ancien ambassadeur en Norvège. Mrs. Paul se déclara scandalisée par ce qui se passait dans sa maison pendant les visites du président. Il arrivait parfois avec deux amis, et une nuée de jolies jeunes femmes. La femme de chambre apprit vite qu'il était inutile de préparer des chambres pour les femmes.

Selon un proche de Mrs. Paul qui me contacta après la publication de mon livre, Marilyn figura parmi les invitées. Mrs. Paul avait protesté : « On amène Marilyn Monroe chez moi, pour Bobby. Je ne leur prête pas ma maison pour ça. »

Pendant longtemps, nul n'a mis en doute la réputation de bon mari et de puritain de Robert Kennedy. En écrivant mon livre, je n'ai pas cherché plus loin que ce qui concernait Marilyn, le sujet de mon enquête. Mais les producteurs d'ABC et de la BBC ont prouvé qu'il avait eu au moins quatre liaisons extra-conjugales, dont une avec la femme d'un de ses conseillers. Finalement, Robert Kennedy était humain.

L'attaché de presse de l'Attorney général, Ed Guthman, m'a dit qu'il était presque sûr que Robert Kennedy n'avait connu Marilyn que six mois avant sa mort. Apparemment, il a raison.

Pendant toutes les années que durèrent mes recherches, j'ai gardé le contact avec Inez Melson, qui s'occupait des affaires financières de Marilyn. Agée, malade, elle m'a souvent parlé d'un meuble fermé à clé, qui se trouvait dans le garage et que personne n'avait ouvert depuis la mort de Marilyn. En 1985, après le décès d'Inez Melson, j'ai pu accéder au meuble en question. Au milieu d'un fouillis de papiers, j'ai trouvé deux lettres qu'écrivit Marilyn le lendemain du jour où elle rencontra Robert Kennedy*. Ce sont des copies carbone, non signées, mais indiscutablement authentiques.

L'une d'elles, datée du 2 février 1962, est adressée à son ex-beau-père, Isadore Miller : « Hier soir, j'ai assisté à un dîner en l'honneur de Robert Kennedy, l'Attorney général. Il fait très mûr pour ses trente-six ans, et il a l'air très intelligent. Ce que je préfère chez lui, mis à part son action en faveur des droits civiques, c'est son merveilleux sens de l'humour. »

Le même jour, Marilyn écrivit à « Bobbybones », le fils d'Arthur Miller, âgé alors de quatorze ans. Elle le remerciait de lui avoir conseillé la lecture d'un livre, *Sa Majesté des Mouches*, et racontait les dernières nouvelles :

« Tu sais, Bobby, hier soir j'ai dîné avec l'Attorney général, Robert Kennedy, et je lui ai demandé ce que ses services faisaient pour les droits civiques, et quelques autres problèmes. Il est très intelligent et il a en plus un sens de l'humour formidable. Je crois qu'il te plairait. On lui avait demandé de qui il avait envie de faire la connaissance et il a dit moi. Donc, j'étais assise à côté de lui. En plus, il danse bien. Mais ce qui m'a le plus impressionnée, c'est qu'il prenne tant au sérieux la question des droits civiques. Il a répondu à toutes mes questions et il m'a promis de me confirmer tout cela par écrit. Je t'enverrai une copie de sa lettre quand je l'aurai reçue. Elle sera sûrement intéressante, car je lui ai posé plein de questions. Au début, il a cru que j'assistais à des meetings politiques ! Tu te rends compte ! J'ai ri et je lui ai répondu que non mais que c'était le genre de questions que se posaient les jeunes aux États-Unis, et auxquelles ils souhaitaient des réponses. Non que je sois une jeunesse moi-même, mais je me sens jeune. Lui, il a déjà trente-six ans, ce qui m'a étonnée, moi qui en ai trente-cinq. Mais c'était une bonne soirée, en fin de compte. »

Marilyn écrivit aux Miller le lendemain de son dîner avec l'Attorney général, une soirée qu'elle avait préparée en discutant politique avec le fils de son psychiatre, Danny Greenson *. Il est clair d'après la date qu'ils ne se sont pas connus plus de six mois, presque jour pour jour.

Deux interviews récentes permettent de croire que le rendez-vous que demanda Robert Kennedy en revenant d'un voyage autour du monde entraîna le couple dans une relation plus romantique.

« Bullets » Durgom, l'ami de Lawford, se souvient d'une interruption lors d'un dîner à la maison de la plage, en 1962. « Tout à coup, complètement à l'improviste, Marilyn et Robert Kennedy sont entrés. Ils ont jeté un coup d'œil, ont vu qu'il y avait du monde, plusieurs couples, et ils sont partis. Ils ont juste dit : " Salut. " Nous nous sommes regardés, et nous nous sommes dit : " Ah bon ! " A mon avis, ils se sont rendu compte qu'il valait mieux que ces gens ne les voient pas ensemble. Donc ils sont partis. »

Le voisin de Lawford, Peter Dye, raconte : « Elle m'a dit qu'elle était folle de lui... Et il me semble bien que c'était réciproque. Elle était très amoureuse, mais en même temps, elle avait peur. »

Fragile comme elle l'était, Marilyn était désormais liée aux deux frères. Ils lui téléphonaient tous les deux, comme le reconnaît maintenant Eunice Murray. La bonne de New York, Lena Pepitone, dit que Robert Kennedy avait téléphoné plusieurs fois.

Les rendez-vous étaient secrets, mais pas toujours simples.

« Il y a eu des problèmes, dit un ami intime du président, le sénateur George Smathers. Une fois Marilyn s'est soûlée à bord d'un avion, alors qu'elle allait retrouver Bobby... On a essayé de la calmer, mais elle a répondu : je vais voir Bobby. »

Selon Smathers, le président lui exprima son inquiétude quant aux relations entre son frère et Marilyn. Quel retournement de situation ! Le président, que son frère avait mis en garde lors de la convention de 1960, s'alarmait maintenant au sujet de Robert.

Trois semaines après avoir rencontré Marilyn, à la fin du mois de février, l'Attorney général revenait d'un long voyage lorsqu'il trouva une note d'Edgar Hoover l'avertissant que l'une des maîtresses du président, Judith Campbell, était en contact régulier avec le mafieux Johnny Roselli. Hoover avait aussi découvert que la jeune femme rencontrait régulièrement le chef de Roselli, Giancana. On croit aujourd'hui que Hoover déconseilla au président de continuer à voir Judith Campbell *.

De toute évidence, les deux frères refusèrent de prendre ces avertissements en considération. Même s'il n'y eut plus de contacts téléphoniques entre la Maison Blanche et Judith Campbell, cette dernière affirme avoir revu le président pendant au moins encore trois mois.

Plusieurs semaines après l'avertissement de Hoover, Judith Campbell était à Beverly Hills ; elle montait dans la limousine d'Eddy Fisher avec Alain Delon et l'actrice Angie Dickinson, une amie du président, qui s'écria : « Vous êtes Judy ? John m'a tellement parlé de vous ! »

Avant de partir pour Mexico, en février, Marilyn avait fait une balade avec un vieil ami, le journaliste Sydney Skolsky, qui raconte : « Elle m'a reparlé du président. Elle m'a dit qu'elle lui avait parlé de moi, et que, lorsqu'elle irait dîner à la Maison Blanche, en mars, elle m'emmènerait avec elle. »

Mars venu, il ne fut plus question de dîner à la Maison Blanche. Pourtant, le président n'hésita pas à faire venir Marilyn en Californie, deux jours seulement après que Hoover l'eut averti au sujet de Judith Campbell.

Lors de ce séjour, le président avait choisi de ne pas

habiter chez Frank Sinatra, une décision que l'on impute souvent à un conseil de son frère, qui craignait les relations suivies de Sinatra avec des criminels reconnus *. Mais, selon un témoignage de première main, telle n'était pas du tout l'attitude de Robert.

Dans son entourage, on soutient qu'il continua d'avoir des relations amicales avec Sinatra jusqu'en 1965 au moins. Rien n'est jamais très clair.

En mai 1962, par exemple, loin de conseiller la prudence, Robert fut l'un des instigateurs de la venue de Marilyn à New York, pour chanter lors de l'anniversaire de son frère. L'un des présidents de la Fox, Milton Gould, se souvient d'un coup de téléphone impérieux de Robert Kennedy. « J'ai essayé de lui expliquer que c'était impossible, mais il était furieux, et il m'a raccroché le téléphone au nez après m'avoir traité de salaud de bon à rien de Juif, ce que je n'ai vraiment pas apprécié. Nous nous sommes rencontrés par la suite, et il n'a pas caché qu'il m'en voulait pour mon attitude. Il n'a jamais oublié. »

Et Gould, qui est avocat, ajoute que lorsque, des années plus tard, Lyndon Johnson voulut le nommer à un poste de prestige, Kennedy s'y opposa.

Jusqu'où allait la folie des Kennedy ? Voulaient-ils simplement avoir le droit d'être des amants insouciants ? Maintenant que le mythe Kennedy a un peu pâli, on peut craindre un scénario bien pire que celui-là.

Il semble possible que le parrain mafieux Giancana ait fait plus qu'aspirer à se mettre au service des Kennedy. Le beau-frère de Kennedy, Peter Lawford, l'a certainement rencontré pendant le mandat de John. L'ex-femme de Dean Martin, Jeanne, parle en ces termes de la conduite de Lawford : « L'attitude de Peter avec Giancana, à Las Vegas, était sidérante. Il se moquait éperdument de l'opinion publique. »

Les deux frères rencontrèrent-ils personnellement le gangster, avant ou pendant le mandat présidentiel ? Selon une nouvelle source, oui. Il semble même qu'ils se disputèrent au sujet d'une femme.

En 1962, sans doute pendant l'été, Peter Lawford et un de ses amis se retrouvèrent à l'hôtel Drake de New York. Cet ami était Taki Theodoracopulos, le fils d'un armateur grec, élevé en Angleterre. Après avoir été correspondant au Vietnam, celui-ci est aujourd'hui journaliste à *Esquire, Interview Magazine* et au journal anglais *Spectator*. Du temps de la présidence de Kennedy, il jouait au tennis et fréquentait le grand monde, y compris les Kennedy.

Au Drake, selon les dires de Theodoracopulos, Lawford lui présenta un certain Sam Moody, ou Mooney *. Mooney était l'un des surnoms de Giancana depuis son enfance, et c'était en effet le chef de la Mafia. Theodoracopulos en vint par la suite à le connaître fort bien.

« Sam Giancana parlait tout le temps des Kennedy, raconte ce dernier, et Lawford répondait en homme qui savait qu'ils se connaissaient tous très bien. Il était manifeste qu'ils s'étaient vus tous ensemble. Et donc que Giancana avait, un jour ou l'autre, rencontré les deux frères. » Theodoracopulos est convaincu que les deux hommes évoquaient des souvenirs communs. Le détail suivant est encore plus éclairant.

Theodoracopulos dit qu'il a entendu Lawford et Giancana parler « amicalement des filles que Mooney fournissait aux Kennedy. Mooney était très fier de les connaître ».

Et, malheureusement pour leur mémoire, il est bien possible que Mooney ait fourni des filles aux Kennedy, même si ceux-ci n'étaient pas complètement au courant de l'origine de leur bonne fortune. Jusqu'en 1962, tous gravitaient dans le même cercle, celui dont Frank Sinatra fut l'âme.

L'on n'aura pas accès avant l'an 2025 au témoignage de Judith Campbell devant les services secrets du Sénat. Cependant elle reconnaît en privé que John Kennedy savait, durant leur liaison, qu'elle voyait Giancana *.

John Davis, l'auteur du meilleur livre sur la dynastie des Kennedy *, pense pour sa part que « Kennedy n'aurait pas sciemment entretenu de relations aussi dangereuses uniquement pour le plaisir. Il n'avait aucune confiance en la CIA ou le FBI. Peut-être se servait-il de Judith Campbell pour obtenir des renseignements ».

Il y eut peut-être, de la part de Giancana, de la simple

jalousie. Selon Judith Campbell, « Sam insistait pour que je quitte Jack. Sam n'était pas content quand je voyais Jack, ce qui est arrivé quelquefois en 1962. Ce n'était pas drôle du tout. Ça se voyait qu'il n'aimait pas ça ».

Theodoracopulos se rappelle aussi que le soir où Lawford lui présenta Giancana, il fit allusion à une dispute, car Bobby avait piqué la fille de Sam *. Tout le monde avait rappelé à Kennedy qui était Giancana, et qu'il n'était guère prudent de lui déplaire à ce sujet. « Ça s'était passé en Californie », ajouta Lawford.

Les associés de Giancana trouvaient qu'il s'occupait trop des femmes, ce qui nuisait aux affaires, et un agent du FBI décrit Giancana comme un obsédé sexuel. Quant au président Kennedy, on a dit de lui que les femmes causeraient sa perte. Les Kennedy partageaient peut-être avec Giancana cette passion fatale, qui les mènerait à la catastrophe.

Moins d'un an après la mort de Marilyn, en juin 1963, Giancana exigea que le FBI cesse de le surveiller de façon aussi étroite. Le mafieux s'engagea à répondre à un contre-interrogatoire, ce que le Département d'Etat attendait depuis des années. Mais au dernier moment le gouvernement supprima le droit au contre-interrogatoire, sur ordre personnel de Robert Kennedy.

Pourquoi ce dernier fit-il marche arrière à la dernière minute ?

Parce que, selon John Davis, Robert Kennedy en savait trop sur Giancana. Il recula, pour sauver la réputation de son frère et de son gouvernement *.

Il serait plus juste de dire que c'était Giancana qui en savait trop sur les Kennedy. Il avait aidé John à devenir président en organisant un gigantesque truquage électoral en Illinois. Il était au courant des complots pour éliminer Castro. Quant aux histoires de femmes des deux frères, qui s'étaient efforcés de donner d'eux-mêmes une image publique de bons pères de famille, Giancana en avait une connaissance purement dévastatrice.

Grâce à l'influence de la « Bande », on avait retiré le nom du président lors du procès de divorce de la starlette Judy Meredith. Puis il y eut Judith Campbell. Et, à l'époque,

Giancana n'en savait que trop sur les Kennedy et la plus célèbre de leurs conquêtes, une morte appelée Marilyn Monroe.

Giancana savait. Jimmy Hoffa, patron du syndicat des Teamsters, savait. Et Edgar Hoover savait. Peut-être en savait-il plus, et depuis plus longtemps, que nous ne l'avions alors compris.

Les enregistrements magnétiques — et ce qu'il en est advenu

Mon livre avait prouvé que des microphones cachés avaient fourni des enregistrements de Marilyn avec les Kennedy. Les techniciens ont commencé à parler et l'on a disposé de nouvelles informations sur les dernières heures de la vie de Marilyn.

Qui avait placé les micros ? On avait toujours répondu : Jimmy Hoffa, parce qu'un technicien qu'il utilisait souvent, Bernard Spindel, était impliqué dans l'histoire. Pourtant, la veuve de Spindel est formelle : « Bernie m'a bien dit qu'il avait des bandes, dont certaines dataient de la nuit de la mort de Marilyn. Mais il ne m'a pas dit qu'il les avait enregistrées lui-même, ni que Hoffa avait commandé le travail. »

Spindel était l'un de ces mercenaires qu'avait produits une toute nouvelle profession, l'électronique. Il installait des micros cachés pour des hommes politiques, et retirait ceux qu'avaient semés leurs ennemis. Il donnait des cours d'électronique à la police. Il a été vu travaillant avec des agents de la CIA. Robert Kennedy avait essayé de le débaucher de chez Hoffa et, selon les dires du technicien habituel de Giancana, Earl Jaycox, Spindel travaillait parfois pour lui.

Spindel était un expert indispensable. C'était aussi un homme changeant, à qui il était dangereux de confier des secrets. Nous avons raconté dans ce livre que, grâce à un micro caché dans une pièce par le FBI, l'on a entendu Giancana se plaindre amèrement des Kennedy et raconter ses vaines tentatives pour se débarrasser de la pression qu'exerçait sur lui Robert Kennedy.

Au cours de la même conversation, selon les transcriptions que j'ai obtenues, Giancana a parlé avec son homme de Hollywood, Johnny Roselli, des problèmes de micros. A la fin, il semble que les deux hommes ont cité Robert Kennedy. Voici le dialogue des deux gangsters, publié pour la première fois :

Giancana : Je veux quelque chose de tout petit.

Roselli : Bon. En voilà un qu'on peut fixer sur un mur. Un type à moi me l'a apporté.

Giancana : Il est trop gros.

Roselli : Pas si on le place à côté.

Giancana : Alors on n'a pas assez de volume.

Roselli : Essayez-le, tu as un spécialiste. A propos, la CIA a un truc...

Giancana : Comme une cigarette...

Roselli : Le FBI... ils ont un portable. Il enregistre les conversations à une distance dingue... Je leur ai dit, bon sang, je veux en savoir plus sur ce truc... CIA... C'est un gars de Los Angeles qui me l'a montré, une espèce de casque électronique... Il faut que je trouve le truc le plus petit... Si tu le places, tu as un récepteur ?

Giancana : Il faudrait être à un, deux ou trois blocs...

Roselli : Le récepteur était grand comment ?

Giancana : Petit, comme une boîte. On parlait, et ça a enregistré. Tu te rends compte ? Penses-y.

Roselli : Je m'en occupe. Bobby est à Washington *.

Cette conversation se déroula en décembre 1961, à une époque où l'on avait déjà enregistré les ébats du président. Comme je l'ai dit dans mon livre, un technicien qui travaillait pour un détective de Hollywood, Fred Otash, a entendu John Kennedy faire l'amour avec Marilyn le jour de Thanksgiving 1961, dans la maison de Peter Lawford.

Ce technicien, John Danoff, a donné récemment plus de détails : « J'ai distinctement entendu, et reconnu, les voix : l'accent bostonien du président et la voix de Marilyn... Ils ont parlé, et on les a entendus se déshabiller et aller au lit. »

Danoff dit que comme d'habitude il a apporté les bandes à

508

Fred Otash, qui a prétendu que c'était la voix de Di Maggio, mais a ajouté : « Moins tu en sauras, mieux tu te porteras. » Otash, qui nia tout d'abord, reconnaît aujourd'hui que Danoff a dit la vérité.

Otash a raconté, dans des interviews qu'il a accordées à ABC et à la BBC, qu'en 1961 Bernard Spindel lui avait téléphoné pour lui demander de le rejoindre en Floride. « J'ai pris l'avion et j'ai rencontré Spindel et Hoffa. Ils voulaient que je leur constitue un dossier en béton sur John et Robert Kennedy. »

Otash accepta. « En tant qu'ancien officier de police, j'avais accès à des informations sur les déplacements du président et de Robert Kennedy. Il suffisait d'activer les micros dès qu'ils étaient en ville. Il y en avait quatre ou cinq dans la maison de Lawford. »

Spindel collabora à la mise sur pied de l'opération, mais il habitait la côte Est. Otash engagea un spécialiste en Californie, un consultant, que l'on trouva parfois au service d'hommes politiques, de patrons de casino à Las Vegas et d'agences gouvernementales. Contrairement à Spindel, il fuit la publicité et ne consentit à parler que si on lui garantissait l'anonymat, par écrit.

La carrière d'un consultant reflète clairement les risques encourus par les hommes puissants qui ont recours à ce genre de surveillance. Le milliardaire Howard Hughes fut son client régulier pendant des années. Ses principales activités de l'époque consistaient à manipuler des hommes politiques afin qu'ils favorisent ses activités dans les domaines de l'aviation, de la défense et du cinéma. En 1962, alors qu'il travaillait à la campagne de Nixon, engagé par les républicains, le consultant découvrit que Robert Kennedy faisait surveiller le siège du parti républicain. « Nous surveillions des gens qui nous surveillaient, raconte le consultant, et j'ai suivi personnellement des bandes magnétiques que l'on a convoyées par avion jusqu'au domicile de Robert Kennedy. »

Les micros furent installés chez Peter Lawford avant que l'on ne s'intéresse à Marilyn, ajoute-t-il. Ils avaient été posés lors d'une réception à laquelle il avait assisté.

509

Ce fut ainsi qu'un soir de 1961 le consultant et Otash écoutèrent l'enregistrement des ébats du président et de Marilyn. Le consultant avait déjà piégé Robert et John Kennedy, dans un appartement de San Francisco, pour le compte de Jimmy Hoffa. Le consultant le regrettait, car il n'aimait pas cet homme. En supposant que l'enregistrement Marilyn était également pour lui, le consultant blêmit. Il prétend, et Otash le confirme, qu'ils détruisirent une des bandes.

Otash n'eut pas toujours les mêmes scrupules. Il reconnaît avoir expédié vingt-cinq ou trente bandes à Bernard Spindel. Les enregistrements représentaient une réelle menace pour la présidence — ils étaient entre les mains d'hommes du milieu, en contact direct avec la Mafia —, Spindel travaillait pour Hoffa, et parfois Giancana. Roselli, le contact de Giancana à Hollywood, connaissait Otash et son technicien Danoff.

En mars 1962, au début de son aventure avec Marilyn, Robert Kennedy devint la cible privilégiée de ces espions. Un ami de Marilyn, Arthur James, fut sollicité par un de ses amis qui faisait partie de la « Bande » de la côte Est, Carmine De Sapio, pour qu'il entraîne Marilyn hors de chez elle afin qu'on puisse installer des micros. Il refusa, mais les micros furent tout de même posés.

Le détective Fred Otash a déclaré récemment qu'au cours des derniers mois de la vie de Marilyn, Spindel était venu lui demander de piéger sa maison : micros dans la chambre à coucher et sur le téléphone. « J'ai refusé, je ne voulais prendre aucune part à cela. Spindel m'a alors demandé si je pouvais lui fournir du matériel et du personnel. J'ai dit oui. »

Otash jouait un rôle clé. Il a cité les noms des gens qu'il a engagés, et c'est lui qui envoyait les résultats à Spindel.

Otash et d'autres ont parlé récemment du contenu des bandes. Il y avait plus de choses sur Marilyn et Robert que sur Marilyn et le président. On les entendait faire l'amour, et aussi se disputer.

« Sur l'une des bandes que j'ai écoutées, m'a raconté Otash, elle hurlait sans arrêt. Soi-disant parce qu'il avait promis de divorcer pour l'épouser. Elle ne cessait de revenir là-dessus, et ils se disputaient. »

C'est par l'un de ses techniciens, et de source policière, qu'Otash dit avoir appris que Marilyn prétendait être enceinte.

Le technicien de Spindel, Earl Jaycox, qui prétendait avoir juste vu les bandes, reconnaît aujourd'hui avoir écouté des enregistrements de conversations téléphoniques entre Marilyn et les deux frères Kennedy. Il y eut des appels à la Maison Blanche et au département de la Justice.

« Quand elle cherchait à joindre Jack, elle parlait souvent à un secrétaire, Kenny ; or, le secrétaire personnel de Kennedy s'appelait Kenneth O'Donnel.

« Marilyn était très énervée pendant ces appels. Elle réagissait en femme trompée », dit encore Jaycox.

Il fut question d'un rendez-vous quelque part en Virginie, et d'un lapin que Robert Kennedy aurait posé à Marilyn au lac Tahoe. Selon Jaycox, les appels au président semblaient destinés à lui soutirer des informations sur son frère. Jack Kennedy lui parlait calmement, se rappelle Jaycox, alors que Robert entrait dans des rages et lui raccrochait au nez. »

On prétend qu'il existe des enregistrements du jour même de sa mort. En fait, on voit mal pourquoi les micros auraient été débranchés ce jour-là. Selon Otash, ils prouvent que Robert Kennedy est venu chez elle, qu'ils ont fait l'amour et qu'ils se sont violemment disputés. Marilyn aurait alors explosé et déclaré : « J'ai l'impression d'être avariée, comme un morceau de viande. Tu m'as menti. Va-t'en. Je suis fatiguée, laisse-moi tranquille. » Et Kennedy s'en alla.

Marilyn mourut durant les heures suivantes. Détournons-nous de l'électronique pour écouter un instant les êtres humains impliqués dans cette nuit de samedi 4 août. Les recherches récentes ont fourni quelques nouveaux indices.

Subterfuge

Peter Lawford, leur beau-frère, était un ivrogne, un drogué. Mais les Kennedy lui doivent de la reconnaissance. Il refusa de révéler ce qu'il savait sur Marilyn, non par loyauté envers Robert, mais par une vénération quasi obsessionnelle pour la mémoire de son frère. Mais Lawford a pourtant parlé à quelqu'un de ce qui s'est passé cette nuit-là.

Au début des années soixante, le journaliste d'ABC Jorn Winther produisait un documentaire sur Marilyn. Il rencontra longuement Peter Lawford, qui avait mis comme condition à sa collaboration qu'on ne parlerait pas des Kennedy. Mais, à la fin du tournage, seul avec Winther dans une salle de projection, Lawford évoqua la nuit tragique et les tentatives pour amener Marilyn dans la maison de la plage.

« Lawford a dit à Marilyn que Bobby serait là, et que Nathalie Wood et Warren Beatty passeraient sans doute, raconte Winther. "Qui d'autre ?" a demandé Marilyn. Lawford a alors mentionné les noms de quelques femmes, et Marilyn a dit qu'elle savait qui elles étaient, des call-girls connues, et que Lawford devrait avoir honte de l'inviter avec de telles femmes. Puis elle a raccroché. Lawford l'a rappelée une fois, après qu'elle avait pris les pilules, puis il a téléphoné à l'avocat, Milton Rudin. »

Cette version corrobore celle que me donna une voisine de Lawford. « Bullets » Durgom lui avait raconté une histoire semblable, et il reconnaît qu'il était chez Lawford cette nuit-là.

Selon le détective Otash, qui connaît Durgom, ce dernier aurait dit que Bobby était inquiet au sujet de Marilyn, qui perdait la tête, et avait demandé à Peter de la faire venir chez lui.

Interrogé en 1986, Durgom nia. Il dit que Robert Kennedy n'était pas là, mais qu'on attendait Marilyn. « Je me souviens très bien d'une chose, déclara-t-il. « Vers neuf heures et demie Pat Newcomb est arrivée et a dit que Marilyn ne viendrait pas car elle ne se sentait pas bien. »

Durgom prétend que vers onze heures Lawford a essayé de lui téléphoner, sans succès. Qu'il a donc appelé l'avocat Milton Rudin, qui est allé chez elle avec quelqu'un d'autre. Mais il était trop tard.

Erma Lee Reilly, domestique chez Lawford depuis des années, dit, comme les Naar, présents au dîner, qu'elle n'a entendu personne parler de Marilyn jusqu'à dix heures, lorsqu'elle est partie. Et que Robert Kennedy n'était pas là.

Juliet Roswell, qui avait travaillé pour l'attaché de presse de Marilyn Arthur Jacobs, confirme la déclaration de la veuve de Jacobs, selon laquelle on aurait su que Marilyn était malade ou morte bien avant minuit. « J'y suis allé à onze heures », lui a dit Jacobs.

Dolores Naar, qui quitta le dîner chez Lawford avec son mari avant onze heures, se rappelle parfaitement que Lawford leur téléphona peu après pour leur dire que le docteur de Marilyn lui avait donné un calmant et qu'elle se reposait.

Que se passa-t-il entre cette fin de soirée et trois heures du matin, lorsque la gouvernante Eunice Murray téléphona enfin au psychiatre Greenson ? Joan, la fille de Greenson, pense que, lorsqu'on commença de s'inquiéter, on décida de ne pas appeler son père. Entre-temps, il s'était passé beaucoup de choses dans la maison de Marilyn.

La question de l'ambulance souleva également une controverse. Le propriétaire de la plus grosse compagnie d'ambulances de Californie, Walter Schaefer, déclara qu'on avait appelé une ambulance alors que Marilyn vivait encore. Les ambulanciers étaient, selon lui, Ken Hunter et Murray Lieb.

Murray Lieb nie avoir été de service cette nuit-là, mais Hunter a récemment déclaré que sa collègue Lieb et lui avaient trouvé Marilyn dans un état comateux.

Un autre chauffeur de la compagnie, James Hall, a déclaré, tout d'abord dans un journal qui l'a payé pour obtenir un entretien, qu'il faisait partie de l'équipe qui était allée chez Marilyn, vers trois heures du matin. Il dit aussi que Pat Newcomb, la secrétaire de Marilyn, semblait éperdue, qu'elle était présente à leur arrivée, et que Marilyn n'était pas encore morte. Pat Newcomb affirme être arrivée beaucoup plus tard, et qu'il n'y avait pas d'ambulanciers dans la maison.

Hall dit encore que lui et ses collègues tentèrent de pratiquer la respiration artificielle, mais qu'ils furent interrompus par l'arrivée d'un homme qui se prétendit docteur, prit les choses en main, lui fit une piqûre et déclara qu'elle était morte. La police était arrivée au moment où l'ambulance s'en alla *

513

La famille de Hall confirme sa version de l'histoire. Son père, un chirurgien de la police à la retraite, dit que son fils lui a raconté la scène, à l'époque. L'ex-femme de Hall et sa sœur disent la même chose.

Cela ne fait aucun doute : on a appelé une ambulance, et cette ambulance ne figure sur aucun rapport de presse ou de police. Pas moins de sept salariés de Schaefer, dont un actuel vice-président, s'en souviennent *.

Le médecin de Marilyn, le Dr Engelberg, prétend que cette histoire d'ambulance est une pure affabulation. Mais il pense cependant que l'alarme a été donnée vers onze heures ou minuit. Il a déclaré à ABC et à la police qu'on l'avait appelé entre deux heures et demie et trois heures du matin, bien plus tôt, donc que trois heures cinquante, l'heure stipulée dans les rapports de police.

Mrs. Murray, la gouvernante, a créé la surprise en 1985. Interviewée par la BBC, elle répétait la version offerte habituellement au public. Mais, à la fin de l'interview, elle s'est écriée tout à coup : « Pourquoi, à mon âge, faut-il encore que je couvre tout ça ? »

A notre stupéfaction, elle a déclaré alors que Robert Kennedy était bien venu voir Marilyn ce jour-là et qu'un docteur et une ambulance étaient arrivés avant sa mort. Elle a répété sensiblement la même chose à l'équipe d'ABC.

Elle l'a dit ; mais, tandis que les journalistes pensaient qu'elle s'efforçait enfin de dire la vérité, de nombreuses contradictions et incohérences se faisaient jour dans son discours.

Quatre ans plus tôt, en revanche, elle semblait tout à fait lucide. En 1982, elle dit avoir trouvé la porte de la maison de Marilyn grande ouverte, vers minuit. Puis elle se reprit brusquement : « Fermée, je veux dire. » En 1985, Mrs. Murray m'a dit, au sujet de ses déclarations de 1962 : « J'ai dit ce que je pensais qu'il fallait dire. »

L'un des policiers qui se rendit chez Marilyn cette nuit-là, Marvine Iannone, est aujourd'hui chef de la police de Beverly Hills. En 1986, il a refusé de répondre à nos questions. Mais l'ex-sergent Byron, le détective de la police

514

criminelle qui se trouvait aussi sur les lieux, m'a accordé sa première interview.

Il fut réveillé à cinq heures du matin. Quarante-cinq minutes plus tard, il était chez Marilyn. Il n'y avait sur place que l'avocat, Milton Rudin, le Dr Engelberg et Eunice Murray. Le docteur lui déclara que la gouvernante l'avait appelé en lui disant que Marilyn était morte ou inconsciente. En arrivant, il l'avait trouvée morte. L'avocat ne dit pas grand-chose, il n'avait manifestement pas envie de parler. Le psychiatre n'était plus là.

Byron et son supérieur, le lieutenant Armstrong, menèrent l'interrogatoire. Comme on le voit dans leurs rapports, les témoignages se contredisent en ce qui concerne les horaires. Ils signalèrent que Mrs. Murray semblait évasive. Byron était un policier chevronné et son impression fut la suivante : « On lui avait fait la leçon, elle avait répété la version qu'il fallait donner, et n'en démordrait pas. »

Quant à l'avocat et au médecin, Byron considère les résultats de l'interrogatoire comme négatifs. « Ils me disaient ce qu'ils voulaient que je sache, voilà ce que j'ai ressenti sur le moment. Bref, tout le monde aurait pu nous en dire plus. A mon avis, ils ne donnaient pas d'informations exactes sur l'heure ni sur la situation, mais nous n'avons pas fait ce que nous aurions fait normalement, c'est-à-dire les emmener au poste de police. »

L'enquête s'arrêta là, rappelle Byron, car il n'y avait aucun signe de violence, et parce que le rapport d'autopsie établissait clairement qu'il s'agissait d'un empoisonnement aux barbituriques. Mais le souvenir de ces interrogatoires le poursuit encore.

Byron dit encore qu'à l'époque il a entendu dire, de source policière, que Robert Kennedy était venu la voir. Mais cela n'était pas de la compétence de Byron. Aujourd'hui, d'ailleurs, on sait comment Robert Kennedy quitta Los Angeles.

On avait parlé d'un hélicoptère ; j'ai donc interrogé la famille de Hal Conners, aujourd'hui décédé, qui se rendait souvent chez Peter Lawford en hélicoptère. Patricia, la fille de Conners, se rappelle que son père est rentré tard la nuit où Marilyn est morte. « Le lendemain matin, je lui ai demandé s'il avait entendu parler de la mort de Marilyn, et il n'a pas répondu. »

Le chef pilote de Conners, qui était aussi vice-président de la compagnie Los Angeles Air Taxi Service, s'appelle James Zonlick. On a retrouvé sa trace en Floride, et on l'a interrogé. Il se souvient d'une occasion où Conners est allé chercher Robert Kennedy à la maison de la plage en des circonstances inhabituelles.

« Hal m'en a parlé trois jours après. La police nous avait appelés parce que des voisins s'étaient plaints du bruit. C'était la première fois que nous y allions de nuit. Il devait être neuf heures et demie, ou peut-être même onze heures. Il avait pris Robert Kennedy à la maison de la plage et l'avait déposé à l'aéroport... Ça lui faisait plaisir, qu'on transporte d'importantes personnalités *. »

Un autre des pilotes de Conners, Ed Connelly, se souvient également : « Il avait atterri sur la plage de Santa Monica sans lumières, ce qui ne lui ressemblait pas du tout. Il en tremblait encore. » Ni Zonlick ni Connelly, tous deux aujourd'hui pilotes de ligne, ne se rappellent la date exacte. Zonlick suppose que cela se passa pendant le deuxième semestre 1962, ce qui rentre bien dans le cadre.

Il est aujourd'hui confirmé, de deux sources différentes, que Peter Lawford engagea cette nuit-là quelqu'un chargé de supprimer toute trace des Kennedy chez Marilyn.

Le détective Otash, qui nia tout d'abord être impliqué dans l'affaire, le reconnaît aujourd'hui, tout en étant conscient de l'ironie de la situation : un homme chargé tout à la fois d'espionner les Kennedy et d'agir en leur faveur.

« Lawford est venu me trouver, dit Otash. Dans cette ville, quand le gratin avait besoin d'arranger un coup, c'est à moi qu'on s'adressait. J'avais déjà aidé Lawford à résoudre un problème de drogue avec la police. Après tout, je me faisais payer ; j'ai dit que je ferais de mon mieux. »

Lawford a déclaré à sa dernière femme qu'il avait engagé Otash plusieurs fois, et notamment la nuit de la mort de Marilyn.

Ce que savait Otash pouvait nuire. Selon lui, et l'un de ses associés le confirme, des agents des services secrets se sont employés, fermement, à le convaincre de leur donner son dossier sur les activités des Kennedy à Los Angeles.

On prit d'autres mesures urgentes pour protéger les Kennedy. Ce n'est pas par hasard si les agences n'ont pas une seule photo de Marilyn avec l'un ou l'autre des frères. Pas même de la cérémonie d'anniversaire de John Kennedy, qui était pourtant publique.

Globe en avait au moins deux. « Sur l'une d'elles, se rappelle un des ex-directeurs, qui souhaite garder l'anonymat, Kennedy la regardait avec une admiration évidente. Une superbe photo. »

Deux semaines environ après la mort de Marilyn, deux hommes arborant des insignes du FBI firent irruption dans les locaux de Globe. « Ils ont dit qu'ils réunissaient des éléments pour la bibliothèque présidentielle, rappelle cet ancien directeur. Ils ont demandé qu'on leur montre tout ce qu'on avait sur Marilyn Monroe. Une employée des archives s'est occupée d'eux. Par la suite, on s'est rendu compte qu'il n'y avait plus rien, pas même les négatifs. Cette perte nous a coûté une fortune, croyez-moi. Ils ont tout emporté. »

« Ça devenait si sordide, dit Mrs. Murray, la gouvernante de Marilyn, qu'il a bien fallu que les gens chargés de protéger Robert Kennedy s'en mêlent. Vous ne trouvez pas ça logique ? »

Certes, ça l'est, de toute évidence.

Le plus sordide, cependant, c'est le mystère qui entoure les dernières heures de la vie de Marilyn. Devant les contradictions des principaux acteurs de l'histoire, retournons, avec toutes les précautions nécessaires, aux enregistrements magnétiques.

La version des oreilles indiscrètes

Fred Otash, qui a expédié les bandes magnétiques à Bernard Spindel, à New York, dit qu'à l'heure où Robert Kennedy a quitté sa maison, Marilyn était droguée jusqu'aux yeux. Ce qui corrobore les déclarations du Dr Greenson, que Marilyn appela vers cinq heures de l'après-midi et qui, en arrivant, la trouva à moitié assommée par les médicaments.

Selon Otash, ce n'est pas Marilyn qui essaya de joindre Kennedy ce soir-là, mais lui qui tenta de la convaincre de venir chez Peter Lawford. Marilyn aurait répondu : « Arrête de m'embêter, laisse-moi tranquille. »

Le consultant, collègue d'Otash, se rappelle comment Lawford, bouleversé, lui décrivit la situation : « J'en suis sûr, Marilyn avait changé son fusil d'épaule. Lawford a dit qu'elle avait téléphoné à la Maison Blanche pour dire au président : demande à ton frère de me laisser en paix, il m'épuise. »

Otash et le consultant affirment qu'ils n'ont pas appris grand-chose sur les dernières heures en écoutant les bandes. En revanche d'autres, proches de Bernard Spindel, racontent des histoires troublantes, et un homme dont on a retrouvé la trace récemment affirme avoir écouté les bandes.

En 1985, tandis que nous négociions les droits pour la télévision, un vice-président de NBC News, Mark Monsky, m'a mis sur la piste d'un de ses contacts, un homme fiable qui avait travaillé pour le gouvernement dès le début des années soixante. Ce contact aurait connu Spindel, et serait donc au courant des bandes Monroe. Après bien des difficultés, il accepta de me rencontrer.

La première fois, on ne me dit même pas son nom. Je sais maintenant qui il est, mais le lecteur comprendra que je ne puis en aucun cas lever son anonymat. Sa carrière et même sa sécurité en dépendent.

Cet homme ne parla pas volontiers de l'affaire Monroe. Il refusa même de grosses sommes d'argent pour la livrer au public. Mais il a fini par me la raconter, à maintes reprises, et sans jamais se contredire. Il avait vu plusieurs fois Bernard Spindel, chez lui, peu après sa première crise cardiaque, en 1967. Il se rappelle qu'ils étaient assis au salon, que Spindel grignotait des biscuits en buvant du ginger ale, et qu'ils étaient seuls.

Spindel lui raconta qu'en 1962 on l'avait engagé pour « faire sa fête » à R. F. K. Chez Marilyn, il avait notamment fait poser un micro miniature, quasi invisible, à la pointe du progrès en électronique. Le récepteur était installé à quelque distance, et Spindel avait mis au point une technique d'enregistrement très lente qui permettait d'enregistrer une quinzaine d'heures sur une seule bande.

Quelqu'un, sans doute l'un des hommes fournis par Otash, passait régulièrement chercher les bandes. L'un au moins des deux téléphones de Marilyn était piégé, et il y avait un micro dans sa chambre à coucher. Il affirme que Spindel lui a fait entendre quarante minutes de bande, datant du jour de la mort de Marilyn.

L'enregistrement comportait deux visites de Robert Kennedy. « Au début, dit-il, on les entendait parler de loin, comme si le micro était dans une autre pièce. Les voix étaient aisément reconnaissables. » Comme Otash, et il ne faut pas oublier que les deux hommes ne se connaissent pas, mon nouvel informateur a mentionné une dispute. « Ils parlaient de plus en plus fort ; il s'agissait d'une promesse qu'avait faite Robert Kennedy, et qu'il ne tenait pas. Marilyn voulait qu'il lui explique pourquoi il ne l'épousait pas. Les voix devenaient de plus en plus aiguës. Si je n'avais pas déjà reconnu R. F. K, je ne suis pas sûr que je l'aurais pu à ce stade de la conversation. On aurait dit le timbre haut perché d'une vieille dame... »

Kennedy était en colère parce qu'on lui avait parlé d'un système d'enregistrement. Il demandait sans cesse : « Où est-il ? Où est ce sacré truc ? » Il s'agissait apparemment d'un micro, ou d'un magnétophone.

Que Marilyn ait été ou non au courant — et cette éventualité ajoute un nouvel élément au mystère — elle ne répondit pas. La séquence se terminait par le bruit d'une porte claquée.

L'enregistrement reprenait (mon informateur ignorait si Spindel avait effectué ou non un montage) avec le retour de Kennedy, accompagné de Peter Lawford. Mon informateur dit qu'il n'aurait pas personnellement reconnu la voix de Lawford, mais qu'il a cru Spindel. « Il y avait trois voix différentes, lointaines au début. R. F. K disait : " Il faut que nous sachions. C'est important pour la famille. On s'arrangera comme tu voudras, mais il faut qu'on le trouve. "

Manifestement, il cherchait encore le micro ou le magnéto-phone. A ce moment, ils se sont rapprochés du micro. On a entendu des craquements sur la bande, selon Bernie ce pourrait être des cintres que l'on pousse sur une tringle. Ils cherchaient toujours. Puis le bruit de quelque chose qui tombe, des livres peut-être. Parfois, on entendait très bien, parfois moins bien. Kennedy criait à nouveau, et Lawford essayait de le calmer. Marilyn hurlait, leur ordonnait de quitter sa maison. »

Ensuite, continua mon informateur, il y eut des bruits, des heurts, puis des sons plus atténués. On aurait dit qu'on la mettait au lit. Vers la fin de l'enregistrement, Kennedy et Lawford ont parlé du retour de Kennedy à San Francisco. Il a dit qu'il s'était arrangé pour que quelqu'un téléphone chez Marilyn après le départ de Kennedy. Le dernier son sur la bande est celui d'une sonnerie de téléphone, et d'un télé-phone décroché. Mais la personne qui a décroché n'a rien dit. Selon Spindel, il s'agissait de faire croire que Marilyn, toujours vivante, avait répondu au téléphone alors que l'on pourrait prouver que Kennedy se trouvait ailleurs. Toujours selon Spindel, Marilyn était morte lorsqu'ils quittèrent la maison.

Cela pourrait expliquer le fait que, selon le Dr Greenson, Marilyn avait la main crispée sur le téléphone lorsqu'il l'a trouvée morte. Mais l'histoire du téléphone reste troublante.

Consultés sur ce point, deux pathologistes ont répondu qu'une personne qui a avalé une dose massive de barbituri-ques a plus de chances d'être totalement détendue et de lâcher le téléphone au moment où elle tombe dans le dernier sommeil. L'un d'eux a déclaré que, si on lui demandait d'exprimer une hypothèse, il dirait qu'on avait glissé le téléphone dans sa main après sa mort, car alors, avec la *rigor mortis*, la main se crisperait naturellement sur le téléphone.

Cet informateur est le seul à prétendre actuellement avoir entendu toute la bande de Spindel. Deux autres apportent une corroboration partielle de son existence. L'un d'eux, Bill Holt, était un expert en explosifs et en électronique qui a travaillé pour la compagnie de Spindel après la mort de ce dernier. Il est aujourd'hui consultant en sécurité et confirme les relations entre Spindel et mon informateur principal. Et il ajoute qu'un autre des employés de Spindel, Michael Morissey, lui a parlé des bandes.

Selon Holt, Morissey lui aurait dit que Spindel lui avait passé les enregistrements, et qu'on y entendait la visite de Kennedy et Lawford chez Marilyn, puis une dispute, et des bruits qui faisaient croire que Marilyn était tombée.

Morissey, aujourd'hui avocat à Washington, reconnaît que Spindel lui a fait entendre quelques secondes de bande. Il dit n'avoir entendu que le bruit d'un choc sourd, comme si quelqu'un tombait lourdement.

Il y a d'autres témoignages au sujet des bandes. Richard Butterfield, aujourd'hui cadre chez Fabergé, et sa femme disent que Spindel leur a raconté que Robert Kennedy était avec elle quand elle est morte. Le docteur de Spindel, Henri Kamin, déclare que Spindel lui a parlé des bandes, et d'un violent incident. Earl Jaycox, qui travaillait pour Spindel à l'époque, dit la même chose, et ajoute que cela avait rendu son patron très nerveux.

Quel que soit leur contenu, que sont devenus ces enregistrements ? Le 15 décembre 1966, à l'aube, des policiers firent irruption dans les bureaux de Spindel, à New York*. Brandissant un mandat de perquisition officiel, ils confisquèrent du matériel, surtout électronique, et Spindel déclara formellement qu'ils étaient venus pour s'emparer de tout ce qui avait trait aux Kennedy et à Marilyn.

En 1985, on put finalement obtenir les rapports, largement édulcorés, du FBI et de la CIA sur les activités de Spindel ; ils prouvent que les deux organismes savaient que Spindel possédait des informations sur Marilyn. Les rapports datent de peu après la descente de police dans les bureaux de Spindel.

Les avocats de Spindel attaquèrent immédiatement pour récupérer le matériel saisi chez leur client. Ils soumirent notamment un affidavit exigeant la restitution des dossiers confidentiels concernant les circonstances de la mort de Marilyn Monroe, ce qui sous-entend que la version officielle de cette mort était erronée*.

Spindel a déclaré à John Neary, journaliste à *Life* :

« Hogan [le District Attorney de New York] a vraiment rendu un service à Kennedy. Ils m'ont volé les bandes sur Marilyn, et tout mon dossier. »

Le rapport de la cour prouve que Spindel a essayé de s'opposer au départ de certains dossiers. Ils furent scellés avant d'être emportés et sont inscrits à l'inventaire sous la mention : deux dossiers scellés — confidentiel.

On n'a jamais réussi à découvrir ce que sont devenus les objets volés. La veuve de Spindel a fait un procès, sans résultat. Le FBI a répondu que son dossier sur Spindel avait été détruit au cours d'un nettoyage de routine.

Un des avocats de Spindel, Arnold Stream, a déclaré : « Je ne peux révéler ce que mon client m'a dit au sujet des bandes, bien qu'il soit mort. Je crois qu'il m'a dit la vérité... Je suis content que les bandes aient existé, et qu'elles soient entrées en possession du District Attorney. »

L'ombre de Marilyn a poursuivi Robert Kennedy jusqu'à sa propre mort, également à Los Angeles, six ans plus tard. Deux semaines après la mort de l'actrice, l'avocat général Courney Evans informait Kennedy d'une allégation de la Mafia sur une histoire de fille.

La référence à « une fille d'El Paso », telle qu'on la trouve mentionnée dans un memo du FBI daté du 20 août 1962, est assez incompréhensible. Robert Kennedy n'est peut-être jamais allé à El Paso, comme il l'affirme. Mais j'ai obtenu communication de l'information originale parvenue au FBI. Il s'agit d'une conversation enregistrée entre Meyer Lansky, le « ministre des Finances » de la Mafia, et sa femme Teddy :

... Bobby Kennedy, qui a sept enfants et qui a une aventure avec une fille de? (peut-être El Paso)... Teddy répond que tout est la faute de Frank Sinatra, et qu'il n'est jamais qu'un fournisseur de femmes pour ces types. C'est Sinatra qui les réunit. Meyer répond que ce n'est pas la faute de Sinatra, que ça commence avec le président et que tout le monde est dans le coup.

Il semble que les enquêteurs du FBI n'aient pas été sûrs de la ville en question. Au vu de ces doutes, on peut raisonnablement avancer qu'El Paso était en fait le lac Tahoe. Cela semble plus logique, vu le second paragraphe du rapport sur Marilyn daté du 20 août.

Le parrain de la Mafia Lansky fut écouté le mercredi 1er août, trois jours avant la mort de Marilyn. Robert Kennedy avait séjourné à Los Angeles jusqu'au vendredi précédent et aucun rapport ne précise où il passa le week-end. On sait en revanche que Marilyn était au lac Tahoe.

Evans fit un rapport à Edgar Hoover au sujet de la réaction de Robert Kennedy sur les enregistrements Lansky. « Il a déclaré apprécier que nous l'ayons informé, et qu'il était normal que l'on colporte des ragots sur des personnages publics. Il a dit également qu'il savait qu'on avait parlé d'une liaison entre lui et Marilyn Monroe. Il la connaissait, bien sûr, puisqu'elle était une amie de sa sœur Pat Lawford, mais ces bruits étaient ridicules, et au-delà de toute vraisemblance. »

Le jour même, le FBI enregistra une conversation entre trois personnalités de la Mafia. Les hommes discutaient d'une situation que l'un d'eux qualifia de dangereuse, et qui pourrait leur valoir d'être poursuivis. C'était inévitable, sauf s'ils utilisaient une tactique qui obligerait l'administration à reculer ; ils firent clairement allusion à une pression que l'on pouvait exercer sur les frères Kennedy — surtout sur Robert. Leur arme secrète était de révéler le scandale Marilyn *.

« C'est assez gros pour qu'ils marchent, disait l'un des gangsters. Et le frère, tu crois qu'il aimerait voir sortir l'histoire Marilyn ? Et lui, tu crois que ça lui ferait plaisir ? Il y est allé très souvent... Et cette... [une proche de Marilyn] qui était tout le temps là avec lui ? Tu crois que c'est un secret ? »

On n'a pas, jusqu'ici, découvert s'il y eut ou non tentative de chantage. En tout cas, Robert Kennedy ne cessa pas de s'attaquer à la Mafia tant qu'il resta à son poste, jusqu'en 1964. Cependant, cette année-là le voile sur ses activités durant les derniers jours de la vie de Marilyn se souleva dangereusement.

Le 8 juillet 1964, Hoover écrivit à Robert Kennedy pour lui signaler la publication d'une brochure signée par un activiste de droite, Frank Capell. « Ce livre, écrivit Hoover, fera référence à votre amitié avec Miss Monroe. Frank Capell prétend prouver que vous étiez intimes, et que vous étiez chez elle lors de sa mort. »

On ne sait pas comment a réagi Kennedy. Capell avait commencé son enquête peu après la mort de Marilyn, dans le but avoué d'embarrasser Robert Kennedy. En s'intéressant à Capell, on découvre d'une part le côté sordide de la politique américaine durant les années soixante, d'autre part une information sur le policier qui arriva le premier sur les lieux lorsque Marilyn mourut.

Ce policier, l'ex-sergent Jack Clemmons, fut un certain temps directeur de FI-PO*, une organisation qui s'était donné pour but d'informer l'opinion publique sur les activités subversives menaçant le fameux « american way of life ». Activités subversives, à l'époque, signifiaient communisme, le « péril rouge ». Clemmons reconnaît qu'il a rencontré Capell peu avant la mort de Marilyn. Ce dernier, un ancien enquêteur de la police locale, venait de fonder le Herald of Freedom, un organe de propagande destiné à nuire aux libéraux et particulièrement à Robert Kennedy. Il allait s'y employer pendant des années.

Clemmons déclare qu'un mois après la mort de Marilyn, il est allé chez Maurice Ries avec Capell. Ries, un anthropologue qui avait travaillé pour le gouvernement au sein d'un quelconque service secret, était associé à un groupe de Hollywood intitulé Motion Picture Alliance for the Preservation of American Ideals. Parmi ses fondateurs, on comptait John Wayne, l'écrivain Borden Chase et la mère de Ginger Rogers. Durant le maccarthysme, l'Alliance s'était illustrée en dénonçant de nombreux acteurs de gauche.

Ries et Capell ont demandé à Clemmons de les aider à rendre publiques les relations de Robert Kennedy avec Marilyn, et ses faits et gestes le jour de sa mort*. Clemmons a accepté de leur fournir les informations dont disposait la police. Capell enrôla également quelques amis sur la côte Ouest, dont l'avocate Helen Clay. Des entretiens avec cette dernière et un de ses anciens collègues démontrent qu'ils ont vraiment découvert des choses. On envoya un policier fouiller dans le dossier du chef de police Parker. Un ancien garde du corps de Lawford et un loueur de voitures fournirent des informations sur les faits et gestes de Kennedy. Un contact à la compagnie de téléphone donna la liste des appels de Marilyn : il y en avait eu un le 3 août et un le 4, le jour de sa mort, au département de la Justice.

Certains de ces éléments furent fournis à Capell. En 1964, alors que Robert Kennedy se présentait aux élections sénatoriales de New York, Capell publia un petit livre venimeux intitulé *L'étrange mort de Marilyn Monroe.* On y traitait le médecin de Marilyn et ses amis Susan Strasberg et Norman Rosten d'ex-communistes. Robert Kennedy était accusé de laisser le communisme s'infiltrer aux Etats-Unis, et d'avoir fait tuer Marilyn Monroe pour protéger sa réputation, avec l'aide de la *conspiration communiste.*

Ce livre, un tissu de ragots destinés à lui nuire politiquement, ne blessa pas Kennedy. Ses ennemis, en revanche, continuèrent à fouiller autour de la mort de Marilyn. Lorsque sortit le livre de Capell, Jimmy Hoffa et Bernard Spindel contactèrent Fred Otash, le détective impliqué dans les enregistrements, comme le prouve une correspondance d'Otash à Spindel, datée du 15 septembre 1964.

Les avertissements de Hoover à Kennedy eurent pour conséquence que Capell fut mis sur écoute*. Son nom apparaît sur une liste qui fut sans doute approuvée par Robert Kennedy, et que se procura le président Nixon lorsqu'il voulut prouver qu'il n'était pas le premier à utiliser les écoutes téléphoniques. Il en fit état lors de « Sixty Minutes », une émission télévisée, le 15 avril 1984.

Un an après la publication du livre de Capell, ce dernier et le sergent Clemmons tombèrent sous le coup de la loi, pour diffamation envers le sénateur de Californie Thomas Kuchel*. Clemmons obtint un non-lieu, mais il démissionna de la police. Un rapport interne précise que son intérêt pour la politique l'avait détourné de son travail*.

C'est sans doute par hasard que Clemmons, un homme de droite engagé, se trouva être le premier policier sur les lieux lors de la mort de Marilyn. Il eut beau claironner partout que, vu ce qu'il avait pu observer sur place, il était certain que Marilyn avait été assassinée, nul n'a jamais pris ses paroles au sérieux. Il n'avait aucune expérience de la police criminelle.

Vu ses opinions politiques, l'enquête de Capell n'est pas fiable. Mais on peut être raisonnablement certain que Bernard Spindel possédait ces enregistrements. Il les a fait entendre à son associé en 1967, après la descente de police. Et il déclara qu'il en avait donné des copies à des personnes sûres, dont George Ersham, aujourd'hui décédé, qui travaillait chez Smith & Wesson et avait des liens notoires avec la CIA.

Peut-être à raison, Spindel se sentait persécuté par Robert Kennedy, sans doute à cause de ses liens avec le mafieux Hoffa. En tout cas, cela ne pouvait que l'inciter à utiliser des enregistrements qui pouvaient nuire à l'Attorney général.

La menace Marilyn pesa sur Robert Kennedy jusqu'à la fin. Ralph Toledano, un journaliste de Washington, raconte qu'il a été approché au printemps de 1968 par un patron de l'industrie automobile qui cherchait des arguments à utiliser contre Kennedy pendant la campagne présidentielle. Selon Toledano, cet homme représentait un groupe bipartisan bien décidé à stopper Kennedy.

Ce patron, que Toledano refuse de nommer, voulait acheter les bandes, s'il en restait des exemplaires. Un colonel à la retraite, E. Dennis Harris, engagé pour les retrouver, déclara qu'elles existaient encore, qu'elles étaient authentiques et qu'on pouvait les acheter à un certain prix. Le plan, dit Toledano, était de les faire parvenir à tous les journalistes du pays. Les négociations étaient sur le point d'aboutir lorsque Robert Kennedy fut assassiné.

La vérité sur ce qu'auraient pu révéler les bandes est morte avec Spindel. Mais un nouvel élément est apparu au moment de mettre cette édition sous presse. Il donne une nouvelle dimension au mystère.

Marilyn Monroe : un risque pour la sécurité de l'Etat ?

Le FBI possède sur Marilyn un dossier de trente et une pages, dont treize seulement ont été communiquées, pour

526

trois raisons : protéger la vie privée, protéger les sources et la sécurité de l'Etat.

Il y a des passages dans ce dossier qui n'ont été communiqués à personne, pas même aux enquêteurs officiels. La raison avancée est qu'ils contiennent un rapport sur les faits et gestes de Marilyn à Mexico, en février 1962.

Comme on a pu le lire dans ce livre, à Mexico Marilyn était en compagnie d'un homme que le FBI surveillait depuis plus d'un demi-siècle, Frederick Vanderbilt Field. Il avait quitté les Etats-Unis dix ans plus tôt, épuisé par les persécutions que lui valaient depuis si longtemps ses sympathies communistes et par un séjour en prison pour avoir refusé de donner les noms de ses amis communistes.

Il faisait alors partie d'un groupe de vingt-cinq expatriés, dont des cinéastes qui avaient vu leur carrière brisée par le maccarthysme et qui étaient ses meilleurs amis. Marié à une Mexicaine qui avait posé pour le peintre communiste Diego Rivera, Field était l'objet d'une surveillance de tous les instants.

Mon avocat, conscient de tout cela, demanda à ce que lui soit communiqué le dossier Field pour l'année où il avait rencontré Marilyn. En fait, pour éviter qu'on ne lui oppose la protection de la vie privée, ce fut Field lui-même qui en fit la demande. Entre-temps, Lawford était mort, et l'on put accéder aux dossiers le concernant.

Il ne restait plus qu'à savoir ce qu'il y avait dans le dossier de Marilyn elle-même. Par une procédure légale complexe, mon avocat obtint de se faire lire les passages censurés, en mars de cette année. La loi américaine prévoit en effet cette possibilité, destinée à faire connaître la vérité tout en protégeant les informateurs.

L'informateur, en l'occurrence, était manifestement un proche de Field qui avait rencontré Marilyn durant son séjour à Mexico.

Un certain nombre de personnes remplissaient ces conditions. Field avait présenté Marilyn à beaucoup de ses amis de gauche. Eunice Murray, qui accompagnait Marilyn, avait été mariée à un homme très engagé à gauche, et son beau-frère, Churchill Murray, habitait Mexico. Il organisa une soirée où Marilyn rencontra des diplomates et des membres du gouvernement. Sans oublier le cinéaste mexicain Jose Bolaños, un jeune homme de vingt-six ans qui fut l'amant de Marilyn. Fred Field mit Marilyn en garde contre Bolaños, un homme qui affichait des idées de gauche, mais dont se méfiaient les véritables militants. Leur liaison a pourtant duré jusqu'à la mort de l'actrice. Selon la presse, Bolaños refusa d'être interrogé par la police*. Quand je l'ai questionné, il a reconnu être venu à Los Angeles retrouver Marilyn dans un appartement. Bolaños m'a aussi dit que Marilyn lui avait téléphoné le soir de sa mort, et qu'elle lui avait dit quelque chose qui, un jour, choquerait le monde entier. Sur le moment, en 1983, je n'y ai guère cru. Mais après avoir jeté un coup d'œil dans les dossiers du FBI, on s'interroge.

Le FBI affirme que révéler le nom de son informateur au Mexique serait très gênant pour le gouvernement mexicain, aujourd'hui encore. En 1962, les services secrets mexicains travaillaient en étroite collaboration avec leurs homologues américains, et d'autres que le FBI ont exigé la confidentialité du dossier Marilyn. Il s'agit sans doute de la CIA.

Des agents du gouvernement avaient eux aussi espionné les frères Kennedy et Marilyn. Des rapports du FBI mentionnent la présence de la voiture de Robert Kennedy garée dans son allée, comme le raconte un agent du Bureau, William Kane. D'une autre source, on connaît le nom d'un de ceux qui dirigeaient la surveillance.

Pour Edgar Hoover, cela n'avait rien de nouveau d'espionner les Kennedy. Il se souvenait de bandes qu'il avait écoutées pendant la deuxième guerre mondiale, où l'on entendait John Kennedy, alors dans les services secrets de la marine, faire l'amour avec Inga Arvad, soupçonnée d'intelligences avec l'ennemi. En 1962, il avait fait surveiller Judith Campbell. Alors, pourquoi pas Marilyn ? L'existence de ce rapport n'a rien d'étonnant. Ce qui est étonnant, en revanche, c'est son contenu.

Quatre documents furent exposés par le FBI. Ils concernent la période allant de la visite de Marilyn à Mexico, en février 1962, à l'été 1963. Trois rapports sont consacrés à ses relations avec Field et ses amis, qui sont vivement regrettés, et à une horrible allusion au fait que les idées socialistes d'Arthur Miller auraient pu déteindre sur Marilyn Monroe.

Le plus intéressant concerne les frères Kennedy. Un document du 6 mars stipule que Marilyn a rencontré Robert Kennedy chez Peter Lawford et qu'ils ont discuté de problèmes politiques. Field, qui a maintenant quatre-vingt-un ans, se rappelle très bien que Marilyn lui avait raconté que Robert et elle avaient parlé du désir de John Kennedy de se débarrasser d'Edgar Hoover. Jose Bolaños dit que Marilyn a évoqué aussi de longues discussions passionnées au sujet de Cuba. Pressé de donner des détails, Bolaños s'est tu.

L'explication donnée par le FBI du rapport du 13 juillet est plus troublante. Ce document rapporte des paroles que l'informateur aurait entendues lui-même prononcer par Marilyn. Il la cite, racontant qu'elle avait déjeuné avec l'un des Kennedy chez Peter Lawford, et que la conversation avait roulé autour de questions importantes, dont, selon les paroles de l'homme du FBI, la moralité des essais nucléaires. D'après le FBI, ce déjeuner aurait eu lieu quelques jours avant le 13 juillet, soit, par conséquent, durant les deux premières semaines de juillet, ou les tout derniers jours de juin. Selon le rapport du FBI, ce serait le président qu'aurait alors rencontré Marilyn. L'emploi du temps du président ne semble pourtant pas l'avoir permis. Il se rendit cependant à Mexico fin juin, en visite officielle, et ce livre a prouvé que John Kennedy voyageait parfois incognito. Une fois au moins, selon la veuve de l'attaché de presse de Marilyn, il vint ainsi secrètement la rejoindre en Californie. Il semble quand même plus probable que c'est avec Robert que déjeuna Marilyn.

Les rapports du FBI montrent que Robert était à Los Angeles du 26 juin après-midi au 28 au matin. Il reviendrait à l'ouest deux semaines plus tard, au Nevada, pour assister à des essais nucléaires.

La bombe atomique était la question internationalement débattue en 1962. Le risque nucléaire n'avait jamais été aussi grand. En juin, au Nevada, une bombe à hydrogène explosa pour la première fois sur le territoire américain.

529

Fin juin 1962, il ne manquait que seize semaines pour que le monde passe au plus près d'une guerre nucléaire avec la crise de Cuba. Castro, qui s'attendait à une nouvelle invasion américaine, lançait de pressants appels à l'Union soviétique. Début juillet, Khrouchtchev prit la désastreuse décision d'envoyer des missiles à Cuba. L'aviation US surveillait les navires soviétiques et découvrit bientôt la livraison de missiles à longue portée.

C'est durant cette période que, selon les rapports du FBI, l'un des frères Kennedy discutait avec Marilyn Monroe de l'opportunité des essais nucléaires. Rien ne permet de penser que des secrets d'Etat aient été trahis, mais chaque mot prononcé par l'un ou l'autre des deux frères sur ce sujet ne pouvait que passionner les services secrets soviétiques.

Les entretiens que j'ai eus avec les contacts de Marilyn à Mexico prouvent de façon évidente que Robert Kennedy parlait avec Marilyn de sujets importants, y compris Cuba. Bolaños dit que la dernière fois qu'il a vu Marilyn, début juillet, elle lui a parlé de sa conversation avec l'un des kennedy au sujet des essais nucléaires. Ce même mois, Fred Field, sympathisant communiste notoire, a séjourné chez Marilyn, dans son appartement de New York. L'homme était alors sous haute surveillance. Le FBI s'intéressait notamment à ses contacts avec Marilyn.

En l'occurrence, la méfiance de Hoover était justifiée. A la lumière de ce que l'on connaît des rapports du FBI, les relations de Marilyn avec les Kennedy représentaient un danger potentiel non négligeable. Marilyn se plaisait à se considérer comme de gauche. Selon Bolaños, elle aurait eu une terrible dispute avec Robert Kennedy au sujet de Cuba, et celui-ci l'aurait accusée de devenir communiste.

Quoi que Marilyn laissât transparaître de ses conversations avec les Kennedy, avec des communistes ou avec les gangsters qu'elle rencontrait à Cal-Neva-Lodge (ces hommes avaient leurs propres intérêts à Cuba), elle représentait un risque potentiel.

Pour innocentes que fussent les paroles des deux frères, leurs ennemis pouvaient les utiliser à leur profit. Leur petite compagne de jeux était une femme instable, qui courait tous les jours chez son psychiatre, pas le genre de femme à fréquenter pour le président et son Attorney général.

Des semaines avant sa mort, Marilyn était considérée comme un danger pour la sécurité de l'Etat, et cela à cause des Kennedy.

L'ex-chef de la police de Los Angeles Tom Reddin, qui succéda à celui qui était en fonctions lors de la mort de Marilyn, dit que les éléments contenus dans les dossiers du FBI permettent de comprendre pourquoi le dossier n'est pas communiqué en entier. En effet, cela ne mettrait pas seulement les Kennedy dans l'embarras. Cela aurait des répercussions sur la sécurité nationale.

Reddin révèle qu'on lui a dit en interne, en 1962, qu'un rapport important avait été rédigé à la suite d'une enquête des services secrets de la Division police. Le genre de rapport que l'on garde pour toujours, selon Reddin. Où est-il aujourd'hui ? Reddin pense que l'actuel chef de la Division, Daryl Gates, qui succéda à James Hamilton, en fonctions en 1962, doit en savoir long.

Les autorités locales refusent d'ouvrir une nouvelle enquête si l'on n'apporte pas d'éléments nouveaux accréditant la thèse du meurtre. L'assistant du District Attorney, Ronald Carroll, qui réouvrit l'enquête en 1982, regrette qu'à l'époque ils n'aient pas poussé plus loin, notamment sur deux points. Un, les gens qui prétendaient que Marilyn était morte cinq ou six heures avant qu'on appelle la police, deux, les allégations sur les enregistrements sur bande magnétique des dernières heures de Marilyn.

Depuis l'enquête de Carroll, Thomas Noguchi, le médecin légiste qui a dirigé l'autopsie, s'est exprimé : il pense qu'il faudrait ouvrir une nouvelle enquête officielle. Il croit depuis longtemps que la scène de la mort a été maquillée*. En octobre 1985, il a déclaré, sur ABC News, qu'il y avait des éléments à explorer.

« Elle portait dans le dos une trace de coup inexplicable. » Et Noguchi ajouta : « Nous n'avons jamais exploré les éléments qui auraient pu être coopératifs (sic). Avant que nous n'ayons pu étudier le contenu de l'estomac et des intestins, les éléments n'étaient plus disponibles. Cela pourrait donner l'impression que nous avons quelque chose à cacher.

— Un meurtre ? » interrogea le journaliste.

Et l'homme qui avait conclu au « suicide probable » regarda la caméra en face et répondit : « Peut-être. »

Lorsque les journalistes lui demandèrent des explications, Noguchi déclara que la trace de coup sur le corps de Marilyn ne s'expliquait pas, et qu'elle était un signe de violence. Il dit qu'il ne pouvait affirmer que l'actrice n'avait pas été volontairement droguée. Et il conclut ainsi : « Il faudrait faire une nouvelle enquête, au lieu de laisser la porte fermée. »

Mike Antonovitch, du Board of Supervisors de Los Angeles, insiste sur les nombreuses incohérences et sur les faits nouveaux, y compris l'épisode de la mystérieuse ambulance et les problèmes d'horaire. Et il a ajouté : « Si le chirurgien qui a pratiqué l'autopsie pense qu'il reste des zones d'ombre et qu'il y a peut-être eu violence, on devrait lui demander de s'expliquer *. »

Mais tous ceux qui pourraient faire réouvrir l'enquête semblent s'attacher à laisser l'affaire tomber dans l'oubli.

Le rôle du journaliste est de raconter, non de faire pression sur les officiels pour qu'ils fassent des recherches. Il ne me reste qu'à rappeler que ceux qui étaient investis de l'autorité, en 1962 et depuis, n'ont pas ordonné d'enquête approfondie sur la mort d'un citoyen de ce pays. C'est la vérité qui en a souffert.

L'opinion publique, quant à elle, se fait une idée grâce au travail des journalistes. Dans un récent éditorial, *Time* * fait remarquer que « les journalistes semblent apporter des réponses, mais en fait ils posent surtout une question : que faire de tout ça ? ». Le même article rappelait que « le droit de savoir et le droit d'exister ne font qu'un ».

L'auteur de ces lignes laisse ses lecteurs décider de ce qu'il convient de penser de cette troublante histoire. En cette époque d'informations stéréotypées et de crise de la véritable presse d'information, l'affaire Marilyn Monroe peut avoir des répercussions plus importantes que celles de sa mort. Elle incitera peut-être les citoyens à affirmer leur droit de savoir.

Notes

Les livres que je cite dans ces notes sont indiqués simplement par le nom de leur auteur — sauf quand je cite deux ou plusieurs livres d'un même auteur : dans ce cas, le titre du livre cité est indiqué en abrégé. Dans les deux cas, le chiffre qui suit est celui de la, ou des pages, auxquelles je me réfère. Les deux parties de la bibliographie qui suit donnent : les titres complets des ouvrages cités, leurs éditeurs, ainsi que le lieu et la date de l'édition.

Ent. signifie : entretien(s) [interview(s)] que j'ai eu(s) avec telle ou telle personne ; suit l'indication de l'année, ou des années, où j'ai eu ce, ou ces entretiens. Si je cite une interview accordée à quelqu'un d'autre que moi, je l'indique : exemple : int. de x à y, etc.

Corr. signifie que je cite la ou les lettres que m'ont adressées telles ou telles personnes — ou que je m'y réfère.

Chapitre 1

pages :

13   Le samedi 4 août 1962... : ent. Natalie Jacobs, 1985

14   La nouvelle, comme elle fut traitée : *Hollywood Citizen-News*, 31 décembre 1962
       Enquête du District Attorney : ent. de l'Assistant District Attorney Ronald Carroll
          et de l'inspecteur Alan Tomich, 1983

15   Mailer : int. 1985
       Dernière interview : Richard Meryman, *Life*, 3/8/1962
       Gémeaux : Weatherby, 112

16   Gladys Monroe aujourd'hui : *Film Comment*, sept. 1982 ; *National Enquirer*, 1982 ;
          ent. James Haspiel, 1983
       Naissance de MM : acte cité par Slatzer, 347
       Mortenson : *Photoplay*, déc. 1962 ; *Los Angeles Daily News*, et *The Register* 13/2/1981
          (sur la mort de Mortenson) ; corr. Roy Turner, généalogiste de MM, 1983
       MM renie Mortenson : transcription ent. Hedda Hopper, 10/3/1953 (Zolotow
          collection) ; Voir aussi Dougherty, 73 ; Skolsky, *Don't Get Me Wrong*, 220
       Gifford : Guiles, *Norma Jean*, 7

17   Gable : *Idem, ibidem*, 38 ; ent. Hildi Greenson, 1983 ; *Empire News* (Londres),
          9/5/1954
       Formulaires administratifs : ent. Marjorie Stengel, 1983
       Arrière-grands-parents et grands-parents : données fournies par Roy Turner,
          généalogiste de Marilyn : Guiles, *Norma Jean*, 16 ; *Empire News*, 9/5/1954
       Transmission héréditaire de la syphilis : ent. Dr Burke Cunha (spécialiste des
          maladies infectieuses) et Dr Yehudi Felman (professeur clinicien de dermato-
          logie) — tous deux de New York

　　　　　　Tentative d'étouffement par Della : Arthur Miller, cité par Guiles, *Norma Jean*, 14
18　　　　Gladys «pas véritablement folle» : ent. Inez Melson, 1983
　　　　　　«Juive athée» : ent. Hildi et Joan Greenson, 1983
18-19　　Psychiatres consultés par nous : corr. Dr Ruth Bruun, Dr Bertel Bruun, Dr Valérie
　　　　　　　Shikhverf, tous trois de New York, 1985
　　　　　　Shikhverg : corr. et ent. 1985

Chapitre 2

20　　　　«Arrivée à l'école» : *Empire News*, 16/5/1954
　　　　　　Hecht : *Empire News*, 2/5 - 1/8/1954
20-21　　«MM fabriquait ses souvenirs?» : George Carpozi, *New York Post*, 21/6/1974 ;
　　　　　　Los Angeles Herald-Examiner, 1/9/1954
　　　　　　Mariage Dougherty : Dougherty ; Lytess ; Wilkie, 126 *sq*., 172, *sq.* ; *Empire News*
　　　　　　　16/5/1954
23　　　　MM à l'usine : *Empire News*, 16/5/1954
24　　　　Conover : Conover, premiers chapitres ; ent. David Conover, 1983 ; *Modern Screen*,
　　　　　　　juillet 1954 ; ent. Monroe par Georges Belmont, *Jours de France*, 1960
25　　　　Mensurations : Palmer, 12 ; Donald Zec, *London Daily Express*, 6/8/1962 ; ent.
　　　　　　　Billy Travilla, 1983
26　　　　Théâtre au lycée : *Empire News*, 23/5/1954
27　　　　MM explore Hollywood : *ibidem*

Chapitre 3

　　　　　　MM sur Norma Jean : *Empire News*, 16/5/1954
28　　　　«fidèle» : *ibidem*
　　　　　　Confiance de Dougherty : Dougherty, 86
　　　　　　Confidence fin 1960 : Jaik Rosenstein, *Hollywood Close-Up*, 17/5/1974
28-30　　De Dienes : Dougherty, 93-95 ; corr. André de Dienes, 1984 ; Jack Smith, *Los
　　　　　　　Angeles Times*, 8/8/1962 ; Mailer, *Marilyn*, 76 *sq* ; Hudson, 36
30　　　　Conover : ent. 1983 ; ent. Robert Markel, anciennement de Grosset & Dunlap,
　　　　　　　1984
30　　　　Lembourn : Lembourn ; corr. Mrs. Norman Nordstrand, 1984 ; *New York Times*,
　　　　　　　3/6/1979 ; James Haspiel, *Film in Review*, août/sept. 1979
　　　　　　Jean-Louis : ent. 1983
31　　　　MM sur les hommes d'Hollywood : *Empire News*, 16/5/1954
　　　　　　«Call-girl» : Adam, *Imperfect Genius*, 253 ; Strasberg, in *Swank*, août 1980 ; ent.
　　　　　　　Cindy Adams, 1985
32　　　　Pepitone : ent. 1984 ; Pepitone and Stadiem, 80
　　　　　　Halsman : *Popular Photography*, juin 1953 et janv. 1956
33　　　　Première expérience sexuelle : Skolsky, *Don't Get Me Wrong*, 222
　　　　　　Shearer : *Parade*, 5/8/1973
34　　　　Viol (version de MM) : *Empire News*, 9/5/1954
　　　　　　Feury : ent. 1983
　　　　　　Rosenstein : *Hollywood Close-Up*, 17/5/1974
　　　　　　Greenson, corr. avec collègue, 1960
35　　　　Cauchemar : Dougherty, 34
　　　　　　Freud : *New York Times, Science supplement*, 24/1/1984
36　　　　«George» : *Empire News*, 9/5/1954 ; Monroe, 19
　　　　　　Greene : ent. 1984
　　　　　　Kinsey : Kinsey *et altri*, *Sexual Behavior in the Human Female*, Philadelphie : W.B
　　　　　　　Sanders & C°, 1953, 282 *sq*.
　　　　　　Dougherty : Dougherty, 37
　　　　　　Indifférence de MM aux questions sexuelles : Monroe, 28
37　　　　Mitchum : Wilson, *Show Business Nobody Knows*, 299 ; ent. Wilson, 1984
　　　　　　MM et enfants : *Empire News*, 16/5/1954
38　　　　Diaphragme : Dougherty, 36
　　　　　　Carmen : ent. 1983

38 *sq*   Un enfant ? : Pepitone and Stadiem, 75 ; ent. Amy Greene et Jeanne Carmen, 1983-84

40   Leonardi : Wilson, *Show Business Laid Bare*, 61 ; ent. James Haspiel, 1984
Antalgiques : Zolotow, *Marilyn Monroe*, 26
Rosenfeld : ent. 1984
« Elle n'aurait rien d'une Norma Jeane... » : *Empire News*, 16/5/1955 ; Monroe, 31

41   Suicides : *New York Post*, 7/8/1962
MM à Las Vegas : Dougherty, 99
Dougherty : *Los Angeles Daily News*, 15/7/1984

Chapitre 4

42   Rencontre de Slatzer : ent. 1983 ; Slatzer, 86
43   Bonne foi de Slatzer (note) : cf. chapitre 11
Zahn : corr. et ent. 1983-84
44   Hughes : *Los Angeles Times*, 29/7/1946 ; (note) Wilson, *Show Business Nobody Knows*, 308 ; Wilson, *Hot Times*, 72 ; ent. Terry Moore, 1985
45   Différents noms : ent. James Haspiel, 1984
Lyon : Parsons, 213 ; *Los Angeles Herald-Examiner*, 6/8/1962 ; *Los Angeles Daily News*, 13/6/1953
Bout d'essai : Zolotow, *Marilyn Monroe*, 50
Engagement de MM : *Empire News*, 30/5/1954
46   Zahn : ent. 1983
Choix du nom : Wilson, *Los Angeles Daily News*, 13/6/1953
Shawhan : ent. 1983
Skolsky : ent. 1983 ; Skolsky, *Don't Get Me Wrong*, 213 ; Goodman, 53 ; John Sherwood, *Los Angeles Herald-Examiner*, 17/10/1962
47   Carnovsky : Zolotow, *Marilyn Monroe*, 61 *sq.*
48   Burnside : *Observer* de Londres, 6/5/1984
Devoirs d'école (1942) : Los Angeles City High School District Files, in Slatzer, 354
49   Occultisme : *Los Angeles Daily News*, 18/8/1962 ; ent. Susan Strasberg et Kenny Kingston, 1983 ; David Robinson, *Town*, nov. 1962 ; Joe Hyams, *New York Daily News*, 18/8/1962 ; ent. Gordon Heaver, Robert Slatzer et Eli Wallach, 1983-84
Ses lectures : Zolotow, *Marilyn Monroe*, 66, 251 ; *Life*, 7/4/1952 ; Bill Burnside, *Observer* de Londres, 6/5/1984 ; Knef, 256 ; Winters, 293
Lincoln : ent. Milton et Amy Greene, Joshua Logan, Brad Dexter et James Haspiel, 1983-84
Sandburg : ent. Henry Weinstein, 1984 ; *Look*, 11/9/1962 ; Weatherby, 141 ; ent. Amy Greene et Ted Strauss, 1983-84 ; Alan Levy, « A Good Long Look at Myself », *Redbook*, août 1962 ; Winchell, *Los Angeles Herald-Examiner*, 6/8/1962
« Le peuple » [« *The people* » qui veut dire aussi « les gens » — NDT] : *Life*, 3/8/1962
Vesalius : ent. Rupert Allan, 1983 ; Zolotow, *Marilyn Monroe*, 46

Chapitre 5

50   Liaison avec Chaplin, Jr : ent. Lita Grey, ex-épouse de Chaplin père, 1983 ; ent. Arthur James, 1983 ; ent. Nan Morris, veuve d'Edward G. Robinson Jr
51   Slatzer : ent. Robert Slatzer et Will Fowler, 1983
52   Wohlander : Wilson, *Show Business Laid Bare*, 61, ent. Wilson, 1984
Bodne : int. Mrs. Bodne par Theresa Garofalo, 1984
Rêve de nudité : *Empire News*, 9/5/1954 ; Monroe, 16
Lecture de Freud : Zolotow, *Marilyn Monroe*, 10
53   Policier : *Parade*, 5/8/1973 ; Monroe, 70 ; « So Far to Go », *Redbook*, juin 1952 ; *Hollywood Citizen-News*, 3/6/1952 ; Graham, *Confessions*, 137
Mari de la tutrice : Guiles, *Norma Jean*, 41
Incrédulité de Skolsky : Skolsky, *Don't Get me Wrong*, 222
Rencontre de Carroll : ent. May Mann, 1983 ; ent. Robert Slatzer, 1983 ; Guiles, *Norma Jean*, 93

54   MM sur les hommes d'Hollywood : *Empire News*, 30/5/1954
        MM repousse avance d'un directeur de casting : *Empire News*, 30/5/1954
        Churchill : corr. et ent. Tommy Zahn, 1983
        Rosenstein : *Hollywood Close-Up*, 17/5/1974
55   MM et Lyon : ent. Sheilah Graham, 1985
55-56   Schenck : ent. Marion Marshall Wagner, 1983
57   Jonie Taps : ent. 1983
        Bacon : ent. 1983 ; Bacon, *Hollywood Is a Four-Letter Town*, 125
58   Chasin : ent. 1983
        Minardos : ent. 1983
        Dîner à l'époque de *Le Milliardaire* : ent. Ruppert Alan, 1983 ; Guiles, *Norma Jean*, 304
58-59   Greene : ent. 1984
        Romanoff : ent. 1983
        Weatherby : Weatherby, 142
        Hommes plus âgés : Jaik Rosenstein, *Hollywood Close-Up*, 17/5/1974
        MM à propos de Schenck : *Empire News*, 6/6/1954

Chapitre 6

60   Lytess : Lytess ; Wilkie, 126 *sq.* 172 *sq.* ; Natasha Lytess, *Screen World*, nov. 1953 ;
        Bill Tuscher, *Movie Mirror*, mai 1957
61   Pepitone : ent. 1984 ; Pepitone et Stadiem, 192
        Muir : ent. Robert Slatzer. 1983
        Skolsky : ent. Steffi Skolsky, 1983
61-62   MM « lesbienne » : Weatherby, 108 ; *Empire News*, 13/6/1954 ; Monroe, 76
        Lytess : Lytess, 4
61-65   Liaison avec Karger : ent. Anne Batté et Bennett Short, Patti Karger, Terry
        Melton, Elizabeth Karger, Vi Russell et Richard Quine, 1983
64   MM sur cette liaison : *Empire News*, 13/6/1954 ; Monroe, 78
65   La montre : ent. Elizabeth Karger, 1983 ; *Empire News*, 20/6/1954 ; Monroe, 83
        « Garce » : Skolsky, *Don't Get Me Wrong*, 223
66   Lytess : Lytess, 4
        Taps : ent. 1983
        MM et Cohn : *Empire News*, 6/6/1954 ; Hoyt, 54 *sq.*
67   Krekes : Conway et Ricci, 29
        MM voit son film : ent. Anne Batté, 1983

Chapitre 7

        Lytess : Lytess, 6
68   Starr : ent. 1983
68-69   MM à *Photoplay* : Adele Fletcher, *Photoplay*, sept. 1965
        Wilson ; ent. 1984 ; Wilson, *Show Business Nobody Knows*, 306
        Rosenfeld : ent. 1984
70   Hyde (chirurgie dentaire et faciale) : ent. Elizabeth Karger et James Haspiel, 1983
        Lytess et *Asphalt Jungle* : Lytess, 7
71   Tampons d'ouate sur les seins : ent. James Bacon, 1983
        Huston : ent. 1983 ; Huston, 286
        Johnson : Johnson et Leventhal, 202
        Romanoff : ent. 1983
        Wilder : ent. 1983
72   Kanin : Kanin, 355 *sq*
        Bacon, int. 1983
        MM quitte Palm Springs : ent. Patti Karger, 1983
        MM à Karger : Guiles, *Norma Jean*, 118
        Epouser Hyde ? : *Empire News*, 27/6/954 ; Monroe, 104
        Craft : ent. 1983
        Lytess à propos de Hyde : Lytess, 12

73   MM pleurant encore Hyde : ent. Amy Greene et Maureen Stapleton, 1983-84
         Johnson : Johnson et Leventhal, 210
         Tentative de suicide : Lytess, 14

Chapitre 8

74   Bernheim : int. 1983
         Knef : Knef, 255
75   Critiques d'*Asphalt Jungle* : Conways et Ricci, 40
         U.C.LA : Robert Cahn, *Collier's*, 8/9/1951
76   Paar : Paar, 85
         MM et Lytess «grande attraction comique» : Lytess
         Chekhov : Weatherby, 41 ; Alan Levy, «A Good Long Look at Myself», *Red-*
             book, août 1962 ; Monroe, 133
77   Cahn : *Collier's*, 8/9/1951
78   *Look* et *Life* : int. Rupert Allan, Roy Craft et Ted Strauss, 1983
79   Winters : Winters, 98, 292 ; Adams, *Imperfect Genius*, 258 ; ent. James Haspiel,
         1985
80   Plaisanterie au sujet d'Einstein : ent. Eli Wallach, 1984
         Howard : ent. 1983
         Kazan, refus d'être interviewé : corr. 1984
80-83   Kazan : ent. Milton Greene, Eli Wallach, Alain Bernheim et Milt Ebbins, 1983-84
81   Kazan et parti communiste : *Current Biography*, 1972
         Allan : ent. 1983
83   Cameron Mitchell : Zolotow, *Marilyn Monroe*, 93
         «qu'elle pleurait» : Robert Levin, *Redbook*, févr. 1958
         Lettre de Miller : Guiles, *Norma Jean*, 132
84   MM à propos de Miller : Parsons, 230
         Lytess : *New York Post*, 8/7/1956
         Slapleton : ent. 1983
         Lettre de Miller : Guiles, *Norma Jean*, 132
84-85   Coup de fil à Bacon : Bacon, *Hollywood Is a Four-Letter Town*, 129

Chapitre 9

         Gardner : Hy Gardner, *New York Herald Tribune*, 8/8/1962
85-87   Calendrier : Tom Kelley, *Man*, mars 1955 ; Hedda Hopper, *Los Angeles Times*,
         9/11/1963 ; Natalie Kelley Grasco, *Movie Stars Parade*, juil. 1953 ; Tom Kelley,
         Filmland, févr. 1954 ; Skolsky, *Don't Get Me Wrong*, 217 ; Aline Mosby, UPI,
         13/3/1952 ; Aline Mosby, *Santa Monica Evening Outlook*, 6/8/1962 ; ent. Johnny
         Campbell, Sonia Wolfson et Theo Wilson, 1983
87   *Playboy* : Talese, 78 *sq.* ; *Playboy*, déc. 1953
         MM et pornographie : *Penthouse*, oct. 1980 ; cassette vidéo de *Apple Knockers and*
         the Coke Bottle ; *Confidential*, mars 1955
87-89   MM et «son père» : Dougherty, 73 ; ent. Inez Melson, 1983 ; Skolsky, *Don't*
         Get Me Wrong, 220 ; ent. Ralph Roberts et Pat Newcomb, 1985 ; Guiles, *Norma*
         Jean, 136 ; ent. Amy Greene et Henry Rosenfeld, 1984
89   Henaghan : *Redbook*, juin 1962 ; *Motion Picture*, juil. 1955
         Johnson : *Los Angeles Daily News*, 3/3/1952
90   Opération de l'appendicite : ent. Dr Marcus Rabwin, 1984 ; corr. Mrs. Rab-
         win, 1984 ; Graham, *Confessions*, 133
91   Coups de fil de DiMaggio : Zolotow, *Marilyn Monroe*, 143

Chapitre 10

95 *sq.*   Histoire de DiMaggio : di Gregorio ; Allen ; Gay Talese, «The Silent Season
         of a Hero», *Esquire*, juil. 1966
95   Refus d'écrire sa biographie : Melvin Durslag, *Los Angeles Times*, 1982
96   DiMaggio voit la photo : Carpozi, 73 ; Allen, 171 ; Spada, 36 ; ent. Roy Craft, 1983

97   Rencontre de MM et DiMaggio : *Empire News*, 18/7/1954 ; **Allen**, 173 ; Carpozi, 72
99   « DiMaggio se serait vanté » : ent. Wilson, **1984**
100   Williams : *Los Angeles Mirror*, 10/3/1953
        Liaison Minardos : ent. Nico Minardos, 1983
102-3   DiMaggio et la presse : Skolsky, *Marilyn*, 62
103   Travilla : ent. 1983
        « gourde et mijaurée » : *New York Daily News*, in Conway et Ricci, 87

Chapitre 11

104   Slatzer : ent. 1982-85
105   Bonne foi de Slatzer : Snyder, in Slatzer, XXI ; ent. Nobel « Kid » Chissell, Gordon
        Heaver, Dr Sanford Firestone, Lee Henry, Doral Chenoweth et Ron Pataki
        (tous de Columbus, Ohio), 1983-85
107   L'ennui au Toots Shor's : Carpozi, 81
        Neill : ent. 1983
        Coiffeuse : ent. Gladys Whitten, 1983
        Snyder : ent. 1983
108   Jalousie du mâle : *Hollywood Citizen-News*, 4/9/1952
109   Kilgallen : *New York Journal-American*, 28/8/1952
        Slatzer et les livres : *New York Journal-American*, 17/9/1952
110   Firestone : ent. 1985
        Moore : ent. 1983-85 ; *Los Angeles Times*, 15/2/1983
        Fowler : corr. 1985
111   Chissell : ent. 1982
113   Russel : ent. 1983
        Skolsky : Skolsky, *Marilyn*, 62 ; *Modern Screen*, oct. 1953
114   « étoiles volant de ses propres ailes » : *Movieland*, déc. 1952
        Ray Anthony : ent. Lionel Newman et Leo Gill, 1983 ; *Movieland*, déc. 1952 ;
        « *Marilyn* », chanson de Starlight Songs Inc., 1952

Chapitre 12

115   Grauman's : ent. Jane Russell, 1983 ; Spada, 74
        Whitten : ent. 1983 Gladys
117   Noonan : ent. Jane Russell, 1983
        Snyder et Plecher : ent. 1983
        Dons à Lytess : Lytess
118-120 Liaison Travilla : ent. 1983 ; bonne foi de Travilla confirmée par ent. Don Feld,
        1985
121   Robinson : ent. Arthur James et Nan Morris, 1983
122   Siegel : ent. 1983
123   Greene : ent. 1984
        Gardel : ent. 1983
        Mort de Grace MacKee : acte de décès, retrouvé par Roy Turner ; Guiles, *Norma
        Jean*, 165
        Prix de *Photoplay* : ent. Billy Travilla ; Bacon, *Hollywood Is a Four-Letter Town*, 139
124   *New York Times* : Barbara Jamison, 12/7/1953
        Negulesco : ent. 1983 ; *Flashback*, Marbella Film Institute, 1983 ; CBS TV « Eye-
        witness », 10/8/1962 ; Negulesco, 417 *sq*.
        Johnson : Pete Martin, 126
        « elle s'embrouilla » : Kanin, 358
125   Bacall : Bacall, 208
        Johnson : Johnson et Leventhal, 106
        « paresseux » : *Newsweek, People section*, 31/10/1960
        Première : Johnson et Leventhal, 205 *sq*.
126   Bacall : Bacall, 208

145   Wilder, ent. 1983
       MM aurait voulu jouer nue : ent. Billy Wilder ; Wilson, *Show Business Laid Bare*, 62
       Godiva : I.N.S., 15/9/1954
       Brando : Sydney Skolsky, *New York Post*, 7/8/1954
146   Winchell : *Los Angeles Herald-Examiner*, 8/8/1962
147   Krasner : *Globe*, 22/12/1981
       Whitten : ent. 1983
       Amy Green : ent. 1984
       Snyder : ent. 1983
       MM et les journalistes sportifs : *Life*, 27/9/1954
148   Monroe pleure et s'alite : Zolotow, *Marilyn Monroe*, 214
       Séparation : *Los Angeles Times, Los Angeles Mirror, Daily News*, NANA, *Houston Chronicle, Los Angeles Examiner, Hollywood Citizen-News*, 4-10/10/1954
       Craft : ent. 1983
149   Whitten : ent. 1983
       Travilla : ent. 1983
       Hyams : Hyams, 141
150   Détectives de DiMaggio : *Los Angeles Times*, 28/2/1957 ; dépositions de Irwin ; J.E. Leclair, *Confidential*, sept. 1955
       Détectives de la Fox : ent. John Daley, ex-agent de l'IRS, 1983
151   Patti Karger : ent. 1983
       Steffi Skolsky : ent. 1983
       Dexter : ent. 1983
       Sinatra : *Time*, 29/8/1955 ; Gehman, Sciacca (*Sinatra*), Shaw, Wilson (*Sinatra*)
153   Audience de divorce : *New York Daily News, Los Angeles Times, Santa Monica Evening Outlook*, 27 et 28/10/1954
       DiMaggio parlant de réconciliation : *Los Angeles Herald-Express*, 28/10/1954
       MM la veille du divorce : *Los Angeles Herald-Express*, 26/10/1954
       MM et DiMaggio chez Sinatra : Jim Henaghan, *Motion Picture*, juil. 1955
       Winchell : *New York Mirror*, 8/8/1962

Chapitre 16

154   Rencontre de Skolsky et DiMaggio : Skolsky, *Don't Get Me Wrong*, 224
155   Rumeurs concernant MM et Lytess : ent. Steffi Skolsky, 1983
       Hal Schaefer : ent. 1984 ; ent. Lionel Newman, 1983
157   Schaefer tente de se suicider : ent. Milt Ebbins et Sheila Stewart, 1983 ; *Los Angeles Herald-Examiner*, 6/10/1954
158   La presse et Schaefer : Louella Parsons, *Los Angeles Herald-Examiner*, 6/10/1954
159   Réconciliation avec DiMaggio ? : *Los Angeles Herald-Express*, 28/10/1954 ; *Los Angeles Examiner*, 5/11/1954
159 *sq.* « Expédition de la mauvaise porte » [« *Wrong Door Raid* »] : *Confidential*, sept. 1955 ; Report of the [California] State Interim Committee on Collection Agencies, Private Detectives and Debt Liquidators (Senate Resolution 21, 1957) ; *Los Angeles Times*, 17, 20, 27, 28/2 et 1, 2, 14, 21, 27/3/1957 ; *Beverly Hills Citizen*, 11/9/1958 ; *Hollywood Citizen-News*, 9/3/1957 ; ent. Hal Schaefer, Sheila Stewart, James Bacon, Brad Dexter, Fred Blasgen, Fred Otash, John Daley, Gloria Romanoff, 1983-84 ; Bacon, *Hollywood Is a Four-Letter Town*, 141 ; Otash, 73-84
162   Maladie de Marilyn : *Los Angeles Times*, 6/10/1954 ; AP, 4/10/1954
       Krohn : ent. Dr Lee Siegel, et interview du Dr Krohn par un collègue, 1983
163   Opération de MM : I.N.S. 4 et 8/11/1954 ; *Los Angeles Daily News*, 8,9/11/1954 ; *Hollywood Citizen-News*, 8/11/1954 ; *Los Angeles Examiner*, 9/11/1954 ; *Motion Picture Editor*, I.N.S., 13/11/1954 ; *Los Angeles Times*, 13/12/1954
       DiMaggio s'enquérant de MM : ent. Inez Melson, 1983
164   Réception pour *Sept ans...* : rubrique de Sidney Skolsky, *Hollywood Citizen-News*, 9/11/1954 ; *Life*, 29/11/1954
       Alias « Z. Zonk » : ent. Milton Greene, 1983

Chapitre 17

Chapitre 18

Chapitre 19

194   «Eternel triangle» : Zolotow, *Marilyn*, 269

Retrouvailles de Marilyn et Miller : Zolotow, *Marilyn*, 263. Reprise de contact en avril : int. Arthur Miller à Robert Ajemian

195   Leonardi : *New York Post*, 8/7/1956

Dîners donnés par Marilyn : Robert Ajemian, int. Arthur Miller ; ent. Maureen Stapleton, 1983

MM sur la liberté politique : Alan Levy, «A Long Good Look at Myself», *Redbook*, août 1962

196   «Un ami intime» : Alan Levy, *Redbook*, août 1962

Lectures de DiMaggio : Meaker, 39

L'«intellect» de Miller : Parsons, 232

Rosten : Norman Rosten, 36

Time : int. Arthur Miller par Robert Ajemian

198   Les Kargers dans le New Jersey : ent. Bennett Short et Anne Batté, 1983

Assiduités de DiMaggio : Wilson, *Show Business Nobody Knows*, 312 ; ent. Wilson et Henry Rosenfeld, 1984. Dispute : Zolotow, *Marilyn*, 243. Haspiel : ent. 1984

199   «Plaisanterie» de Marilyn : int. Patti Karger et Bennett Short, 1983. Karger à New York : Guiles, *Norma Jean*, 202. Rosenfeld : ent. Henry Rosenfeld et Norman Rosten, 1984

199-200 Rainier de Monaco : ent. Gardner et Fleur Cowles, et de Milton et Amy Greene, 1983-1984. Coup de fil à Grace Kelly : Graham, *Confessions*, 135

200   Brando : ent. Milton et Amy Greene ; *Movieland*, déc. 1954 ; int. MM par George Barris, *New York Daily News*, 17/8/1962. Sex-appeal : int. Pete Martin, *Saturday Evening Post*, 5/5/1956. Photographie : collection d'Amy Greene. Coups de téléphone dans les derniers jours : corr. et ent. Ralph Roberts, 1983-1984

201   Interview de Wilson : *New York Post*, 2/10/1955 ; ent. Wilson, 1984

«Parlent de mariage» : Jim Cook, *New York Post*, 8/7/1956

202   *Anna Christie* : ent. Maureen Stapleton, 1983. Lytess : Bill Tusher, *Movie Mirror*, mai 1957. Kim Stanley, *American Film*, juin 1983

Eloges de Strasberg : Logan, 43 ; ent. Joshua Logan, 1984

Loge : Dorothy Manning, *Photoplay*, oct. 1956 ; Sidney Skolsky, *New York Post*, 2/8/1955

203   Contrat : Zolotow, *Marilyn Monroe*, 266 ; ent. Amy Greene, 1984

Conférence de presse avec Olivier : *Time*, 20/2/1956 ; Kirnan, *Sir Larry*, 257 ; Manning : *Photoplay*, oct. 1956

204   «Schizoïde» : Olivier, 205

Soins psychiatriques (en 1954) : Carpozi, 114 ; Zolotow, *Marilyn Monroe*, 207

Gottlieb : ent. 1984

Corday : ent. 1983

205   «Matériel pour se droguer» : Otash, 80 ; ent. Fred Otash, 1983

MM a interrompu traitement psychiatrique : Zolotow, *Marilyn Monroe*, 226 ; Greene, entr. 1983. Haspiel : ent. 1984

Miller : int. A. Miller par R. Ajemian

Wilder : Goodman, 227

Rosenfeld : ent. 1984

Fletcher : *Photoplay*, sept. 1965

206   Leonardi ; *New York Post*, 15/7/1956

Calepin : Richard Gehman, *American Weekly*, 1/5/1960

Comprimés : ent. Milton et Amy Greene, 1983-1984

Strasberg l'aide : Adams, *Imperfect Genius*, 263 ; ent. John Strasberg, 1984

206-207 *Time* : 14/5/1956

207   Goodman : Goodman, 231

Rosten : ent. 1984 ; Norman Rosten, *Newsday*, 1/8/1962

Chapitre 20

208   Accueil : *Time*, 14/5/1956

Bus Stop : ent. Joshua Logan et Milton Greene, 1983-1984 ; Logan, 42

209	Buddy Adler : int. A. Miller par R. Ajemian
	Lytess : Lytess, 27
	Paula Strasberg : ent. Susan et John Strasberg ; Adams, *Imperfect Genius* ; Strasberg, 75
210	« Barrière de fer » : ent. Rosie Steinberg, 1983
	Incident avec Murray : Carpozi, 138
	Tranquillisants ; Guiles, *Norma Jean*, 229
	Réceptions : Adams, 269
211	Maladie : *New York Times*, 13/3/1956
	Presse : ent. William R. Woodfield, 1984
212	Interview à *Time* : ent. Brad Darrach, 1984
213	Newcomb : ent. Pat Newcomb et Rupert Allan 1983-1984
	Lange : Hoyt, 176
	Psychiatre : ent. Milton Greene, 1983
214	Critiques : *New York Times*, *New York Herald*, *New York Herald Tribune*, 1/9/1956
	Pas d'Oscar : Graham, *Confessions*, 114
	Logan : ent. 1984 ; int. Wilson, *New York Post*, sept. 1956

Chapitre 21

	« Mr. and Mrs. Leslie » : Goode, 17 ; Jim Cook, *New York Post*, 8/7/1956 ; Robert Ajemian, int. d'A. Miller, avr. 1956
215	Mann : ent. May Mann, 1983
215 *sq.*	Commission parlementaire (de la Chambre des représentants) sur les activités antiaméricaines : minutes des débats du 21/6/1956, U.S. Government Printing Office, 1956 ; Feinman, 170 *sq.* ; Huston, chap. 11 ; Bentley ; Cogley. McCarthy : Richard Rovere, « The Frivolous Demagogue », *Esquire*, août 1958 ; George Will, *New York Times*, 15/6/1984. Audience Miller : Jim Cook, *New York Post*, 13/7/1956. Winchell : rubrique non datée, juin 1956. Steinbeck : John Steinbeck, « The Trial of Arthur Miller », *Esquire*, juin 1957 ; Weatherby, 125 ; *Los Angeles Times*, 22/6/1956, 1/7/1956, 1 et 19/6/1957 ; *New York Daily News*, 22/6/1956 et 26/7/1956 ; *Los Angeles Herald Examiner*, 29/5/1957 ; *Hollywood Citizen-News*, 18/2/1957. Walter : Robert Martin, 291
217	Marilyn au sujet de la Commission des activités antiaméricaines : *Newsweek*, 2/7/1956 ; *Los Angeles Times*, 8/8/1958. MM à Washington : ent. Eli Wallach, 1984 ; Guiles, *Norma Jean*, 247 ; Signoret, 290 ; ent. Henry Rosenfeld, 1984 ; menaces de Skouras : Signoret, 301 ; *Life*, 3/8/1962 ; Weatherby, 54
218	Greenson : ent. Danny Greenson, 1984
	Les Strasberg et le « communisme » : Adams, *Imperfect Genius*, 172 *sq.*, 242 ; Capell, 43
	Communications du FBI : fragments de documents sur MM relatifs à l'année 1956, communiqués à l'auteur en 1983, et à Robert Slatzer en 1980
218-219	Hoover : Wallace *et altri*, 628
219	Coup de fil à Rosten : Norman Rosten, 34
	L'ouvrier : *Newsweek*, 2/7/1956
219 *sq.*	Mariage : *New York Daily News*, 22 et 27/6/1956 ; *Los Angeles Times*, 2 et 3/7/1956 ; *Los Angeles Herald Express*, 28/6/1956 ; *Los Angeles Herald Examiner*, 30/6/1956, 3 et 4/7/1956 ; *Los Angeles Mirror-News*, 30/6/1956 ; Zolotow, *Marilyn Monroe*, 287 *sq.* ; *Westchester News*, 3/7/1956
220	Le père et la mère de Miller : Flora Rheta Schreiber, « Remembrance of Marilyn », *Good House-Keeping*, janv. 1953 ; *Life*, 16/7/1956
220-222	Cérémonie juive : Susan Wender, « Marilyn Enters a Jewish Family », *Modern Screen*, nov. 1956
221	Greene : ent. 1983-1984
222	Rosten : Norman Rosten, 38
	Alliance : Guiles, *Norma Jean*, 252
	« Espoir » (*ter*) : Wangenknecht, *Seven Daughters of the Theater*, 202

Chapitre 22

Chapitre 23

234 « belle-mère » : Alan Levy, « A Good Long Look at Myself », *Redbook*, août 1962 ;
ent. Lionel Newman et Jasmes Haspiel, 1983-1984
« bonne maîtresse de maison » : ent. Maureen Stapleton et Norman Rosten,
1983-1984 ; Norman Rosten, 54
McCarthy, ent. 1983
255 Miller : « Marilyn Stands by Her Man », *Movieland*, juil. 1957
MM ne va pas témoigner : Carpozi, 146
Slatzer : corr. Slatzer ; *Confidential*, mai 1957
DiMaggio : Roderick Man, *Daily Express* (Londres), 16/7/1956
Petit mot à Rosten : Norman Rosten, 50
236 Amagansett : N. Polsky, « And the Lord Taketh Away », *Modern Screen*, nov. 1957 ;
Zolotow, *Marilyn Monroe*, 312 ; *Look*, 1/10/1957
Première : *Los Angeles Times*, This Week, 11/12/1960
Sidewalk Superintendents : Joe Hyams, *New York Herald Tribune*, 3/7/1957
237 Nécessité d'un enfant : *Los Angeles Times*, This Week, 12/4/1964 ; ent. Danny
Greenson, 1984 ; Norman Rosten, 46 ; Wagenknecht, *Seven Daughters of the Thea-
ter*, 208 ; *Observer* (Londres), 14/10/1956
Fausse couche : N. Polsky, « And the Lord Taketh Away », *Modern Screen*, nov.
1957 ; « Let My Baby Live », *Movie Stars Parade*, nov. 1957 ; Louella Parsons,
Los Angeles Herald Examiner, 2/8/1957 ; UPI, 1/8/1957 ; AP, 1/8/1957 ; Zolotow, *Marilyn Monroe*, 316 ; Grahams, *Confessions*, 141 ; Carpozi, 148 ; Norman
Rosten, 312
238 Pepitone, ent. 1984 ; Pepitone et Stadiem, 27 et 48
Propriété à la campagne : ent. Josephy, 1984 ; Hollis Alpert, *The Dreams and the
Dreamers*, New York, MacMillan, 1962 ; *Look*, 1/10/1957 ; Harris, 191 ; Norman Rosten, 66 *sq.*. Sur les Diebolds : informations prises par l'auteur en 1984 ;
Patricia Rosten au sujet de Marilyn : Peary, 321
239 *sq.* Marilyn et la nature : ent. Inez Melson, 1983 ; Miller, « Please Don't Kill Anything », Stories by Arthur Miller, 1967
240 Les deux gamins dans le parc : ent. James Haspiel, 1985
Les capucines : ent. Rupert Allan, 1983
241 Souvenirs de Rosten : corr. et int. Norman Rosten, 1984 ; Norman Rosten, 75
et 55 ; « A Friend Remembers Marilyn », *Newsday*, 1/8/1982
« A l'aide » : Norman Rosten, page de garde

Chapitre 24

Beaton : Cecil Beaton, *The Face of the World*, New York, John Day, 1957
242 Numéro de *Life* : Arthur Miller, « My Wife Marilyn » *Life*, 22/12/1958
Clift : Bosworth, 297 ; LaGuardia, 191
243 *sq.* Arrivée à L.A. : *Los Angeles Times*, *Los Angeles Herald Examiner*, 9/7/1958 ; This
Week, *Los Angeles Times*, 5/10/1958
242 *sq.* *Certains l'aiment chaud* : Zolotow, *Marilyn Monroe*, 320 ; Guiles, *Norma Jean*, 285 ;
LaGuardia, 192
243 « Allez vous faire foutre », etc. : ent. Billy Wilder, 1983 ; Guiles, *Norma Jean*, 287
244 Verre de champagne : *New York Daily News*, 3/2/1960
Arrogance, etc. : Carpozi, 152
Shearer : *Parade*, 7/12/1958
Wilder : *Parade*, 7/12/1958 ; ent. 1983
245 *sq.* Lettre à Rosten : Norman Rosten, 76
246 Médecins : Carpozi, 150
Wilder et Miller : ent. Billy Wilder, 1983
Lettre à Rosten : Norman Rosten, 77
247 Grossesse : *Los Angeles Herald Examiner*, 18/10 & 17/11/1958 ; *Los Angeles Times*,
1/11 & 18/12/1958 ; AP, 18/12/1958 ; Carpozi : 153 ; NormaN Rosten, 71
Crise du ménage Miller : Norman Rosten, 79 ; Strasberg, 125 ; Adams, *Imper-
fect Genius*, 267 ; ent. Maureen Stapleton et Martin Ritt, 1983

248   Miller dans son bureau : Allan Seager, « The Creative Agony of Arthur Miller », *Esquire*, oct. 1959
            Interview à un journaliste anglais : David Lewin, *Daily Express*, 6/5/1959
            Khrouchtchev : Fisher, 172 ; Guiles, *Norma Jean*, 292 ; ent. Hildi Greenson, 1983
249   Sukarno : ent. Joshua Logan, 1984 ; AP et UPI, 31/5/1956 ; ent. Gloria Romanoff et Robert Slatzer, 1983 ; Smith, chap. 14 ; Coward, 341 ; *Alleged Assassinations Plots involving Foreign Leaders* ; ent. Marshall Noble — ex-fonctionnaire du Département d'État, chargé de l'Extrême-Orient — 1985 ; Adams, *Dictator*, 160 ; ent. Joseph Shimon, 1985
            Monroe et Sukarno : Norman Rosten, 72 ; corr. Joseph B. Smith, 1984

Chapitre 25

250   « Un soir de septembre 1959... » : Norman Rosten, 79
251   Vedette masculine : Joe Hyams, « The Frenchman Who Rescue Marilyn », *New York Herald Tribune*, This Week, 21/8/1960
            Marilyn au sujet de Montand : Joe Hyams, *New York Herald Tribune* ; *Look*, 1960
            Miller au sujet de Montand : *ibidem*
252 *sq.* Signoret, Montand et Marilyn : Signoret, chap. 11
            Attentes : *Life*, 15/8/1960
            Marilyn et les médecins : ent. avec ses médecins et la famille Ralph Greenson, 1983-1984
253   Censure : ent. Frank McCarthy, 1983
            Minardos : ent. Nico Minardos
254   La fameuse liste : Winters, 294
            Comme DiMaggio : Bacon, *Hollywood Is a Four-Letter Town*, 142
            Début de la liaison : Graham, *Confessions*, 142 ; ent. James Bacon et Wilson, 1983-1984 ; Bacon, *op. cit.*, 143
            MM attend Montand à l'aéroport : Graham, *Confessions*, 143 ; Skolsky, *Don't Get Me Wrong*, 229 ; Bacon, *op. cit.*, 144 ; Guiles, *Norma Jean*, 324 ; Carpozi, 157
            Montand refuse de répondre : dépêches originales de Hedda Hopper relatant son entrevue avec Montand, 31/8/1960 ; *Los Angeles Times*, 1/9/1960 et 7/8/1962
255   Buchwald : *Los Angeles Times*, 18/9/1960
            « Autre journaliste » : Vernon Scott, UPI, 2/9/1960
            Signoret sur Marilyn : *Los Angeles Mirror-News*, 16/11/1960 ; Signoret, 295

Chapitre 26

            Greenson : Leo Rosten ; Notes du Dr Robert Litman, 1982 ; premier jet d'un article de Maurice Zolotow d'après une interview du Dr Greenson, 1973 ; *Medical Tribune*, 24/8/1973 ; Lloyd Shearer, « Marilyn Monroe, Why Won't They Let Her Rest in Peace ? », *Parade*, 5/8/1973 ; curriculum vitae de Greenson ; corr. et ent. veuve du Dr Greenson, Mrs. Hildi Greenson, de sa fille Joan, de son fils Danny, de sa secrétaire Susan Alexander, 1983-1985 ; corr. avec un collègue du Dr Greenson qui ne peut être nommé ici ; ent. Dr Robert Litman, Dr Norman Farberow, et Dr Norman Tabachnick, tous psychiatres du Centre de prévention du suicide de L.A. en août 1962 ; conversations avec Dr Maurice Lazarus et Paul Moor, 1983
256   Greenson et Sinatra : ent. Kitty Kelley, 1985
257   « Le meilleur script » : *New York Post*, 20/11/1959
257-259 Avis non définitifs de Greenson : ent. et documents du Centre de prévention du suicide de L.A., 1983-1984 ; corr. Greenson

Chapitre 27

259   *Misfits* : Goode ; Alan Levy, « A Good Long Look at Myself », *Redbook*, août 1962
260   Cadeau de la Saint-Valentin : ent. John Huston et Eli Wallach, 1983-1984 ; Huston, 286 *sq.*

261   Discussion sur l'infidélité : Weatherby, 13
    Entrevue avec Dexter : ent. 1983
    Haspiel : ent. 1985
    Cartier-Bresson : Goode, 101

262   McIntyre : *Esquire*, mars 1961
    Marilyn à propos de Gable : *Cosmopolitan*, déc. 1960
    Gable à propos de Marilyn : ent. George Chasin, 1983 ; Bacon, *Hollywood Is a Four-Letter Town*, 145
    Consommation de Nembutal : premier jet de l'article de Zolotow, 1973 ; ent. John Huston et Whitey Snyder, 1983

263   Scène entre Miller et Marilyn : *Los Angeles Examiner* et *Los Angeles Mirror*, 19/10/1960
    Allen : ent. Kathy Castle, 1984
    Chambre du maquilleur : ent. Whitey Snyder, 1983
    Miller déménage avec sa machine à écrire : interview de Mary Malone par Kathy Castle, 1984
    Strasberg : Adams, *Imperfect Genius*, 278

264   Allan : ent. Ruppert Allan, 1983

264-265   Gable sur la mort : Goode, 122
    Tentative de suicide ? : ent. Kendis Rochlen — reporter et ami de Clark Gable —, 1983 ; ent. Eli Wallach, 1984
    Lavage d'estomac : *Esquire*, mars 1961
    Drap mouillé : Strasberg, 135
    Visites de Brando et Sinatra : ent. Ruppert Allan, 1983
    Parsons : Carpozi, 163
    Rumeurs de suicide : *Cosmopolitan*, déc. 1960
    L'anneau dans la rivière : *Redbook*, 1962
    Wilson : ent. Wilson, 1984

266   Weatherby : Weatherby, 37-52
    Anniversaire de Miller : Goode, 245 ; Hamblett, 330

267   Divorce : *Los Angeles Mirror*, *L.A. Herald Examiner*, 11/11/1960 ; *New York Times*, *New York Journal-American*, 12/11/1960 ; *New York Post*, 14/11/1960 ; *Los Angeles Herald Examiner*, 26/12/1960 ; *Time*, 21/11/1960
    Dent abîmée : ent. James Haspiel 1985
    Mort de Gable : *New York Journal-American*, 17/11/1960 ; *New York Post*, 18/11/1960
    Sentiments de Mrs. Gable : ent. Kendis Rochlen et Ross Acuna 1983
    Réaction de Marilyn : Skolsky, *Don't Get Me Wrong*, 230
    Critiques des *Misfits* : *Film Scripts N° 3*, édit. par George P. Garrett, O.B. Hardison Jr. et Jane R. Gelfman, New Appleton Century-Crofts 1972, p. 203 ; Conway et Ricci, 157

268   Miller : LaGuardia, 220 ; Goode, 300
    «Se retrouver soi-même» : *Los Angeles Times*, 30/11/1960
    Slatzer : photo appartenant à Slatzer, que j'ai vue en 1983
    Minardos, Greene : ent. 1983-1984

269   Montand : *Los Angeles Times*, *Sunday Dispatch* (Londres), 13/11/1960 ; *Los Angeles Mirror*, 16/11/1960 ; *New York Journal-American*, 18/11/1960 ; *Hollywood Citizen-News*, 14/12/1960 ; ent. Pat Newcomb, 1983-1984 ; Pepitone et Stadiem, 163
    DiMaggio : Mailer, *Marilyn*, 290 ; ent. Marjorie Stengel, 1983 ; Pepitone et Stadiem, 165

270   Testament : Guiles, *Norma Jean*, 342
    Gellules : *idem*, *ibidem*, 344
    Marilyn chez les Strasberg : Adams, *Imperfect Genius*, 264 ; Strasberg, 156
    Divorce : *Hollywood Citizen-News*, 21/1/1961 ; *El Correio Ciudad Juarez*, *La Prensa*, *El Universal*, *Excelsior*, 22/1/1961
    Haspiel : ent. 1984
    Critiques des *Misfits* : Anderson, 178

Chapitre 28

271   Payne Whitney : Carpozi, 174 *sq.* ; *Life*, août 1966 ; Strasberg, 156 ; ent. Pat Newcomb 1983 ; Norman Rosten, 92 ; ent. Gloria Romanoff 1983

272-273   Lettre de Marilyn : *San Francisco Chronicle*, 1/6/1984 ; *Los Angeles Times*, 6/1/1984 ; fac-similé in Speriglio, 248 ; *Los Angeles Times, New York Post, New York Daily News*, 9/2/1961 ; *New York Mirror*, 6/8/1962

             Changement d'hôpital : *Hollywood Citizen-News, Los Angeles Times*, 2/2/1961 ; *Los Angeles Herald Examiner*, 12/2/1961 ; *Los Angeles Herald Examiner* et *New York Journal-American*, 6/3/1961 ; Norman Rosten, 93

274   DiMaggio : *Santa Monica Evening Outlook*, 11/1/1961 ; *Hollywood Citizen-News*, 1/4/1961 ; *Newsweek*, 4/4/1961 ; *Los Angeles Mirror*, 20/4/1961 ; *Hollywood Citizen-News*, 25/7/1961 ; *Los Angeles Examiner*, 10/8/1961

             Rain : *New York Post*, 9/2/1961 ; Guiles, *Norma Jean*, 348 *sq.*

             Freud, passions secrètes : *Los Angeles Mirror*, 20/4/1961 ; Huston, chap. 27 ; ent. John Huston, 1983

             Intervention gynécologique : *Hollywood Citizen-News*, 25/5/1961 ; Richard Cottrell, « I Was Marilyn Monroe's Doctor », *Ladies Homes Companion*, janv. 1965

275   Vésicule biliaire : *New York Post*, 29/6/1961 ; *Los Angeles Herald Examiner, Los Angeles Mirror, New York Times*, 30/6/1961 ; *Ladies Homes Companion*, janv. 1965

             Stengel : ent. 1983

             Comprimés : M. Stengel, *in* LaGuardia, 197

276   Masters : ent. George Masters, 1983 ; Masters et Browning, 75 ; Tierney, chap. 14 ; Bacon, *Hollywood Is a Four-Letter Town*, 259 ; Parmet, *Presidency*, 110

277   Carmen : ent. 1983 ; consultation du dossier de presse de J. Carmen ; visite au 400 Doheny Road

             L'appartement : ent. Joane Greenson, 1983 ; Greenson, 12

             Tour de poitrine : ent. J. Carmen et Jeanne Martin, 1983

278   Relations avec les Greenson : ent. avec la famille Greenson, 1983-1984 ; Greenson, 11 *sq.*

281   Télégramme : avec la gracieuse permission de Mrs. Hildi Greenson

             Heaver : corr. et ent. Gordon Heaver, 1983-1984

Chapitre 29

285   Hronek : article nécrologique, *Los Angeles Times*, 25/2/1980 ; ent. veuve Frank Hronek, ainsi qu'avec son fils et ses ex-collègues, 1983

286   Espionnage de la soirée chez les Lawford : ent. Gary Wean, 1983

286 *sq.*   Les Kennedy et les femmes : Ralph Martin, 34, 94 ; Blair, 145-54, 166-70, 435, 631 *sq.*, 641, 645, 666 ; Ralph Martin, 43, 50, 54, 77, 199, 313 *sq.*, 491 ; Sciacca, *Kennedy and His Women*, 156 ; Dunleavy et Brennan, 76 *sq.* ; Bryant et Leighton, 24 ; ent. Milton Ebbin, 1983

287   John Kennedy à propos de son frère Robert : Schlesinger, *Robert Kennedy*, 598

             « Père de l'année » : *Los Angeles Times*, 17/12/1960

             Schlesinger : ent. 1983

288   Garbo : Michaelis, 177

             Dietrich : ent. Joshua Logan, 1984

288 *sq.*   Histoire de Lawford : Stephen Birmingham, *Cosmopolitan*, oct. 1961 ; Helen Markel, *Good Housekeeping*, févr. 1962 ; notice nécrologique de Lady Lawford, *Los Angeles Times*, 24/2/1972 ; prospectus publicitaire de la Twentieth Century Fox, non daté, début années 50

             Fessées : Lady Lawford, *American Weekly* ; *Los Angeles Herald Examiner*, 9/7/1950

             La maison des Lawford : *Los Angeles Times*, 15/3 & 8/6/1978

             Les Lawford et la boisson : *Los Angeles Times*, 9/1/1984 ; *Herald Tribune*, 9/8/1984 ; ent. Deborah Gould et Peter Lawford, 1983. Pat Lawford : Saunders and Southwood, 118 ; ent. Frank Saunders, 1984

Chapitre 30

290   Kennedy opéré : Blair, 650 *sq.* ; Martin, 96
       Poster de Marilyn : Priscilla McMillan, Collier et Horowitz, 204
291   Feldman : Blair, 549 ; ent. ex-Mrs. Jean Feldman, 1983
       Dobish : ent. 1983
       Bernheim : ent. 1983
       Slatzer : ent. 1983
       James : ent. 1984
       Gene Kelly : ent. Alain Bernheim et Peter Lawford, 1983 ; Peary, 77
293   Lawford niant liaison avec Kennedy : ent. 1983 ; *Star*, 24/2/1976 ; *Observer* (Londres), 15/7/1973
       MM rencontrant John Kennedy en 1961 : ent. au parquet général de L.A. (*District Attorney's office*), 1983
       Gould : *Los Angeles Herald-Examiner*, 26/6/1976 ; ent. 1983. Rowan : Ted Landreth, ent. 1985
294   Summers : ent. 1983
295   CV de Markel : *New York Times*, 27/11/1968
       Markel : ent. 1984 d'Helen Markel, qui a communiqué copie correspondance Monroe-Markel. (La lettre de MM, du 29/3/1960, contenait l'extrait d'une lettre écrite auparavant : toutes deux sont citées ici)
296   Nehru : Skolsky, *Marilyn*, 60
       Castro : correspondance Monroe-Markel
       SANE : *Valley Times*, 22/3/1960 (archives bureau FBI de L.A.)
       Cauchemar : *Redbook*, août 1962
297   Allan : ent. 1983
       Marilyn déléguée : UPI, 13/4/1960
       «assister à la Convention» : *Hollywood Reporter* (sans date), avant la Convention démocrate

Chapitre 31

       Joseph Kennedy : Schlesinger, *Robert Kennedy*, 205-211
298   Karger : ent. Patti Karger, 1983
       Roberts : ent. 1983
       Discours au Coliseum : Ralph Martin, 335 ; Parmet, *Presidency*, 31
       Acuna : ent. 1983
299   Carmen : ent. 1983
       Summers : ent. 1983
       Weatherby : Weatherby, 53, 55 ; ent. W.J. Weatherby, 1982
       Buchwald : *Los Angeles Times*, 9/11/1960
300   Entretiens avec Weatherby : Weatherby, 86 ; ent. W.J. Weatherby, 1982
301   Carlyle : Ralph Martin, 402
       Shalam : ent. 1984
       Wilson : ent. Wilson, 1984 ; Wilson, *Show Business Laid Bare*, 65
       Ebbins : ent. 1983
302   Strasberg : Paula Strasberg, *in* ent. James Haspiel, 1983
       Skolsky : ent. Skolsky, 1983 ; (sur la mort de Skolsky) ent. Steffi Skolsky ; Skolsky, *Don't Get Me Wrong*, 233
       Bacon et Starr : ent. 1983
303   Rosenfeld : ent. 1984
       Newcomb : ent. 1983-1984
       Smathers : ent. 1983
       Histoire de Smathers : Blair, 578-595 ; Schlesinger, *Robert Kennedy*, 493
304   Tretick : ent. 1985
305   Carmen : ent. 1983, suite à ent. au bureau du District Attorney de L.A.
       Marilyn et Benny : *Los Angeles Daily News*, 20/9/1953 ; ent. Whitey Snyder, 1983
       Visites en juillet et en octobre : *Los Angeles Times*, 3/7/1961 ; confirmé *in* Fisher, 202 ; *Los Angeles Times*, 7/7/1961 et 4/8/1961

307   Visite à John Kennedy : *New York Times*, 17, 19, 20/11/1961 ; *Los Angeles Times*, 19, 20/11/1961 ; *Santa Monica Evening Outlook*, 20/11/1961

Watson : ent. 1983 ; les articles de l'époque décrivant cette réception au Hilton confirment, jusque dans les détails, ce que m'a dit Watson

Snyder (note) : ent. 1983

308   Guthman : ent. Edwin Guthman, 1985

Evans : ent. 1984

309   Dossiers du FBI : lettre à Robert Slatzer (du 29/5/1980) de David Flanders, Chief Freedom of Information Division, Privacy Acts Branch, Records Management Division

Chapitre 32

Sinatra à propos de Marilyn : *Redbook*, août 1962

Première rencontre ? : ent. Milton Greene, 1983

310   Troupe des *Misfits* : Goode, 92 ; Sierra, 1960

Cal-Neva : je l'ai visité moi-même ; ent. avec Bethel Van Tassell (historien local) et Wayne Ogle, ancien chef de l'entretien du Cal-Neva, 1983-1984

D'Amato : Exner et Demaris, 116 et 205 ; Blakey et Billings, 251, 379

Lawford : *Star*, 17/2/1976

Giancana copropriétaire ? : Giancana et Renner, 113, 225 ; examen des notes que les enquêteurs de la Commission sur les assassinats prirent des rapports du FBI 1982 ; *New York Times*, 2/2/1984 ; *Dallas Morning News*, 10/2/1981

312   Sinatra se retire de l'affaire : Edward E. Olsen, fonctionnaire du Nevada Gaming Control Board, *in* communications (sur «l'histoire orale») faites, en 1967-1969, à la University of Nevada ; Arnold Shaw, 317 *sq.* ; Brashler, 261 *sq.* ; Cage, 86 *sq.*

Les Kennedy et le Cal-Neva : ent. Wayne Ogle, 1983-1984

caniche blanc : Guiles, *Norma Jean*, 353

Masters : Masters et Browning, 52 ; ent. George Masters, 1983

Sinatra lui prête sa maison : Guiles, *Norma Jean*, 353

312-313   Greenson : correspondance avec collègue, communiquée à l'auteur en 1984

Sands Hotel : dépêche du 7/6/1961, *in* Wilson, *Show Business Laid Bare*, 63 ; Fisher, 203

Greenson : correspondance...

Yacht : ent. Jeanne Martin et Gloria Romanoff, 1983

313   Pepitone, ent. 1984 ; Pepitone et Stadiem, 199 *sq.* ; ent. Marjorie Stengel et George Masters, 1983

Prowse : Arnold Shaw, 297 *sq.*

Sinatra continua de voir Marilyn jusqu'à ce qu'elle mourût : ent. Gloria Romanoff et Norman Rosten, 1983-1984

Photos : Murray, 25 ; ent. Eunice Murray, 1982

Chapitre 33

314   Cohen, son histoire : Reid, *Mickey Cohen* ; Cohen et Nugent ; Martin et Lewis Cohen et Lugent, 113. Sinatra : Gehman, 178 ; Cohen et Nugent, 228

Villa Capri : Cohen et Nugent, 190 ; Reid, *op. cit.*, 107

Surveillance par agents du District Attorney : ent. Gary Weab, 1983

315   Enregistrements : ent. Gary Wean, 1983. Morella et Epstein, *Lana*, 241

Piscitelle et LoCigno (leur histoire) : *Los Angeles Times*, 12/12/1961 et articles ultérieurs «récit... corroboré» : ent. Jack Tobin, 1983 ; Virgil Crabtree, ancien chef adjoint de la division des renseignements, en Californie, du Département du Trésor fédéral, 1983

316   Cohen et Giancana : ent. Jack Tobin ; Blakey et Billings, 186 *sq.*, 195 *sq.*, 283, 303, 326 *sq.*, 377 *sq.* ; Cohen et Nugent, 39

Cohn : Messick, 118

Schenck : Messick, 120 *sq.*

Karger : ent. 1983

Shimon : ent. 1983

317 Hall : ent. 1983 ; ses dires ont été confirmés par des personnes haut placées dans la police

Campbell : Exner et Demaris. Exner est aujourd'hui le nom d'épouse de Campbell ; *Alleged Assassinations Plots*, 129 ; ent. Prof. Robert Blackny, 1985

318 Safire : *Dallas News* [New York Times News Service], 7/1/1976

Meredith : Exner et Demaris, 198 ; ent. Fred Otash, 1982-1983 ; interview de Peter Fairchild par Anthony Cook, 1983 ; interview de Judy Meredith par Vicki Loewy, 1983 ; examen des notes que les enquêteurs de la Commission des assassinats prirent des rapports du FBI, 1982

319 Roselli : Exner et Demaris, 206 ; références de Blakey et Billings ; examen des notes enquêteurs Commission assassinats rapports FBI, 1982

Smith : interview de Sandy Smith par Edward Tivnan, 1983

320 O'Hare Airport : rapport FBI, 18/7/1961, dossiers CG 139 105 & CG 92 349, communiqués à Mark Allen, 1983 ; Brashler, 204 ; Giancana et Renner, 214 ; Blakey et Billings, 251

321 McGuire : ent. 1983

322 Blakey : Blakey et Billings, 391

Smathers : ent. 1983

Kane : ent. 1983

323 Evans : ent. 1984-1985

Chapitre 34

 Clay : ent. 1983

324 « ranimée de justesse » : ent. Gloria Romanoff, 1983

325 Greenson : corr. avec collègue, août 1983

Newcomb : ent. 1983

Rencontres de hasard : ent. Dr Norman Tabachnick, ex-membre de l'équipe de prévention du suicide de L.A., 1983 ; interview du Dr Greenson par Maurice Zolotow ; inspecteur du D.A. de L.A. : ent. Marty Philpott, 1984

Greenson : suite de la correspondance du 20 août

326 Visite de DiMaggio : ent. Mrs. Greenson et sa fille Joan, 1983 ; Greenson, 35

327 Nouvelle maison : manuscrit de Greenson, 44 ; Murray, 33 *sq.*

Difficultés à trouver cette maison : Graham, *Confessions*, 148

La maison : visite de l'auteur à cette maison, 1983

Achat : Murray, 49 ; *Redbook*, août 1962 ; ent. Milton Greene et Henry Rosenfeld, 1983

Chapitre 35

328 Marilyn se préparant à ce dîner : ent. Danny Greenson, 1984

Passage de Robert Kennedy : Murray, 85 ; visite à Los Angeles confirmée par corr. avec la J.F. Kennedy Library, 17/10/1984

Qu'elle prenait tout le temps des notes : ent. Billy Travilla, 1983

Field : ent. 1983

329 Romanoff : ent. 1983

Melson : ent. 1983-1984 ; copie pour l'auteur du document original gardé par Melson

Kennedy Library : corr. 18/3/1983 de William Johnson (Research Archivist) à Edward Tivnan

Stephen Smith : ent. 1984 ; corr. 16/7/1984

331 Kennedy père (son attaque) : *New York Times*, 20/12/1961 ; Dallas, et Ratcliffe

332 Novello : ent. 1983

Guthman : Maurice Zolotow interviewe Edwin Guthman, *Chicago Tribune*, sept. 1973

Gould : int. 1983

333 Joan Greenson : ent. 1983 ; Greenson, 78

« le Général » : *Life*, 26/1/1962, 76

Interview de Greenson : *Chicago Tribune*, sept. 1973

Litman : ent. 1983 ; notes originales et rapports classés au Centre de prévention du suicide de L.A

334   Tabachnick : ent. 1983
Curphey : Florabel Muir, *New York Daily News*, 6/8/1962 ; *Los Angeles Herald-Examiner*, 6/8/1962
Farberow : ent. 1983
Rosenfeld : ent. 1983
Roberts : ent. 1982-1984
335   Anne Karger : ent. Elizabeth Karger, Vi Russell et Robert Slatzer (qui avaient parlé avec feu Fred Karger), 1983
Hall : ent. 1984
Sherman : ent. 1983
Mrs. James : ent. 1983
336   Dye : 1983
Pepitone : ent. 1984
Murray : Murray, 86 ; ent. 1982-1983
« Deux ou trois fois » : *Chicago Tribune*, sept. 1973
Jeffries : interview de Norman Jeffries par Ted Landreth, 1983
337   Culver City : ent. Robert Warner, 1983, chef des services spéciaux de la General Telephone C° en 1962 ; interview par Ted Landreth de l'ex-lieutenant Ron Perkins et de Bob Conlon, ex-chef des détectives, tous deux ex-fonctionnaires de la Police de Culver City, 1983

Chapitre 36

        Miller père : Flora R. Schreiber, *Good Housekeeping*, janvier 1963
338   Marilyn bouleversée par le remariage de Miller : Johnson et Leventhal, 201
Remariage de Miller, l'enfant : *Los Angeles Times*, 22/2/1962. Naissance de l'enfant : *New York Times*, 29/9/1962
Weinstein : ent. 1984
339   Masters : ent. 1983
Visite à Mexico : *Excelsior*, 21, 23, 27/2 & 2, 3/3/1962 ; *La Prensa*, 22, 23/2 & 2, 3/3 & 6, 9/8/1962 ; *Novedades*, 22, 23/2, 2, 3/3 & 6, 9/8/1962 ; Murray, chap. 6 & 7 ; Field, 295 *sq*.
Photo osée : finalement publiée *in* Hustler
Field : ent. 1983
340   Bolawnos : ent. 1983 ; cf. visite à Mexico ; interview par Mary Powers de Jorge Barragan et Indio Fernandez, 1984 ; *San Francisco Chronicle*, 8/8/1962 ; Florabel Muir, *New York Daily News*, 8, 9, 10/8/1962
Photo de MM et Bolawnos s'embrassant : Camera Press Ltd., prise au Golden Globe Awards, 5/3/1962
« Ivre » : *Los Angeles Times*, 6/8/1962 ; Hudson, 104
341   Institut national... : *Novedades* et *La Prensa*, 2/3/1962
Chèque refait : Louella Parsons, *Los Angeles Herald-Examiner*, 11/8/1962
Adoption ? : Guiles, *Norma Jean*, 356 ; *Motion Picture*, oct. 1963
Besoin d'un enfant : ent. Whitey Snyder, Marjorie Plecher et Arthur James, 1983 ; Murray, 40
Départ de Mexico : ent. George Masters, 1983 ; *La Prensa* et *Excelsior*, 3/3/1962

Chapitre 37

342   Enquêtes sur Hoffa : Kennedy, 161-184 ; Sheridan ; Jack Tobien et Gene Blake, *Los Angeles Times*, mai-novembre 1962
The Enemy Within [L'ennemi intérieur] : corr. Budd Schulberg, 1984 ; introduction de Schulberg à Sheridan ; Budd Schulberg, « *The Man* », *Playboy*, janv. 1969 ; *Los Angeles Times*, 11/2, 23/9/1961, 18/2/1962
Coups de téléphone et lettres anonymes : *Los Angeles Times* ; documents du FBI, dossiers O & C de Hoover, 23, 24 & 31/3/1961, consultés en vertu du F.O.I.A. (« Loi sur la liberté de l'information »), 1984. Voir aussi dossier FBI 77-51387-90 ; dossier FBI 94-39374-71, consultés, en vertu du F.O.I.A. par prof. Herbert Parmet, 1978

Exploits de John Kennedy sur la vedette lance-torpille 109 [PT 109] **pendant** la guerre : documents FBI ; Parmet, *Struggles*, 110

«obsédé sexuel», ·etc. : corr. FBI au sujet lettre datée 12/11/1961 ; dossier 94-39374-71 consulté en vertu F.O.I.A., 1983

Wald voit Marilyn et Kennedy : ent. Curtis Harrington, ancien secrétaire de Mrs. Connie Wald, 1983

343   Surveillance exercée par le FBI : Blakey et Billings, 376-683 ; Giancana et Renner, 247 *sq.*, citant textuellement des documents du FBI ; notes et transcriptions non publiées de rapports de surveillance du FBI, communiquées par quelqu'un qui doit garder l'anonymat, 1983

«Au ministère de la Justice...» : Gage, 83

McMillan : ent. Douglas McMillan, 1983 ; Howard Kohn, *Rolling Stone*, 19/3/1981

Ecoute téléphonique de Giancana et Roselli : Blakey et Billings, 382 ; Giancana et Renner, 250 ; rapports de surveillance du FBI, non publiables, mais communiqués par quelqu'un, 1983

Découvertes concernant Campbell : Exner et Demaris, 379, 57, 251

O'Donnell : Parmet, *Presidency*, 127

Les Kennedy en Californie : *Los Angeles Times*, 23-28/3/1962

344   Rupture Lawford-Sinatra : Peter Lawford, *Star*, 17/2/1976 ; Schlesinger, *Robert Kennedy*, 496

MM sur les déclarations de l'Attorney général : ent. Sidney Skolsky, 1983 ; Skolsky, *Don't Get Me Wrong*, 51 *sq.*

344-346   MM à Palm Springs : ent. Eunice Murray, 1982-1983 ; Murray, 87 ; ent. Philip Watson et Ralph Roberts, 1983-1985

Chapitre 38

346   James : ent. 1983

Relations de DeSapio : Scheim, 381 ; Sheridan, 530 ; Schlesinger, *Robert Kennedy*, 199, 204, 370 *sq.*

Travaux de décoration : Murray, 68 *sq.* ; ent. Ray Tolman, 1983

347   Danoff : ent. 1983 ; ent. John Dolan, anciennement de la Dolan-Whitney Agency, 1983 ; ent. John Daley, 1983

Otash : premier ent. 1982 ; Otash, 242

Dolan : ent. 1983

348   Piscitello : ent. 1983

DiMaggio et le Cal-Neva : ent. Paul D'Amato, 1984 ; Bob Dean, *Photoplay*, mai 1961

Balletti : ent. 1983

Spindel : Spindel, *Life*, 20/5/1966 ; *Collier's*, 24/6/1955 ; *Daily News*, premiers jours de juillet 1968

Spindel et Kennedy : Hougan, 115 ; Spindel, 215, 121 *sq.* ; références *in* Sheridan

Jaycox : ent. 1982-1983

349   Micros au Département de la Justice : memorandum du FBI, Evans à Belmont, 2/8/1961 et 13/3/1962, contenus dans dossiers 0 & C de Hoover

Kelly : L'Etat [«le peuple»] contre Spindel *et al.*, acte d'accusation N° 4817-1/2 1966, minutes de la déposition de Kelly, 2379 ; ent. John Constandy, Arnold Smith, Mrs. Kelly et William Kane, 1983 ; Kennedy, XIII, 321

350   Kelly et Moldea : ent. Dan Moldea, 1983

Shimon : ent. 1983

Hoffa : interview à *Playboy*, déc. 1975

O'Brien : ent. 1983

Burns : ent. 1983

351   Otash : deuxième ent. 1983

«renseignements sur les voisins» : ent. Eunice Murray, 1982-1983 ; Murray, 49 *sq.*

Cabines publiques : *Redbook*, août 1962

Slatzer : corr. et ent. 1982-1985

352   James : ent. 1983

Rosten : ent. 1984 ; Norman Rosten, 97

353   Skolsky : ent. Steffi Skolsky, 1983
        «plus elle se perdait» : Skolsky, *Don't Get Me Wrong*, 234

Chapitre 39

354   Salon du Beverly Hills Hotel (le «Polo Lounge») : Stemple, *Screenwriter*, 171 ;
            Johnson et Leventhal, 207
        Something's Got to Give : ent. Henry Weinstein et Ted Strauss, 1983-1984
        Walter Bernstein, *Esquire*, juillet 1973 ; *Los Angeles Times Calendar*, 22/7/1973
355   Absentéisme : *Los Angeles Herald-Examiner*, 9 juin 1962
        Virus : Murray, chap. 12 ; ent. Dr Lee Siegel, 1983 ; *Los Angeles Times*, 10/5/1962
        Masters : ent. 1983
        Travilla : ent. 1983
356   Visites de Greenson : factures de Greenson retrouvées dans ses papiers person-
            nels, *cf*. Slatzer, 369
        Greenson et Marilyn : corr. Greenson avec collègues ; Greenson, 67
        Jean-Louis : ent. 1983
357   Anniversaire de Kennedy : *New York Times*, 19, 20/5/1962 ; ent. Henry Weins-
            tein, 1984
        Répétition : Greenson, 68 *sq.* ; ent. Fred Field, Danny Greenson, Milt Ebbins,
            Peter Lawford, 1983-1984
        Sa performance au gala : telle qu'on la voit dans *The Legend of Marilyn Monroe*,
            documentaire télévisé prod. par Wolper, 1967
        Activités après le gala : interview d'Isadore Miller par Flora R. Schreiber, *Good
            Housekeeping*, janv. 1963 ; *Los Angeles Herald-Examiner*, 6/8/1962 ; Schlesinger,
            Robert Kennedy, 590
358-359 Nue dans la piscine : ent. William Read Woodfield, 1984 ; *New York Herald Tri-
            bune*, 25, 27/5/1962 ; *Los Angeles Herald-Examiner*, 26/5/1962 ; *Time*, juin 1962 ;
            Life, 22/6/1962 ; ent. Ed Wehl, 1983 ; *Sir*, oct. 1962 ; ent. Evelyn Moriarty,
            1983 ; Evelyn Moriarty, *Motion Picture*, juil. 1963
        Playboy : *Playboy*, janv. 1964, 190 et janvier 1969, 164
        Célèbre calendrier : *Modern Man*, mars 1955 ; Hedda Hopper, *Los Angeles Times*,
            9/9/1953
360   Anniversaire de Marilyn : *Motion Picture*, juillet 1963 ; *Los Angeles Times*, 6/8/1962 ;
            ent. Danny Greenson ; Greenson, 71 *sq.* ; *New York Daily News*, 18/8/1962
361   Confrère remplaçant Greenson : Murray, 107
        «série de questions» : Murray, 107
        Nez : ent. Michael Gurdin et Dr. Alfred Conti, 1983 ; factures de Conti, décla-
            ration du 7/6/1962
        le jeu de Marilyn : Walter Bernstein, *Esquire*, juillet 1973
        Retour de Greenson : ent. Hildi et Joan Greenson, 1983
        Dénonciation du contrat : *Variety* et *Hollywood Citizen-News*, 8/6/1962 ; *Los Ange-
            les Herald-Examiner* et *Los Angeles Times*, 9/6/1962 ; *New York Times* et *Los Ange-
            les Times*, 10/6/1962 ; *Los Angeles Herald-Examiner*, 12/6/1962 ; *Variety*, 20/6/1962 ;
            Time, 22/6/1962 ; *New York Times*, 12/8/1962 ; Gussow, 243
362   *Life* : 3 et 17/8/1962
        Photos faites par Barris : *New York Daily News*, août 1962 ; documents cités *in*
            Slatzer, 371
        Vogue : *ibidem* ; *Vogue*, septembre 1982 ; ent. Pat Newcomb, 1983 ; corr. Leif-Erik
            Nygärds, 1984
362-365 Interwiews de *Life* : corr. et ent. Richard Meryman, 1984 ; *Life*, 3/8 et 17/8/1982

Chapitre 40

365   «Deux amours» : *Vogue*, septembre 1982
        Quelque chose doit craquer : Murray, 90
        Marilyn et Kennedy : ent. Susan Strasberg, 1983 ; *New York Times*, 20/5/1962 ;
            Ralph Martin, 403 ; ent. Ralph Roberts et James Haspiel, 1985

366   Meyer : *Washington Post*, 23/2/1976 ; Davies, 164, 230 ; *New Times*, 9/7/1976 ;
       corr. Mrs. Truitt, 1984
       Discussions entre MM et JFK sur calmants, etc. : ent. personnes de la police
       de L.A., 1983
       Leary : ent. Timothy Leary, 1983 ; Leary ; 128, 155, 179, 191
368   MM rentre à New York : Guiles, *Norma Jean*, 370
       Weatherby : ent. 1983 ; Weatherby, 151 *sq.*
       Weinstein : ent. 1984
       Murray : Murray, 107
       Jeffries : interview de Norman Jeffries par Ted Landreth, 1983
369   Télégramme : Western Union message, 13/6/1962, communiqué par Kennedy
       Library, 1984
       Robert Kennedy à L.A. : itinéraire et memoranda *in* dossier FBI 77-51387-260,
       consulté en vertu F.O.I.A., 1983 ; Murray, 86-112 ; ent. Mrs. Murray,
       1982-1983 ; int. de Norman Jeffries par Ted Landreth, 1983
369-371 Lawford : ent. 1983 ; sources de la police de L.A., 1983
       Médecins : notes et factures, *in* Slatzer, 367-369
       Cal-Neva : ent. Peter Lawford, George Jacobs, Julius Bengtsson, Joe et Ray
       Langford, Clarice Astle, Wayne Ogle, Gloria Romanoff, Mae Shoopman
372   « femme à part entière » : *Novedades*, 23/2/1962
       Barris : Theo Wilson, *New York Daily News*, 16/8/1962 ; ent. George Barris et
       Theo Wilson, 1983
       James : ent. 1983
373   Woodfield : ent. 1984
       Otash : ent. 1983
       Avortement et Suède : *Los Angeles Times*, 6/8/1962
       Relevés téléphoniques : policier à la retraite, 1983
       Selsman : Ted Landreth interviewe Michael Selsman, 1983
374   Jacobs : ent. 1985

Chapitre 41

375-376 Appels de MM : Schlesinger, *Robert Kennedy*, 590
       Numéro spécial : ent. Murray, 1982
       Relevés téléphoniques : policier à la retraite, 1983
       Déplacements de Kennedy : dossier FBI 77-51387-260 (consulté en vertu
       F.O.I.A.), 1983
375   Slatzer : ent. 1982-1983 ; Slatzer, 1 *sq.*
377   Menaces (note) : ent. Thom Montgomery, 1985
378-379 Journal intime : Goodman, 227 ; Bacon, *Hollywood Is a Four-Letter Town*, 137 ;
       ent. Susan Strasberg et Amy Greene, 1983-1984 ; *American Weekly*, 1/5/1960 ;
       ent. Jeanne Carmen
       Field : ent. 1983
       Bolawnos : ent. 1983
       Chasin : ent. 1983 ; *New York Times*, 14/7/1962
       Wofford : Wofford, 405
380   La CIA révèle à Robert Kennedy, etc. : *Alleged Assassinations Plots*, 132
       Poursuites contre Hoffa ; Sheridan, 206 ; *New York Times*, 19/5/1962
       Hoffa projetant d'assassiner RFK : Sheridan, 217 ; Moldea, 148 ; visite à Marilyn,
       Sheridan, 210-17
       McGrath : *Fort Worth Star-Telegram*, 1/8/1978. Blakey et Billings, 382
       Rapports sur Sinatra : Messick, 198 ; ent. Douglas McMillan, 1983
381   RFK renonce à faire poursuivre Giancana : *Alleged Assassination Plots Report*, 132
       et 133, n. 2
       « attendre, avant de faire le film » : FBI memorandum, de Evans à Belmont,
       3/7/1962, relatant une discussion à Los Angeles, dossier 77-51387-274
       (consulté en vertu FOIA, 1983)
       Anniversaire de Greenson : Greenson, 81 ; Norman Rosten, 101

Carmen : *Los Angeles Times*, 7/8/1962

Roberts : ent. 1982

Engelberg : note pour une visite, *in* Slatzer, 367 ; conversation de Ted Landreth avec le fils d'Engelberg, Michael, 1983

382   Patrons de studios : ent. Pat Newcomb, 1983

Strasberg : ent. Steffi Skolsky, 1983 ; *Hollywood Citizen-News*, 27/7/1962 ; interview de Mrs. Rand (de la Rand Travel Agency) par Monica Gruler ; Weatherby, 210 ; ent. Joan Greenson, 1983

Jeffries : interv. de Norman Jeffries par Ted Landreth, 1983

Insomnie de Marilyn : ent. James Haspiel, 1983

Jetée : interv. de Beryl Brunkow et George Gordon par Monica Gruler, 1984

Tahoe : ent. Eunice Murray, Joe et Ray Langford, Ed Pucci, Julius Bengtsson, 1983-1984 ; interv. de Dora Foley et Ken Rotkoph par Ted Landreth ; Sidney Skolsky, *Hollywood Citizen-News*, 6/8/1962 ; interv. de Jeron Criswell par Robert Slatzer ; ent. Paul D'Amato, 1984

383   Avion : *American Weekly*, 2/9/1962

Vol : ent. Barbara Lieto et Dari Arney, 1983

Firestone : ent. 1983

384   Marilyn près de la piscine : interv. Ken Rotkoph par Ted Landreth, 1983

Roberts : ent. 1983

Hall : ent. 1984, corroborées par Paul Sann, anciennement au *New York Post*, 1985

385   Johnson : Johnson et Leventhal, 210

Monette : *New York Daily News*, 14/8/1962 ; Allen, 197

Lettre de Marilyn : Guiles, *Norma Jean*, 376, et *Legend*, 250

Ries : Heidi Sorensen, interv. Pamela Ries, 1983 ; *Los Angeles Times*, 8/8/1962

386   Roberts : ent. 1985

Slatzer : ent. 1983 ; Slatzer, 228, 233, 241

Ecoutes téléphoniques : ent. John Dolan, 1983

D'Amato : ent. 1984

Testament : Wilson, *Show Business Nobody Knows*, 316

387   Greenson : lettre à Norman Rosten, 15/8/1962

Life : du 3/8/1962

Kennedy, 26/7 : dossier FBI 77-51387-284, consulté en vertu FOIA, 1983 ; *Los Angeles Times*, 26/7/1962 ; note d'hôtel, *in* Capell, 58 ; corr. Kennedy Library, 1984

Menaces : Dossier FBI 77-51387-285, memorandum de Hoover au chef du Service secret U.S., 26/7/1962

Appel du 30/7/1962 : registre de la police, communiqué à l'auteur, 1983 ; rapport au District Attorney de L.A., 17/12/1982

Chapitre 42

391   Le téléphone, allié : Weatherby, 107

Coups de fil : ent. Henry Rosenfeld, Maureen Stapleton, Bob Jospehy et Lena Pepitone, 1983-1984

Kelly : *Los Angeles Times*, *Los Angeles Herald-Examiner*, 6/8/1962

Skolsky : *Hollywood Citizen-News*, 6/8/1962

Thompson et Styne : ent. 1983-1984

Dîner avec Sinatra : ent. Gloria Romanoff, 1983

Snyder et Plecher : ent. 1983

392   Kingston : ent. 1983

Krohn : ent. 1983

Roberts : ent. 1982-1983

James : ent. 1983

Appel à Rosten : registre de la police ; ent. Norman Rosten, qui pense qu'elle l'appela le 4 août ; lettre de Rosten à Greenson, 11/8/1962 ; Norman Rosten, 120

394   Karger : ent. Elizabeth Karger et Vi Russell, 1983

Appel à Slatzer : ent. Robert Slatzer, Lee Henry, Doral Chenoweth, Dr Sanford Firestone, 1983

395   Lawford confirma... : Wilson, *Show Business Laid Bare*, 86

Kennedy en Californie : rapport FBI, SAC (Strategic Air Command — Haut Commandement de l'armée de l'air) à Hoover, 6/8/1962 ; Evans à Belmont, 22/8, *in* dossier FBI 77-51387-274 (consulté en vertu FOIA) ; *San Francisco Chronicle*, 4/8/1962

Bates : ent. 1983 ; interv. de John Bates par Anthony Cook, 1983

Muir : interv. d'Elizabeth Flancher par Ted Landreth, 1983

396   Déclaration de la Maison Blanche : *New York Times*, 4/8/1962

Paroles de Marilyn sur cette visite : ent. Sidney Skolsky, 1983 ; Skolsky, *Don't Get Me Wrong*, 236

Kilgallen : Israel, 327

Pépinière : ent. Eunice Murray, 1982 ; John Goka de chez Frank's. 1983

Visite au nord ? : ent. Ed Pucci et Barbara Lieto, 1983 ; interv. de Dora Foley par Ted Landreth, 1983

Dîner avec Newcomb : Pat Newcomb, *Los Angeles Herald-Examiner*, 15/8/1962 ; ent. 1983 ; ent. avec membres de l'équipe du District Attorney, 1983

Commande d'alcools : note présentée par Don J. Briggs Inc. lors de la liquidation (des biens de Marilyn), *in* Slatzer, 366

397   Léon : ent. 1983 ; sa carrière : *Saturday Evening Post*, 11/8/1962

Chapitre 43

    Carmen : ent. 1983

398   James : ent. 1983

Weather : *Los Angeles Herald-Examiner*, 4/8/1962

Murray : ent. 1982-1984 ; Murray, 123

Miller père : *Good Housekeeping*, janvier 1963

Jeffries : interv. de Norman Jeffries par Ted Landreth, 1983 ; dossier de l'homologation du testament de MM, montrant que Jeffries avait été payé le 4 août

Téléphones : *Life*, 4/11/1966

399   Roberts : ent. 1983

Skolsky : ent. Steffi Skolsky, 1983

Visite de Flanagan : ent. Don Feld, 1985

400   Greenson : deux lettres, à Norman Rosten (15/8/1962) et à un confrère (20/8/1962)

401   Rage contre Newcomb : ent. 1984

Strasberg : Strasberg, 113

Martin : ent. 1984

402   Equipe Prévention Suicide : ent. Dr Robert Litman, Dr Norman Faberow, et Dr Norman Tabachnick, avec consultation des notes et dossiers originaux, 1983

Projets de Greenson : ent. Hildi Greenson, 1983

Murray passe la nuit : Murray, 129

403   DiMaggio fils : rapport de police de l'entretien, 10/8/1962, DR 62-509-463 ; *Los Angeles Times*, 8/12/1962

Musique : *New York Daily News*, 6/8/1962

Crépuscule : *Los Angeles Herald-Examiner*, 4/8/1962

Question à propos du Nembutal : corr. Greenson à un confrère, 30/8/1962

404   Médicaments : liste du toxicologue, 6/8, *in* dossier du Coroner 81128. Voir aussi rapports de décès de la police, contenant des informations contradictoires ; rapport du District Attorney, 1982, 25 ; ent. Lee Siegel, 1983 ; note d'Engelberg, Slatzer, 367 ; rapport de la morgue, 5/8/1962, dans le dossier du Coroner

Oxygène : ent. Eunice Murray, 1982-1983 ; Murray, 127

Carmen : ent. 1983

Rosenfeld : ent. 1984

405   Guilaroff : ent. 1983 ; Wilson, *Show Business Laid Bare*, 84

Bolawnos : ent. 1983

Roberts : ent. 1982

406   Appel aux Greenson : corr. Greenson ; Greenson, 82

Carreau brisé : *Santa Monica Evening Outlook*, 6/12/1962

Photographies prises par la police : obtenues par l'auteur, 1983

407   Appel à la police : registre de la police, *in* rapport du Sgt Byron, 6 août, n° dossier : 62-509-463
           Clemmons : ent. 1982-1985

Chapitre 44

408   Ramirez : ent. 1983
           Woodfield et Hyams : ent. 1983-1984 ; *Show Business Illustrated*, février 1962
409   Bacon : ent. 1983 ; *Los Angeles Herald-Examiner*, 9/10/1979
           Hockett : ent. 1982
           Gray : *Los Angeles Herald-Examiner*, 6/8/1962 ; ent. Harry Tessel, 1983
410   Wiener : ent. 1982 ; *Los Angeles Times Calendar*, 22/8/1982
           Sauf si indiqué autrement, tous les faits et citations qui suivent, suivant la mort de MM, sont extraits des articles du 6 au 19/8/1962, de ces journaux : *New York Herald Tribune, Los Angeles Herald-Examiner, Los Angeles Times, San Francisco Chronicle, New York Daily News, Santa Monica Evening Outlook, Hollywood Citizen-News*
           Commentaire de Miller : *New York Post*, 7/8/1962
411   DiMaggio : ent. Harry Hall, 1984 ; ent. Inez Melson, 1983
           Papillon [Iron Butterfly] : Strasberg, 157
           Greene : ent. Amy et Milton Greene, 1983-1984
           Wilder : ent. 1983
412   Greenson : ent. Hildi et Joan Greenson, 1983 ; ent. William R. Woodfield, 1984
           George Jacobs : ent. 1983
           Sandales : ent. Sherry Houser, 1983
413   Zolotow : ent. 1983
           Saunders : ent. 1984 ; Saunders et Southwood, 130
           Kennedy à l'église : interv. du Père John Dwyer par Anthony Cook, 1983
           Bates : ent. 1983 ; Anthony Cook interviewe John Bates, 1983
           RFK et McCone, directeur de la CIA : rapport FBI 77-54397-30 ; Courtney Evans à J. Edgard Hoover, 22/8/1962
414   JFK et les drogues : *New York Daily News*, 6/8/1962
           Noguchi : ent. 1984 ; Noguchi, chap. 3
           Brown : ent. Virgil Crabtree, 1984
415   Parker : ent. Mrs. Parker, 1983

Chapitre 45

           Détails de l'autopsie : dossier du Coroner de Los Angeles 81128, en particulier «Anatomical Summary» ; ent. Dr Thomas Noguchi, John Miner et Eddy Day, 1983-1984
           Controverses à propos de Noguchi : *New York Times*, 13/11/1982 ; *New York Times*, 23/6/1984
416   Marilyn dans la mort : photo obtenue à la police, 1983
417   Toxicologie : rapports du Dr Ralph Abernathy, 6 et 13/8/1962, *in* dossier du Coroner 81128
           Foster : ent. 1985
418   Curphey : texte de la déclaration à la presse, 17/8/1962
           Verre : rapport du District Attorney, 1982 ; *San Francisco Chronicle*, 6/8/1962
           Pose des scellés : *New York Herald Tribune*, 6/8/1962
           Melson : ent. 1983
419   Flacon dont il est question dans la note : photographie en possession de James Haspiel.
420   Médecins légistes et coroners contactés par le District Attorney en 1982 : Dr Boyd G. Stephens (de San Francisco), Dr Kornblum. Contactés par l'auteur : Pr Keith Simpson, senior Home Office forensic pathologist, Emeritus Prof. Forensic Medicine, London University ; Dr Christopher Foster, pathologist and biochemist, St. Bartholomews Hospital (London) ; Dr Henry Siegel (formerly New York City Dep. Chief. Med. Examiner) ; Dr Patrick Besant-Matthews (Dal-

las) ; Prof Earl Rose (Iowa) ; Dr Joseph Davis (Dade Co. Med. Examiner, Florida) ; Dr Joseph Jachimczyk (Chief Med. Examiner, Harris Co., Houston) ; Dr John Coe (Hennepin Co. Med. Examiner, Minneapolis) ; Lee del Cortivo (Chief Toxicologist, Suffolk Co., N.Y.) ; Dr Bertram Fuchs (gastroenterologist, Mineola, New York)

Briser la capsule : Guiles, *Norma Jean*, 344

421   Repas : ent. Eunice Murray et Pat Newcomb, 1983-1984 ; interv. de Newcomb par Slatzer, 1973 ; Murray, 130

Conférence de presse de Curphey : *Los Angeles Herald-Examiner*, 18/8/1962

422   Destruction de prélèvements : ent. Dr Noguchi, 1984 ; Noguchi, 74

423   Traces de piqûres : ent. Noguchi, John Miner, Eddy Day ; rapport du District Attorney, 1982, 4

Marilyn et les lavements : ent. Amy Greene, 1984 ; confirmée par John Miner en 1962 ; ent. Jeanne Carmen, 1983 (sur constipation)

Gould : ent. 1983

426   Pamphlet d'extrême-droite : Capell

Mailer : ent. 1984 ; Mailer, Marilyn, 367

Messick : ent. 1983 ; Messick, 201-207 ; dossier FBI 44-17593, sur Ratterman, candidat au poste de shérif dans le Kentucky

427   Blakey : Blakey et Billings, 392

Chapitre 46

428   Noguchi : ent. 1984

429   Bacon : ent. 1983

Hyams : *New York Herald Tribune*, 6/8/1962

Brown : ent. «Pete» Stenderup et Kenneth MacCauley, 1983

430   Phillips : ent. 1983

Ordres de McCauley : rapport à MacCauley, 27/8/1974, par le Lt. Selby, Homicide Special Section, dans la partie récupérée d'un dossier de police communiquée à l'auteur

Enquête en 1975 : ordonnée par Police Chief Davis, rapport envoyé le 14/10/1975, par Daryl Gates, alors Assistant Chief, Director of Operations ; rapport communiqué à l'auteur en 1983

431   Finck : note trouvée dans un dossier de police, 1983

Gates : corr. 20/12/1984

Phillips : ent. 1983

432   Yorty : ent. 1983

Carroll : «The Death of Marilyn Monroe, Report to the District Attorney», signé par Ronald H. Carroll, Assistant District Attorney, et Alan B. Tomich, inspecteur, décembre 1982

433   Dickey : existence d'une enquête révélée lors de recherches effectuées dans les bureaux du District Attorney, en 1982 ; interv. de John Dickey par Anthony Cook

Hronek : ent. avec ex-collègues de Hronek : Gary Wean et Jack Egger ; ent. Mrs. Hronek et Steve Hronek, 1983

434   Marilyn achète un magnétophone : Norman Rosten, 107 ; ent. Robert Slatzer, 1983

Mémo de Miner : rapport du District Attorney, décembre 1982 ; ent. John Miner, 1983-1984

435   «Pressions» : *New York Daily News* et *San Francisco Chronicle*, 12/8/1962

Interview de Greenson : donnée en 1964 — *in* archives de William R. Woodfield

Chapitre 47

436   Questions de Farberow à propos du téléphone : *San Francisco Chronicle*, 7/8/1962

Murray : *Los Angeles Herald-Examiner* (dernière édition), 6/8/1962

Lumière sous la porte : WOR Radio broadcast (flash de 11 heures, dimanche matin, heure de New York) ; Murray, 135 ; ent. Eunice Murray, 1982-1983

437   «mystérieux coup de téléphone» : *Los Angeles Times* et *Los Angeles Herald-Examiner*, 7/8/1962

«Très troublée» : *New York Daily News*, *Los Angeles Herald-Examiner*, 7/8/1962 ; *San Francisco Chronicle*, 8/8/1962

Ebbins et Lawford : *Los Angeles Herald-Examiner*, 8/8/1962

Interview de Lawford : *New York Herald Tribune*, 8/8/1962

«Mystère résolu» : *Hollywood Citizen-News*, 8/8/1962

«ne reçut aucun coup de téléphone» (d'après la police) : *ibidem*, 10/8/1962

438   Rapport de Byron : daté 16 h 45 du 6 août dans ce qui subsiste du dossier de police

Employés de la GTE : John Gurak et Bob Warner, ainsi qu'un employé à la retraite, 1983

Quinze jours plus tard : voir aussi rapport du District Attorney, 1982, 17

440   Muir : Hudson, 88

Découverte de Hyams : Hyams, 142 ; ent. Joe Hyams et ex-collègue, 1983

Warner : ent. 1983

441   Funk : ent. 1983 ; ent. Mrs. Tiarks, 1983

FBI report : document 66-1700-39, ADIC (LA) to Acting Director, 6/7/1973

Autre officier supérieur : ent. 1985

442   Litman : ent. 1983

443   Brough : ent. 1983

Tobin : ent. 1983-1984

Kennedy et Hamilton : Kennedy, 8, 264, XIII, XIV ; ent. Robert Hamilton, 1984

Brown : ent. Virgil Crabtree, 1983

444   Reddin : ent. 1985

Schiller : ent. 1983

Chapitre 48

445   Lawford : ent. 1983

446   Doutes de la police concernant Murray : nouveaux entretiens avec des personnes ayant connu MM, dossier de police 62-509-463, Sgt. Byron et Lt. G. Armstrong, 10/8/1962, retrouvé par l'auteur dans les dossiers de la police, 1983

447   Lawford s'en va : dossier de police 62-509-463, feuillet supplémentaire

Hyannis Port : Lawford, *Los Angeles Herald-Examiner*, 10/8/1962 ; Newcomb, *Los Angeles Herald-Examiner*, 15 et 16/8/1962 (par Dorothy Manners et Alfred Robbins)

Farberow : ent. 1983

Invités des Lawford : *Los Angeles Herald-Examiner*, 8/8/1962

448   Naar (Joe et Dolores) : ent. 1983

Wood : ent. Robert Slatzer, 1983. Amie de MM : ent. Lana Wood, 1984, et James Haspiel, 1985

Beatty : ent. 1983

Durgom : ent. 1983

449   Lawford, 1975 : rapport de l'entretien de la police avec Lawford, 16/10/1975

Lawford, 1982 : renseignements obtenus de sources officielles, 1983

Litman : ent. 1983

450   Ebbins : ent. 1983

Rudin, 1962 : nouveaux entretiens avec personnes ayant connu Marilyn Monroe, dossier police 62-509-463, déjà cité

Rudin refuse interview : corr. 1983

451   Murray sur Rudin : Murray, 131 ; ent. Eunice Murray, 1982-1983

Mémoires : Murray

«Sixième sens» : Murray, 134 ; ent. Eunice Murray, 1982-1984

452   Explication donnée par Lawford : Wilson, Show Business Nobody Knows, 316

Mrs. Murray et «minuit» : *Los Angeles Herald-Examiner*, 6/8/1962 ; *New York Daily News*, 6/8/1962 ; corr. Greenson avec un ami, 15/8/1962, et avec un confrère ; ent. Eunice Murray, 1982

453   Jacobs : ent. Natalie Jacobs, 1985

454   Concert : *Los Angeles Times*, 4/8/1962
455   Simpson : ent. 1985
            Ambulance : rapport du District Attorney, 1982, 16 ; ent. Ken Hunter, Walt Schaeffer, Murray Leib, 1985
457   Ebbins au sujet de Rudin : ent. 1985
            Newcomb : ent. 1983-1984 ; Robert Slatzer interviewe Pat Newcomb, 1973
458   Gould : ent. 1983

Chapitre 49

            «Conseiller en sécurité» : int. 1983-84
459   Otash : ent. 1983
460   Société de serrures : documents de la liquidation de MM, *in* Slatzer 361-362
461   Bates : interv. de John Bates par Anthony Cook, 1983. Aussi ent. 1983
            Kennedy à l'église : interv. du Père John Swyer par Anthony Cook, 1983
            Price : interviewé par Anthony Cook, 1983
            Lawford disant que Kennedy n'était pas à la L.A. : *Observer* (Londres) ; 15/7/1973, citant Lawford, disant que Robert Kennedy était alors sur la côte est
462   Greene : ent. Milton Greene, 1983
            Yorty : ent. 1983
            Finis Brown : corr. et ent. 1983
            McDonald : ent. 1984
            Dickey : renseignements sur le rapport du District Attorney, 1983
            Atterrissage à la Fox : ent. Frank Neill, 1983 et d'un ex-policier à la retraite, qui tient à garder l'anonymat
463   Pollard : ent. 1983
            Activités de Murray pendant l'après-midi : ent. 1983 ; Murray, 127 *sq*
            D'Antonio : ent. 1983
            Marilyn s'attendant à voir une «personnalité très importante» : ent. Dr Norman Tabachnick, 1983
464   Wood : ent. 1983
465   Hyams et Woodfield : ent. 1983-1984 ; Hyams, 143 *sq*
            Lawford et les hélicoptères : ent. Peter Lawford, Milt Ebbins, Lynn Sherman, Sherry Houser et d'autres voisins. Voir aussi interv. de James Gavin, le pilote, par Ted Landreth ; archives du *Santa Monica Evening Outlook* ; *Time*, 12/8/1966

Chapitre 50

475   Snyder et Plecher : ent. 1983
476   «Poupée» : *New York Herald Tribune*, 9/8/1962
            Melson : ent. 1983
            Obsèques : sauf si indiqué autrement, ma description s'appuie sur les articles de : *New York Herald Tribune, Los Angeles Times, Santa Monica Evening Outlook, San Francisco Chronicle, New York Daily News*, des 8 et 9/8/1962. Voir aussi *Services for Marilyn Monroe* (avec liste d'invités)
            DiMaggio à propos des Kennedy : ent. Emily Stevens, 1983
            Joan Greenson : Greenson, 86
            «Over the Rainbow» : article sur Marilyn Monroe, *in* Robert Dickerson Jr., *Final Placement*, Guide to Deaths and Funerals of Notable Americans, Algonac, Mich : Reference Books Inc.,1982
478   Roses : ent. Robert Slatzer, 1985 ; *Los Angeles Times*, 29/9/1982 ; *Los Angeles Herald-Examiner*, 15/2/1983 ; *Orange County Register*, 1/8/1982
            Cukor : Lambert, *On Cukor*, 180
            Dépouilles de Lawford et Wood : conversation Patricia Seaton, 1985 ; *People*, août 1982
479   Winters : ent. James Haspiel, 1985
            Case à vendre : *Los Angeles Daily News*, 5/8/1982
            Evans avertit RFK : document du FBI 77-51387-310, Evans à Belmont, 20/8/1962

480   Conversation entre hommes du milieu : FBI surveillance documents, 20/8/1962, pour le volume 7 de 13 dossiers sur le crime organisé. Ce volume 7, qui provenait de Los Angeles, m'a été communiqué par une source située au Congrès

Lettre de Hoover : dossier FBI 77-57387, lettre du 8/7/1964 à l'Attorney général

482   «Des lettres» : corr. du 15/9/1964, Fred Otash à Bernard Spindel, communiquée à l'auteur par Otash

Perquisition chez Spindel : Spindel, 221 ; ent. Mrs. Spindel, 1982 ; *World Journal Tribune*, 18 et 20/12/1966 ; *Star-Ledger* de Newark, 21/12/1966

CIA et FBI : memorandum de la CIA, 20/2/1967 ; deux documents du FBI du 13 mars 1967 (ainsi que du 28/1/1965), consultés en vertu du FOIA, 1985

Procès : archives du tribunal, *New York Times*, 21/12/1966

483   Neary : ent. 1983, étayé sur les notes d'une interview de Spindel de janvier 1967

Archives du tribunal : déclaration sous serment de Peter Andreoli, *in* People of the State of New York, contre George Varis, John Connors, Richard Rutherford, Bernard Spindel — acte d'accusation N° 4817-1/2, 1966 ; inventaire du 15/12/1966

Mrs. Spindel : ent. 1982 ; interviewée aussi par Frank Capell, le 10/7/1973

Destruction des archives du FBI : lettre de Paul Daly, du SAC (voir plus haut), à l'avocat de l'auteur, 8/2/1984

De Toledano : ent. 1982-1983 ; De Toledano, Hoover, 309

486   DiMaggio et RFK : Gay Talese, «Silent Season of a Hero», *Esquire*, juillet 1966

Davis : Davis, *Suitcase*, 240

Evasion de Gladys : Whit Preston, *Photoplay*, octobre 1963

Levathes : ent. 1985

487   Meryman : *Life*, 17/8/1984

«Poster People» : ent. Jeanne Martin, 1984

Postface

491   Gates : *San Francisco Chronicle*, 24/9/1985.

491   Van De Kamp : *Los Angeles Times*, 24/9/1986.

491   UPI, 24/9/1985.

494   Liz Smith, *New York Daily News*, 4/10/1985.

494   *Idem.*

494   *New York Times*, 5/10/1985-Peoples, 21/10/1985.

495   *People*, 21/10/1985.

495   *New York Post*, 5/10/1985.

496   Ent. Rijsna et Haddad, 1986-Haddad, corr. 4/3/1986.

497   Lettre du 23/9/1985.

498   Rapport du District Attorney, 12/1982.

499   Ent. 1986.

500   Ent. 1985.

500   Ent. 1986.

501   Lettres retrouvées par l'auteur dans les dossiers professionnels de Marilyn en 1986.

502   Ent. 1984.

503   *Hoover memo*, Blakey/Billings, p. 380.

504   Version habituelle : Coolier et Horowitz, p. 295. — Version O'Donnel : «*Johnny, we hardly knew ye*», *Memories of John Fitzgerald Kennedy*, Kenneth O'Donnel et David Powers, Boston : Little, Brown, 1970, p. 440.

505   Ent. Lawford, 1983, et Martin, 1984.

505   Ent. David Demaris, son biographe, 1986.

505   *The Kennedys : Dynasty and Disaster 1848-1984*, John Davis, New York, McGraw-Hill, 1985, p. 390.

506   Ent. 1986 ; *Princes, Playboys and High Class Tarts*, de Taki, Princeton : Karz-Cohl Publishing, 1984 ; *Spectator*, 19/10/1985.

506   *The Kennedys : Dynasty and Disaster 1848-1984*, John Davis, New York, McGraw-Hill, 1985, p. 406.

508   Documents du FBI, 6/12/1961.
513   Rapport du District Attorney, 12/1982.
514   Ent. avec les sept employés : Joe Zilinsky, Carl Bellonzı, Tom Fears, Sean
        O'Bligh, Joe Tarnowski, Edgardo Villalobos, Murray Lieb, 1985-1986.
516   Ent. 1986 ; *Rolling Stones*, 5/12/1985.
521   *World Journal Tribune*, 18 et 20/12/1966 ; *Star-Ledger* de Newark, 21/12/1966.
521   Affidavit de Peter Andreoli in People of the State of New York versus John
        Varis, John Connors, Richard Rutherford, Bernard Spindel, inventaire du
        15/12/1966.
523   Documents du FBI, 20/8/1962.
524   Ent. 82-85 ; *Power on the Right* de William Turner, Remparts Press, 1971, p. 224.
524   *Towards Soviet America*, Elgin Publications, California, *New York Post*, 4/10/1985.
525   *The Final Days*, de Bob Woodward et Carl Bernstein, New York, Avon Books,
        1976, p. 40.
525   *NJ Courier-News*, 20/7 et 4/8/1965.
525   *Confidential Los Angeles Police Investigation ;* article dans *Oui Magazine*, 22/10/
        1965.
528   *New York Daily News*, 8, 9, 10, 18/8/1962.
531   Ent. 1984 ; *New York Post*, 31/10/1984 ; *Los Angeles Herald Examiner*, 1ᵉʳ/11/1985 ;
        Reuter, 1ᵉʳ/11/1985.
532   Remarque faite à l'auteur, 3/1986.
532   *Time*, Essay, de Roger Rosenblatt, 2/7/1984.

Bibliographie

Ouvrages sur Marilyn Monroe

Agan, Patrick, *The Decline and Fall of the Love Goddesses*, New York, Pinnacle, 1979.
Anderson, Janice, *Marilyn Monroe*, New York, Hamlyn, 1983.
Capell, Frank A., *The Strange Death of Marilyn Monroe*, Herald of Freedom, 1966.
Carpozi, George, Jr., *The Agony of Marilyn Monroe*, London, World Distributors, 1962.
Conover, David, *Finding Marilyn : A Romance*, New York, Grosset & Dunlap, 1981.
Conway, Michael, et Mark Ricci, *The Films of Marilyn Monroe*, Secaucus, N.J., Citadel, 1973.
Dougherty, James E., *The Secret Happiness of Marilyn Monroe*, Chicago, Playboy, 1976.
Franklin, Joe, et Laurie Palmer, *The Marilyn Monroe Story*, New York, Rudolph Field, 1953.
Goode, James, *The Story of the Misfits*, New York, Bobbs-Merrill, 1963.
Greenson, Joan. Manuscrit non publié que m'a communiqué Joan, la fille du dernier psychiatre de Marilyn Monroe.
Guiles, Fred Lawrence, *Norma Jean : The Life of Marilyn Monroe*, London, W.H. Allen, 1969.
——, *Legend : The Life and Death of Marilyn Monroe*, London, Granada Publishing, 1985.
Hoyt, Edwin P., *Marilyn : The Tragic Venus*, London, Robert Hale, 1967.
Hudson, James A., *The Mysterious Death of Marilyn Monroe*, New York, Volitant, 1968.
Hutchinson, Tom, *The Screen Greats : Marilyn Monroe*, New York, Exeter, 1982.
Kobal, John, éd., *Marilyn Monroe : A Life on Film*, London, Hamlyn, 1974.
Lembourn, Hans Jorgen, *Forty Days with Marilyn Monroe*, London, Arrow, Hutchinson, 1979.
Lytess, Natasha, avec Jane Wilkie, *My Years with Marilyn*. Manuscrit non publié (Zolotow Collection, University of Texas, Austin).
Mailer, Norman, *Marilyn*, London, Hodder & Stoughton, 1974.
——, *Of Women and Their Elegance*, London, Hodder & Stoughton, 1980.
Martin, Pete, *Will Acting Spoil Marilyn Monroe*, New York, Doubleday, 1956.
Mellen, Joan, *Marilyn Monroe*, London, Star Books, W.H. Allen, 1974.
Monroe, Marilyn, *My Story*, London, W.H. Allen, 1974
Moore, Robin, et Gene Schoor, *Marilyn et Joe DiMaggio*, New York, Manor, 1977.
Murray, Eunice, avec Rose Shade, *Marilyn : The Last Months*, New York, Pyramid, 1975.
Pepitone, Lena, et William Stadiem, *Marilyn Monroe Confidential*, London, Sidgwick & Jackson, 1979.
Robinson, David, et John Kobal, *Marilyn Monroe : A Life on Film*, New York, Hamlyn, 1974.
Rosten, Norman, *Marilyn : An Untold Story*, London, Millington Ltd, 1974.
Sciacca, Tony, *Who Killed Marilyn ?*, New York, Manor, 1976.

Shaw, Sam, *Marilyn Monroe as the Girl : The Making of « The Seven Year Itch » in Pictures*, New York, Ballantine, 1955.
Skolsky, Sidney, *The Story of Marilyn Monroe*, New York, Dell, 1954.
Slatzer, Robert, *The Life and Curious Death of Marilyn Monroe*, London, W.H. Allen, 1975.
Smith, Milburn, *Marilyn*, New York, Barven, 1971.
Spada, James, avec George Zeno, *Monroe : Her Life in Pictures*, London, Sidgwick & Jackson, 1982.
Sperigilo, Milo, *Marilyn Monroe : Murder Cover-Up*, Van Nuys, Calif., Seville, 1982.
Stern, Bert, *The Last Sitting*, London, Orbis, 1982.
Wagenknecht, Edward, éd., *Marilyn Monroe : A Composite View*, New York, Chilton, 1969.
Weatherby, W.J., *Conversations with Marilyn*, London, Robson Books, 1976.
Zolotow, Maurice, *Marilyn Monroe*, London, W.H. Allen, 1961.

Ouvrages de caractère plus général

Adams, Cindy, *My friend the Dictator*, New York, Bobbs-Merrill, 1967.
_____, *The Imperfect Genius*, New York, Doubleday, 1980.
Alleged Assassination Plots Involving Foreign Leaders, Interim Report of the Select Committee of Study Governmental Operations, with Respect to Intelligence Activities. U.S. Senate. Washington, D.C. : U.S. Government Printing Office, 1975.
Allen, Maury, *Where Have You Gone, Joe DiMaggio ? The Story of America's Last Hero*, New York, Dutton, 1975.
Arnold, William, *Frances Farmer, Shadowland*, New York, Berkley, 1978.
Bacall, Laureen, *By Myself*, London, Jonathan Cape, 1978.
Bacon, James, *Hollywood Is a Four-Letter Town*, New York, Avon, 1976.
_____, *Made in Hollywood*, Chicago, Contemporary, 1977.
Bentley, Eric, éd. *Thirty Years of Treason, Excerpts from Hearings before the House Committee on Un-American Activities, 1938-1968*, New York, Viking, 1971.
Berle, Milton, *An Autobiography*, New York, Delacorte, 1974.
Blair, Clay, Jr. et Joan, *The Search for J.F.K.*, New York, Putnam, 1976.
Blakey, Robert G., et Richard N. Billings, *The Plot to Kill the President*, New York, Times Books, 1981.
Bonanno, Joseph, avec Sergio Lalli, *A Man of Honor : The Autobiography of Joseph Bonanno*, New York, Simon & Schuster, 1983.
Bosworth, Patricia, *Montgomery Clift*, London, Sidgwick & Jackson, 1979.
Brashler, William, *The Don : The Life and Death of Sam Giancana*, New York, Ballantine, 1977.
Bryant, Traphes, et Frances Spatz Leighton, *Dog Days at the White House*, London, Collier MacMillan, 1975.
Capote, Truman, *Music for Chameleons, New Writing*, London, Hamish Hamilton, 1981.
_____, *The Dogs Bark, Public People and Private Places*, London, Weidenfeld & Nicolson, 1981.
Chapman, Gil et Ann, *Who's Listening Now ?*, San Diego, Publishers Export, 1967.
Clinch, Nancy Gager, *The Kennedy Neurosis*, New York, Grosset & Dunlap, 1973.
Cogley, John, *Blacklisting (Movies, Vol. I, and Radio & Television, Vol. II)*, Fund for the Republic, 1956.
Cohen, Mickey, avec John Peer Nugent, *In My Own Words : The Underworld Autobiography of Michael «Mickey» Cohen*, Englewood Cliffs, N.J., Prentice-Hall, 1975.
Collier, Peter, et David Horowitz, *The Kennedys*, London, Secker & Warburg, 1984.
Corrigan, Robert W., éd., *Arthur Miller : A Collection of Critical Essays*, London, Prentice Hall, 1969.
Dallas, Rita, avec Jeanira Ratcliffe, *The Kennedy Case*, New York, Popular Library, 1973.
Davis, Deborah, *Katharine the Great : Katharine Graham and The Washington Post*, New York, Harcourt Brace Jovanovich, 1979.
Davis, Sammy, Jr., *Yes, I Can*, London, Cassell, 1965.
_____, *Hollywood in a Suitcase*, London, Granada Publishing. 1980.
De Gregorio, George, *Joe DiMaggio : An Informal Biography*, New York, Stein & Day, 1981.
Demaris, Ovid, *The Last Mafioso*, New York, Times Books, 1981.

De Toledano, Ralph, *R.F.K.* : *The Man Who Would Be President*, New York, Putnam, 1967.
_____, *J. Edgar Hoover* : *The Man in His Time*, New Rochelle, N.Y., Arlington, 1973.
Dick, Bernard F., *Billy Wilder*, Boston, Twayne, 1980.
Dunleavy, Stephen, et Peter Brennan, *Those Wild, Wild Kennedy Boys!*, New York, Pinnacle, 1976.
Easty, Edward Dwight, *On Method Acting*, Orlando, Fla., The House of Collectibles, 1981.
Epstein, Morella et Edward Z., *Lana*, New York, Dell, 1971, 1982.
Exner, Judith, avec Ovid Demaris, *My Story*, New York, Grove, 1977.
Farberow, Norman L., et Edwin S. Schneidman, éd., *The Cry for Help*, New York, McGraw-Hill, 1961.
Feinman, Jeffrey, *Hollywood Confidential*, Chicago, Playboy, 1976.
Field, Frederick Vanderbilt, *From Left to Right, An Autobiography*, Westport, Conn., Lawrence Hill & Co., 1983.
Fisher, Eddie, *Eddie* : *My Life, My Loves*, London, W.H. Allen, 1982.
Franck, Gerold, *Judy*, London, W.H. Allen, 1975.
Gage, Nicholas, *The Mafia Is Not an Equal Opportunity Employer*, New York, McGraw-Hill, 1971.
Gehman, Richard, *Sinatra and His Rat Pack*, New York, Belmont, 1961.
Giancana, Antoinette, et Thomas C. Renner, *Mafia Princess*, London, Allen & Unwin, 1984.
Goodman, Ezra, *The Fifty-Year Decline and Fall of Hollywood*, New York, MacFadden, 1962.
Graham, Sheilah, *Scratch an Actor*, London, W.H. Allen. 1969.
_____, *My Hollywood*, London, Michael Joseph, 1984.
Guiles, Fred Lawrence, *Marion Davies*, London, W.H. Allen, 1973.
Gussow, Mel, *Darryl F. Zanuck* : *Don't Say Yes Until I've Finished Talking*, London, W.H. Allen, 1972.
Hamblett, Charles, *Who Killed Marilyn Monroe?*, London, Leslie Frewin, 1966.
Harris, Radie, *Radie's World*, London, W.H. Allen, 1975.
Head, Edith, et Paddy Calistro, *Edith Head's Hollywood*, New York, Dutton, 1983.
Hougan, Jim, *Spooks* : *The Haunting of America — The Private Use of Secret Agents*, London, W.H. Allen, 1979.
Hunt, Irma, *The Presidents' Mistresses*, New York, McGraw-Hill, 1978.
Huston, John, *An Open Book*, London, Macmillan, 1981.
Hyams, Joe, *Mislaid in Hollywood*, New York, Wyden, 1973.
Israel, Lee, *Kilgallen*, New York, Dell, 1979.
Johnson, Dorris, et Ellen Leventhal, éd., *The Letters of Nunnally Johnson*, New York, Knopf, 1981.
Kanin, Garson, *Hollywood*, London, Hart-Davis MacGibbon, 1975.
Kennedy, Robert F., *The Enemy Within*, New York, Harper & Row, 1960.
Kiernan, Thomas, *Olivier*, London, Sidgwick & Jackson, 1981.
Klurfeld, Herman, *Winchell* : *His Life and Times*, New York, Praeger, 1976.
Knef, Hildegard, *The Gift Horse*, London, André Deutsch, 1971.
LaGuardia, Robert, *Montgomery Clift*, London, W.H. Allen, 1973.
Lambert, Gavin, *On Cukor*, London, W.H. Allen, 1973.
Lasky, Victor, *It Didn't Start with Watergate*, New York, Dial, 1977.
Leary, Timothy, *Flashbacks* : *An Autobiography*, Los Angeles, Tarcher, 1984.
Life Goes to the Movies, New York, Time-Life Books, 1975.
Logan, Joshua, *Movie Stars, Real People, and Me*, New York, Delacorte, 1978.
Madsen, Axel, *Billy Wilder*, London, Secker & Warburg, 1968.
Manchester, William, *The Glory and the Dream* : *A Narrative History of America*, London, Michael Joseph, 1975.
Martin, Ralph G., *A Hero for Our Time*, New York, Macmillan, 1983.
Martin, Robert A., éd., *Theater Essays of Arthur Miller*, London, Penguin, 1978.
Marvin, Susan, *The Women Around R.F.K.*, New York, Lancer, 1967.
Masters, George, et Norma Lee Browning, *The Masters Way to Beauty*, New York, Dutton, 1977
Mazzola, Reparata, and Sonny Gibson, *Mafia Kingpin*, New York, Grosset & Dunlap, 1981
Meaker, M.J., *Sudden Endings*, New York, Doubleday, 1964.
Mellen, Joan, *Pyramid Illustrated History of the Movies*, New York, Pyramid, 1973.
Messick, Hank, *The Mob in Show Business*, New York, Pyramid, 1973.
Michaelis, David, *The Best of Friends* : *Profiles of Extraordinary Friendships*, New York, Morrow, 1983.

Miller, Arthur, *The Misfits*, London, Secker & Warburg, 1961.
——, *Death of a Salesman*, London, Heinemann Educational, 1968.
——, *I Don't Need You Any More* (stories), London, Secker & Warburg, 1967.
——, *After the Fall*, London, Secker & Warburg, 1965.
——, *Collected Plays*, vol. II, London, Secker & Warburg, 1981.
Miller, William « Fishbait », avec Frances Spatz Leighton, *The Memoirs of the Congressional Door-keeper*, Englewood Cliffs, N.J., Prentice-Hall, 1977.
Moldea, Dan E., *The Hoffa Wars*, London, Paddington Press, 1979.
Mordden, Ethan, *Movie Star : A Look at the Women Who Made Hollywood*, New York, St. Martin's, 1983.
Morella, Joe et Edward Z. Epstein, *Lana : The Public and Private Lives of Miss Turner*, London, W.H. Allen, 1983.
Muir, Florabel, *Headline Happy*, New York, Holt, 1950.
Navasky, Victor, *Kennedy Justice*, New York, Atheneum, 1971.
Negulesco, Jean, *Things I Did and Things I Think I Did : A Hollywood Memoir*, New York, Linden, 1984.
Newfield, Jack, *Robert F. Kennedy : A Memoir*, London, Jonathan Cape, 1970.
Noguchi, Thomas T., avec Joseph DiMona, *Coroner to the Stars*, London, Corgi, 1984.
O'Grady, John, et Nolan Davis, *O'Grady*, Los Angeles, Tarcher, 1974.
Olivier, Laurence, *Confessions of an Actor*, London, Weidenfeld & Nicolson, 1982.
Otash, Fred, *Investigation Hollywood*, Chicago, Regnery, 1976.
Paar, Jack, *P.S. Jack Paar*, New York, Doubleday, 1983.
Parish, James Robert, *The Fox Girls*, New York, Arlington House, 1971.
Parks, Lillian Rogers, avec Frances Spatz Leighton, *My Thirty Years Backstairs at the White House*, New York, Avon, 1961.
Parmet, Herbet S., *Jack, The Struggles of John F. Kennedy*, New York, Dial, 1980.
——, *JFK, The Presidency of John F. Kennedy*, London, Penguin, 1984.
Parsons, Louella, *Tell It to Louella*, New York, Putnam, 1961.
Payne, Graham, et Sheridan Morley, éd., *The Noel Coward Diaries*, London, Weidenfeld & Nicolson, 1982.
Peary, Danny, *Close-Ups*, New York, Galahad, 1981.
Powers, Thomas, *The Man Who Kept the Secrets : Richard Helms and the CIA*, London, Weidenfeld & Nicolson, 1980.
Reid, Ed, *The Grim Reapers*, Chicago, Regnery, 1969.
——, *Mickey Cohen : Mobster*, New York, Pinnacle, 1973.
Report of the Select Committee on Assassinations, U.S. House of Representatives, Ninety-fifth Congress. Washington, D.C. : U.S. Government Printing Office, 1979.
Rivkin, Allen, et Laura Kerr, *Hello, Hollywood*, New York, Doubleday, 1962.
Robinson, Edward-G., *All My Yesterdays*, London, W.H. Allen, 1974.
Rosten, Leo, *Captain Newman, M.D.*, New York, Harper & Row, 1961.
Saunders, Frank, avec James Southwood, *Torn Lace Curtain*, London, Sidgwick & Jackson, 1983.
Scheim, David E., *Contract on America : The Mafia Murders of John and Robert Kennedy*, Silver Spring, Md., Argyle, 1983.
Schickel, Richard, *The Stars*, New York, Dial, 1962.
Schlesinger, Arthur M., Jr., *John F. Kennedy in the White House*, London, André Deutsch, 1965.
——, *Robert Kennedy and His Times*, London, André Deutsch, 1978.
Sciacca, Tony, *Kennedy and His Women*, New York, Manor, 1976.
——, *Sinatra*, New York, Pinnacle, 1976.
——, *Screen Greats, vol. II*, New York, Starlog Press, 1980.
Selznick, Irene Mayer, *A Private View*, London, Weidenfeld & Nicolson, 1983.
Shaw, Arnold, *Sinatra : Twentieth-Century Romantic*, New York, Pocket Books, 1969.
Sheridan, Walter, *The Fall and Rise of Jimmy Hoffa*, New York, Saturday Review Press, 1972.
Signoret Simone, *La nostalgie n'est plus ce qu'elle était*, Seuil, 1976.
Skolsky, Sidney, *Don't Get Me Wrong, I Love Hollywood*, New York, Putnam, 1975.
Smith, Joseph Burkholder, *Portrait of a Cold Warrior*, New York, Putnam, 1976.
Spindel, Bernard B., *The Ominous Ear*, New York, Award House, 1968.
Stempel, Tom, *Screenwriter : The Life and Times of Nunnally Johnson*, London, Tantivy Press, 1980.
Strasberg, Susan, *Bitter Sweet*, New York, Putnam. 1980.

Sullivan, William C., avec Bill Brown, *The Bureau : My Thirty Years in Hoover's F.B.I.*, New York, Norton, 1979.

Summers, Anthony, *Conspiracy*, London, Victor Gollancz, 1980.

Talese, Gay, *Thy Neighbor's Wife*, London, William Collins, 1980.

Teresa, Vincent, *My Life in the Mafia*, London, Hart-Davis MacGibbon, 1973.

Thomas, Bob, *Winchell*, New York, Doubleday, 1971.

Thompson, Nelson, *The Dark Side of Camelot*, Chicago, Playboy, 1976.

Tierney, Gene, avec Mickey Herskowitz, *Self Portrait*, New York, Wyden, 1979.

Ungar, Sanford J., *F.B.I.*, Boston, Little, Brown, 1976.

Wagenknecht, Edward, *As Far as Yesterday, Memories and Recollections*, Norman, University of Oklahoma Press, 1968.

_____ , *Seven Daughters of the Theater*, Norman, University of Oklahoma Press, 1964.

Walker, Alexander, *The Celluloid Sacrifice*, London, Michael Joseph, 1966.

Wallace, Irving ; Amy Wallace ; David Wallechinsky ; et Sylvia Wallace, *The Intimate Sex Lives of Famous People*, London, Arrow Books, Hutchinson, 1982.

Warner, R. H., Chief Special Agent, General Telephone Co, *Wireless Electronic Surveillance, Handbook for Investigators*.

Wilkie, Jane, *Confessions of an Ex-Fan Magazine Writer*, New York, Doubleday, 1981.

Wills, Garry, *The Kennedy Imprisonment*, New York, Pocket Books, 1981, 1982.

Wilson, Earl, *The Show Business Nobody Knows*, London, W.H. Allen, 1972.

_____ , *Show Business Laid Bare*, New York, Putnam, 1975.

_____ , *Sinatra*, London, W.H. Allen, 1976.

_____ , *Hot Times : True Tales of Hollywood and Broadway*, New York, Contemporary Books, 1984.

Winters, Shelley, *Shelley*, London, Granada Publishing, 1981.

Wofford, Harris, *Of Kennedys and Kings*, New York, Farrar, Straus & Giroux, 1980.

Yeats, W.B., *Selected Poetry*, London, Pan Books, 1974.

Zolotow, Maurice, *Billy Wilder in Hollywood*, London, W.H. Allen, 1977.

Crédits des illustrations

Un mannequin d'environ dix-neuf ans (*Photo file*)
La mère de Marilyn en 1963 (*Photo file*)
La mère de Marilyn jeune fille (*Photo file*)
Marilyn avec une de ses familles nourricières (*Photo file*)
Avec son premier mari, Jim Dougherty (*Photo file*)
Avec le bébé de quelqu'un d'autre (*Photo file*)
Une starlette avec bibliothèque (*Photo file*)
Jogging, 1952 (*Photo file*)
Son amant et agent Johnny Hyde (*Photo file*)
Le photographe André de Dienes (*André de Dienes - DR*)
Tommy Zahn, le maître nageur (*Courtesy of Tommy Zahn*)
Fred Karger, le professeur de chant (*Courtesy of Anne Batté*)
Le second mari ? (*copyright 1952 Robert Slatzer, renouvelé en 1974*)
Chez « Nana » Karger (*Courtesy of Anne Batté*)
La leçon d'art dramatique avec Natasha Lytess (*Photo file*)
Avec le Dernier Héros Américain (*Photo file*)
Annonçant sa séparation d'avec Joe DiMaggio (*Photo file*)
Avec Milton Greene (*Photo file*)
Le fan, Jim Haspiel (*MND Collection*)
Une brève liaison avec Marlon Brando (*MND Collection*)
Dernière toquade avec José Bolaños (*MND Collection*)
A table avec Ronald Reagan (*Photo file*)
L'homme qui dura le plus, Arthur Miller (*Photo file*)
L'amant français, Yves Montand (*MND Collection*)
Paula Strasberg (*MND Collection*)
Sur le tournage de *Sept ans de réflexion* (*Photo file*)
Plus jolie sans maquillage (*copyright Roy Schatt 1955, Peter Rose Gallery*)
Vodka au casino, avec Frank Sinatra (*Don Donolero - DR*)
Robert Kennedy et Frank Sinatra (*UPI/Bettmann*)
La villa de Peter Lawford au bord de la mer (*Dr Donald James*)
Le président à minuit (*Irv. Steinberg*)
« Bon anniversaire, monsieur le président... » (*MND Collection*)
Le psychiatre Ralph Greenson (*Courtesy of Mrs. Hildi Greenson*)
Giancana, le parrain de la Mafia (*UPI/Bettmann*)
Jimmy Hoffa (*UPI/Bettmann*)
Le dernier anniversaire et la fin d'une carrière (*MND Collection*)
L'apéritif avec Peter Lawford (*Ted Allan*)
Trois mois avant la fin (*MND Collection*)
Un endroit pour mourir (*Photo file*)
La mort dans un flacon (*Photo file*)
Marilyn morte (*Source confidentielle*)

Achevé d'imprimer en août 1992
sur presses CAMERON
dans les ateliers de la S.E.P.C.
à Saint-Amand-Montrond (Cher)
pour le compte des éditions Presses de la Renaissance

Dépôt légal : août 1986
Nº d'impression : 2186-1496.
Imprimé en France